D0795443

portakal

İSTANBUL 2016
www.portakalkitap.com

pórtakal

HAYALET UÇAK
Bear Grylls

PORTAKAL KİTAP | 10
Roman | 8

EDİTÖR
Tuğçe İnceoğlu

KAPAK / İÇ TASARIM
CumbaCo / Tamer Turp

ISBN
ISBN: 978-605-9696-11-1

9 786059 696111

1. BASKI
Eylül 2016, İstanbul

PORTAKAL KİTAP
Cağaloğlu, Hocapaşa Mahallesi
Ankara Caddesi, № 18 Kat: 1 / C
Fatih / İstanbul
T. 0212 511 24 24
P.K. 50 Sirkeci / İstanbul

Kültür Bakanlığı Yayıncılık
Sertifika № 12755

BASKI VE CİLT
Sistem Matbaacılık
Yılanlı Ayazma Sok. No: 8
Davutpaşa-Topkapı/İstanbul
Telefon: (0212) 482 11 01
Matbaa Sertifika No: 16086

www.portakalkitap.com
portakal@portakalkitap.com
 /portakalkitap
 /KitapPortakal

YAYIN HAKLARI
© *Ghost Flight* orijinal adıyla Peters, Fraser and Dunlop Ltd. tarafından
bu kitabın tüm yayın hakları AnatoliaLit Ajansı aracılığı ile Portakal
Kitap, L-M Leyla ile Mecnun Yayıncılık San. Tic. Ltd. Şirketi'ne aittir.
İzinsiz yayınlanamaz. Kaynak gösterilerek alıntı yapılabilir.

ÖLÜME TERK EDİLMİŞTİ.
ŞİMDİ İNTİKAM İÇİN GERİ DÖNDÜ.

HAYALET UÇAK

Çeviri: Cem Özdemir

ROMAN

BEAR GRYLLS

"Bear Grylls sadece bir maceraperest ve kâşif değil, aynı zamanda çok iyi bir yazar..."

BEAR GRYLLS

Bear Grylls, hayatta kalma ve macera konularında dünyanın en ünlü isimlerinden biri hâline geldi. Merhum babasının tırmanma ve denize açılmayı öğrettiği Birleşik Krallık'ta başlayan yolculuğunda erken yaşlarda dövüş sanatlarıyla tanışan Grylls, üç yılını da 21 SAS ile İngiliz Özel Kuvvetleri'nde asker olarak geçirdi. Dünyanın dört bir yanındaki hayranlarının da kendisini doğa anaya karşı savaşırken görmeyi en sevdiği yeteneklerinin büyük bölümünü askerlikte edindi.

Bear Grylls'in televizyon dizisi *İnsan Doğaya Karşı*, tahmini 1.2 milyar seyircisi ile gezegenin en çok izlenen programlarından biri oldu. Emmy adaylığı da bulunan belgesel serisi heyecan dolu yedi sezonun ardından sona erdi. Bear Grylls ardından US Network TV'ye geçti ve NBC'de dünyanın en ünlü film yıldızlarını inanılmaz maceralara çıkardığı *Running Wild* isimli macera programını sundu. Kısa süre önce de ABD Başkanı Barack Obama, dünya çapında yayınlanacak bir *Running Wild* özel bölümü için programda yer aldı.

Bear Grylls aynı zamanda tüm dünyaya format şeklinde satılan, Channel 4'da yayınlanan, BAFTA ödüllü *The Island with Bear Grylls* programının da yapımcılığını ve sunuculuğunu üstlenmektedir. Ek olarak ITV'nin *Mission Survive with Bear Grylls*'i ile Çin'de oldukça popüler olan Dragon TV yapımı *Survivor Games*'in haklarına sahiptir.

Bunlarla birlikte Birleşik Krallık İzcilik Birliği'nin tarihindeki en genç baş izcisi olma unvanına erişmiş ve zorluğuyla ünlü Britanya Kraliyet Deniz Komandoları'nın fahri albaylığıyla ödüllendirilmiştir. Uluslararası çoksatar listelerine giren otobiyografisi *Mud, Sweat and Tears* ile birlikte on beş kitap yazmıştır.

Hayalet Uçak, bir üçlemenin ilk kitabıdır.

Daha fazla bilgi için www.beargrylls.com'u ziyaret edebilir veya kendisini Twitter'da @BearGrylls hesabından takip edebilirsiniz.

HAYALET UÇAK'A ÖVGÜLER

"Elden bırakmak ne mümkün! Grylls müthiş bir vahşetle kurgu dünyasına adım atıyor!" - *Sör Ranulph Fiennes*

"Maceraperest Bear Grylls'in ilk öyküsü tek kelimeyle büyüleyici! Grylls, balta girmemiş Amazon yağmur ormanlarında yaşanacak bir doğa gezisini tüm sınavları ve sıkıntılarıyla kusursuz bir şekilde tanımlıyor." - *The Times*

"Hızlı ve öfkeli bir ilk roman!" - *Press Association*

"Hayatta kalma ve macera üzerine televizyonun en ünlü isimlerinden Bear Grylls'ten etkileyici düzeyde güçlü bir kurgu. Askerî ve maceraperest geçmişini tam anlamıyla yansıtan Grylls, *Boy's Own* türünde rengarenk ve çılgın bir heyecan fırtınası yaşatıyor." - *Irish Independent*

"Hitler'in Üçüncü Reich'ını küllerinden doğuran modern bir komplo hikâyesi!" - *Mail on Sunday*

"*Hayalet Uçak* mükemmel bir macera öyküsü: dev örümcekler, ölümcül piranalar, geçit vermeyen araziler, korkunç Naziler ve her yol ayrımında bekleyen bir ölüm. Sevmemek mümkün değil! Sanki Jason Bourne, biraz Indiana Jones, biraz da Ban Hope ile harmanlanıp, devamı gelecek bir macera serisini ayağımıza getiriyor." - *Buzz Magazine*

Bu kitap; Britanya İmparatorluk Nişanı sahibi, 15/19. Kral Süvari Eri ve Hedef Kuvvetler Komutanı merhum büyükbabam Brigadier William Edward Harvey Grylls'e ithaf edilmiştir.

Kalbimde yaşıyor.

TEŞEKKÜRLER

Bitmek bilmeyen destekleri ve ilk çalışmalardaki kapsamlı yorumları için PFD'deki yayım temsilcileri Caroline Michel, Annabel Merullo ve Tim Binding'e; üstün gayretleri için PFD'den kıdemli temsilci Laura Williams'a; Jon Wood, Jemima Forrester ve Orion'daki tüm yayımcılarım, Susan Lamb, Sophie Painter, Malcolm Edwards, Mark Rusher, Gaby Young ve "Grylls Takımı"ndaki herkese çok teşekkür ederim.

Kimyasal, biyolojik ve nükleer silahlarla savunma ve koruma konularındaki uzmanlığı ve tavsiyeleri için İmparatorluk Nişanı sahibi Hamish de Bretton'a; gökyüzüyle ilgili her konuda sağladıkları bilgi ve rehberlik için Hybrid Air Vehicles'taki herkesle Chris Daniels'a; beyinle ilgili rahatsızlıklar konusunda uzman Dr. Jacqueline Borg'a ve Nazi ve Doğu Bloku konusundaki engin bilgileri ve eleştirileri için Anne ve Paul Sherrat'a çok teşekkür ederim.

Son olarak da teşekkürlerin en büyüğünü, büyükbabamın savaş sandığında "Çok Gizli" olarak belirtilmiş keşfimiz neticesinde kurguladıklarımız için Damien Lewis'e iletmek istiyorum. O belgeleri bu şekilde hayata geçirmen mükemmeldi.

YAZARIN NOTU

Büyükbabam Brigadier William Edward Harvey Grylls; Britanya İmparatorluk Nişanı sahibi, 15/19. Kral Süvari Eri ve İkinci Dünya Savaşı'nın sonlarına doğru Winston Churchill'in talebiyle kurulmuş gizli birim Hedef Kuvvetler Komutanı'ydı. Bu birim, Savaş Bakanlığı tarafından kurulan en gizli operasyon takımı olmakla birlikte, dünyanın yeni süper gücü ve düşmanı Sovyetler karşısında Müttefik Kuvvetler davasına hizmet etmek amacıyla gizli teknolojileri, silahları, bilim insanlarını ve üst düzey Nazi yetkililerini bulmak ve korumakla görevlendirilmişti.

Ailemden hiç kimse, Resmî Sırlar Yasası kapsamındaki yetmiş yıl kuralı neticesinde büyükbabamın ölümünden çok uzun yıllar sonra açıklanan bilgilere kadar, kendisinin T-Force Komutanı olarak ne yaptığını bilmiyordu. Nitekim bu keşif elinizdeki kitabın yazılmasında en önemli ilham kaynağı oldu.

Büyükbabam pek konuşkan bir insan olmasa da kendisini çocukluğumdan büyük bir sevgiyle hatırlıyorum. Pipo içerdi, anlaşılmazdı, ince espriler yapardı ve liderliğini ettiği herkes tarafından çok sevilirdi. Ancak benim için her zaman Ted Dede oldu.

Harper's Magazine, Ekim 1946
BİNLERCE SIR
C. Lester Walker

Kısa bir süre önce biri Wright Field Hava Üssü'ne yazarak bu ülkenin elinde düşmana ait çok sayıda savaş sırrı olduğunu ve mümkünse her şeyin Alman jetleriyle kendisine gönderilip gönderilemeyeceğini sordu. Bu talebe Ordu Hava Kuvvetleri'nin Hava Evrak Dairesi yanıt verdi.

"Kusura bakmayın ama o elli ton olur."

Ancak söz konusu elli ton, bir şekilde bugün ele geçirilmiş en büyük düşman savaş sırları koleksiyonunun şüphesiz yalnızca küçük bir bölümü... Siz de kafanız karışmış bir hâlde savaş sırlarını düşündüyseniz, (Kim düşünmemiştir ki zaten?) bu koleksiyondaki sırların binlerce ayrı başlıkta buluştuğunu, evrakların dağ gibi yükseldiğini ve dünya tarihinde daha önce bunun yakınına yaklaşabilecek bir şey dahi olmadığını bilmek ilginizi çekebilir.

....

Daily Mail, Mart 1988
ATAÇ KOMPLOSU
Tom Bower

Ataç Komplosu, Müttefik devletlerin savaşın ardından Nazi Almanyası'ndan kalan yağmaları ele geçirmek için aralarında verdikleri mücadelenin doruk noktasıydı. Hitler'in mağlup edilmesinden sadece birkaç hafta sonra, "ateşli Nazi" şeklinde sınıflandırılan insanlar, saygın birer Amerikalı olmaları için Pentagon'daki kıdemli subaylar tarafından seçildi.

Britanya'da siyasi karışıklıklar, suçlu Almanları ülkeye katma planlarına ket vururken, Fransızlar ve Ruslar suçlarına hiç bakmaksızın bulabildikleri herkesi aldı ve Amerikalılar da muazzam oyunlarıyla ellerindeki Nazi bilim insanlarının kanla kirlenmiş özgeçmişlerini temizledi.

Almanların teknik üstünlüğünün kanıtı, Müttefik kuvvetlerine ait müfettişlerin kaleme aldığı yüzlerce raporla üzerine basıla basıla öne çıkarılırken, bu müfettişler "Almanların olağanüstü başarıları" ve "üstün keşifleri" konusunda sözlerini hiç sakınmamıştı.

Hitler gerçekten de düşmanlarına karşı son gülen olmuştu.

....

The Sunday Times, Aralık 2014
AVUSTURYA'DA GİZLİ NAZİ "DEHŞET SİLAHLARI"NIN BULUNDUĞU MEVKİLER KEŞFEDİLDİ
Bojan Pancevski

Avusturya'da İkinci Dünya Savaşı'ndan sonra Naziler tarafından inşa edilip nükleer bombaların da içerisinde bulunduğu kitle imha silahlarının geliştirilmesi için kullanılmış gizli bir yeraltı kompleksi keşfedildi.

Oldukça büyük olan tesis, geçtiğimiz hafta St. Georgen an der Gusen kasabasının yakınlarında bulundu. Tesisin; savaşın sonlarına doğru Müttefik kuvvetler adına kısa süreli de olsa bir tehdit arz eden, hemen yakınlarındaki dünyanın ilk jet motoru destekli avcı uçağı Messerschmitt Me 262'nin üretildiği B8 Bergkristall yeraltı fabrikasına tünellerle bağlı olduğu düşünülüyor. Açığa çıkarılan istihbarat belgeleriyle tanıkların ifadeleri sayesinde kazıcı takımlar tesisin mühürlenmiş girişini buldu. Kazıların başında yer alan Avusturyalı belgesel film yapımcısı Andreas Sulzer, "Büyük çaplı bir endüstriyel tesisle karşı karşıyayız ve büyük ihtimalle Üçüncü Reich'ın en önemli gizli silahları burada üretiliyordu," açıklamasında bulundu.

Sulzer, tarihçilerden oluşturduğu bir takımla SS General Hans Kammler'in idaresindeki gizli projelerde çalışan bilim insanlarına dair daha fazla delil elde etmeyi başardı. Kammler savaşın sonlarına doğru Londra'ya atılan V-2 füzeler de dâhil olmak üzere Hitler'in füze programının başındaydı.

Zekâsı ve acımasızlığıyla öne çıkan Kumandan, Güney Polonya'daki Auschwitz Toplama Kampı tesisindeki gaz odalarıyla krematoryumların taslaklarını da imzalayan isimdi. Söylentilere göre kendisi Amerikalılar tarafından yakalandı ve savaş sonrası yeni bir kimlikle hayatına devam etti.

Sulzer'in kazılarıysa geçtiğimiz Çarşamba günü, tarihî alanda araştırma yapmak için izin talep eden yerel birimler tarafından durduruldu. Ancak Sulzer, kazıların önümüzdeki ay devam edebileceği konusunda kendinden emin...

"Avrupa'nın dört bir yanındaki toplama kamplarına götürülen mahkûmlar özel yeteneklerine göre tek tek seçiliyor; fizikçiler, kimyagerler ve diğer uzmanlar bu korkunç projelerde zorla çalıştırılıyordu. Bu tesisi tamamen açıp gerçekleri ortaya çıkarmak ise bizim bu kurbanlara ödememiz gereken bir borç..."

Gözleri ağır ağır açıldı.

Koyu kan pıhtısıyla birbirine yapışmış her bir kirpiği yavaşça ayrılıyor, kan çanağına dönmüş göz bebeklerinin üzerinden cam kırıklarını andıran parçalar birer birer dökülüyordu. Aydınlık, sanki göz bebeklerine bir lazer tutuluyormuş gibi, retinasını yakıyordu. Kimin yüzünden buradaydı? Düşman kimdi; işkencecileri mi? Peki şimdi neredeydiler?

En ufak bir şey bile hatırlamıyordu. Hangi gündü? Hatta hangi yıl? Buraya nasıl gelmişti? Dahası neredeydi?

Gün ışığı gözlerini ateş gibi yakmaya devam etse de neyse ki azar azar görmeye başlamıştı.

Ve Will Jaeger'ın gördüğü ilk katı nesne bir hamamböceği oldu. Odağından uzaklaşmış, bulanıklaşmış tüm görüşünü kaplarken böcek adeta bir canavar gibi görünüyordu.

Anladığı kadarıyla başı yana düşmüş vaziyette yerde yatıyordu. Betonun üzerinde... Ne olduğunu bilmediği kahverengimsi kalın bir pislik tabakasıyla kaplanmıştı. Bu açıdan baktığında, sanki hamamböceği sol göz çukurunun içine doğru sürünüyormuş gibiydi.

Gözden kaybolmadan hemen önce böceğin antenleri ona döndü ve seri ayakları burnunun ucuna değdi. Ardından Jaeger, hayvanın, başına tırmanışını hissetti. Bir süre sonra tavana bakan sağ şakağının yakınlarında durdu.

Ön ayakları ve çenesiyle bulunduğu yeri hissetmeye başlamıştı. Sanki bir şey arıyor gibiydi. Bir şey *tadıyor* gibi... Jaeger böceğin bir şeyler çiğnemeye başladığını anlamıştı; etinden ısırıyor, ardından çenesiyle yolunu açıyordu. Çürük et parçalarını koparırken böceğin dişli çenesinin coşkuyla açılıp kapandığını hissedebiliyordu. Daha sonra dudaklarından sessiz bir çığlık koptu. Evet, onlarca hamamböceği vücudunda geziniyordu. Sanki çoktan ölmüştü.

Baş dönmelerini bertaraf eden Jaeger'ın aklında şimdi tek bir soru vardı; *Neden kendi çığlığını duyamamıştı?*

İnsanüstü bir çabayla sağ kolunu hareket ettirmeye çalıştığında sadece birazcık kımıldatabilmişti ama sanki tüm dünyayı kaldırmaya çalışıyormuş gibi hissediyordu. Kolunu kaldırmayı başardığı her santimde omzu ve dirseklerine hücum eden acıdan kıvranıyor, zorladığı kasları bu cılız çabaya boyun eğerek kasılıyordu.

Kendini adeta sakat biri gibi hissediyordu.

Ona ne olmuştu böyle?

Ne yapmışlardı?

Dişlerini gıcırdattı, tüm gücünü toplayıp kolunu başının üzerine getirdi ve ellerini kulağına yaklaştırdı.

Çaresizce kendini yoklamaya başladı. Sonrasında parmakları... Bacaklara değdi. Hamamböceğini kulak deliğinde daha da içerilere iterken pullu, çatallı, vahşi böcek bacakları kıpır kıpır titreşiyordu.

Çıkarın bunları buradan! Çıkarın! ÇIKARIIIIN!

Midesi ağzına geldi ama kusacağı bir şey yoktu. Ölümün kuru kokusu her yanını sarmıştı; mide zarı, boğazı, ağzı, burun delikleri bile ölüm kokuyordu.

Olamaz! Burun delikleri... Oraya da girmeye çalışıyorlardı!

Jaeger yine haykırdı. Daha uzun, daha ümitsiz...

Böyle ölünmez. Yalvarırım Tanrım, sonum böyle olmasın!

Parmakları tekrar ve tekrar yüzündeki deliklerle savaşa girdi. Böcekler tırmandıkları yerden atıldıkları için o böcek nefretiyle tekmeler savuruyor, tıslıyorlardı.

En sonunda sesler yine tüm hücrelerinden sızmaya başladı. İlk önce kendi çaresiz çığlıklarının kanlı kulaklarında yankılandığını duydu. Sonra bu seslere bir şeyin karıştığını anladı, beynini yemek için yola koyulmuş böceklerden bile daha tüyler ürpertici bir ses vardı; bir insan sesi.

Boğuk... Acımasız... Acıdan keyif alan bir ses...

Gardiyanı!

Söz konusu sesle birlikte hatırlamaya başladı. Kara Sahil Cezaevi'ndeydi. Dünyanın sonundaki bir hapishaneydi burası. İnsanların akıl almaz şekillerde işkenceye uğrayıp ölmesi için gönderildiği bir yer... Gözü dönmüş, katil bir diktatörün emirleri üzerine, hiç işlemediği bir suç için buraya gönderilmiş ve her şey o zaman baş göstermişti.

Gözünü bu cehennemde açmak yerine, bilinçsiz kalmanın karanlık huzurunu tercih ederdi. Buraya atıldıktan sonra geçirdiği haftalardan daha kötüsü olamazdı. Buradaki hücresi, mezarı olacaktı.

Tam aklının kontrolünü eline alarak geçmişte onu koruyup kollayan o yumuşak, şekilsiz, gri belirsizliğe sürüklenecekken bir şey, -Neydi ki o?- kendisini yeniden tarifi mümkün olmayan gerçekliğe döndürdü.

Sağ kolunun hareketleri gittikçe yavaşladı.

Bir süre sonra da yeniden yere düştü.

Hamamböcekleri beyniyle ziyafet çekse de olurdu artık.

O bile daha iyiydi.

Sonra onu uyandıran şey yeniden dürttü. Denizde bir dalganın bedene attığı tokat gibi, yüzüne soğuk bir sıvı akın etti. Tek farkı kokusuydu. Okyanusun o buz gibi, saf, huzurlu ferahlığı yoktu bunda. Berbat kokuyordu; sanki yıllardır tek bir fırça darbesi görmeyen bir pisuarın tuzlu tadını almıştı.

İşkencecisi yine güldü. Bu, şüphesiz onun için büyük bir eğlenceydi. Tuvalet kovasını bir mahkûmun yüzüne boşaltmaktan daha iyi ne olabilirdi ki?

Jaeger pis sıvıyı tükürüp yanan gözlerini diğer tarafa çevirdi. En azından çürüyüp kokuşmuş sıvı tüm böcekleri kaçırmıştı. Doğru kelimeyi arıyor, gardiyanının gözlerine baka baka edebileceği en okkalı küfrü düşünüyordu.

Bir yaşam belirtisi, bir direnç göstergesi...

"Senin..."

Jaeger, korkmayı iyi öğrendiği o aynı hortumla yiyeceği yeni bir dayağı garanti altına alırken, hakaretlerini zar zor çıkan sesiyle sıralamaya başladı. Direnmese, yenilgiyi de kabullenmiş olurdu. Tek bildiği direnmekti.

Ama sözlerini bitiremedi, boğazında düğümlenip kaldılar.

Bir anda başka bir ses duyuldu. Çok tanıdıktı, hatta o kadar *kardeşçeydi* ki Jaeger rüya gördüğünden emindi. Büyülü sözler başta oldukça hafif duyuluyordu ama gitgide şiddeti arttı; nasıl oldıuysa tek bir şarkı tüm hücrelerini imkânsız bir vaatle dolduruyordu.

"Ka mate, ka mate. Ka ora, ka ora. Ka mate, ka mate! Ka ora, ka ora!"

Jaeger bu sesi nerede duysa tanırdı; *Takavesi Raffara. Ama buraya nasıl gelmişti?*

İngiliz ordusunda birlikte rugby oynadıkları zamanlarda, Maori geleneksel maç öncesi savaş dansı olan *haka*yı götüren hep Raff olurdu. Hep... Formasını yırtar, ellerini yumruk yapar ve rakip takımla göz göze gelmek için ilerlemeye başlardı. Ellerini dev göğsüne vururken bacakları dümdüz birer ağaç gövdesi gibi yeri inletir, kolları koçbaşı gibi gidip gelirdi ve Jaeger ile birlikte takımının kalanı onu izlerdi. Korkusuzlardı. Durdurulamazlardı.

Gözleri fal taşı gibi açılmıştı, şaşkınlıktan dilini yutacak gibi oldu. Donmuş yüzünde belli belirsiz bir gülümseme belirdi. Savaş şarkısının sözleri koridoru inletiyordu artık.

"KA MATE! KA MATE! KA ORA! KA ORA!"

Ölecek miyim? Ölecek miyim? Yaşayacak mıyım? Yaşayacak mıyım?

Raff gerçek savaşta omuz omuza mücadele verirken de aynı derecede insafsız olduğunu göstermişti. Kusursuz bir savaş dostuydu. Doğuştan Maori olan Raff'ı, kaderi Kraliyet Deniz Piyadeleri'nin komutanlığına kadar getirmişti. Jaeger ile birlikte dünyanın dört bir yanında savaşmış ve en yakın kardeşlerinden biri olmuştu.

Jaeger gözlerini yavaşça sağa, sesin geldiği tarafa kaydırdı. Gördüğü kadarlık bölümün hemen kenarında, hücresinin parmaklıklarının en uzağında bir figür seçebilmişti. Dev gibiydi. Gardiyan bile adamın yanında ufacık kalmıştı. Hiç bitmeyecekmiş gibi görünen karanlık bir fırtına sonrası, bulutların arasından süzülen saf güneş ışığını görmüş gibi gülümsedi.

"Raff?"

Ağzından çıkan tek kelimenin duvarlardaki yankısında bile inanç yoktu.

"Evet, benim." O gülüş... "Daha kötü hâllerini görmüştüm dostum. Hani o Amsterdam'daki bardan çıkışımız vardı ya? Yine de biraz temizlenmen lazım. Seni götürmeye geldim dostum. Buradan çıkarıyorum. British Airways ile Londra'ya uçuyoruz, hem de birinci sınıf..."

Jaeger cevap vermedi. Ne diyebilirdi ki? Raff nasıl burada, bu kahrolası yerde, hatta kapısının önünde olabilirdi?

"O zaman gidelim," diye devam etti Raff. "Yoksa buradaki kankan Binbaşı Mojo fikrini değiştirecek."

"Evet Bob Marley!" Jaeger'in işkencecisi gözlerindeki kötülüğün arkasından sahte bir kahkaha patlattı. "Bob Marley çok komik adammışsın gerçekten!"

Raff ağzı kulaklarına varana kadar güldü.

Bakışlarıyla bile kanı dondurabilecek bir adama gülen birini ilk kez görüyordu Jaeger. Bob Marley esprisi, Raff'ın geleneksel Maori tarzındaki uzun ve örgülü saçlarına yönelikti. Rugby sahasında bir sürü adamın öğrendiği gibi, Raff saçıyla ilgili tercihlerine saygısızlık yapanları pek hoş karşılamazdı.

"Hücrenin kapısını aç!" dedi. "Arkadaşım Bay Jaeger ile buradan gidiyoruz."

2

Jip Kara Sahil Cezaevi'nin uzağına çekilmişti. Raff direksiyona atlarken Jaeger'a bir şişe su verdi.

"İç," dedikten sonra parmağıyla arka koltuğu işaret etti. "Soğutucuda daha var, içebildiğin kadar iç. Kaybettiğin suyu yeniden kazanman lazım. Acayip bir gün bizi bekliyor..."

Raff sessizliğe gömüldü, aklındaysa önündeki gün vardı. Jaeger da bu sükûnetin havada kalmasına kayıtsız kaldı.

Hapiste geçen haftaların ardından vücudunda yanmayan bir yer bile yoktu. Bütün eklemleri acıdan kıvranıyordu. Sanki o hücreye atılmasından, hatta bir araçla bir yere gitmesinden, vücudunun Bioko'nun o tropik güneş ışığını tatmasından bu yana bir ömür geçmiş gibiydi.

Araçtaki en ufak bir sarsıntıda o da acıyla kıvranıyordu. Bioko'nun tek büyük kenti olan Malobo'ya uzanan, sadece bir arabanın sığabileceği asfalt okyanus yolunu izliyorlardı. Zaten bu küçük Afrika adasında asfaltlanmış çok az yol vardı. Ülkenin petrolden elde ettiği kazancın büyük bölümü Başkan için yapılan yeni bir saraya, dev yatlardan oluşan filosuna eklenecek yeni bir tekneye veya İsviçre bankalarındaki hesaplarını daha da şişirmeye harcanıyordu.

Raff eliyle jipin ön konsolunu gösterip, "Aradığını orada bulabilirsin dostum. Oturduğun yerde tükendin," dedi.

"Güneş yüzü görmeyeli biraz zaman oldu."

Jaeger torpidoya uzanıp Oakley marka bir güneş gözlüğü çıkardı. Kısa bir süre inceleyip, "Sahte mi? Hep ucuzcuydun zaten," dedi.

Raff güldü.

"Gerçeğini kim bulmuş?"

Jaeger küçük bir tebessümün yıpranmış yüzüne yayılmasına izin verse de çektiği acı ağır basmıştı. Sanki hayatında daha önce hiç gülmemiş gibiydi; sanki o tebessüm yüzünü ortadan ikiye ayırmıştı.

Jaeger daha birkaç hafta önce o hücreden asla çıkamayacağına iyiden iyiye inanmıştı. Zaten elinde güç olan hiç kimse orada olduğunu bilmiyordu. Kara Sahil'de hiç görülmeden, unutularak öleceğine; daha önce aynı yerden geçen sayısız ceset gibi köpekbalıklarına yem olacağına ikna olmuştu.

Şu an hayatta ve özgür olduğuna inanamıyordu. Gardiyanı; Raff ile ikisini işkence kabinlerinin dizildiği, duvarları mahkûmlardan sıçrayan kanlarla boyanmış gölgeli bodrumdan dışarı çıkarmıştı. Çöpün atıldığı, hücrelerinde ölenlerin cesetlerinin bekletilip denize atılmak için hazırlandığı yerdi burası. Jaeger, Raff'ın böylesine rahat bir şekilde oradan çıkmasını sağlayacak nasıl bir anlaşma kopardığını hayal bile edemiyordu.

Kimse Kara Sahil'den çıkmamıştı. *Hiç kimse...*

Jaeger birden sessizliği bozup, "Beni nasıl buldun?" diye sordu.

Raff omuzlarını silkip, "Kolay olmadı. Tek başıma üstesinden gelemedim, Feaney ve Carson ile birlikte anca bulabildim," dedikten sonra güldü. "Zahmete girdiğimize değdi mi?"

Bu sefer de Jaeger omuzlarını silkip, "Binbaşı Mojo ile daha yeni tanışıyorduk. İyi bir eleman... Kız kardeşini istese verirsin," dedikten sonra bakışlarını Büyük Maori'ye çevirdi. "Ama cidden, beni *nasıl* buldun? Bir de neden?"

"Hep yanındayım kardeşim. Hem..." Raff'ın çehresine bir gölge düştü. "Londra'da sana ihtiyaç var. Bir görev... İkimizi de istiyorlar."

"Nasıl bir görev?"

Raff'ın yüzündeki ifade daha da karanlığa büründü.

"Buradan çıktığımız gibi anlatacağım. Çünkü buradan çıkamazsak görev de olmayacak."

Jaeger elindeki suyu kafasına dikti. Soğuk ve temiz bir şişe su, Kara Sahil'de zorla ağzına sokulanın yanında şu an kendisine dünyanın en büyük nimeti gibi geliyordu.

"Sonra ne olacak peki? Beni Kara Sahil'den çıkarman, Cehennem Adası'ndan kurtulduğumuz anlamına gelmiyor. Yerliler buraya, 'Cehennem Adası' diyor."

"Ben de duydum. Binbaşı Mojo'dan kopardığım anlaşmaya göre biz Londra uçağına bindiğimizde üçüncü ödemesini alacak. Ama o uçağa binmeyeceğiz. Havaalanında bizi yakalayacak, karşılama ekibi çoktan bekliyor zaten. Seni Kara Sahil'den kaçırdığımı ama bizi yeniden yakaladığını iddia edecek. Böylece iki kez para koparacak; biri bizden, diğeri de Başkan'dan..."

Jaeger'ın tüyleri diken diken oldu. İlk başta tutuklanmasını emreden Bioko Başkanı Honore Chambara'ydı zaten. Bir ay kadar önce ülkede bir darbe girişimi olmuştu. Paralı askerler, başkenti Bioko Adası olan Ekvator Ginesi'nin diğer yarısını; yani okyanusun karşısında, Afrika anakarasındaki tarafı oluşturan yarıyı ele geçirmişti.

Bunun neticesinde Başkan Chambara, Bioko'daki tüm yabancıları toplamıştı, zaten pek kimse de yoktu. Jaeger de onlardan biriydi ve yaşadığı kulübede yapılan kısa bir arama sonrasında asker olduğu zamanlardan kalan garip hatıraları bulunmuştu.

Chambara bunları duyar duymaz Jaeger'ın da darbede payı olduğunu, *içeride adamları* bulunduğunu düşünmüştü. Ama yoktu. Bioko'ya tamamen farklı -ve masum- sebeplerden ötürü gelmişti. Ancak Chambara'yı ikna etmek mümkün değildi. Başkan'ın emriyle birlikte Kara Sahil Cezaevi'ne gönderildi ve Binbaşı Mojo da itirafa zorlamak için elinden geleni yaptı.

Jaeger gözlüğü taktı.

"Haklısın, uçakla buradan çıkmamız imkânsız... B planın var mı?"

Raff kısa bir bakış attıktan sonra konuşmaya başladı.

"Duyduğum kadarıyla burada öğretmenlik yapıp adanın en kuzeyindeki bir köyde İngilizce öğretiyormuşsun. Oraya uğradım. Köydeki balıkçıların çoğu Cehennem Adası'nda başlarına gelen en güzel şey olduğunu söylüyor. Çocuklarına okuma yazma öğretmişsin. Başkan Chugga'nın yaptığından çok daha fazlasını yapmışsın," deyip duraksadı. "Nijerya'ya kaçmamız için bir kano hazırladılar."

Jaeger bir saniye bu planı düşündü. Neredeyse üç yılını Bioko'da geçirmişti. Yerel balıkçı topluluklarını iyi tanıyordu. Gine Körfezi'ne kanoyla geçilebilirdi. Belki...

"Otuz kilometre falan var," diye araya girdi. "Balıkçılar arada sırada, hava güzel olduğu zamanlarda gidiyor. Haritan var mı?"

Raff, Jaeger'ın ayakları altında kalan küçük bir çantayı işaret etti. Jaeger acıdan kıvranarak da olsa uzanıp hızla içindekilere göz gezdirdi. Haritayı bulup açtı ve incelemeye başladı. En fazla yüz kilometre uzunluğunda, elli kilometre genişliğinde olan ormanla kaplı minicik bir ada olan Bioko, Afrika'nın koltuk altındaki kıvrımda yer alıyordu.

En yakındaki Afrika ülkesi kuzeybatıda kalan Kamerun'du, Nijerya direkt batıda kalıyordu. Sağlamından bir iki yüz kilometre güneydeyse kısa zaman öncesine kadar Başkan Chambara'nın topraklarının diğer yarısı, Ekvator Ginesi'nin anakara parçası yer alıyordu. Tabii bu durum darbeciler ele geçirmeden önceydi.

"Kamerun daha yakın," diye belirtti Jaeger.

"Kamerun ya da Nijerya, ne fark eder," diye omuz silkti Raff. "Şu an neresi olursa olsun buradan iyidir."

"Havanın kararmasına ne kadar var?" diye sordu Jaeger. Saatini Kara Sahil'deki hücresine atılmadan çok önce Chambara'nın eşkıyalarına kaptırmıştı. "Karanlıkta gizlenirsek belki başarabiliriz."

"Altı saat. Otelde en fazla bir saatin var. Üzerindeki pislikleri temizleyip durmadan su içeceksin. Kaybettiğin suyu geri kazanmadan o kadar yolu alman mümkün değil. Dediğim gibi büyük gün daha gelmedi."

"Mojo hangi otelde kaldığını biliyor mu?"

Raff homurdanıp, "Saklamanın manası yok. Bu kadar küçük bir adada herkes her şeyi biliyor. Aslında düşününce biraz da evi hatırlatıyor..." dedi. Güneşin vurmasıyla birlikte dişleri parlamıştı. "Mojo bize sıkıntı çıkarmayacak, en azından birkaç saat... O parasının yatıp yatmadığıyla ilgilenecek, o zamana kadar da biz çoktan tüyeceğiz."

Jaeger su şişesini yeniden kafasına dikti. Her bir yudum kurumuş boğazında yeni bir yara açıyordu. Asıl sorun ise midesinin ceviz kadar kalmasıydı. Ölümüne yediği dayaklar ve çektiği işkenceler olmasa bile açlık diyeti yüzünden kısa süre içerisinde ölürdü.

"Çocuklara öğretmenlik." Raff'ın yüzünde neler olup bittiğinden haberdar bir gülümseme vardı. "Gerçekten ne yapıyordun peki?"

"Çocuklara ders veriyordum."

"Aynen, çocuklara ders... Darbeyle hiçbir alakan yok muydu yani?"

"Başkan Chugga da aynı soruyu sorup durdu. Tabii dayak arasında... Tanışsanız seni sever."

"Tamam, ders veriyordun. İngilizce öğretiyordun. Bir balıkçı köyünde..."

"Çocuklara ders veriyordum." Jaeger camdan dışarıyı izliyordu, yüzündeki gülümseme tamamen silinmişti. "Hem illa bilmek istiyorsan saklanacak bir yere ihtiyacım vardı. Düşünsene; evrenin en dibi, dünyanın unuttuğu yer Bioko... Kimsenin beni bulacağını düşünmemiştim." Duraksadı. "Haksız çıkardın beni."

***

Oteldeki küçük ara Jaeger'a rüya gibi gelmişti. Üç kez duş aldı. Ancak üçüncü seferde artık lavabodan akan su temize yakındı.

Kendini zorlayarak bir doz rehidrasyon tuzu aldı. Beş haftada uzayan sakalını kesti ama tıraşı yarım kaldı. Zamanı dolmuştu.

Herhangi bir yerinde yara bere olup olmadığını anlamak için vücudunu kontrol etti. Mucizevi bir şekilde pek fazla yoktu. Otuz sekiz yaşındaydı ve adadaki yaşamı boyunca zinde kalmıştı. Ondan öncesinde elit bir asker olarak geçirdiği on yılla birlikte, hücreye atıldığı zaman formunun zirvesindeydi. Belki de Kara Sahil'den -nispeten- yarasız ayrılmasının sebebi buydu.

Elinde ve ayaklarında birkaç parmağının kırıldığını fark etmişti sadece. İyileşmeyecek bir şey yoktu.

Hızla kıyafetlerini değiştirdikten sonra Raff ile jipe atladılar ve tropik çalıların arasından Malabo'nun doğusuna uzanan yolculuk başladı. Raff ilk başlarda yaşlı nineler gibi direksiyona eğilerek en fazla 50 km/s hızla ilerlemişti. Arkalarında biri olup olmadığını kontrol ediyordu. Bioko'da araba sahibi olabilecek kadar şanslı olan küçük kesimin tamamı sanki cehennemden kaçarmış gibi araba kullanıyordu. Bu yüzden peşlerine bir araç takılsa çok uzaktan belli olurdu. Adanın kuzeydoğu kıyısına doğru uzanan toprak patikaya döndükleri sırada artık kimsenin onları izlemediğinden emin olmuşlardı.

Binbaşı Mojo tüm planlarını havaalanından kaçışa göre yapmış olmalıydı. Teoride adadan başka bir çıkış yolu yoktu. Tabii tropik fırtınalar ve Bioko'nun etrafında kan kokusuyla yanıp tutuşarak dolanan köpekbalıklarıyla şansını denemek isteyen olmazsa...

Nitekim şimdiye kadar bunu çok az kişi istemiş, ancak pek azı başarmıştı.

Şef İbrahim, Fernao köy sahilini işaret etti. Kıyıya vuran köpüklü dalgaların sesini geçirecek kadar ince olan balçıktan örülmüş duvarlara sahip kulübesi sahilin hemen dibindeydi.

"Size bir kano hazırladık. İçinde su ve yemek de bulunuyor." Şef bir an durup Jaeger'ın omzuna dokundu. "Seni unutmayacağız. Hele çocuklar, onlar hiç unutmayacak."

"Sağ olun," diye yanıtladı Jaeger. "Ben de sizi unutmayacağım. Anlatmaya dilimin varmayacağı bir sürü şeyden kurtardınız beni."

Şef hemen yanındaki, güçlü kaslara sahip genç adama çevirdi yüzünü.

"Oğlum bütün Bioko'daki en iyi denizcilerden biridir. Adamların sizi karşıya geçirmesini istemediğinize emin misiniz? Seve seve yaparlar çünkü."

Jaeger başını sallayıp, "Başkan Chambara kaçtığımı öğrendiğinde intikam için elinden geleni ardına koymayıp bulduğu tüm bahanelere sarılacak. Burada vedalaşacağız, başka yol yok," dedi.

Bunun üzerine Şef ayağa kalkıp, "Güzel bir üç yıl geçirdik William. İnşallah körfeze geçer, oradan da evine ulaşırsın. Bir gün nihayet Chambara lanetinden kurtulduğumuzda geri dönüp bizi ziyaret edersin inşallah," dedi.

"İnşallah," diye tekrarladı Jaeger. Şef ile el sıkıştılar. "Çok isterim."

Jaeger bir anlığına kulübenin etrafını saran yüzlere göz gezdirdi. Hepsi çocuktu. Yarı çıplak, kirli ve yaralılardı ama gözlerinden mutluluk okunuyordu. Buradaki çocuklar da ona bunu öğretmişti işte; mutluluğu.

Yeniden Şef'e dönüp, "Biz kurtulduktan sonra onlara neden gittiğimi anlat," dedi.

Şef gülümsedi.

"Anlatacağım. Gidin şimdi. Burada bir sürü iyi şey yaptın. O bilgiyle ve kalbindeki ışıkla git."

Jaeger ile Raff, sık palmiyelerin örtüsü altına gizlenip sahile ilerledi. Onları gören az sayıda adam yollarını açarken, daha azı da karşılık vermesi hâlinde düşeceği durumu anlar bir ifadeyle seyretmekle yetindi.

Sessizliği bozan Raff oldu. Genç öğrencilerini bırakmanın arkadaşını ne kadar üzdüğünü anlamıştı.

"İnşallah mı?" diye girdi. "Buradaki köylüler Müslüman mı?"

"Evet. Onlar var ya, şimdiye kadar tanıdığım en temiz kalpli insanlar..."

Raff yüzünü ona çevirip, "Bioko Adası'nda yalnız başına üç yıldan sonra yüce *Jaeger-bomb*'un yumuşadığını duyarsam sinirlenirim," dedi.

Jaeger arkadaşına yarım yamalak güldü. Belki de Raff haklıydı, belki de yumuşamıştı.

Sahilin bembeyaz kumlarına yaklaşırken nefes nefese kalmış biri yanlarına geldi. Sekiz yaşından büyük görünmeyen çocuğun ayakları ve bedeninin üstü çıplaktı, üzerinde sadece yırtık pırtık bir şort vardı. Yüzündeki ifadeyse yaklaşan dehşetin habercisiydi.

"Bayım! Bayım!" Jaeger'ı elinden yakaladı. "Geliyorlar. Başkan Chambara'nın adamları... Babam... Biri telsizle uyarı göndermiş. Geliyorlar! Sizi bulmaya, geri götürmeye geliyorlar!"

Jaeger, çocuğun göz seviyesine gelene kadar eğilip, "Küçük Mo merak etme. Kimse beni geri götürmeyecek," dedi. Başındaki sahte Oakley gözlüğü çıkarıp çocuğun eline bastırdı. Ardından kirlenmiş, fırça gibi saçlarını okşayıp, "Tak da görelim madem," dedi.

Küçük Mo gözlüğü taktı. O kadar büyük gelmişti ki yüzünde durması için eliyle tutması gerekiyordu.

Jaeger sırıtıp, "Oğlum be! Efsane oldun! Ama Chambara'nın adamları gidene kadar iyice sakla," dedikten sonra bir an durdu. "Koş şimdi. Babanın yanına dön. Dışarı çıkmayın. Bir de uyarı için teşekkür ettiğimi söyle."

Çocuk, Jaeger'a son bir kez sarıldı. Bu ayrılığı hiç istemediği sarılışından belliydi. Kolları Jaeger'ın boynundan ayrılırken de gözleri yaşlarla dolmuştu.

***

Jaeger ve Raff hızla yakınlardaki bir çalılığın arasına karıştı. Birbirlerinin nefesini duyacak kadar yakından, başlarını kaldırmadan ilerliyorlardı. Jaeger zamanı anlamak için hızla Raff'ın bileğini yakaladı.

"Güneşin batmasına daha iki saat var," diye söylendi. "İki seçeneğimiz var. Biri; güpegündüz kaçmayı deneriz. İkincisi; saklanıp gün battığında sızmaya çalışırız. Chambara'yı tanıdığım kadarıyla hızlı devriye tekneleri okyanusa düşmüştür bile. Direkt köye gönderdiği adamları hiç saymıyorum. Zaten Malabo'dan tekneyle en fazla kırk dakika sürer. Yani suya adım attığımız gibi başımıza üşüşürler. Başka çaremiz yok, karanlığı bekleyeceğiz."

Raff başını sallayıp, "Dostum sen üç yıldır buradasın, etrafı biliyorsun. Bize kimsenin aklına bile gelmeyecek bir saklanma yeri lazım!" dedi.

Gözleriyle hızla etrafı taradı. Bakışları gecenin getirdiği karanlığa güvenerek sahilin uzak tarafındaki yeşillikte takılı kaldı.

"Mangrov Bataklığı.[1] Yılanlar, timsahlar, sivrisinekler, akrepler, sülükler ve dizine kadar pislik dolu çamur... Aklı başında biri bile orada saklanmaz."

Raff elini cebine soktu. Özel olduğu belli olan bir bıçak çıkarıp Jaeger'a verirken, "Elinde bulunsun, ne olur ne olmaz," dedi.

Jaeger sustasını açtı ve on santimlik, yarısı dişli bıçağın keskinliğine baktı.

"Bu da mı sahte?"

Raff'ın kaşları çatılmıştı.

"Konu silah olduğunda masraftan kaçınmam."

"Chambara'nın adamları yola çıkmış," diye sesli düşündü Jaeger onu hiç duymamış gibi. "Tek amaçları da bizi Kara Sahil'e geri götürmek... Elimizdeyse sadece bir bıçak var."

Raff ilkine oldukça benzer bir bıçak daha çıkarıp, "İnan bana, bunları Bioko Havalimanı'ndan geçirmek bile mucizeydi," dedi.

Jaeger sevimsizce gülüp, "Tamam, şimdi ikimizin de birer bıçağı oldu. Artık kimse bizi durduramaz," dedi.

İki adam uzaktaki bataklığa doğru palmiye korusunun arasından hızla ilerlemeye başladı. Dışarıdan bakıldığında bu vahşi doğa labirentinin, iç içe geçmiş ağaç kökleri ve dallarla aşılması imkânsızmış gibi görünüyordu. Azminden bir an olsun ödün vermeyen Raff dizlerinin üzerine çöktü ve daha önce görmediği yaratıkları önünden savarken bir bebeğin zor sığacağı boşluklardan emekleyerek kendine yol açtı. Yirmi metre kadar içeri girene kadar da durmadı. Jaeger de hemen arkasından sürünüyordu.

Jaeger'ın sahilde yaptığı son şey, birkaç eski palmiye yaprağını alıp izlerini silmek için arkalarında kalan kumun üzerinde sürümekti.

---

1   Gelgit sonucu oluşan haliçlerde, tuzlu bataklıklarda ve çamurlu kıyılarda sık ormanlar oluşturan bazı ağaç ve çalı türlerine ve oluşturdukları ormanlara verilen addır.

Bataklığın derinlerine indikleri zamansa oradan geçtiklerini belli eden tek bir iz bile kalmamıştı.

İki adam bataklığın temelini oluşturan o iğrenç kokulu, kapkara çamurun içine ilerledi. Korku dolu yürüyüş sona erdiğinde sadece başları yüzeyin üzerindeydi, onlar da sağlam bir çamur ve pislik tabakasıyla kaplanmıştı. İkiliyi çevrelerindeki karanlıktan ayıran tek şey gözlerinin beyazıydı.

Jaeger etrafındaki yaşamın kaynağı olan bataklığın karanlık yüzeyindeki fokurdamaları hissediyordu.

"Kara Sahil'i özleyeceğimi hiç düşünmezdim," diye homurdandı.

Raff da aynı fikirde olduğunu belli edercesine mırıldandı. Dişleri böyle parlamasa nerede olduğu belli olmayacaktı.

O sırada Jaeger'ın gözleri hemen üzerlerindeki katedrali oluşturan sıkıca örülmüş ahşaptan kafese takıldı. En büyük mangrov bile olsa olsa bir adamın bileği kadardı ve boyları da altı metreyi biraz aşıyordu. Fakat köklerin çamurdan kurtulduğu ve akıntıyla her gün yıkandığı yerde bir buçuk metre uzunluğunda keskin olanları büyümüştü.

Raff uzanıp birini aldı ve tırtıklı bıçağının kenarını kullanarak yer seviyesine kadar kesti. Bir metreyi biraz geçtikten sonra bir kesik daha attı ve odunun uzun kısmını Jaeger'a uzattı. Jaeger ne olduğunu anlamamış gözlerle ona bakıyordu.

"Krav Maga," dedi Raff. "Onbaşı Carter ile sopa dövüşleri... Hatırladın mı?"

Jaeger gülümsedi. Nasıl unutabilirdi ki?

Bıçağını çıkardı ve sert odunun bir ucunu sivriltmeye başladı. Ağır ağır, kısa ama keskin bir mızrak şekilleniyordu.

Onbaşı Carter, yumruk yumruğa dövüşlerde olduğu kadar, silahlar konusunda da tam bir duayendi. Raff ile birlikte, Jaeger'ın birimine ilk olarak İsrail'de geliştirilen karma bir savaş sanatı olan Krav Maga dersleri vermişti. Biraz Kung Fu, biraz da sokak dövüşünün karışımı olan bu yöntemlerle gerçek hayatta karşılaşılan zor durumlarda hayatta kalma öğretiliyordu.

Diğer savaş sanatlarının aksine, Krav Maga'nın tek gayesi düşmana mümkün olan en fazla hasarı vererek dövüşü olabildiğince hızlı bir şekilde bitirmekti. Carter buna, "sistematik hasar" derdi; ölümcül olmak için tasarlanmış hasar... Hiçbir kural yoktu ve tüm hamleler vücudun en savunmasız yerlerine -gözlere, buruna, boyuna, kasıklara ve dizlere- epey de sert vurmayı amaçlıyordu.

Krav Maga'nın altın kurallarıysa hız, saldırganlık ve şaşırtmaya dayalıydı. Bunların yanında ilk önce saldırmak ve doğaçlama silah geliştirmek de öğretinin birer parçasıydı. İster bir odun parçası olsun, isterse metal bir sopa, hatta kırık bir şişe; eline gelenle savaşmayı öğrenmek zorundaydın. Yeri geldiğinde bu silah, mangrov köklerinden oluşturulmuş odundan bir mızrak da olabilirdi.

***

Chambara'nın adamları gün batımına kısa bir süre kala geldi. Tek kamyonette iki düzine adam vardı. Sahilin uzak ucuna doğru hareketlendiler, bir baştan diğerine arayacaklardı. Kumların üzerine dizilmiş tüm kanoların yanında durup sanki avları bunlardan birinin altında saklanıyormuşçasına hepsini ters çevirdiler. Saklanmak için daha bariz bir yer olamazdı ve Jaeger ile Raff kanoları hesaba bile katmamıştı.

Bioko Silahlı Kuvvetleri'ne mensup askerler, G3 model tüfeklerinden mermiler yağdırarak teknelerden birkaçının altında delikler açtı. Ancak hareketlerinde hiçbir düzen yoktu ve Jaeger da hangi kanoların mermilerden nasibini almadığını aklına kazıyordu.

Askerlerin erzakla dolu kanoyu bulması uzun sürmedi. Sahilin her yanından emirler yağıyordu. Kamuflaja sarınmış iki asker hızla köye koşarken, bir dakika sonra omuzlarının üzerinde taşıdıkları küçük bir çocukla geri döndüler. Çocuğu, Komutan'ın ayaklarının önüne bırakmışlardı.

Jaeger, Komutan'ı görür görmez tanıdı. Kara Sahil'e gelip sorguları ve işkenceleri kontrol eden, iri ve kilolu adamdı.

Komutan, yerdeki çocuğun göğsüne botlarıyla bastırdığında küçük Mo'dan boğuk bir çığlık yükselip artık iyice kararan sahil boyunca acı acı yankılandı. Jaeger dişlerini sıktı. Çünkü Şef'in oğlunu kendi çocuğu gibi seviyordu. Akıllı bir öğrenciydi ve yüzünden eksik olmayan şapşal ifade Jaeger'ı her daim güldürmüştü. Hem de günlük dersleri bittiğinde herkesin iple çektiği plaj futbolu sırasında bir yıldıza dönüşüyordu. Ancak ikisini bu kadar yakınlaştıran sadece bunlar değildi. Birçok açıdan Küçük Mo, Jaeger'a kendi oğlunu hatırlatıyordu.

Ya da en azından bir zamanlar yaşayan oğlunu...

4

"Bay Jaeger!"

Sahil boyunca yankılanan çağrı, Jaeger'ın karanlık düşüncelerden bir an olsun sıyrılmasına yol açmıştı.

"Bay William Jaeger! Evet, unutmadım seni ödlek herif! Gördüğün gibi çocuk benim yanımda..." Kocaman bir el uzanıp Küçük Mo'nun saç köklerinden yakaladı ve çocuğu, zeminle tek bağlantısı ayak parmak uçları olana kadar havaya kaldırdı. "Hayatta kalması için bir dakikası var. BİR DAKİKA! Hemen çıkın ortaya! HEMEN dedim beyaz piçler! Yoksa bu çocuğun alnını bir mermi deşecek!"

Jaeger bakışlarını Raff'a kilitlediğinde iri adam başını sallayıp, "Dostum ne olacağını biliyorsun," diye fısıldadı. "Çıkarsak yanımızda Küçük Mo ile birlikte bütün köyün fermanını imzalarız," dedi.

Söyleyecek bir söz bulamayan Jaeger, gözlerini uzaktaki gölgelere çevirmişti. Raff haklıydı ama iri kumandanın saçlarından kavradığı çocuğun parmak uçları üzerinde kıvranışını görmek ona büyük bir darbe indirmişti. Çok uzun yıllar önce en derinlerine gömdüğü bir anısı da canlanmıştı; uzaklarda bir dağ yamacında, paramparça edilmiş bir tuval...

Jaeger omzunda dev bir kol hissetti; güçlüydü, kısıtlayıcıydı.

"Sakin ol dostum, sakin ol," diye fısıldadı Raff. "Söylediğimde ciddiydim, buradan çıkarsak hepimiz ölürüz..."

"Bir dakika doldu!" diye bağırdı Komutan. "ÇIKIN! HEMEN!"

Jaeger namluya sürülen merminin metale çarpa çarpa yolunu bulurken çıkardığı keskin sesi duydu. Komutan tabancasını kaldırmış, namlusunu Küçük Mo'nun şakağına dayamıştı.

"ONDAN GERİ SAYIYORUM! Sonrasında sakın şüpheye düşmeyin İngiliz piçleri, tetiği çekeceğim!"

Komutan kum tepelerine bakıyor, Raff ve Jaeger'ı görme umuduyla fenerini çalıların üzerinde gezdiriyordu.

"On, dokuz, sekiz..."

Karanlığa gömülmüş sahilden yeni bir ses duyuldu, çocuksu çığlıklar Komutan'ın sözlerini kesiyordu.

"Komutanım! Komutanım! Yalvarırım! Ne olur!"

"Yedi, altı, beş... Böyle işte oğlum, beyaz arkadaşına bağır da kurtarsın seni! Üç..."

Jaeger, iri Maori dostunun omzundan bastırarak kendini iyice çamura batırdığını hissederken, aklında geçmiş anıların dehşeti dolanıyordu. Karanlık ve buz tutmuş dağ yamacındaki vahşi saldırı, ilk karları kirleten kan, hayatının paramparça olduğu an, şu an, Küçük Mo...

"İki! Bir! BİTTİ!"

Komutan tetiği çekti. Namlunun ucundaki anlık parlama, sahile çıplak bir ışık ve gölge olarak yansımıştı. Komutan, çocuğun saçlarını bırakır bırakmaz cansız beden kumlara düştü.

Jaeger acıyla başını çevirdi ve sertçe mangrov köklerine bastırdı. Raff omzundan tutmasa saklandığı yerden fırlar, elinde bir bıçak ve yeni yaptığı mızrağıyla gözlerindeki nefreti düşmanlarına tattırırdı.

Ve ölürdü.

Ama umurunda olmazdı.

O sırada Komutan bir dizi kısa ve kesin emirler verdi. Kamuflaj giyen askerler dört bir yana dağılırken, kimileri köye, kimileri de sahilin diğer ucuna koştu. Birinin yoluysa bataklığın ucuna düşmüştü. "Küçük oyununa devam edeceksin demek?" diye seslendi Komutan, gözleri her yerde onları ararken. "O zaman sıradaki çocuğu getirelim. Sabırlı bir adamımdır, zamandan bol bir şeyim de yok. İlla böyle gerekiyorsa o öğrencilerinin hepsini tek tek öldürmekten büyük keyif alacağım Bay Jaeger. Göster kendini! Yoksa hep düşündüğüm gibi zavallı bir beyaz oğlandan başka bir şey değil misin? Yanılt beni!"

Jaeger, Raff'ın hareketlendiğini gördü. Sanki devasa bir yılanmış gibi karnının üzerindeki çamurdan ağır ağır kayıp kısa bir anlığına omzundan arkaya baktı.

"Zafer şarkıları söyleyelim mi?" diye fısıldadı.

Jaeger gaddarca başını salladı.

"Hız, saldırı..."

"Şaşırtma," diye tamamladı Raff.

Jaeger, Raff'ın açtığı yolu izleyerek kaydı. Bunu yaparken de takip ettiği iri Maori'nin hareket kabiliyetini ve doğuştan bir avcı gibi, bir hayvan gibi sessizce avlanışını hayranlıkla izliyordu. Uzun yıllar süren arkadaşlıkları boyunca, Raff söz konusu yeteneklerinin çoğunu Jaeger'a da öğretmiş, takip edip öldürmek için gereken tüm odağı ve inancı kendisine aşılamıştı. Ama usta hep Raff olarak kalmıştı, en iyisi oydu.

Çamurların arasından sanki bir gölgeymişçesine kaydı. Bu sırada talihsiz bir çocuk daha sahile sürükleniyordu. Komutan, çocuğun karnını tekmelerken, adamları da gittikçe acımasızlaşan bu tavırları sırıtarak izliyordu.

Tam o anda Raff aradığı fırsatı yakaladı. Karanlığın içinde gizlenerek bataklığın yakınındaki yalnız askere ilerledi. Seri bir hamleyle sol kolunu muhafızın boynuna dolarken, eliyle de ağzını kapatarak ses çıkarmasını engelledi ve askerin çenesini yukarı kaldırdı. Aynı anda da sağ koluyla vahşi bir hamle yapıp bıçağının ağzını adamın boğazında baştan aşağı kaydırarak atardamarıyla soluk borusunu parçaladı.

Birkaç saniyeliğine Raff yakaladığı askeri tuttu ve hayatı ciğerlerinden akarken adamın kendi kanında boğulmasına müsaade etti. Ardından çıt bile çıkarmadan cansız bedeni kuma yatırdı. Göz açıp kapayıncaya kadar elinde adamın kanla kaplı tüfeğiyle birlikte bataklığa geri dönmüştü.

Jaeger için dar çıkışı genişletirken iyice eğilip, "Haydi!" diye seslendi. "Çabuk!"

Jaeger göz ucuyla köşedeki hareketi sezmişti. Askerlerden biri bir anda yanlarında belirmiş, tüfeğini de Raff'a yöneltmişti. Jaeger, elindeki bıçakla adama doğru atladı. Hareketi tamamen içgüdüseldi. Hedefine doğru yola çıkan bıçağı havada ıslık çalarken askerin karnında derin bir yarık açtı.

Yaralı asker keskin bir çığlık attı. Silahı ateşlendi ama mermiler hedefinden çok uzağa dağılmıştı. Jaeger bir elinde tahtadan mızrağıyla adama doğru hamle yaptı.

Askeri tanımıştı.

Mızrağını adamın göğsüne sapladı. Tüm gücüyle ittiği mangrov kökünün sivri ucu adamın kaburgalarını ikiye ayırırken kaslarını ve sinirlerini parçaladı. Düşen askerin tüfeğini eline aldığında, göğsünden girip sırtından çıkan kazığıyla adamı kumlara gömeli çok olmuştu.

Jaeger'ın kısa zaman önceki işkencecisi, Binbaşı Mojo, acı içinde kıvranıp bağırıyordu. Ancak kaçacak bir yeri yoktu, orası kesindi.

Net bir hamleyle tüfeğin güvenliğini kaldırdı ve nişan alıp ateş açtı. Mermiler karanlığı birer birer delerken namlunun ağzından kıvılcımlar saçılıyordu. Jaeger gövdeyi hedef almıştı. İyi bir menzil yakaladığı günlerde kafadan isabet ettirmeyi severdi ama canlı bir çatışmada tercihi hep karın olmuştu. En büyük hedef buydu ve midesinden yara alıp da kalkabilen pek adam olmazdı.

Silahını sahil boyunca gezdirirken bir taraftan da Komutan'ı arıyordu. Köylü çocuğun kurtulmak için debelendiğini ve sığınak bulma umuduyla yakınlardaki bir palmiyeye koştuğunu gördü. Jaeger dehşet saçan gözleriyle tüfeğini ateşledi ve Komutan'ın kaçışını izledi. İzli mermilerinin, Komutan'ın önce topuklarını parçaladığını, sonra da gövdesini deştiğini gördü.

Liderlerinin ölüm sancıları ve korkudan çığlık çığlığa düşmesiyle birlikte askerler arasında hızla yayılan korku ve tereddüdü hissetmişti. Başı kesilmiş bir yılan gibiydiler artık. Avantajı ele almanın zamanı gelmişti.

"Şarjör değiştiriyorum!" diye bağırdı Jaeger, eski gardiyanının cebinden dolu bir şarjörü alıp hızla yerine takarken. "Koş! Koş! Koş!"

Raff'ın ikinci bir emre ihtiyacı yoktu. Atik bir şekilde doğruldu ve Jaeger'ın koruma ateşi eşliğinde savaş narasını atarak koşmaya başladı. Karanlığın arasından korkusuz Maori devinin fırlamasıyla birlikte Jaeger de düşmanların birer birer kaçıştığını görebiliyordu.

Raff otuz metre kadar koştuktan sonra dizlerinin üzerine çöktü ve hedef aldığı herkesi indirerek ateş açmaya başladı. Ardından Jaeger'a bağırdı.

"KOOOOOŞ!"

Jaeger, biriken öfkesini çatışmaya adamış bir şekilde, omzunda silahıyla birlikte kumlardan yükseldi. Baştan ayağa bataklığın pisliğiyle kaplanmış karanlık bedeninde sadece dişleri ve gözünün beyazı seçiliyordu. Raff'ın yanına koşarken namlusundan çıkan ateşler artık kanla kirlenmiş kumların üzerine kıvılcımlar saçıyordu.

Birkaç dakika içinde Başkan Chambara'nın sahilde kalan son adamları da silahlarını bırakıp kaçtı. Yine de Raff ile Jaeger, etraflarında tek bir düşmanın dahi kalmadığından emin olmak için, palmiyelerin arasına koşan askerleri düzenli atışlarla birlikte takip etti.

Saniyeler sonra karanlığa bürünen sahilde yaralılar ve ölmek üzere olanların inlemeleri dışında hiçbir ses duyulmuyordu. Hiç zaman kaybetmeyen iki adam, Şef'in kendileri için hazırlattığı kanoyu bulup suya itmeye başladı. Büyük, kalın kabuklu ağaçtan oyma kano karada ne kadar hantal olduğunu göstermiş; suya girmek için iki adamın bütün gücüyle itmesi gerekmişti. Tam suya düşmek üzereydiler ki Jaeger, Raff'a beklemesini söyledi.

Sahile vuran dalgaların içinden hızla yürüyerek, artık kanla kirlenmiş kumların üzerinde göğsünde bir kazıkla yatan adama doğru ilerledi. Tahtadan mızrağını adamın göğsünden koparıp attıktan sonra, yaralı adamı kaldırıp sırtladı ve geldiği yoldan geri döndü. Yarı baygın gardiyanı el yapımı kanonun içine bırakmıştı.

"Planlar değişti!" diye bağırdı Raff'a, tekneyi var güçleriyle dalgaların arasından itmeye çalışırken. "Mojo da bizimle geliyor. Bir de önce doğuya, sonra güneye gideceğiz. Chambara'nın adamları Kamerun veya Nijerya'ya kaçmak için kuzeye gittiğimizi sanacak. Tam tersi yönde gidip kendi ülkelerine geri gireceğimiz akıllarından bile geçmeyecek."

Raff kanodan sıçradı ve Jaeger'a elini uzatıp, "Neden Başkan Chugga'nın cehennemine geri dönüyoruz?" diye sordu.

"Anakaraya gideceğiz. Yolumuz uzayacak ama bizi izlemeyi akıl edemeyecekler. Hem orası artık Chambara'nın toprağı değil, unuttun mu? Darbecilerle bağlantı kurup şansımızı deneyeceğiz."

Raff sırıttı.

"*Ka mate! Ka mate! Ka ora! Ka ora!* Gidelim o zaman!"

Jaeger da Raff'a katıldı ve hızla kürek çektiler. Artık ay ışığıyla yıkanan karanlığın içine girmişlerdi.

5

"Tamamdır beyler, söylediklerinizin doğru olduğunu öğrendik. Birkaç arama yapmak yetti zaten. İtibarınız sizden çok önde yol alıyor gibi..."

Güçlü yüz hatları ve kızıl sakallı yüzüyle Boer atalarını andıran karşılarındaki bodur ve tıknaz adam, kaba bir Güney Afrika aksanıyla konuşuyordu. Adamın fiziği, geçen onlarca yıl ve gut hastalığı vurmadan önce rugby oynayarak, körkütük sarhoş olarak ve Afrika ormanlarında savaşarak geçmiş bir gençliğin kanıtıydı. Ancak Pieter Boerke savaşmak için orada değildi. Darbenin lideriydi ve emirlerini yerine getirecek çok sayıda genç ve zinde kişiden oluşan bir ordusu vardı.

"Hâlâ Bioko'yu almayı planlıyor musunuz?" diye sordu Jaeger. "Wonga Darbesi buna hiç bulaşmamıştı bile..."

Birkaç yıl kadar önce Başkan Chambara'yı koltuğundan etmek için başka bir darbe girişimi olmuştu. Ancak büyük bir bozgunla sonuçlanan bu girişim, nihayetinde alaycı "Wonga Darbesi" adını almıştı.

Boerke kahkaha atıp, "Ben bambaşka bir operasyon yürütüyorum. Bunun adı, 'Yakaladım Darbesi'. Chambara'nın işi bitti. Uluslararası toplum, petrol şirketleri, Bioko halkı... Herkes gitmesini istiyor. Mantıklı olan da bu zaten... Herif tam bir hayvan! Çoğunlukla en sevdiği mahkûmları olmak üzere insan yediği söyleniyor," dedikten sonra gözü Jaeger'a kaydı. "Kara Sahil'den kurtulduğuna daha da seviniyorsundur şimdi, değil mi?"

Jaeger gülümsedi. Gine Körfezi'nin tropik fırtınalarıyla savaşıp okyanus suyuyla yıkandıkları üç günün ardından gülümsemek hâlen canını yakıyordu.

"Konuştuğumuz sırada içine silah yüklenen C-130'larım var," diye devam etti Boerke. "Nijerya'ya gidip geliyor. Büyük saldırı için hazırlanıyoruz. Aslında düşününce sizin gibi araziye de hâkim güçlü adamlar işime yarardı." Ardından iki adama birden baktı. "Bize katılmak ister misiniz?"

Jaeger, Raff'a göz attı.

"Yanımdaki dev Maori dostumun söylediğine göre İngiltere'de yapacak işimiz varmış."

"Maalesef," diye homurdandı Raff. "Başkan Chugga'nın misafirperverliğini az da olsa tattıktan sonra evinin kapısını devirmeyi çok isterdim."

Boerke sağlam bir kahkaha patlatıp, "Eminim isterdin. Şaka bir yana, son kez soruyorum beyler. İşime çok yararsınız. Gerçekten... Sonuçta Kara Sahil'den kaçtınız. Oradan şimdiye kadar kimse kaçamadı. Bir de elinizde sadece iki kürdan ve şişe açacağıyla savaşarak adadan kaçıp kanoyla üç gün yolculuk yaparak buraya geldiniz. Dediğim gibi işime çok yararsınız," dedi.

Jaeger, adamın ellerini tutup, "Bu sefer değil. Bioko ile işim bitti artık," dedi.

"Anlaşıldı." Boerke masasının ardında büyük bir güç harcayarak oturduğu yerden kalktı. "Öyleyse sizi sonraki C-130 ile buradan göndereyim. Nijerya'ya indiğinizde sorgusuz sualsiz Londra'ya uçan British Airways uçağına atlarsınız. Siz bu pisliği getirdiniz, ben de en azından bunu yapayım."

Raff, adama aşağılayarak bakıp, "Bunun arkadaşıma yaptığı muameleyi faiziyle birlikte kendine iade ederseniz çok memnun olurum. Tabii yaşarsa..." dedi.

Boerke'nin yüzüne bir gülümseme yerleşti.

"Merak etme. Ona soracak çok sorumuz var. Hem unutma; biz Güney Afrikalıyız, tutsak almayız. Artık veda etmeden önce benden istediğiniz başka bir şey var mı?"

Jaeger bir an tereddüt etti. İçindeki ses, Güney Afrikalıya güvenebileceğini söylüyordu. Hem artık savaş kardeşi sayılırlardı. Dahası Şef İbrahim'e para göndermek istiyorsa Boerke'den başka şansı yoktu.

Cebinden bir parça kâğıt çıkarıp, "Bioko'yu aldığınızda bunu Fernao köyünün şefine ulaştırabilir misin? Zürih'teki bir bankanın hesabı, tüm şifreleri de yazıyor. İçinde hatrı sayılır miktarda para var. Raff'ın beni kaçırmak için Mojo'ya verdiği para... Şef'in oğlu bizim yüzümüzden öldü. Para onu geri getirmeyecek elbet ama ayakta durmalarını sağlayabilir," dedi.

"Olmuş bil," diye onayladı Boerke. "Son bir şey diyeceğim. Bu Mojo pisliğini buraya getirerek inanılmaz iyi bir iş yaptınız. Chambara'nın tüm savunmasını biliyor. Böyle bir bilgiyi korumak adına Biokolu bir çocuk öldüyse çok yazık! Umalım ki onun ölümü birçoklarına hayat versin."

"Umarım," diye destekledi Jaeger. "Ama o ne sizin çocuklarınızdandı ne de yıldız öğrencilerinizden."

"Güven bana, Chambara'yı devirdiğimizde Bioko'daki her bir çocuğun önü açılacak. O ülkenin zengin olması lazım. Petrolü var, gazı var, mineralleri var; ne ararsan... Chambara'nın yatlarını satsan, banka hesaplarını boşaltsan bile harika bir başlangıç olur. Neyse, başka bir isteğiniz var mı?"

"Belki son bir şey olabilir..." dedi Jaeger. "Ben üç yıldır orada yaşıyordum. Bioko gibi bir yer için de üç yıl çok fazla... Uzun lafın kısası, adanın tarihine epey merak saldım. Mesela İkinci Dünya Savaşı... Savaşın sonlarına doğru İngilizler bir düşman gemisini gözetlemek amacıyla çok gizli bir operasyon başlatmış; *Düşes*. Malabo Limanı'na demirli bir kargo gemisi... Bunu yapmak için de her yola başvurmuşuz. Benim sorum, neden?"

Boerke omzunu silkip, "Nereden bileyim!" dedi.

"Görünüşe bakılırsa geminin kaptanı, Bioko liman yetkilileri için bir manifesto imzalamış," diye devam etti Jaeger. "Ancak yarım kalmış. Altı sayfa kargo listelenmiş, yedinci sayfa kaybolmuş. Söylentilere göre yedinci sayfa Malabo hükümet binasının kasasında saklanıyormuş. Ne yapıp etsem de bir türlü ulaşamadım. Başkenti düşürdüğünüzde benim için bundan bir kopya alır mısın?"

Boerke başıyla onayladı.

"Her türlü! E-posta adresinle telefonunu bırak yeter. Ama merak ettim doğrusu, sence gemide ne vardı? Bir de sen bununla neden ilgileniyorsun?"

"O kadar fazla söylenti duydum ki kafamdan bir türlü atamadım. Elmaslar. Uranyum. Altın. Herkes bunlardan bahsediyor. Afrika'dan çıkarılan bir şey olabilir ya da Nazilerin savaşı kazanmak için çaresizce peşinden koştuğu bir şey..."

"Muhtemelen uranyumdur," diye fikrini söyledi Boerke.

"Olabilir," dedi Jaeger. "Yedinci sayfayı bir bulsak o zaman öğrenirdik ne olduğunu."

6

Kasvetli gökyüzü, direğinin tepesinden öfkeyle bakarken, Thames'te demirli bir şekilde dinleniyordu MT[2] *Global Challenger*.

Raff ve Jaeger'ı Heathrow Havalimanı'ndan taşıyan siyah taksi, lastiklerini dinlendirmek için yağla kayganlaşmış bulanık su birikintisinin üzerinde durdu.

Yolculuğun sona ermesiyle birlikte, Jaeger taksiye ödedikleri parayla Bioko'daki bütün bir sınıfı kitapla donatabileceğini fark etti. Raff'ın da görünüşe göre taksiciye beklediği kadar bahşiş vermemesiyle adam tek kelime etmeden gaza bastı ve ikilinin ayakkabılarına su sıçratarak uzaklaştı.

Londra'da bir Şubat ayıydı. Bazı şeyler hiç değişmiyordu. Ekvator Ginesi'nden Nijerya'ya uçan gürültülü C-130 Hercules kargo uçağında ve sonra da Londra yolculuğunda deliksiz uyumuştu. Lagos'tan Londra'ya oldukça lüks bir yolculuk olmuştu ama tecrübelerine güvenen Jaeger, birinci sınıfın öyle bedava gelmediğini biliyordu. Hem de hiçbir zaman...

O birinci sınıf koltuklar için biri kesenin ağzını açmıştı ve kişi başı 7.000 Sterlin de epey büyük bir keseden çıkmış olmalıydı. Raff'tan laf almak için uğraştığında uyumlu Maori'nin ağzını bıçak açmamıştı. Birilerinin Jaeger'ı Londra'da ciddi şekilde istediği ve paranın mesele

---

2 Ç.N.: Motorlu tekne.

olmadığı aşikârdı ama Raff bu konuda konuşmak istemiyordu. Jaeger da dert etmemeye karar verdi. Adama güveni sonsuzdu.

Londra'ya inmeleriyle birlikte Jaeger, Kara Sahil'deki beş haftalık hapsine ek olarak kaçış sırasındaki çatışma ve dövüşlerin bir araya gelip oluşturduğu ağır etkiyi hissetmeye başlamıştı. Bulutlar bütün yükünü şehre boşaltmaya karar verdiği sırada *Global Challenger*'a uzanan iskelede yürüyen Jaeger'ın kol ve bacakları yaşlı bir adam gibi sızlıyordu.

Eskiden Kuzey Buz Denizi'nde araştırma gemisi olarak kullanılan *Global Challenger*, Jaeger'ın askerlikten emekli olduktan sonra Raff ve bir diğer yakın asker dostuyla birlikte kurduğu Enduro Adventures'ın genel merkezi konumundaydı. O adam, Stephen Feaney, iskele tahtasının tepesinde misafirlerini beklerken hızla yağan yağmurun altında bulanık bir görüntü çiziyordu.

Elini Jaeger'a uzatıp, "Seni bulacağımızı hiç sanmıyorduk. Berbat görünüyorsun. Tam zamanında bulmuşuz galiba," dedi.

"Sen de tanıyorsun işte." Jaeger omuzlarını silkti. "O koca Maori piçini Başkan Chambara pişirip yemek üzereydi. Birinin onu kurtarması gerekiyordu."

Raff homurdanarak, "Diyene bak!" dedi.

Üç adam, yağmurun sertçe dövdüğü açık güvertede kısa bir anlığına da olsa kahkahalara boğulmuştu. Yeniden bir arada olmak güzeldi.

Elit bir askeri oynamak her daim genç adamların işi olmuştu. Jaeger, Raff ve Feaney yalnızca çok az insanın ayak bastığı yerlere gitmiş; çok daha az insanın mümkün olduğuna bile inanmayacağı şeyler yapmıştı. Muazzam bir maceraydı ama biterken yarasını da bırakmıştı.

Birkaç yıl kadar önce, hâlâ ayakta durabilirken bırakmaya karar vermişlerdi. İngiliz halkının vergileriyle öğrendikleri yetenekleri alıp kendi işlerini kurmak için kullanacaklardı. Bunun sonucu da, "Dünya bizim oyun bahçemiz," sloganıyla yola çıkan Enduro Adventures olmuştu.

Jaeger'ın parlak buluşu olan Enduro; iş adamları, sporcular ve ünlüler gibi varlıklı kimseleri dünyanın en zorlu vahşi doğa deneyimlerine çıkarmak için tasarlanmış bir oluşumdu. Zaman içerisinde kazançları artarken dünyanın sunduğu en akıl almaz maceralara en büyük isimler katılmaya başlamıştı. Ancak sonrasında Jaeger'ın hayatı bir gecede yerle bir oldu.

Enduro Adventures'ın görünmez adamıydı artık. İşlerin para getiren kısmı Feaney'nin omuzlarına binerken, Raff da yolculukların kurumsal kısmıyla ilgileniyordu. İki adam da alakaları olmayan görevlerle baş başa kalmıştı.

Geminin kaptanı Jaeger, üçlü arasındaki tek subaydı. Orduda görev aldığı sırada, altmış askerden oluşan SAS birimi D Taburu'nun komutanıydı. Komuta zincirinin üst tarafıyla yakından çalışır, üst düzey iş çevreleri arasında rahatlıkla kendine yer edinebilirdi.

Feaney biraz daha yaşlıydı ve kazandığı her rütbe için canını dişine takarak çalışmıştı. Nihayetinde de Jaeger'ın kıdemli başçavuşu olarak hizmet vermeye başlamıştı. Raff içinse alkol ve kavgalar terfi konusunu ciddi şekilde zora sokmuştu. Zaten tüm bunlar iri Maori'nin umurunda da değildi.

Kaptan koltuğunun boşaldığı son üç yıl Enduro Adventures için zorlu geçmişti. Jaeger, Bioko'ya kaçışından ötürü Feaney'nin kendine içerlediğini biliyordu. Ancak aynı dehşeti Feaney yaşasaydı onun da aynı şekilde davranacağına inanıyordu. Zaman ve tecrübe ona her adamın bir kırılma noktası olduğunu öğretmişti. Jaeger da kendi kırılma noktasına ulaştığında kimsenin kendisini aramayacağı, dünyanın unuttuğu Bioko'ya gitmişti.

7

Feaney içeri doğru yolu gösterdi. Duvarları dünyanın en uzak köşe-lerinden toplanmış hatıralarla bezeli *Global Challenger*'ın toplantı odası adeta bir macera tapınağı gibiydi. Dünyadaki orduların yarısının bayrakları, neredeyse kimsenin bilmediği birkaç elit birime ait rozetler ve berelerle içerisinde Saddam Hüseyin'in bir sarayından alınmış altın kaplamalı AK-47'nin de bulunduğu devre dışı bırakılmış silahlar...

Ancak aynı zamanda dünyanın binbir mucizesi de duvarları süs-lüyordu; en vahşi ve uç biyomların, kupkuru çöllerin, buz mavisi karla kaplı dağların, güneş ışınlarının sanat eseri yarattığı kapkara ormanların ve Enduro Adventures'ın bu yerlere götürdüğü varlıklı takımların fotoğrafları dizilmişti.

Feaney barın arkasındaki dolabın kapağını açtı.

"Soğuk bir şeyler?"

Raff homurdanarak, "Bioko'dan sonra bir yudum için katliam ya-parım," dedi.

Feaney ona içecek bir şeyler uzatırken Jaeger'a döndü.

Jaeger başını sallayıp, "Yok, sağ ol. Bu alışkanlığımı Bioko'da bırak-tım ben. Orada kaldığım ilk yıl içmiştim ama sonraki iki sene ağzıma sürmedim. Bir bira içsem beni nehirden toplarsınız," dedikten sonra bir su aldı ve üç adam alçak masalardan birinin etrafına dizildi. Bir süre sohbet edip yokluklarında olan bitenden konuştular. Sonra Jaeger konuyu asıl meseleye, Raff ve Feaney'yi kendisini bulup eve getirmek için dünyanın öbür ucuna kadar götüren sebebe getirdi.

"Bu yeni sözleşme işi... Anlatın bakalım. Raff biraz bahsetti ama Maori'yi biliyorsun, konuşarak bir camgözü bile uyutabilir."

Raff içeceğini masaya vurup, "Savaşçıyım ben, goygoycu değilim," dedi.

"Sarhoşsun sen, başka bir şey değil," diye yanıtladı Jaeger.

Güldüler. Üç yıllık aranın ardından, ortadan kaybolan genç savaşçı-kâşif hâlinden bambaşka bir adam olarak dönmüştü Jaeger. Daha karanlıktı. Daha sessiz, daha kapalı... Ama aynı zamanda onu Enduro Adventures için böylesine kaliteli bir lider yapan mizahı ve sevimliliği de arada sırada kendini gösteriyordu.

"Sanırım sen de anlamışsındır," diye başladı Feaney. "Ama işler, Enduro, gidişinden sonra epey zorluk çekti."

"Gerekçelerim vardı," diye araya girdi Jaeger.

"Dostum, olmadığını söylemiyorum. Tanrı biliyor, hepimiz..."

Raff o kocaman dolgun elini kaldırarak sözünü kesti.

"Feaney ne anlatmaya çalışıyor, biliyor musun? Hiçbir sıkıntımız yok. Geçmiş geçmişte kaldı ve gelecek de bizim için bu yeni sözleşmede yatıyor. Ama son birkaç haftada sözleşmenin etrafı çok sağlam pislikle doldu."

"Aynen," diye doğruladı Feaney. "Özet geçersem, bir iki ay kadar önce Adam Carson bana ulaştı. Özel Kuvvetler Direktörü olduğu zamanlardan hatırlarsın."

"Tuğgeneral Adam Carson mı? Evet," diye onayladı Jaeger. "Bizimle ne kadar çalışmıştı, iki yıl mı? Donanımlı bir komutan ama ben ona pek ısınamamıştım."

"Ben de," diye katıldı Feaney. "Neyse, ordudan ayrıldıktan sonra bir medya kuruluşu onu bulmuş. Sonra Wild Dog Media diye bir film şirketinin genel müdürü olmuş. Adı kadar garip olmasa da şirket uzak alan çekimleri yapıyor; keşifler, vahşi yaşam, şirketler falan. Özel kuvvetlerden bir sürü adam almışlar. Yani ortaklık kurabileceğimiz kusursuz bir oluşum..."

"Gibi duruyor," dedi Jaeger.

"Carson geçenlerde bize sağlam bir teklifte bulundu. Amazon'un ortasında bir uçak enkazı bulunmuş. Yüksek ihtimalle İkinci Dünya Savaşı'ndan kalma... Brezilya ordusu batı sınırında hava keşfi yaparken bulmuş. Ancak şunu söyleyeyim, uçak harbiden inle cinin top oynadığı yerde... Neyse, enkazın ne olabileceğini keşfetme fırsatı için Wild Dog işi kovalamaya başlamış."

"Brezilya'da mı?" diye sorguladı Jaeger.

"Evet. Aslında hayır. Tam Brezilya, Bolivya ve Peru'nun buluştuğu sınırda... Görünüşe göre bir kanadı Bolivya'da, bir kanadı Peru'da ve kıçı da Copacabana'ya bakıyor. Şöyle söyleyeyim, onu oraya kim bıraktıysa uluslararası sınırları pek sallamamış."

"Alaydaki zamanlarımızı hatırlattı," diye soğuk bir ifadeyle yorumladı Jaeger.

"Aynen öyle. Neyse, kısa bir süreliğine sınır çekişmesi olmuş ama olaya müdahale edebilecek kadar donanımlı olan sadece Brezilyalılarmış. Ama onlara göre de iş çok büyükmüş. Sonra uçağın sırlarını ortaya çıkarmak için uluslararası bir takımın toparlanıp toparlanamayacağını görmek adına nabız yoklamaya başlamışlar."

"Yalnız uçağın modeli her neyse devasa olduğunu söylüyorlar," diye devam etti Feaney. "Carson daha detaylı bilgi verebilir ama uçak bir muammaya sarılı... Carson tüm olayı çekmesi için bir keşif takımı göndermeyi önerdi. Dev bir TV olayı olacak ve tüm dünyada yayınlanacak. İnanılmaz bir bütçe ayrıldı. Ama rakip teklifler de oldu ve Güney Amerikalılar da kendi aralarında bu konuyu tartışmaya başladı."

"Çok fazla şef var..." dedi Jaeger.

"Yeterince Kızılderili yok," diye onayladı Feaney. "Bahsi geçmişken enkazın yattığı bölge aynı zamanda en kapalı Amazon Kızılderili kabilelerinden birine de ev sahipliği yapıyor. Amahuaca mı nedir? Şimdiye kadar onlarla hiç bağlantı kurulmamış. Böyle de kalmasını istiyorlar. Bölgeye kim girerse oklarını tattırıyorlarmış." ·

Jaeger bir kaşını kaldırıp, "Ucu da zehirli miymiş?" diye sordu.

"Hiç sorma. Her keşifte kendini göstermiş." Feaney duraksadı. "Neyse, sen de burada dâhil oluyorsun. Keşfi Brezilyalılar idare edecek. Sadece gerektiği kadar bilgi veriyorlar ve enkazın bulunduğu yeri de iyi sakladılar. Kimse önden hareket edemiyor. Ancak Fransa bizim için neyse, Bolivya da Brezilyalılar için o; hatta Peruluları da Almanlara benzetebiliriz. Kimse kimseye güvenmiyor."

Jaeger gülüp, "İlkinin şarabını seviyoruz, ikincinin arabalarını; bu kadar mı?" dedi.

"Aynen öyle." Feaney içkisinden bir yudum aldı. "Ama Carson'ın kafası çalışıyor. Brezilyalıları tek bir şart karşılığında yanına çekmeyi başardı; senin Brezilya görevlerinde liderlik etmen. Oradaki özel kuvvetleri, narkotik birimlerini eğitmişsin ve görünüşe göre epey sağlam bir iz bırakmışsın. Bir altın olan Andy Smith de aynı şekilde... Size sonsuz bir güven söz konusu... Sebebini sen bilirsin."

Jaeger başını sallayıp, "Yüzbaşı Evandro hâlâ orada mıymış?" diye sordu.

"Artık Albay Evandro oldu. Sadece orada olmasını geçtim, Brezilya Özel Kuvvetleri'nin direktörü olmuş. En iyi adamlarının hayatını kurtarmışsın, bunları unutmamış. Carson bu işin başına ya seni ya da Smith'i getireceğine söz vermiş. Hatta tercihen ikinizi birden... Bununla onu ikna etmiş ve o da Bolivyalılarla Peruluları halletmiş."

"Albay Evandro iyi bir adam," diye yorumladı Jaeger.

"Öyle görünüyor. En azından yaptıklarını unutmamış. Carson ile Enduro'nun arayı yapma sebebi de bu. Seni arama sebebimiz de... Görünüşe göre de tam zamanında gelmişiz." Feaney bir an Jaeger'a baktı. "Neyse, sözleşme şartları harika! Birkaç milyon dolar söz konusu... Enduro'yu yeniden şahlandırmaya yeter!"

"Güzelmiş." Jaeger bakışlarını Feaney'e çevirdi. "Biraz fazla güzel bile olabilir."

"Olabilir." Feaney'in gözlerine bir perde indi. "Carson bir takım kurarak işe koyuldu. İşin televizyon kısmını çekici kılmak için erkek ve kadınlardan oluşan uluslararası bir ekip... İnanılmaz derecede gönüllü vardı. Carson'ın başı bir türlü boş kalmadı. Bu süreçte sana dair en ufak bir ipucu bile yakalayamamıştık. O yüzden Smithy... Yani senin dünyanın diğer ucunda olduğunu hesaba katarak işleri bir başına üstlenmeyi kabul etti."

Jaeger'ın yüzündeki ifade gizemini korurken, "Bioko'ya İngilizce öğretmeye gittiğim de düşünülebilir. Hangi açıdan baktığına bağlı..." dedi.

"Evet, her neyse..." Feaney omuzlarını silkti. "Amazon için artık her şey hazırdı. Dünyanın en büyük keşfi başlayacaktı, herkes bu hayret verici uçağı bekliyordu."

"Sonra TV yöneticileri işe burnunu soktu," diye çıkıştı Raff. "Zorlayıp durdular açgözlü piçler!"

"Raff, dostum, Smithy *kabul etmişti*," diye karşı çıktı Feaney. "En akıllıca olanın bu olduğuna karar vermişti."

Raff kendine yeni bir içki almaya giderken, "Yine de iyi bir adam..." dedi.

"Orasını bilmiyoruz!" diye kesti sözünü Feaney.

Raff dolabın kapısını sertçe vurup, "Neyi bilmiyoruz be!" dedi.

Jaeger ellerini kaldırdı.

"Beyler... Sakin olun. Sonra ne oldu?"

"Bir açıdan baktığında Raff haklı..." Feaney konuya geri döndü. "TV yöneticileri ekstra talepte bulundu. Keşfin öncesini anlatan bir bölüm gibi... Andy Smith seçtiği kişileri İskoçya tepelerine götürecek, orada bir bir sınayacaktı. Sanki mini bir SAS seçim kursu gibi olacaktı. Zayıf gönüllüler elenecek, her şey de çekilecekti."

Jaeger başını sallayıp, "İskoç tepelerine çıkmışlar, güzel. Mesele nedir?" dedi.

Feaney gözünü Raff'a çevirip, "Bilmiyor mu?" diye sordu.

Raff düşünceli bir şekilde içkisini masaya koyarken, "Dostum, adamı yarı ölü bir vaziyette Kara Sahil'den çıkardım, elimizde iki çakıyla savaşarak Cehennem Adası'ndan kaçtık, sonra da köpekbalıklarıyla tropik fırtınaları aştık. Hangi ara söyleyecektim?" dedi.

Feaney başını kaşıyıp Jaeger'a döndü.

"Smithy İskoçya'daki takımın önderliğini yapıyordu. Ocak ayında batı kıyısındaydılar ve hava da berbattı. Polis, cesedini Loch Iver Vadisi'nin dibinde buldu."

Jaeger bir anlığına kalbinin durduğunu hissetti. *Smithy ölmüş mü?* Kötü bir şeyler olduğuna dair içinde garip bir his vardı ama bu ihtimali hiç düşünmemişti. Bu, Smithy'nin başına gelmiş olamazdı. Sonuna kadar güvenilir ve sağlam bir adam olan Andy Smith her zaman onun arkasını kollamıştı. Ne kadar kötü olursa olsun tüm şakalarına gülmüş, Jaeger'ın sahip olduğu en yakın arkadaşlardan biri hâline gelmişti.

"Smithy düşüp ölmüş mü?" diye inanamayarak sordu Jaeger. "İmkânsız, adam resmen yıkılmazdı. O tepeleri de ondan iyi bilen yoktu."

Oda bir an sessizliğe gömüldü. Feaney'in bakışlarından hüzün okunuyordu.

"Polisler kanındaki alkol seviyesinin çok yüksek olduğunu söyledi. Bir şişe içki içip tepeye çıkmış ve karanlıkta ölüme yuvarlanmış."

Jaeger'ın gözleri sinirden parlıyordu.

"Lanet olsun! Smithy benden bile az içerdi!"

"Biz de polislere aynen öyle söyledik. Ama hikâyelerine sadık kalıyorlar. Büyük oranda intihar süsü verilmiş bir kaza sonucu ölüm..."

"İntihar mı?" Jaeger sesini yükseltti. "Smithy ne diye kendini öldürsün be? Karısı var, çocukları var. Önünde rüya gibi bir görev var. Yapmayın, ne intiharı! Onun yaşamak için birçok sebebi vardı."

"İstersen anlat Feaney." Sesinden öfkesini zar zor dindirdiği anlaşılan Raff söze girmişti. *"Her şeyi..."*

Feaney biraz sonra olacaklar için kendini hazırlamıştı.

"Smithy bulunduğunda ciğerleri suyla doluymuş. Polisler gece boyunca yağan yağmurun altında yatıp tüm suyu yuttuğunu söylüyor. Aynı zamanda düşüş sebebiyle de boynu kırıldığı için ânında öldüğünü ilettiler. Ama ölüyken ciğerlerine su çekemezsin. Yani hâlâ hayattayken o su ciğerlerine dolmuş olmalı."

"Ne diyorsun yani?" Jaeger bakışlarını Feaney'den Raff'a çevirdi, sonra yine ona döndü. *"Waterboarding*[3] mi yapmışlar?"

Raff parmaklarıyla içki şişesini kavrarken, "Ciğerleri suyla dolu... Ölüler nefes almaz. Anla işte! Dahası da var..." dedi. İyice sıktığı yumruğu arasında şişeyi döndürürken Feaney'e bakıyordu.

Feaney masanın altına uzanıp plastik bir dosya çıkardı ve içinden bir fotoğraf alıp Jaeger'a uzattı.

"Polis verdi bunu. Biz yine de tekrar kontrol etmek için morga gittik. O işaret, o simge; Andy'nin sol omzuna kazınmış."

Jaeger fotoğrafa baktıkça baktı, tüyleri diken diken olmuştu. Eski yardımcısının vücuduna kabaca çizilmiş bir kartal kazınmıştı. Kuyruğunun üzerinde duruyor, çengelli ağzı tamamen açılmış bir vaziyette kanatlarının yanından sağa doğru bakıyor, pençeleri de anlamsız bir dairesel şekli kavrıyordu.

Feaney öne uzanıp bir parmağını fotoğrafa koydu.

"Anlam veremedik. Kartal simgesi... Bu kimseye hiçbir şey ifade etmiyor. İnan bana, herkese sorduk." Jaeger'a döndü. "Polisler bunun bir tür sahte askerî sembol olduğunu söylüyor. Smithy kendine yapmış. Kendi kendine zarar vermiş. İntiharı da bu yüzden kovalıyorlar zaten."

---

3 Ç.N.: Kişinin yüzünün ıslak bezle kapatılarak ve üzerine su dökülerek sürekli boğulma hissi yaşamasına sebebiyet veren bir işkence yöntemi.

Jaeger konuşamıyordu. Feaney'nin söylediklerini zar zor anlamıştı. Gözlerini bir türlü fotoğraftan ayıramıyordu. Bir şekilde o görüntü kendisine Kara Sahil Cezaevi'nde yaşadığı dehşeti hatırlatmıştı.

Karanlık kartal simgesine ne kadar bakarsa beynine de bir o kadar kazınıyordu adeta. En derinlere gömdüğü korkunç anılarını çağırıyordu. Bir taraftan çok yabancı, bir taraftan çok tanıdıktı ve içinde kurtulmak için çırpınan o eski anılarını gün yüzüne çıkarmakla kendisini tehdit ediyordu.

8

Jaeger ağır cıvata kesicileri aldı ve çitlerin üzerinden atladı. Şansına, Doğu Londra'daki Springfield Marina'nın güvenliği hiçbir zaman sıkı olmamıştı. Bioko'dan sadece hâlâ üzerinde bulunan kıyafetlerle ayrılmış; marinaya girmesini sağlayacak kapıları açanlar da dâhil olmak üzere anahtarlarını alacak bir an bile bulamamıştı. Ama sonuçta orada yatan kendi teknesiydi ve anahtarla olmasa bile içine girmeye hakkı olduğunu düşünüyordu.

Cıvata kesicileri bölgedeki bir dükkândan satın almıştı. Raff ve Feaney'nin yanından ayrılmadan önce de hem onlardan hem de Wild Dog Media Genel Müdürü Carson'dan kırk sekiz saat istemişti. Smithy'nin kaldığı yerden sorumluluğu alıp Amazon'un en derinlerine gerçekleştirilecek bu talihsizliği her yanından okunan keşif gezisinin liderliğini üstlenip üstlenmeyeceğine bu iki günde karar verecekti. Ancak böyle bir zaman istemesine rağmen Jaeger kimseyi kandıramadığının farkındaydı. Onların eline düşeli çok olmuştu zaten. Pek çok sebepten ötürü reddetmesi mümkün bile değildi.

Her şeyden önce Raff'a borcu büyüktü. İri Maori hayatını kurtarmıştı. Pieter Boerke'nin paralı askerleri harekete geçip Bioko'yu rekor bir sürede özgür bırakmadığı takdirde, sonuna kadar kaçtığı dünyanın hiç haberi olmadan Kara Sahil Cezaevi'nde hayatından olurdu. Raff'ın ardından Andy Smith'e de borcu büyüktü. Hem Jaeger arkadaşlarını yarı yolda bırakmazdı. Asla! Smithy'nin kendi canını almasına imkân yoktu. Elbette üçüncü kez kontrol etmek, tamamen emin olmak istiyordu. Ama arkadaşının ölümünün, Amazon'un derinlerinde yatan o gizemli uçak enkazıyla bir şekilde bağlantılı olduğunu da hissediyordu. Başka nasıl bir sebep, *nasıl bir gerekçe* olabilirdi ki?

İçindeki ses, Smithy'nin katilinin keşif takımından biri olduğunu söylüyordu. Onu bulmanın yolu da aralarına karışıp kişileri içeriden birer birer elemekten geçiyordu.

Bundan sonraysa bizzat uçağın gizemi ağır basıyordu. Adam Carson'ın telefonda çok kısa bir sürede anlattıkları bile ilgisini çekmeye yetmişti. Hatta öyle ki karşı koyamaz bir duruma gelmişti. Feaney'nin söylemeye çalışıp da beceremediği Winston Churchill'in sözü gibi; *Uçak kesinlikle gizemle kuşatılmış bir muammaydı.*

Jaeger bu keşfin her yerinde tutunacak bir şey bulmuştu.

Ama hayır, kararını vermişti zaten; gidiyordu.

Kırk sekiz saati istemesinin sebebi bambaşkaydı. Yapmak istediği üç ziyaret, üç soruşturma vardı ve bunları da kimseye tek bir kelime etmeden yapacaktı. Belki yaşadığı o son birkaç yıl onu iyice herkese karşı güvensiz biri hâline getirmişti. Artık kimseye bel bağlayamıyordu. Belki de Bioko'da geçirdiği üç yıl onu yalnız bir kurda dönüştürmüştü; öyle ki aynısını kendi evinde, kendi şirketinde bile hissediyordu. Ama belki de böylesi daha iyi, daha *güvenliydi*. Böyle böyle hayatta kalıyordu işte.

Jaeger marinanın etrafını saran yola girdi; yağmurdan sırılsıklam olmuş, kayganlaşmış çakılların üzerinde botları çatırdıyordu. Artık akşamüzeri olmuş, marinanın üzerine o mavi karanlık çökmüştü. Sakin nehrin üzerindeki teknelerden yemek kokuları yayılıyordu.

Parlak renklere boyanmış tekneler, bacalardan tembel tembel süzülen dumanla birlikte yapraksız kanal havzasındaki yağmurun yıkadığı Şubat grisi, önündeki manzarayı bütünüyle dengesiz gösteriyordu. Üç yıl geçmişti. Ama Jaeger sanki bir ömürdür uzaktaymış gibi hissediyordu.

Kendi teknesinden iki kapı önceki demirleme yerinin önünde durdu. Annie'nin yuvasında ışıklar yanıyor ve eski odun sobasından çıkan dumanlar havaya karışıyordu. Tekneye tırmandı ve yarı açık ambar ağzından başını uzattı.

"Selam Annie, benim! Yedek anahtarlarım hâlâ duruyor mu?"

Korkudan fal taşı gibi açılmış bir çift göz ona döndü.

"Will? Tanrım! Sen nasıl... Biz burada... Yani endişeden..."

"Öldüm mü sandınız?" Jaeger bir kahkaha attı. "Hayalet değilim Annie. Sadece biraz uzaklaşmıştım. Afrika'da öğretmenlik yaptım. Şimdi de döndüm."

Annie aklı karışmış bir şekilde başını sallayıp, "Tanrım... Pek konuşkan bir tip olmadığını biliyorduk zaten ama Afrika'da üç yıl mı? Yani bir gün buradaydın, sonraki gün gitmiştin. Hem de kimseye tek bir kelime etmeden..." dedi.

Annie'nin ses tonundaki kırgınlık barizdi ama saklamaya çalışıp başaramadığı bir de yara vardı.

Gri ve mavi karışımına çalan gözleri, uzun bıraktığı siyah saçlarıyla, Jaeger biraz sıska, epey vahşi ve gayet keskin bir şekilde yakışıklıydı. Sırma saçları oldukça uzamıştı ve kendisini yaşından çok daha genç gösteriyordu.

Annie de dâhil olmak üzere marinadaki kimseyle özel hayatının detaylarını paylaşmamıştı ama güvenilir ve sadık bir komşu olduğunu göstermişti. Bir de sürekli diğer tekneci arkadaşlarının arkasını kollaması vardı tabii. Birbirine yakın olmasıyla övünen bir topluluktu onlar. Nitekim Jaeger'ı oraya çeken de buydu. Ayrıca bir ayağının Londra'nın kalbinde, diğerinin ardına kadar açık kırsal bölgede olmasını da çok sevmişti.

Marina, kuzeyde açık çayırlara ve yüksek tepelere uzanarak yeşilden bir papyon çizen Lee Vadisi'ndeki Lee Nehri'ndeydi. Jaeger, *Global Challenger*'da geçirdiği yorucu günlerin ardından nehrin kenarındaki koşu yoluna çıkar; biraz eksik kaldığı sporunu yapmak, biraz da bedeninde biriken gerginliği atmak için koşardı. Neredeyse hiç yemek yapma gerekliliği duymamıştı. Annie zaten sürekli kendi yaptığı yemeklerden getiriyordu ve Jaeger da en çok *smoothie*'sini seviyordu.

Annie Stephenson... Bekâr, otuzlu yaşlarının başında, oynak, güzel bir hippi kız... Jaeger uzunca bir süre Annie'nin kendisine âşık olduğundan şüphelenmişti. Ancak tereddütsüz bir şekilde "tek" kadın adamıydı.

Ruth ile oğlu, bütün hayatı onlardı.

Bir zamanlar...

Muhteşem bir komşu olmasına ve Jaeger'ın hippiliğiyle sürekli dalga geçerek eğlenmesine rağmen Annie'nin hiçbir şansı yoktu.

Genç kadın ortalığı didik didik ettikten sonra anahtarlarını verdi.

"Geri döndüğüne hâlâ inanamıyorum. Yani dönmen harika tabii. Onu demek istedim. Hani Tenekeci George var ya, tam da bu ara motosikletini almayı düşünüyordu. Neyse, soba hâlâ sıcak..." Gülümsedi. Gergindi ama içindeki bir tutam umut gözlerinden okunuyordu. "Geri dönüşünü kutlamak için bir pasta yapayım, ne dersin?"

Jaeger sırıttı. İçindeki karanlıktan kurtulabildiği ender anlarda çok genç ve çocuksu görünürdü.

"Aslında var ya Annie, yemeklerini özledim. Ama buralarda kalmayacağım. Halletmem gereken birkaç işim var. Sonrasında bir dilim pasta ve sohbet için bir sürü zamanımız olacak."

Jaeger tekneden çıktı, Tenekeci George'un yelkenlisini geçti. Adama alaycı bir gülümseme hediye etti. Motosikletine göz diken arsıza da böyle bir selam yakışırdı zaten.

Hemen sonra kendi teknesine tırmandı. Biriken yaprakları bir tekmeyle dağıttı ve girişe doğru eğildi. Kapıdaki kalın zincirle asma kilidi yerli yerinde duruyordu. Londra'dan ayrılıp dünyanın diğer ucuna giden uçağına binmeden önce yaptığı son şey buydu, teknesini zincirleyip kilit vurmuştu.

Zinciri cıvata kesicinin arasına yerleştirdi, ağrıyan kollarıyla sıkıca bastırıp ortadan ikiye ayırdı. Annie'deki yedek anahtarı ana kilide geçirdikten sonra evine açılan akordeon kapıyı araladı. Jaeger'ın teknesi tam bir Thames ürünüydü. Bilindik teknelere nazaran daha geniş ve daha derindi, amaç ise boş alanı artırarak biraz daha lüks bir hava katmaktı. Ama Jaeger'ın teknesinde lüks namına bir şey yoktu. İçerisi çarpıcı şekilde boştu. Tamamen işlevsellik düşünülerek tasarlanmıştı. Birkaç kişisel eşya haricinde tenha sayılırdı.

Bir odasını geçici bir spor alanı olarak şekillendirmişti. Diğerinde oldukça sıradan yatak odası bulunuyordu. Minik bir mutfağı, bir de ahşap zeminde oraya buraya dağılmış yastıklarla kilimlere sahip oturma odası vardı. Odanın büyük bölümünüyse masasına ayırmıştı. Çünkü *Global Challenger*'ın yoğunluğundan kaçabildiği zamanlarda burada çalışmayı tercih ederdi.

Teknesinde pek zaman kaybetmedi. Bir çiviye asılı ikinci anahtarlığını alıp dışarı çıktı. Teknesinin pruva kısmında, üzerine özenle serilmiş çarşafın altında yatan *Triumph Tiger Explorer*'a ilerledi. Motoru belki de en eski dostuydu. Belki on sene, belki de daha uzun süre önce SAS seçimlerini geçtikten sonra kutlama amacıyla ikinci el olarak almıştı.

Üzerindeki örtüyü kaldırıp kenara attı. İkinci güvenlik zincirine doğru eğildi, kesti ve tam kalkmak üzereyken uzaktan bir ses işitti; ıslak, kaygan çakıllardan bir ayak sesinin çatırtıları duyuluyordu. Bir anda kalın zincirin bir ucunu eline doladı, asma kilidin sallandığı diğer ucuysa bir metreye yakın bir uzunlukta bıraktı.

Arkasını döndü, elindeki geçici silahı Ortaçağ'da kullanılan prangalara benziyordu. Karanlıkta dev bir figür belirmişti.

"Seni burada bulacağımı biliyordum," dedikten sonra gözleri sallanan zincire kaydı. "Ama daha sıcak bir karşılama beklerdim."

Jaeger yaralı bedenindeki gerilimin yavaşça üzerinden sıyrılmasına müsaade etti.

"Haklısın. Çay demleyeyim mi? Evde üç yıllık süt ve bayatlamış poşet çay var."

İçeri girdiler, Raff tekneye bir göz gezdirdi.

"Geçmiş üzerime üzerime yürüyor dostum."

"Evet, burada güzel günlerimiz olmuştu."

Jaeger bir süre çaydanlığın yanında zaman geçirdi, sonra Raff'a sıcak çay bardağını uzattı.

"Şeker taş gibi olmuş, bisküviler yumuşacık... Almazsın diye düşünüyorum."

Raff omuz silkip, "Çay yeter," dedikten sonra açık kapıdan görünen *Triumph*'a bir göz attı. "Yolculuk mu var?"

Jaeger ser verip sır vermiyordu.

"Olayımı biliyorsun, sürmek için yaşarım."

Raff elini cebine daldırıp Jaeger'a bir kâğıt parçası verdi.

"Smithy'nin ailesi... Yeni adresleri bu... Eskisine gitmen manasız... Son üç yılda iki kez taşındılar."

Jaeger'ın yüzündeki ifadeden hiçbir şey anlaşılmıyordu.

"Bu taşınmaların belirli bir sebebi var mı?"

Raff yine omuzlarını silkip, "Bizimle çalışırken iyi para kazanıyordu. Enduro'da... Sürekli büyüdü. Bir odaya daha ihtiyaçları varmış. Yeni bir çocuk yapmayı düşünüyorlarmış," dedi.

"İntihara meyilli birinin sözleri değil."

"Aynen. Motora yardım edeyim mi?"

"Evet, olur."

İki adam, *Triumph*'ı geçici bir iskele tahtasında ilerleterek, nehrin kıyısındaki yola götürdü. Jaeger lastiklerin epey hava kaçırdığını anlayabiliyordu. Güzelce bir şişirilmeleri lazımdı. Tekneye dönüp motor giysilerini aldı. Su geçirmez bir Belstaff ceket. Botlar. Kalın, deri eldivenler. Yüzü açıkta bırakan kaskı. Son olarak da bir atkıyla İkinci Dünya Savaşı'ndan kalmış gibi görünen eski püskü uçuş gözlüğünü aldı. Sonra bir çekmeceyi açıp yerinden çıkardı, arkasını çevirdi ve altına yapıştırılmış bir zarfı kopardı. İçine baktığında nakit 1.000 Pound'un aynı bıraktığı gibi yerli yerinde olduğunu gördü.

Parayı cebine attı, tekneyi kilitledi ve Raff'ın yanına döndü. Elektrikli bir kompresi fişe taktıktan sonra iki lastiğe de hava verdi. Motorunu, üzerinde güneş enerjisinden faydalanan şarj cihazıyla bırakır; kışın ortasında bile aküye güç verecek kadar enerji depolamış olurdu. Kontağı birkaç kez çevirdi ve sonra motor gürleyerek hayata döndü.

Jaeger atkısını yüzüne doladı, kaskını taktı ve antika gözlüğünü taktı. O gözlük paha biçilemezdi. Büyükbabası Ted Jaeger, İkinci Dünya Savaşı sırasında gizli kapaklı işler yürütürken onu takıyordu. Bu konuda pek konuşmazdı ama duvarlarını süsleyen fotoğraflardan anlaşıldığı kadarıyla, üstü açık jipini savaştan en büyük yarayı alan en köhne yerlere kadar sürmüştü.

Jaeger sık sık Ted Dedesi hâlâ hayattayken ona savaşa dair, orada neler yaptığına dair daha fazla soru sormuş olmayı dilerdi. Son birkaç saatten sonra da fırsat bulduğu onca seferde bunu yapmadığı için büyük bir pişmanlık duymaya başladı.

Triumph'ın üzerine atladı, Raff'ın elindeki boş kupaya baktı.

"Onu teknede bırak, olur mu?"

"Olur." Raff bir an tereddüt etti, sonra kocaman eliyle motorun gidonuna uzandı. "Dostum, Sammy'nin fotoğrafını gördüğünde ben de gözünde parlayan ateşi fark ettim. Nereye gidiyorsan, ne planlıyorsan dikkatli ol."

Jaeger uzunca bir süre Raff'ı dinledi. Fakat bu sırada bile zihni bambaşka yerlerdeydi.

"Hep dikkatliyimdir."

Raff gidonun üzerindeki eli iyice sıkıp, "Artık birilerine güvenmeye başlamanın zamanı geldi. Hiçbirimiz neler yaşadığını bilmiyoruz. Biliyor gibi de davranamayız zaten. Ama biz de senin arkadaşınız, kardeşiniz. Bunu unutma," dedi.

"Biliyorum," dedikten sonra Jaeger durakladı. "Sadece kırk sekiz saat... Bir cevapla geri döneceğim."

Sonra gazı kökleyip karanlık iskelede hızlandı ve gözden kayboldu.

9

Jaeger hızla batıya ilerlerken, sadece bir kez kontörlü bir akıllı telefon almak için Carphone Warehouse'da durdu. M3'te ilerlerken Explorer'ı hep 130 km/s hızda tuttu, ancak A303 dönüşüne girdikten sonra kendini bulduğu Wiltshire yollarıyla birlikte artık yeniden motorunun üzerinde olduğunu hissetmeye başlamıştı.

Uzun asfalt yolculuğu boyunca aklından çıkmayan tek bir şey vardı; Andy Smith. Öyle arkadaşlar kolay bulunmuyordu. Jaeger, Raff'ın da aralarında bulunduğu, bir elin parmaklarını geçmeyen az sayıda insana güveniyordu sadece. Şimdiyse biri daha eksilmişti ve Smithy'nin nasıl ve neden öldüğünü tüm ayrıntılarıyla bulmadan Jaeger'a rahat yoktu.

Brezilya'daki o narkotik eğitimleri birlikte çalıştıkları son görevlerden biriydi. Jaeger bundan çok kısa bir süre sonra Enduro Adventures'ı kurmak için ordudan ayrılmıştı. Smithy ise orduda kalmaya karar vermiş; karısına ve üç küçük çocuğuna bakması gerektiğini, ordudan aldığı düzenli maaşı kaybetmeyi göze alamadığını söylemişti.

Olaylar ise Brezilya'daki üçüncü eğitim görevlerinde beklenmedik bir hâl aldı. Teoride, Jaeger ile adamları oraya sadece Brezilya Özel Kuvvetleri'ni, yani Brezilya Özel Operasyonlar Tugayı anlamına gelen *Brigada de Operacoes Especiais*'i eğitmeye gitmişti. Ancak zamanla aradaki bağ kuvvetlendi ve Jaeger ile adamları da en az tugaydakiler kadar uyuşturucu kaçakçılarına sövmeye başladı.

Yüzbaşı Evandro'nun takımlarından biri kaybolduğundaysa Jaeger ile adamları sorumluluğu üstlendi. Brezilya Özel Kuvvetler tarihindeki en uzun yayan devriyelerden birine imza atılırken, Jaeger'in önderliğindeki ekipte tugayın önde gelen isimleri de yer alıyordu. Nihayetinde çetenin ormanın derinliklerindeki saklanma yerini bulup üzerinde birkaç gün boyunca çalıştılar ve sonrasında da oldukça şiddetli bir saldırıya geçtiler.

Katliamı andıran çatışmalar neticesinde kötü adamların hepsi dünyadan temizlenmişti. Yüzbaşı Evandro'nun kaybolan on iki adamından sekizi canlı bir şekilde kurtarılırken, şartlar düşünüldüğünde bu operasyon büyük bir başarı olarak değerlendirildi. Ancak operasyon sırasında Jaeger'ın hayatından olmasına ramak kalmıştı ve şu an hâlâ nefes almasının tek sebebi Andy Smith'in insanüstü bir cesaret örneği göstererek onu kurtarmasıydı. Aynı Yüzbaşı Evandro gibi Jaeger da bazı şeyleri unutmazdı.

Explorer'ı, üzerinde Fonthill Bishop yazan tabelanın gösterdiği çıkışa sürdü. Kartpostaldan çıkma gibi görünen Tisbury köyünün uzak mahallelerinden birine gelmişti ve gözlerini hemen sağındaki, yoldan biraz uzağa dikilmiş eve çevirdi. Pencerelerinde yanan güçsüz sarı ışıklar dışarıdaki dünyaya korkuyla bakan gözleri andırıyordu.

Millside'dı burası. Jaeger, Raff eline kâğıdı tutuşturduğu an adresi bilmişti.

Duvarları yosun tutmuş, sarmaşıkların ağır ağır ama istikrarlı bir şekilde etrafını sardığı, hemen önünden akan deresi ve yarım dönümlük arazisiyle sazdan bir çatının altında nefes alan bu evi, Smithy, eski kumandanı ve en yakın arkadaşı Will Jaeger'a yakın olmak için bölgeye taşındığı ilk zamandan beri istiyordu. Görünüşe göre hayallerini süsleyen evi sonunda almıştı; Jaeger ise o sırada ortadan kayboluşunun en aşağı ikinci senesini kutluyordu.

Rüzgârı da arkasına alarak motorunu köyün iyice dışına sürdü, virajı aldıktan sonra Tuckingmill ve East Hatch yoluna çıkmıştı. Hava motorla yola çıkılmayacak kadar soğuk ve yollar ıslak olduğu zamanlarda sık sık bindiği, Londra'ya giden trenlerin geçtiği ana demiryolunu taşıyan köprünün altından geçerken yavaşladı.

O anda motorunun ışığı, karşısındaki New Wardour Kalesi'nin tabelasını aydınlatmıştı. Sağa dönüp kısa patikada biraz ilerledi ve taştan yapılma mütevazı kapı sövesinin önünde durdu.

Lastikleri çakılla doldurulmuş yolun ucunda dinlendirirken, iki tarafta dizili kestane ağaçlarının da sanki hayalet birer gözcüymüş gibi kendisini izlemeye başladığı hissine kapıldı. Wardour'un eski bir okul arkadaşından neredeyse harabeyken aldığı bu sözde ev, şimdi görkemli bir kaleye dönüşmüştü. Nick Tattershall, Londra'da yaptığı serveti, New Wardour Kalesi'ni restore ederek eski ihtişamına kavuşturmak için harcamıştı.

Kaleyi birkaç daireye ayırmış, en büyüğünü de kendine saklamıştı. Ancak tadilat noktalanmak üzereydi ki Britanya o alışıldık krizlerinden birini daha yaşadı ve emlak piyasası dibe vurdu. Tattershall her şeyi kaybetmek üzereydi. O anda Jaeger devreye girdi ve kaleden henüz tamamlanmamış ilk daireyi aldı. Onun verdiği bu güvenoyu diğer alıcıları da çekmişti. Böylece normalde asla karşılayamayacağı bir evi aşırı ucuz bir fiyata kapatmış oldu.

O zamanlar yeni mülkü bir aile için kusursuz bir ortam sunmuştu. Sanki sonsuza kadar uzanıyormuş gibi görünen yeşilliklerin arasında, aradığı tüm gizliliği ve huzuru sağlıyordu yeni yuvası. Ancak Londra'dan tren veya motorla birkaç saat uzaklıktaydı. Buna rağmen Jaeger; Thames teknesi, *Global Endeavour* ve burası arasında işini paylaştırmayı ustalıkla başarmış, ailesinden uzakta uzunca bir süre geçirmemişti Jaeger.

Motorunu, kireçtaşından örülmüş duvarlarıyla heybetli cephenin önüne park etti. Anahtarını ortak kapının kilidine yerleştirdi ve serin, mermer girişten merdivenlere yöneldi. Daha ilk basamağa adımını atmıştı ki zihnine hücum eden acı tatlı tüm anıların ağırlığı vücuduna bindi.

Burada o kadar güzel zamanları olmuştu ki...

O kadar mutluydu ki...

Her şey nasıl da bu kadar sarpa sarmıştı?

Kendi dairesinin önünde durdu. İçeride onu neyin beklediğini biliyordu. Kendini hazırladı, anahtarı çevirip içeri girdi. Işıkları açtı. Mobilyaların büyük çoğunluğu tozlanmasın diye örtülmüştü ama anlaşılan sadık temizlikçisi Bayan Sampson her hafta etrafı süpürmeye ve toz almaya devam etmişti. Evi pırıl pırıl görünüyordu.

Jaeger bir an duraksadı. Tam önündeki duvarda devasa bir tablo vardı. Çarpıcı bir turuncu alınlı kuş; Brezilya'nın ulusal sembollerinden, ardıç kuşu... Brezilya'nın en ünlü ressamlarından biri tarafından çizilen bu tablo, Yüzbaşı Evandro'nun hediyesiydi; bu, onun kendine has teşekkür etme şekliydi. Jaeger tabloya bayılmıştı. Bu yüzden eve girer girmez görülsün diye tam da kapının karşısındaki duvara asmıştı.

Bioko'ya gitmek üzere yola çıktığında, Bayan Sampson'dan bunun üzerini kapatmamasını istemişti. Sebebini bilmiyordu. Belki daha erken dönebilirdi ve kuşun her zaman onu karşılamak için orada olacağını bilmek istiyordu.

Sola döndü ve geniş oturma odasına adım attı. Kocaman ahşaptan panjurları kaldırmanın bir manası yoktu, hava kararalı epey olmuştu zaten. Işıkları açtı ve gözleri uzaktaki duvara dayanmış çalışma masasına takıldı.

Masaya ilerledi ve nazik bir şekilde üzerindeki örtüyü kaldırdı. Tek eliyle uzandığında parmakları fotoğraftaki güzeller güzeli kadının yüzünü okşuyordu. Parmak uçları fotoğraftan ayrılmak istemiyordu, cama yapışıp kalmıştı. Gözleri masayla aynı seviyeye gelene kadar eğildi.

"Döndüm Ruth," dedi. "Üç yıl geçti ama artık döndüm."

Sonra parmakları camın üzerinden aşağı kaydı. Annesinin hemen yanında sanki onu koruyormuş gibi duran, genç bir erkek çocuğun üzerinde durdu. İkisinin üzerinde de "Gergedanı Kurtar" tişörtü vardı; Doğu Afrika'daki Amboseli Millî Parkı'na ailece yaptıkları tatilde almışlardı. Jaeger birlikte çıktıkları gece yarısı safarisini hiç unutmamıştı, bir de Masai rehberleri vardı tabii. Ay ışığıyla aydınlanan bozkırda zürafa sürüleri, antiloplar ve hepsinden de öte ailenin en sevdiği hayvan olan gergedanlarla birlikte yürümüşlerdi.

"Luke baban döndü..." diye söylendi Jaeger. "Sizi ne kadar özlediğimi bir ben biliyorum."

Duraksadı, duvarlardan güçlü bir sessizlik yankılanıyordu.

"Ama en ufak bir iz bile yoktu, hiçbir yaşam belirtisi yoktu. Bana bir şey gönderseniz, en basitinden bir işaret gönderseniz bile olurdu. Ne olursa olsun, olurdu. Smithy nöbetteydi, her zaman gözü açıktı. Bana haber vereceğine söz vermişti." Fotoğrafı alıp dikkatle sarıldı. "Sizi bulmak için dünyanın sonuna kadar gittim. Evrenin sonuna bile giderdim. Hiçbir yer uzak gelmezdi bana. Ama üç uzun yıl boyunca hiçbir iz yoktu."

Sanki kaybolan o uzun yılların acısını temizliyormuşçasına bir eliyle yüzünü sildi. Çektiğindeyse gözleri dolu doluydu.

"Sanıyorum birbirimize karşı dürüstsek, doğruyu söyleyeceksek artık zamanı geldi. Adamakıllı bir vedanın, gerçekten gittiğinizi kabul etmenin vakti geldi."

Jaeger başını eğdi. Dudaklarını fotoğrafa değdirip önce kadının, sonra oğlunun yüzlerini öptü. Ardından çerçeveyi yeniden masaya koyup örtünün üzerine özenle yatırdı. Yüzleri yukarı bakıyordu, böylece ikisini de görecek ve hatırlayacaktı.

10

Jaeger oturma odasının diğer köşesine ilerledi. Oradaki çift kapı, ailece "müzik odası" adını verdikleri odaya açılıyordu. Duvarlardan birindeki tavana kadar uzanan raflar CD ile doluydu. Mozart'ın "Requiem" eserini seçti. CD-çalara koyup çalma düğmesine bastı ve oda müzikle aydınlandı.

Hareketli melodiler her şeyin akın etmesine sebep olmuştu; tüm aile anıları bir bir canlanıyordu. Birkaç dakika içerisinde ikinci kez, Jaeger kendini gözyaşlarını tutmaya çalışırken buldu. Ama öylesine yıkılmaya, koyvermeye ve yas tutmaya müsaade etmiyordu. Ona daha vardı. Zaten oraya gelme sebebi bambaşkaydı, çok ama çok daha tedirgin edici bir şey için evine dönmüştü.

Artık yıpranmış çelik sandığı müzik setinin altındaki yerinden çekip çıkardı. Bir anlığına, gözleri kapağa kazınmış harflere takıldı; W. E. J. William Edward "Ted" Jaeger. Dedesinin ölmeden kısa bir süre önce Jaeger'a hediye ettiği savaş sandığı duruyordu önünde.

"Requiem", ilk vurucu kreşendosuna yükselirken, Jaeger da dedesinin onu gizlice çalışma odasına soktuğu zamanlara geri döndü. Jaeger'a piposundan birkaç fırt verir, aynı sandığı kurcalayarak dede-torun zaman geçirirlerdi.

Ted Dede'nin piposu sanki dişlerinin arasından sonsuza kadar ayrılmayacak gibiydi. *Player's Navy Cut* ile içide dinlendirilmiş tütün kokuyordu. Jaeger o ânı hiçbir eksiği olmaksızın gözünde canlandı-

HAYALET UÇAK | 69

rabiliyordu. Dedesinin dudakları arasından havaya karışan halkalar, masa lambasının ışığında huzurla dans ediyordu.

Jaeger sandığın iki yanındaki kilitleri açtı ve ağır kapağı arkaya yatırdı. Yığının tepesi en sevdiği yadigârlardan oluşuyordu. Deri ciltli bir dosyanın üzerindeki artık solmuş kırmızı damgada *ÇOK GİZLİ* yazıyordu. Onun altındaysa *206 Numaralı İrtibat Birlik Komutanı.* Ancak dosyanın içindeki onca şeyin, kapaktaki büyük vaadi yerine getirememesi Jaeger'a her daim çok garip gelmişti.

Dosyada İkinci Dünya Savaşı'nda kullanılan radyo frekansları ve kodlarının bulunduğu kitapçıklar, ana savaş tanklarının diyagramları; türbinlerin, pusulaların ve motorların taslakları vardı. Bir çocuğun gözüne olağanüstü görünse de yetişkin bir adam olduktan sonra Jaeger, dosyanın kapağıyla içindekilerin bir alakası olmadığını anlamış ve böylesine bir gizliliğin manasız olduğunu düşünmüştü. Sanki dedesi, dosyadaki belgeleri ergenliğe yeni girmiş bir çocuğu etkileyip eğlendirmek ve özellikle bir değere sahip hassas hiçbir şeyi göstermemek için kasten dizmişti.

Dedesinin ölümünden sonra Jaeger, 206 Numaralı İrtibat Birliği'ni araştırmaya, daha doğrusu geçmişini öğrenmeye çalıştı. Ancak hiçbir şeye ulaşamadı. Ulusal Arşivler'de, İmparatorluk Savaş Müzesi'nde, Deniz Kuvvetleri Komutanlığı'nda... Bir tür kayıt, en azından bir savaş günlüğü içermesi gereken arşivlerin hiçbirinde birliğin adı geçmiyordu. Sanki 206 Numaralı İrtibat Birliği hiç var olmamıştı, sanki bir hayalet donanmaydı.

Ama sonra bulmuştu.

Daha doğrusu, Luke bulmuştu.

Sekiz yaşındaki oğlu da aynı kendisi gibi sandığın içindekilerden çok etkilenmişti. Büyükdedesinin ağır komando bıçağı, çokça eskimiş beresi, artık hurdaya çıkmış pusulası... Ancak bir gün Jaeger'ın oğlu elini daha da derinlere, sandığın en dibine sokmuş ve çok uzun zamandır saklı kalan bir şeyi açığa çıkarmıştı.

Jaeger da şimdi oğlu gibi hararetle sandığa eğiliyor, içindekileri yere boşaltıyordu. O kadar fazla Nazi yadigârı vardı ki; anlaşılamaz bir gülümsemeye sahip kuru kafanın süslediği bir SS Totenkopf [Ölümün Başı] rozeti, kabzasında Führer'in resmi olan bir Hitler Gençliği hançeri, savaş kaybedildikten sonra Nazi direnişini yeniden canlandırmaya çalışan fanatik Werwolf'a [Kurtadamlar] ait bir kravat.

Arada sırada savaş sandığında bu kadar Nazi yadigârı olduğu için Jaeger, dedesinin Nazi rejimine gereğinden fazla yaklaşmış olabileceğini düşünürdü. Savaş sırasında her ne yaptıysa bir şekilde şeytana ve karanlığa böylesine yakın olabilir miydi? Onun içine mi sızmışlardı, onu kendilerinden mi yapmışlardı? Jaeger bunlara inanmıyordu. Ama dedesi beklenmedik bir şekilde vefat etmeden önce oturup bunları konuşamamıştı da...

Sandıktaki diğer eşyalardan ayrılan ve varlığını neredeyse unuttuğu bir kitabı görünce duraksadı. Tamamı gizemli bir dilde yazılmış, içerisinde bol bol görsel yer alan Ortaçağ'dan kalma Voynich yazmalarının ender bulunan kopyalarından biriydi bu. Garip bir şekilde kitap her daim dedesinin çalışma odasındaki masayı süslemişti. Şimdi sandıkla birlikte Jaeger'ın ellerine düşmüştü.

Dedesiyle konuşmak istediği bir diğer şey de buydu; Neden bu acayip ve anlaşılamaz Ortaçağ yazmalarını bu kadar seviyordu?

Jaeger ağır kitabı kaldırdı ve sandığın dibindeki gizli bölmeye açılan sahte tahtanın üzerini boşalttı. Dedesinin oradaki belgeleri kazara mı, yoksa bir gün torununun gizli bölmeyi ortaya çıkararak bulmasını umduğu için bilerek mi bıraktığını hiçbir zaman anlayamadı.

Öyle ya da böyle, bölme oradaydı. Bir sürü savaş yadigârının altına saklanmış, otuz yıl boyunca keşfedilmeyi beklemişti.

Jaeger'ın parmakları ahşaptan zeminin altına uzandı, bölmenin mandalını bulup kapağı kaldırdı. Biraz bakındıktan sonra sararmaya yüz tutmuş kalın zarfı çıkardı. Gözünün önünde tutarken elleri titriyordu. Bir yanı içine bakmayı istemezken, çok daha güçlü diğer yanı bakmak zorunda olduğunu biliyordu.

Belgeyi çıkardı. Bir tarafından telle tutturulmuş kâğıtlar tam da hatırladığı gibi duruyordu. Kapağın en üstündeyse Hitler'in Nazi rejimine benzer kaba bir biçimde, büyük harflerle yazılmış tek bir kelime vardı; *KRIEGSENTSCHEIDEND*.

Jaeger'ın Almancası yoktu. Ama bir Almanca-İngilizce sözlük aracılığıyla belgenin kapağındaki birkaç kelimeyi çevirmeyi başarmıştı. *Kriegsentscheidend*, Nazilerin bahşettiği en yüksek gizlilik sınıfıydı. Buna en yakın İngiliz sınıflandırması, "Çok Gizli Ötesi" olurdu.

Altında *Aktion Werwolf*, yani "Kurtadam Operasyonu" yazıyordu. Onun da altında çevirisi gerekmeyen bir tarih vardı; 12 Şubat 1945. Son olarak ise *Nur fur Augen Sicherheitsdienst Standortwechsel Kommando*, "Yalnızca Sicherheitsdienst Standortwechsel Komandolar için".

Sicherheitsdienst, SS ve Nazi Partisi'nin gizli servisi, kötülüğün merkeziydi. Standortwechsel Komando ise, "Yeniden Mevzilendirme Komandosu" şeklinde çevrilebilirdi ama bu, Jaeger'a hiçbir anlam ifade etmemişti. Gizemli terimler "Kurtadam Operasyonu" ve "Yeniden Mevzilendirme Komandosu"nu hem İngilizce hem de Almanca olarak Google'da aratmıştı. Sonuç ise koca bir hiçti. İkisine dair de hiçbir yerde tek bir kelime yazmıyordu.

Soruşturmacı ruhu buraya kadar ilerleyebilmişti. Çünkü kısa bir süre sonra karanlık ve Bioko'ya kaçışı baş göstermişti. Ancak belgenin savaş zamanında inanılmaz bir hassasiyete sahip olduğu barizdi ve bir şekilde dedesinin eline düşmüştü. Yine de Jaeger'ın hafızasını tetikleyen, onu Londra'dan Wiltshire'a, uzun zaman önce terk ettiği aile evine kadar geri getiren şey bir sonraki sayfadaydı.

Kötü bir şey olacağını bile bile kapağı kaldırdı. Karşısında siyah bir damgayla vurulmuş net bir görüntü vardı. Jaeger uzun uzun baktı, başı dönüyordu. Korktuğu olmuştu; hafızası onu kandırmamış, oyunlar oynamamıştı.

Belgedeki damga; kuyruğu üzerinde duran, kanatları acımasızca açılmış, pençeleri arasında okunamayan işaretlerle anlamsız bir dairesel şekli tutan kartaldan başka bir şey değildi.

11

Jaeger mutfak masasına oturdu, düşünceleri daha çok kendi içine dönüktü. Önündeyse üç fotoğraf vardı. İlki, sol omzuna kanlar içinde kazınmış kartal simgesiyle birlikte Andy Smith'in cesedi; ikincisi, Jaeger'ın akıllı telefonuyla çektiği Kurtadam Operasyonu belgesindeki kartal simgesiydi. Üçüncüsündeyse karısıyla çocuğu vardı.

Orduda geçirdiği zaman boyunca Jaeger pek de evlenecek tiplerden biri sayılmazdı. Uzun, mutlu bir evlilikle özel kuvvetlerde geçen bir hayat çoğu zaman bir arada gitmezdi. Bir ay güneşin altında kavrulan bir çölde, diğer ay sırılsıklam bir ormanda, sonraki ay buzla kaplı dağlarda görev alabiliyordu. Uzatılmış romantizme bu hayatta yer yoktu.

Ama sonra o kaza oldu. Afrika bozkırı üzerinde yüksek irtifadan yapılan bir serbest düşüş sırasında Jaeger'ın paraşütü arıza yaptı. Hayatta kaldığı için şanslıydı. Kırık sırtıyla hastanede aylar geçirdikten sonra fiziksel sağlığına kavuşmak için uzunca bir süre çalışsa da SAS'taki günleri sayılıydı.

Uzun tedavi yılı sırasında Ruth ile tanıştı. Ortak bir arkadaşları onları tanıştırmış, ilk başta hiç de iyi anlaşamamışlardı. Jaeger'dan altı yaş küçük, üniversite mezunu ve ölümüne bir doğal yaşam ve çevre savunucusu olan Ruth, bir askerin, kendisinin tam zıttı olduğunu düşünmüştü.

Jaeger ise onun gibi ağaç sevicisi bir tipin, kendisi gibi elit bir askeri hiç sevmeyeceğini varsaymıştı. Ancak Jaeger'ın aşırı keskin ve yerlere yatıracak kadar komik espri anlayışı ve Ruth'un enerjik mizacıyla akıllara durgunluk veren güzelliği bir araya gelmiş; ikilinin zamanla birbirinden hoşlanmasına, sonunda da âşık olmasına yol açmıştı. Zaman ilerledikçe ortak bir bağ paylaştıklarını fark etmişlerdi. İkisi de vahşi olan her şeye şiddetli bir sevgi duyuyordu.

Evlendikleri gün Ruth, Luke'a üç aylık hamileydi ve Andy Smith de sağdıçlık görevini üstlenmişti. Luke'un doğumu ve onu takip eden ay ve yıllarda, benliklerinin mini bir hâlini dünyaya getirme mucizesine tanıklık etmişlerdi.

Luke ve Ruth ile geçen her gün olağanüstü bir yarış ve maceraydı. Şimdi onların yokluğuyla oluşan boşluğu bu denli katlanılamaz yapan en önemli şey de buydu zaten.

Bir saate yakın bir süre boyunca Jaeger o üç resme baktı; ufalmak üzere olan sararmış bir Nazi belgesiyle bir sözde intihar kurbanının cesedi üzerindeki aynı kartal simgesi ve Ruth ile Luke'un fotoğrafı. Jaeger aralarındaki bağlantıyı çözmeye çalışıyordu. O kartal simgesinin, karısıyla biricik oğlunun ölümü -hayır, *ortadan kayboluşu*- ile ilgisi olabileceğine dair içinde büyüyen histen kurtulamıyordu.

Ne kadar uğraşsa da bir türlü anlam veremediği bir şekilde ortada rahatsız edici bir sebep-sonuç ilişkisi vardı. Bir askerin altıncı hissi olabilirdi bu ama Jaeger onca yılın ardından içindeki sese güvenmeyi öğrenmişti. Belki de hepsi saçmalıktan ibaretti. Belki Bioko'da geçen üç yıl, Kara Sahil'de geçen beş hafta sonunda onu yenmişti. Paranoyası yıpratıcı bir asit gibi içini kemiriyor, aklını çürütüyordu.

Jaeger karısıyla oğlunun hayatından sökülüp alındığı geceye dair en ufak bir şey hatırlamıyordu. Bir kış akşamıydı, ayazın ortasında gökyüzü nefes kesici bir güzellik ve berraklığa sahne oluyordu. Gal tepelerinin birinde kampa gitmişlerdi. Yıldızlarla yanıp sönen evren önlerinde vahşice uzanmıştı. Burası Jaeger'ın en mutlu hissettiği yerlerden biriydi.

Yaktıkları ateş küle dönerken, Jaeger'ın hatırladığı son şey çadıra girip karısı ve oğlunun sıcaklığıyla birlikte uyuyacağı uyku tulumunun fermuarını çektiğiydi. Kendisi de yarı ölü hâlde bırakılmıştı. Çadıra zehirli bir gaz sıkılmış, güçlü asker tamamen savunmasız kalmıştı. Zaten sonrasını hatırlaması şaşırtıcı olurdu. Kendine geldiği gün bir yoğun bakım servisinde yatıyor, karısı ve çocuğu günlerdir bulunamıyordu.

Yine de anlam veremediği, onu iliklerine kadar titreten şey, o kartal sembolünün uzun yıllar önce gömdüğü anıları bu kadar canlı bir şekilde gün yüzüne çıkarmasıydı.

Ordudaki psikiyatrlar, anıların zihninin en derinlerinde bir yerlere kazınabileceğine dair onu uyarmıştı. Günün birinde, fırtınanın kırbaçlarıyla dövülmüş denizin kıyısına vuran ağaç dalları gibi yeniden yüzeye çıkabilirlerdi. Ama neden bu karanlık kartal simgesi o kadar derinlere uzanıp da her şeyi çekip çıkarmakla kendisini tehdit ediyordu?

12

Jaeger geceyi evinde tek başına geçirdi. Yine aynı rüyayı, Ruth ile Luke ortadan kaybolduktan sonra uzun bir süre kendini rahat bırakmayan rüyayı görmüştü. Her zamanki gibi rüya tam da karısı ve oğlunun ellerinden alınıp götürüldüğü anda bitmişti, gördükleri sanki her şey dün yaşanmışçasına canlıydı. Ancak dehşet yaşandığı an, her seferinde terden sırılsıklam olmuş çarşafların üzerinde uyanıyor ve acıyla inliyordu. Rüyalarındaki nispeten güvenli ortama rağmen bile oraya gidip de olanları hatırlayamamak acısını ikiye katlıyordu.

Erken kalktı. Dolaptan bir koşu ayakkabısı alıp çiğle kaplanmış düzlükte koşuya çıktı. Güneye doğru ilerlemeye başladı, bölgenin uzak tarafındaki küçük koruyla taçlandırılmış sığ vadiye uzanan hafif yokuşu izledi. Ağaçlara doğru geniş bir dönemeci alıp hızını artırdı ve tanıdık bir zeminde, alıştığı ritmini yakaladı.

Koşu güzergâhının en sevdiği kısmı hep burası olmuştu. Meraklı gözlerden sakınmasını sağlayan kalın odunlar, iki yanında uzanan ve geçişine dair izleri silen dev çam ağaçları... Aklını koşunun akışına bıraktı; her bir ayak sesiyle toprakta atan nabzı sızlayan vicdanını susturuyordu.

Gün ışığını bir kez daha yüzünde hissettiği zaman, Pheasant's Copse'un kuzey ucuna gelmişti ve ne yapacağını harfiyen biliyordu. Wardour Kalesi'nde hızlı bir duş aldıktan sonra bilgisayarını açtı. E-posta adresinin değişmediğini umarak Yüzbaşı -artık Albay- Evandro'ya hızla bir mesaj gönderdi. Hâl hatır sorduktan sonra aklındaki soruyu yöneltti; Amazon'daki keşfi üstlenmek için Wild Dog Media'ya rakip olan başka kim vardı? Jaeger, Andy Smith'i öldürtecek kadar istekli insanlar varsa, onların ilk olarak rakip şirketlerden biri olabileceğini düşünmüştü.

Bunu hallettikten sonra karısı ve çocuğunun kıymetli fotoğrafını aldı, gizli belgeleri Ted Dedesinin savaş sandığındaki saklı bölmeye koyup çıktı, evin kapısını kilitledi ve Triumph'ı çalıştırdı. Hazeledon Lane üzerinden sakin bir yol tercih etti, öldürecek zamanı vardı.

Tisbury'deki Beckett Caddesi'nde bulunan restoranın önüne park ettiğinde saat daha dokuzdu ve dükkân yeni açılıyordu. Sirkeli suda haşlanmış yumurta, füme pastırma ve sade kahve istedi. Yemeğini beklerken gözü yakındaki gazeteliğe takılmıştı. En yakındaki gazetenin manşetinde şöyle yazıyordu; *Orta Afrika Darbesi: Ekvator Ginesi Başkanı Chambara yakalandı.*

Jaeger hızla gazeteyi alıp hikâyeyi okumaya başladı ve mükemmel kahvaltısının tadını çıkarırken haberin keyfini sürdü.

Pieter Boerke her dediğinde haklı çıkmıştı. *Yakaladım* darbesi vadettiği her şeyi yerine getirmişti. Boerke bir şekilde adamlarını sert bir tropik fırtınanın ortasında Gine Körfezi'nden geçirmeyi başarmıştı. İçeriden aldığı -muhtemelen Binbaşı Mojo'dan- bilgiler, Chambara'nın kuvvetlerinin dehşete düşüren hava koşulları sebebiyle gardını indireceğini öngördüğü için özellikle bu yolculuğu seçmişti. Boerke'nin adamları yağmurun dövdüğü kasvetli bir gecede hızla saldırıya geçmişti. Chambara'nın muhafızları gafil avlanmış, dirençleri çabucak kırılmıştı. Başkan da Bioko Havalimanı'ndan özel jetiyle kaçmaya çalıştığı sırada yakalanmıştı. Jaeger gülümsedi. Artık çok önemli olmasa da belki o *Düşes*'in manifestosundaki yedinci sayfayı alabilirdi.

***

On beş dakika sonra parmağıyla bir kapı zilini çalıyordu. Triumph'ı köyde bırakmış, tepeye yürüyerek gitmeye karar vermişti. Öncesinde ise Dulce'yi arayarak geldiğini söylemişti.

Dulce. *Çok tatlı.* Smith'in karısı kesinlikle isminin hakkını veriyordu.

Smith onunla Brezilya'daki ikinci eğitim görevleri sırasında tanış-mıştı. Dulce, Binbaşı Evandro'nun uzaktan bir kuzeniydi. Akıllara zarar bir aşkın ardından evlilik gelmiş, Jaeger da bu kızla evlendiği için Smithy'ye edecek bir laf bulamamıştı.

1.75 boyunda, için için yanan siyah gözleri ve pırıl pırıl parlayan cil-diyle Dulce kesinlikle su gibi bir kızdı. Aynı zamanda, Jaeger'ın sağdıç konuşmasında Dulce'ye Smithy'nin kötü alışkanlıklarına rağmen bitmek bilmeyen bir bağlılığı olduğunu hatırlattıktan sonra üzerinde dura dura söylediği gibi tam evlenilecek kızdı.

Millside'ın kapısı açıldı. Dulce her zamankinden daha göz alıcı bir şekilde gölgeli yüzünde cesur bir gülümsemeyle karşısındaydı. Fakat yüzeyin hemen altındaki hâlâ taze keder de apaçık ortadaydı. Jaeger marketten aldığı sepeti uzattıktan sonra bir de apar topar bulduğu kartı verdi.

Dulce kahve yaptı, Jaeger geçen üç yılda yaşadıklarına dair kısa bir bilgi verdi. Kocasıyla iletişimi sürdürmüştü tabii ama bu iletişim genellikle tek taraflı kalmıştı. Smithy e-posta göndererek Jaeger'ın kayıp eşi ve çocuğundan hâlâ haber olmadığını bildiriyordu.

Jaeger'ın en yakın arkadaşıyla yaptığı anlaşma, bulunduğu yerin de kendisi aksini istemediği sürece gizli kalmasını gerektiriyordu. Ancak tek bir şart vardı; Smithy ölürse veya başka bir şekilde yetkinliğini yitirirse avukatı Jaeger'ın yerine dair bilgileri paylaşabilecekti.

Jaeger, Raff ile Feaney'nin de kendisini bu şekilde bulduğunu anla-mıştı ama sorma zahmetine girmedi. Smithy'nin ölmesinin ardından bir önemi de yoktu zaten.

"Bir işaret var mıydı?" diye sordu Jaeger, Dulce'nin yaptığı Brezilya mutfağına özgü *pasteis de nata*'yı mutfak masasında paylaşırken. "Mutsuz olduğunu gösteren, kendi canını almasına sebep olabilecek bir şey var mıydı?"

"Tabii ki yoktu!" Dulce'nin gözleri o Latin öfkesiyle parladı. Sert bir tarafı olmuştu hep. "Nasıl sorabilirsin bunu? Mutluyduk. Mutluydu. Hayır! Andy asla söyledikleri şeyi yapmazdı. Mümkün değil!"

"Para sıkıntısı da mı yoktu?" diye sordu Jaeger bu sefer. "Çocukların okulda olmasını mı dert ediyordu? Ne olur yardım et bana. Bir şey bulmak için çırpınıyorum."

Güzel kadın omuz silkip, "Hiçbir şey yoktu," dedi.

"İçiyor muydu? Kendini alkole mi vermişti yoksa?"

"Jaeger, Andy öldü. Emin ol *amigo*, içmiyordu."

Gözleri buluştu. Acılı... Öfkeli... Dolu dolu...

"Bir işaret varmış," diye araya girdi Jaeger. "Dövme benzeri bir şey... Sol omzunda..."

"Ne işareti?" Dulce boş boş bakıyordu. "Hiçbir şey yoktu, olsa bilirdim."

Jaeger polisin Dulce'ye kocasının omzuna kazınmış karanlık kartalın fotoğrafını göstermediğini o an fark etti. Ama onları suçlayamazdı. Yaşananlar zaten başlı başına sarsıcıydı; kan dondurucu detayları öğrenmesine gerek yoktu. Hızla devam etti.

"Amazon'daki bu keşif konusunda nasıldı? Takımla bir sorunu var mıydı? Ya da Carson'la? Film şirketiyle? Herhangi bir şeyle?"

"Orman konusunda nasıl olduğunu sen de bilirsin, duyduğu gibi aklını kaçırdı. O kadar heyecanlıydı ki..." Duraksadı. "Belki bir şey olabilir. Gerçi daha çok beni rahatsız ediyordu. Aramızda şakasını yapıyorduk. Takımıyla ben de tanıştım. Rus bir kadın vardı; Irina. Irina Narov. Sarışın... Kendini dünyanın en güzel kadını sanıyor. Pek anlaşamadık."

"Devam et," dedi Jaeger.

Dulce bir an düşünüp, "Kadın sanki doğuştan bir lider olduğunu sanıyor, Andy'den iyi olduğunu düşünüyordu. Sanki keşfi onun elinden almak istiyormuş gibiydi," dedi.

Jaeger, Irina Narov hakkında kapsamlı bir geçmiş araştırması yapmak için ismi aklına not etti. Böylesine zayıf bir sebepten ötürü kimsenin kimseyi öldürdüğünü duymamıştı. Ama olay büyüktü; tüm dünyada televizyona çıkma, uluslararası bir şöhret ve sonrasında gelebilecek olası bir servet.

Belki de gerçekten bir sebebi vardı.

***

Jaeger kuzeye döndü, Triumph yollarının tozunu atıyordu.

Nasıl olduysa Dulce ile görüşmesi onu sakinleştirmişti. Kalbinin en derininde bildiklerini, Andy Smith'in hayatında her şeyin yolunda gittiğini doğrulamıştı. İntihar etmemiş, öldürülmüştü. Şimdi katillerin izini sürme zamanıydı.

Dulce'nin yanından, çocukları veya kendisi bir şeye ihtiyaç duyarsa -ne olursa- onu arayabileceklerini söyleyerek ayrıldı.

Tisbury'den İskoç sınırına uzun bir yolculuk yapacaktı.

Jaeger, büyük amcası Joe'nun neden ailesi ve arkadaşlarından bu kadar uzağa taşınmayı seçtiğini hiç anlamamıştı. Yaşlı adamın bir şeylerden saklandığını hissetmişti ama tam olarak neden olduğunu bilmiyordu.

Buccleuch Tepesi, Langholm'un doğusunda, Hellmoor Gölü'nün hemen altındaydı. Dünya üzerinde bu kadar gizli saklı ve uzak bir yer bulmak imkânsıza yakındı.

Triumph, hem arazide hem de ana yollarda gidebilen hibrid bir motordu. Jaeger herkesin bildiği ismiyle Joe Amca'nın Kulübesi'ne uzanan yola döndüğünde motor da nihayet memnun kalmıştı. Lastikler ilk kez bu yolda kara basarken, tepe yükseldikçe şartlar da kötüleşti.

İkisi de beş yüz metre yükselen Mossbrae ve Law Kneis tepelerinin arasında yatan kulübe, engin ormanların arasında üç yüz metreye yakın yükseklikteki ender açıklığın ortasında konuşlanmıştı. Jaeger, önünde uzanan kalın kar tabakasına bakarak, çok çok uzunca bir süredir kimsenin o tarafa gelmediğini anlayabiliyordu.

Motorunun bagajına bir kutu bakkaliye doldurmuştu; süt, yumurta, pastırma, sosis, yulaf, ekmek... M6'ya dönmeden önce Westmorland'de kısa bir mola vermişti.

Büyük amcası Joe'nun arazisine girdiği sırada, otuz santimi aşan karın üzerinde savrulan motorunu dengelemek için iki ayağını birden kullanıyordu. Yaz aylarında buralar cennetten kopmuş bir parça gibiydi. Jaeger, Ruth ve Luke her yaz dayanamayıp yine buraya gelirdi. Ancak uzun kış aylarında...

Otuz yıl önce büyük amca Joe bu araziyi Orman Bakanlığı'ndan almıştı. Bu isme indirgenemeyecek kadar gösterişli olsa da kulübesini neredeyse tek başına inşa etmişti. Tepelerden akan bir dereyi kendi arazisine yönlendirirken birkaç küçük göl için çukurlar açmış, hepsini birbirine bağlamıştı. Gölgelendirdiği köşelerinde sebze yetiştirdiği bu kartpostalvari arazisi bir cennet hâlini almıştı.

Güneş panellerinin yanında bir odun sobası, üzerinde bir de rüzgâr jeneratörüyle sağladığı enerji hesaba katıldığında kulübe aşağı yukarı kendi kendine yetebiliyordu. Telefon hattı veya mobil sinyal olmadığı için Jaeger önceden haber verememişti. Kulübenin bir kenarından yükselen çelikten baca dolu dolu beyaz dumanı üflerken yakacak odunları orman bahşediyor ve kulübe her daim sıcacık kalıyordu. Artık doksan beş yaşına gelen Joe Amca'nın, özellikle de hava bu kadar kötü olduğu zamanlarda o sıcaklığa ihtiyacı vardı.

Jaeger motorunu park etti, kar yığınlarını aşıp kapıyı yumruklamaya başladı. İçeriden bir ses gelene kadar kapıyı zorlamaya devam etti.

"Tamam be, tamam!"

Kapıdaki sürgünün çekildiğini haber veren sesin ardından ahşap kapı aralandı. Karmaşık, kar beyaz saçların altında kalan bir çift göz, aralıktan misafirine baktı. Yaşam dolu, parlak ve boncuk gibi gözler, araya giren o kadar yılın ardından keskinliğini kaybetmemiş gibiydi.

Jaeger elindeki kutuyu uzatıp, "Bunlara ihtiyacınız olabilir diye düşündüm," dedi.

Joe Amca kalın kaşlarının altından bakakaldı. Ted Dede'nin vefatından sonra, Jaeger'ın Joe Amcası fahri dedelik rolünü üstlenmiş ve bunda da çok başarılı olduğunu ispatlamıştı. İkisi oldukça yakındı.

Kapısında hiç beklemediği misafirini gören Joe Amca'nın gözleri parladı.

"Will, oğlum! Hiç beklemiyorduk açıkçası. Buyur, gel. Gir içeri. Islak kıyafetlerinden kurtul, ben de çay koyayım. Ethel dışarıda... Karda dolaşmaya çıktı. Seksen yaşına geldi ama hâlâ on altı yaşındaymış gibi takılıyor."

Her zamanki Joe Amca'ydı işte. Jaeger geçen dört yılda onu hiç görmemişti. Bioko'dan acayip bir kartpostal göndermişti ama pek bir şey anlatmamış, sadece hayatta olduğunu haber vermek istemişti. Şimdiyse hiç haber vermeden kapılarının önüne dikilmişti ve Joe da gayet normal karşılamış gibi görünüyordu.

Buccleuch Moor'da başka bir gündü işte.

Bir süre için o eksik olmayacak sohbete girip kendi hayatlarını anlattılar. Jaeger, Bioko'daki üç yılın hikâyesini anlattı ama kısa tuttu. Joe Amca ise Buccleuch'taki son dört yıldan bahsetti, pek bir şey değişmemişti. Sonra Joe, Ruth ve Luke'u sordu. Kalbinin en derinlerinde, Jaeger'ın bir şey öğrenmesi hâlinde haberi ilk alacaklardan biri olduğunu bilmesine rağmen sormadan edememişti. Nitekim Jaeger ortadan kayboluşlarının ilk günkü gizemini koruduğunu yineledi.

Arayı kapatmışlardı artık ve Joe biraz sert bir sorgulama, biraz da dalga geçer tarzıyla Jaeger'a o artık ünlenmiş bakışını attı.

"Şimdi bana o kadar yolu kışın ortasında ihtiyarın tekine birkaç ıvır zıvır getirmek için teptiğini söyleme. Ha çok iyi oldu, teşekkür ederiz ama gelmenin asıl sebebi ne?"

Cevap olarak Belstaff ceketinin derinlerine uzandı Jaeger ve telefonunu çıkardı. Kurtadam Operasyonu'nun belgelerinde görünen kartal simgesinin fotoğrafını açmıştı. Telefonu mutfak masasının üzerinden Joe'ya uzattı.

"Yeni teknolojiyi mazur gör ama bu fotoğraf sana bir şey ifade ediyor mu?"

Joe Amca örgü hırkasının cebini karıştırmaya başlayıp, "Gözlüğümü alayım," dedi.

Telefonu kolunun yettiği en uzak noktada tutup bir sağa, bir sola çevirdi. Teknolojiyi anlamadığı ortadaydı ama gözleri fotoğrafla buluştuğunda tüm bedenini sarsan değişim beklenmediği kadar vurucu olmuştu.

Birkaç saniye içinde yüzünün rengi tamamen soldu. Bembeyaz olmuştu. Elleri titremeye başlarken telefonu yavaşça masaya bıraktı. Başını kaldırdığında gözlerinde Jaeger'ın daha önce hiç görmediği, şimdi de görmeyi hiç beklemediği bir şey vardı.

Korku...

13

"Aslında bekliyor... Hep korkuyordum..."

Joe Amca'nın nefesi kesildi, su istediğini gösterir şekilde musluğu işaret etmişti. Jaeger hemen bir bardak getirdi. Yaşlı adam, bardağı titreyen ellerinin arasına alırken, yarısını mutfak masasına döktüğü suyu içti. Bakışları yeniden Jaeger'ın gözleriyle buluştuğunda sanki içindeki tüm yaşam belirtisi yok olmuştu. Kulübesi lanetliymişçesine etrafa bakındı. Sanki nerede olduğunu hatırlamaya çalışıyor; buraya, şimdiki âna dönmek için çaba harcıyormuş gibi görünüyordu.

"Nereden buldun sen bunu?" diye fısıldadı telefondaki fotoğrafa bakarken. "Aman, aman, cevap verme sakın! Bugün gelecek diye *ödüm* kopuyordu. Ama senin getireceğini hiç düşünemezdim. Oğlum, bir de yaşadığın o kadar şeyden sonra..."

Gözleri odanın uzak bir köşesine kaydı.

Jaeger ne söyleyeceğini bilemiyordu. Yaşlı adama bir rahatsızlık vermek, onu üzmek isteyeceği son şeydi. Joe'nun son yıllarında Jaeger'ın böyle bir şey yapmaya hakkı yoktu.

Joe Amca toparlanarak kendine geldi.

"Oğlum çalışma odasına geçsek iyi olacak. Ethel'in bu... Konuşacaklarımızı duymasını istemem. Karda gezinmeye çıksa bile eskiden olduğu kadar zinde değil. Hiçbirimiz değiliz." Oturduğu sandalyeden kalkıp bardağı gösterdi. "Suyumu da getirebilir misin?"

Çalışma odasına doğru dönüp yolu gösterirken, Jaeger da amcasını daha önce hiç böyle görmediğini düşünüyordu. Sanki dünyanın tüm yükü bir anda omuzlarına binmiş gibi kamburunu çıkarmış, hatta neredeyse yere kadar eğilmişti.

***

Joe Amca derin bir iç çekti. Çıkan ses, dağları döven kuru rüzgârınkine benziyordu.

"Sakladığımız sırları mezara kadar götüreceğimizi sanıyorduk. Deden. Ben. Diğerleri. Onurlu adamlar, kuralları bilen, anlayan adamlar... Kendinden bekleneni bilen askerler..."

Çalışma odasına kendilerini kapattıktan sonra Joe Amca, onları bu âna sürükleyen her ânı, her olayı en ince ayrıntısına kadar bilmek istedi. Jaeger son sözlerini söylediğinde yaşlı adam sessizliği bozmamış, düşüncelerinin arasında kaybolmuştu. En sonunda konuşmaya başladığındaysa sanki kendi kendine konuşuyormuş gibiydi. Ya da odadaki diğerleriyle, çok uzun zaman önce hayatını kaybedenlerin hayaletleriyle...

"Biz şeytanın sonunda gittiğini sanmıştık, daha doğrusu ummuştuk," diye fısıldadı. "Huzurlu bir ruhla, temiz bir vicdanla nihai mekânımıza gidebileceğimizi sandık. O kadar yıl önce gereken neyse yaptığımızı düşündük."

Hafifçe birbirine döndürülmüş bir çift eski ama rahat deri koltukta oturuyorlardı. Odanın duvarları, savaştan kalan hatıralarla kaplıydı. Joe Amca'nın üniformayla çekindiği siyah beyaz fotoğraflar, parçalanmış bayraklar, nişanlar, savaş bıçağı, yıpranmış bej beresi... Savaş temasına aykırı olan sadece birkaç eşya vardı.

Joe ve Ethel'in hiç çocuğu olmamıştı. Onun yerine Ruth ve Jeager'ı çocukları, Luke'u da torunları bellemişlerdi. Çoğu Jaeger ile ailesinin kulübede yaptığı tatillerden olmak üzere birkaç fotoğraf masayı süslerken, yanlarında savaş hatıralarından çok uzak ve diğer her şeyle alakasız görünen bir de kitap vardı. Voynich yazmalarının ikinci nüshasıydı bu ve Ted Dede'nin savaş sandığında yatanla tıpatıp aynı görünüyordu.

"Sonra bu çocuk geldi, o değerli çocuk," diye devam etti Joe Amca. "Elinde de... O vardı. *Ein Reichsadler!*" O son sözler, gözleri Jaeger'ın telefonundan ayrılmayan yaşlı adamın ağzından büyük bir hiddetle çıkmıştı. "O Allah'ın belası lanet! Çocuğun dediğine göre şeytan geri dönmüş. Öyleyse zinciri kırabilir miyim? Sessizliği bozabilir miyim?"

Cevapsız sorunun havada kalmasına müsaade etti. Kulübenin oldukça sağlam bir şekilde yalıtılmış duvarları çıkan her sesi ânında öldürmesine rağmen karanlık bir uyarı odada yankılanıyor gibiydi.

"Joe Amca burnumu sokmak istemedim..." diye araya girdi Jaeger ama yaşlı adam susmasını gösterir şekilde elini kaldırdı. Gözle görülür bir çaba harcayarak o âna geri dönmüştü.

"Evladım sana her şeyi anlatabileceğimi sanmıyorum," diye fısıldadı. "Her şeyden önce deden bunu uygun bulmazdı. Son çare bu kalana kadar tabii... Ama *bir şeyleri* bilmeyi hak ediyorsun. Sor sorularını. Buraya sorularla gelmiş olman lazım. Sen sor, ben de bakayım ne anlatabiliyorum."

Jaeger başını sallayıp, "Dedemle savaşta ne yaptınız? O hâlâ hayattayken sormuştum ama anlatmaya pek istekli değildi. Eline böyle belgeler geçmesine sebep olacak kadar," dedikten sonra telefonuna baktı. "Ne yaptınız?"

"Savaşta ne yaptığımızı anlaman için önce karşımızdaki düşmanı anlaman lazım," diye söze başladı Joe Amca sessizce. "Üzerinden çok uzun yıllar geçti, çok şey silinip gitti ama Hitler'in mesajı basitti. Bir o kadar da dehşet verici..."

Hitler'in sloganını hatırlıyor musun? *Denn heute gehort uns Deutschland, und morgen die ganze Welt.* 'Bugün Almanya bize ait, yarın bütün dünyaya.' Bin Yıllık *Reich* gerçekten de tüm dünyaya hükmeden bir imparatorluk olacaktı. Roma İmparatorluğu'nun yerleştirdiği modeli izleyecek, Berlin'e 'Germanya' adı verilecek ve tüm dünyanın başkenti orası olacaktı.

Hitler, Almanların *Übermensch, yani* üstün Aryan ırk olduğunu iddia ediyordu. Bu da Almanya'nın *Untermensch,* yani alt insanlardan temizlenmesi için *Rassenhygiene,* yani ırk arındırmasının yolunu açıyordu. Ondan sonra yenilmez olacaklardı. *Untermensch*ler ifşa edilecek, köleleştirilecek ve hiçbir cezası olmadan öldürülecekti. Sekiz, on, on iki milyon... Kimse şimdiye kadar tam olarak kaç kişinin öldürüldüğünü bilmiyor. Biz sadece Yahudilerle sınırlı kaldığını sanıyoruz," diye devam etti Joe Amca. "Öyle değildi. Üstün ırktan olmayan herkes dâhildi. *Mischlings,* yani yarı Yahudi ya da melez olanlar; eşcinseller, komünistler, aydınlar, beyaz olmayanlar ki onlara Lehler, Ruslar, Güney Avrupalılar, Asyalılar... Herkes dâhildi. *Einsatzgruppen,* SS ölüm mangaları hepsini imha edecekti.

Sonra bir de *Lebensunwertes Leben,* 'yaşamayı hak etmeyenler' vardı. Yani engelliler ve akıl hastaları... T4 Operasyonu ile Naziler *onları* da öldürmeye başladı. Düşünsene! *Engelliler!* Toplumun en savunmasız kesimini öldürüyorlardı. Bunu nasıl yaptıklarını biliyor musun peki? *Lebensunwertes Leben*ları o veya bu gerekçeyle özel bir otobüse bindirir, onlar camdan dışarıyı seyrederken egzoz dumanını içeri verirlerdi."

Yaşlı adam Jaeger'a baktı, tedirginliği her hâlinden okunuyordu.

"Dedenle ben, kendi gözlerimizle o kadar fazlasını gördük ki."

Suyundan bir yudum aldı. Düşüncelerini toparlayabilmek için çaba sarf ediyordu.

"Ama olay sadece katliam değildi. Toplama kamplarının kapılarının üzerinde bir slogan yazardı: *Arbeit macht frei.* 'Çalışmak sizi özgür kılacak.' Tabii ki koca bir yalandan başka bir şey değildi bu da. Hitler'in *Reich*'ı bir *Zwangswirtschaft,* yani angarya ekonomisiyle yürüyordu. *Untermensch*lerle köle işçilerden oluşan dev bir ordu kurmuştu ve milyonlarcasını ölene kadar çalıştırıyordu. En kötüsü de neydi, biliyor musun?" diye fısıldadı. "*İşe yaradı.* En azından Hitler'in gözünde plan işliyordu. Sonuçlar zaten her şeyi gözler önüne sermişti. Olağanüstü bir roket ustalığı, son teknoloji güdümlü füzeler, seyir füzeleri, aşırı gelişmiş havacılık, jet motorlu uçar kanatlar, gizli denizaltıları, adı

duyulmamış kimyasal ve biyolojik silahlar, gece görüş malzemeleri...
Neredeyse her alanda Almanlar öncülük ediyordu. Bizden ışık yılı
daha ötedeydiler."

"Hitler teknolojiye karşı bağnaz bir inanca sahipti," diye devam etti
bir sessizliğin ardından. "Hatırlasana, V-2 ile uzaya ilk roketi gön-
deren onlar oldu. Bugün herkesin sandığı gibi Ruslar değil. Hitler
ciddi şekilde teknolojiyle savaşı kazanabileceğini düşünüyordu. İnan
bana; nükleer yarış dışında, ki onu da tamamen şansa kazandık, 1945
geldiğinde neredeyse her şey hazırdı.

Mesela XXI gizli denizaltısını düşün. Zamanının onlarca yıl ötesin-
deydi. 70'lerin sonuna geldiğimizde biz hâlâ onun tasarımını kop-
yalamaya çalışıyorduk. Üç yüz XXI Alman denizaltısıyla birlikte
Britanya'yı köşeye rahatlıkla sıkıştırabilir ve bizi teslim olmaya zor-
layabilirlerdi. Savaş bittiği sıralarda, Hitler'in emrinde sularda gizlice
dolaşmaya hazır yüz altmış denizaltıdan oluşan bir donanma vardı. Ya
da V-7 roketi düşünelim. V-2'yi bir oyuncak gibi göstermişti. Beş bin
kilometre menzili vardı ve gizli sinir gazlarından biriyle, yani sarin ya
da tabunla silahlandırılmıştı. Tüm büyük şehirlerimize gökten ölüm
yağdırabilirlerdi. İnan bana William, işte bu kadar yaklaşmışlardı.
Savaşı olmasa bile, *Tausendjahriges Reich*'a ulaşmak üzereydiler.
Ondan sonra Müttefik kuvvetleri barış istemeye zorlayabilirlerdi.
Öyle bir şey yaşanması hâlinde de Hitler, Nazizm, yani nihai şeytan
hayatta kalmış olurdu. Hitler ve yakın çevresindeki hasta heriflerin
asıl istediği de *Dritters Reich*, yani bin yıl dünyaya hükmetmekti. Bu
kadar yaklaşmışlardı işte..."

Yaşlı adam yorgunluktan tükenmiş bir biçimde iç çekti.

"Birçok açıdan da bizim işimiz, dedenle benim yani, buna bir son
vermekti."

14

Joe Amca çekmecesine uzanıp karıştırmaya başladı. Bir şey çıkardı, ince kâğıdı yırtıp Jaeger'a uzattı.

"Orijinal SAS rozeti. Beyaz bir hançer, altında 'CÜRET EDEN KAZANIR' yazısı. Paraşütçümüzün kanatlarında yazıyordu, sonra bugünkü birimlerin kanatlı hançerleriyle ünlü oldu. Senin de şüphesiz tahmin ettiğin üzere dedenle SAS'ta görev aldık. Kuzey Afrika, Doğu Akdeniz ve son olarak da Güney Avrupa'da askerlik yaptık. Bunda açığa vuracak pek bir şey yok. Ama şunu iyi bil oğlum, bizim neslimiz böyle şeyleri olur olmadık yerde anlatmazdı. O yüzden birimde kazandığımız nişanları ve savaş hikâyelerimizi bir kenara kaldırıp saklı tuttuk.

1944 sonbaharıydı, İtalya'nın kuzeyinde ikimiz de yaralanmıştık. Düşman hattının arkasında düzenlenen bir operasyonda pusuya yakalanıp çatışmanın arasında kaldık. Önce Mısır'da, sonra da Londra'da hastaneye kaldırılmıştık. Tahmin edersin, ikimiz de iyileşme sürecine pek hevesli değildik. Çok gizli bir birim için gönüllü arandığını öğrendiğimiz an da düşünmeden atladık."

Gözleri kuşkuyla buğulanan Joe Amca, Jaeger'a bakıp, "Dedenle gizlilik yemini etmiştik. Ama şimdi, tüm bu olanlar düşünülünce..." dedi. Önce Jaeger'a, sonra telefona doğru el etti. "Deden benim üstümdeydi. O zaman onu albay yaptılar. Ocak 1945'te de Hedef Kuvvetler komutanlığına getirildi. Ben de kurmay subayı oldum. Emin ol oğlum, bunları daha önce kimseye anlatmadım, Ethel'a bile."

Yaşlı adam, kafasındakileri toparlamak için biraz duraksamıştı.

"Hedef Kuvvetler o zamana dek kurulmuş en gizli birimlerden biriydi. Şimdiye kadar hiç duymaman da bundan... Bizim oldukça belirgin bir görevimiz vardı. Nazilerin en önemli sırlarını ele geçirmekle görevlendirilmiştik. Savaş teknolojilerini; *Wunderwaffe*'lerini, yani olağanüstü derecede gelişmiş savaş makinelerini ve en iyi bilim insanlarını ele geçirecektik."

Yaşlı adam bir kez anlatmaya başladıktan sonra artık durmak istemiyormuş gibiydi. Tüm bu anıların, sırların yükünü omzundan atmak için çırpınırcasına kelimeler bir bir ağzından dökülüyordu.

"Amacımız, *Wunderwaffe*'yi, o zaman bile yeni düşman olarak görülen Ruslardan önce bulmaktı. Bize kilit mevkilere dair bir 'kara liste' verildi; fabrikalar, laboratuvarlar, pilot bölgeler, deney tünelleri ve bilim insanlarıyla uzmanlar. Ne pahasına olursa olsun Rusların eline düşmelerine izin vermeyecektik. Ruslar doğudan ilerliyordu, zamana karşı yarışıyorduk. Ama büyük bir farkla kazandık."

"Belgeyi de bu sırada mı bulmuş?" diye sordu Jaeger. Sormadan edememişti. "Kurtadam Operasyonu'nun raporunu..."

"O bir rapor değil," diye söylendi Joe Amca. "Bir operasyon planı... Cevap ise hayır. Karanlığın en derinlerinden çıkarılan böylesine gizli bir belgenin, bizim birimimizin, Hedef Kuvvetler'in bile erişemeyeceği yerlerde olması lazım."

"Öyleyse nereden..." diye heyecanla söze başladı Jaeger.

Yaşlı adam yine bir el hareketiyle onu susturdu.

"Deden çok iyi bir askerdi; korkusuz, zeki ve dürüsttü. Hedef Kuvvetler'de görev aldığı sırada; neredeyse hiçbir zaman dile getirmediği, kendisini hayrete düşüren, kapkaranlık bir şey fark etti. Hedef Kuvvetler'den bile öte bir operasyon daha vardı. Bu, karanlık dünyanın oluşturduğu bir birimdi. Görevleriyse en üst düzey, en istenmeyen, yani kesinlikle dokunulmaz Nazileri, onlardan faydalanabileceğimiz yerlere kaçırmaktı. Tahmin edebileceğin üzere deden bunu öğrendiğinde dehşete kapıldı." Joe Amca duraksamıştı. "Her şeyden öte bunun ne kadar yanlış olduğunun farkındaydı. Şeytandan da şeytan olan o adamları evimize almanın hepimizi nasıl bozacağını biliyordu. Deden *tüm* Nazilerin, Nuremberg'de yargılanması gereken savaş suçluları olduğuna inanıyordu. Şimdi artık bana asla paylaşmamaya yemin ettirdiği kısma geliyoruz." Jaeger'a kısa bir bakış attı. "Şimdi ben yeminimi bozacak mıyım?"

Jaeger yaşlı adamın omzuna elini koyup, "Joe Amca şimdiye kadar anlattıkların zaten bildiklerimden, hatta bilmeyi hayal edebildiklerimden bile çok daha fazla..." dedi.

Joe Amca da karşılık olarak hafifçe Jaeger'ın eline vurup, "Oğlum sabrın, anlayışın için teşekkür ederim. Bu... Bu hiç kolay değil," dedi. "Savaşın sonlarına doğru deden SAS'a yeniden katıldı. Daha doğrusu o zaman SAS diye bir şey yoktu. Savaştan sonra resmen dağıtılmıştı. Perde arkasındaysa bir ülkenin dileyip dileyebileceği en iyi lider olan Winston Churchill ekibini ayakta tuttu. İyi ki de tutmuş. Churchill, SAS'ı her daim kendi evladı gibi görmüştü. Savaştan sonra birimi gizli bir şekilde, Londra'daki bir otelden kumanda etti. Avrupa'nın dört bir yanına gizli üsler kuruldu. Hedefse kapsamlı aramalardan kaçmayı başaran Nazileri, özellikle savaş sırasında yaşanan onca korkunç olaydan sorumlu olanları temizlemekti. Belki Hitler'in *Sonderbehandlung*'unu duymuşsundur. Komando birliği... Müttefik kuvvetlerden ele geçirilen herkesin, özel muamele için, yani işkence ve idam için SS'e teslim edilmesine hükmetmişti. Nazilerin *Nacht und Nebel*, 'gece ve sis' dediği olayda yüzlerce insan ortadan kayboldu."

Joe Amca bir an için duraksadı. Yıllardır içinde sakladığı karanlığın bu kadar derinlerine ulaşmak yaşlı adamı yormuştu.

"Churchill'in gizli SAS'ı, kaçan Nazileri yakalamak adına kurulmuştu. Kıdemi ne olursa olsun hepsini ele geçirmek istiyordu. *Sonderbehandlung* ise bizzat Hitler'den geldi. Nazi rejiminin en önde gelen isimleri dedenin gözleri önündeydi. Bu durum da o telaşlı adamları güvenli bir yere kaçırmakla görevlendirilenlerle dedeni büyük bir çıkmaza sürükledi."

"Yani kendi kendimize mi savaşıyorduk?" diye sordu Jaeger. "Bir taraf şeytanın kalan son parçalarını ortadan kaldırmaya çalışırken, diğer taraf onları korumaya mı çalışıyordu?"

"Aynen öyle," diye doğruladı yaşlı adam. "Aynen öyle oldu."

"Peki bu ne kadar sürdü?" diye sordu Jaeger. "Ted Dedemle Churchill'in bu gizli savaşı?"

"Dedene kalsa hiç bitmedi. Öldüğü güne kadar..."

"O zaman sakladığı onca Nazi yadigârı," diye araya girdi Jaeger. "SS Ölümün Başı rozetleri, Kurtadam nişanları... Hepsini bu av sırasında mı ele geçirdi?"

Joe Amca başını sallayıp, "Evet, adını ödül koy istersen. Her biri karanlık bir anıyı, yok edilen şeytanı hatırlatıyordu. Tam da olması gerektiği gibi..." dedi.

"Peki Kurtadam Operasyonu belgesi?" dedi Jaeger. "O da mı aynı şekilde denk geldi?"

"Muhtemelen. Belki. Emin olamıyorum." Yaşlı adam koltuğunda rahatsız bir şekilde döndü. "O konuda çok az bilgiye sahibim. Tabii dedenin bir nüshasını sakladığını bile bilmiyordum. Veya bunun sana geçtiğini de... Ondan bahsedildiğini ya bir ya da iki kez duydum, o da fısıltılar arasından... Deden kesinlikle daha fazlasını biliyordu. Fakat en derin, en karanlık sırlarını mezara götürdü. Çok da erken bir gidiş oldu."

"Peki *Reichsadler*?" diye tekrar araya girdi Jaeger. "O neyi ifade ediyor? Neyi temsil ediyor?"

Joe Amca uzunca bir süre Jaeger'a baktıktan sonra, "Telefonundaki o *şey*, o sıradan *Reichsadler*'lardan değil. Standart Nazi kartalı, bir gamalı haçın üzerinde durur," dedi. Yaşlı adam yeniden Jaeger'ın telefonuna bakmıştı. "O ise önemli derecede farklı... Kartalın kuyruğunun altındaki dairesel sembole özellikle bak." Bunları söylerken yaşlı adam ürpermişti. "Böylesine bir sembolü şimdiye kadar sadece bir organizasyon kullandı. Onlar da savaştan *sonra*, sözde dünya barışa kavuştuğunda ve Nazizim çoktan yok edildikten sonra..."

Çalışma odası, mutfaktaki sobadan tüm kulübeye yayılan ısıyla ılıktı. Buna rağmen Jaeger tüm odayı kaplayan karanlık ürpertiyi iliklerinde hissediyordu.

Joe Amca iç çekti, gözlerindeki korku yüzünden okunuyordu.

"Açıkçası, bir yetmiş yıldır buna denk gelmemiştim. Böyle olduğu için de mutluydum." Duraksadı. "İşte şimdi çok ileri gittiğimi düşünüyorum. Gittiysem deden ve diğerleri beni affetsin." Duraksadı. "Sormak zorunda olduğum bir şey daha var, deden nasıl öldü biliyor musun? Buraya taşınma sebeplerimden biri de bu... Çocukken o kadar mutlu olduğumuz yerde durmaya daha fazla dayanamadım."

Jaeger omuz silkti.

"Sadece beklenmedik olduğunu biliyorum. Zamansız olduğunu... Ben on yedi yaşındaydım, kimse bir şey anlatmadı."

"Anlatmamakta haklılarmış." Yaşlı adam duraksadı, güç kalmamış ellerinde tuttuğu SAS şapkasını çevirip duruyordu. "Yetmiş dokuz yaşındaydı. Boğa gibi güçlüydü. Her zamanki gibi enerjikti. İntihar olduğunu söylüyorlar. Araba camından içeri bir hortum... Motor açık bırakılmış. Egzoz gazında boğulmuş. Savaştan kalan onca kötü hatırasını artık kaldıramamış. Haydi oradan!" Joe Amca'nın gözleri şimdi saf bir nefretle yanıyordu. "Bir şey hatırlattı mı? Pencereden içeri hortum? Eminim hatırlatmıştır! Deden tabii ki *Lebensunwertes Leben*'lardan biri değildi, engelli değildi! Nazilerin 'yaşamaya değer' görmediklerinden değildi!"

Ardından çaresizlikle Jaeger'a bakıp, "İntikam almanın daha iyi bir yolu olabilir miydi?" dedi.

***

Jaeger motosikletini ateşledi. Güçlü 1200cc motoru, kimselerin kalmadığı karanlık yolda Triumph'ın gırtlaksı sesiyle birlikte gürlüyordu. M6'dan güneye hızla ilerlemesine rağmen kendinde gürleyecek bir şey bulamıyordu. Joe Amca'ya yaptığı ziyaret iyice sersemlemesine sebep olmuştu. Yaşlı adamın son anlattıkları Jaeger'a en büyük darbeyi vurmuştu.

Ted Dedesi egzozdan çıkan dumanla boğularak öldürüldüğü arabasında bulunmuştu. Polis bir kez daha ölüm sebebi olarak intiharı göstermişti. Tüyleri ürperten ise sol omzuna kazınmış özgün bir simgeydi; *Reichsadler.*

Andy Smith'in ölümüyle aradaki benzerlikler sinir bozucu derecedeydi.

Jaeger kulübeden ayrılmadan önce öğrendiklerinin etkisini mümkün olduğunca göstermemeye çalıştı. Ethel'a kar küreme işinde yardım etti. Yaşlı çiftle birlikte akşam yemeğinde tütsülenmiş balık yedi. İkisini de yatağa gönderirken amcasını daha önce hiç bu kadar kederli ve yorgun görmemişti. Müsaadesini isteyip yeniden yola koyuldu.

Raff, Feaney ve Carson'a, kırk sekiz saat içerisinde kararını bizzat bildireceğini söylemişti. Zaman geçiyordu ve Londra'ya uzun dönüş yolunda uğrayacağı bir durak daha vardı.

Kulübeyi karlı ormanın ortasında, hiç kimsenin onları bulamayacağını, Joe ve Ethel'ın güvende kalacağını umarak terk etti. Ama güneye uzanan yolculuğu boyunca, geçmişten gelen hayaletlerin karanlıkta omzunun hemen arkasından onu izlediğini hissediyordu. *Nacht und Nebel'*da, gece ve siste peşini bırakmamışlardı.

15

"Bakın da gözleriniz şenlensin!"

Adam Carson gökyüzünden çekilmiş bir tomar fotoğrafı masaya attı. Bakımlı, yakışıklı, kurnaz, jilet gibi ve oldukça yetenekli bir konuşmacı olan Carson, dünyaya her daim kazananlardan biri olarak gelmişti. Jaeger onu pek sevmezdi. Bir komutan olarak saygı duyardı ama güvenir miydi, bir türlü emin olamıyordu.

"*Cordillera de los Di*os; Tanrıların Dağı," diye devam etti Carson. "Neredeyse Galler kadar bir bölge, ayak basılmamış bir orman... Üç dört bin metrelik devasa tepelerle çevrili ve bitmek bilmeyen bir sisle yağmur altında gizli... Vahşi kabileleri, katedral boyunda şelaleleri, kilometrelerce uzanan mağaraları, çok derin vadileri ve tehlikeli kanyonları var. Hatta bir *Tyrannosaurus* sürüsü de vardır. Yani anlayacağınız tam bir Kayıp Dünya..."

Jaeger görsellere bakıp birer birer inceledi.

"Soho Meydanı'ndan epey uzak..."

"Değil mi?" Carson, Jaeger'a doğru yeni bir fotoğraf tomarı fırlattı. "Enkaza dair şüpheleriniz varsa da şunlara bir bakın. Tam bir şaheser değil mi? Gizemli, karanlık, şehvetli bir canavar... Seneler sonra, ormanın derinliklerinden bir canavar bizi üç bin kilometre öteden çağırıyor."

Jaeger yeni fotoğraflara baktı. Gizemli enkaz, zümrüt yeşili bir denizin üzerinde uzanıyordu. Öylesine bir yeşilliğin arasında bembeyaz parlaması, ilgiyi daha da üzerine toplamasına yol açıyordu. Ama ölüydü. Yapraksız dallar, bir iskeletin sayısız parmakları gibi gökyüzüne ulaşmaya çalışıyor; ormanın leşi çırılçıplak bir şekilde yatıyordu.

"Kemikler ormanı," diye mırıldandı Jaeger, gizemli uçağın etrafındaki kurumuş bölgeyi göstererek. "Neden böyle olduğunu biliyor muyuz?"

"Fikrimiz yok," diyen Carson güldü. "Zehirli bir şey olma ihtimali çok yüksek ve bu konuda da adaylarımız tertibatlı... Oraya solunum cihazlarına ek olarak özel kıyafetlerle ineceksiniz. Sıkı bir şekilde korunmanız gerekiyor. Tabii gitmeyi kabul ederseniz..."

Jaeger sondaki iğnelemeyi duymazdan geldi. Herkesin kendi ağzından çıkacak cevabı beklediğini biliyordu. Kırk sekiz saat dolmuştu. Wild Dog Media'nın Soho'daki lüks ofisinde toplanmalarının sebebi de buydu zaten. Adam Carson, birkaç TV yöneticisi ve Enduro Adventures takımı oradaydı.

Görünüşe göre televizyonla ilgili bir şey yapan herkesin Londra'nın merkezindeki aşırı gösterişli Soho'dan bir parça koparması gerekiyordu. Medyanın en büyük isimleri orada toplanmıştı. Tamamen para için bu işe giren Carson da direkt Soho Meydanı'nda bir ofis tutmayı ihmal etmemişti.

"Uçağa hiç el değmemiş gibi duruyor," diye devam etti Jaeger. "Sanki oraya *indirilmiş* gibi... Hangi yılda, nereden nereye uçtuğuna dair bir fikrimiz var mı?"

Carson üçüncü fotoğraf tomarını uzatıp, "Üzerindeki işaretlerin yakın çekimleri... Paramparça olduğunu göreceksiniz ama gövdesi ABD Hava Kuvvetleri'nin renkleriyle süslenmiş. Böylesine bir eskimeyi göz önünde bulundurduğumuzda da on yıllardır orada yattığı aşikâr... Herkes İkinci Dünya Savaşı döneminden kaldığını söylüyor. Ancak öyleyse de eşsiz bir makine... Döneminin çok ötesinde bir fenomen..." dedikten sonra TV yöneticilerine döndü. "C-130 Hercules ile karşılaştırabiliriz. C-130 günümüzde birçok NATO üyesi tarafından da kullanılan modern bir kargo uçağı... Bizim gizemli uçağımız, burnundan kuyruğuna otuz dört metre boyunda... C-130 ise on iki metre... Yani modern uçaktan *üç kat* daha uzun... Ek olarak, alışılmışın aksine dört yerine altı motoru var ve kanat genişliği de çok daha fazla..."

"Öyleyse çok ağır bir yük taşıyordur," diye sorguladı Jaeger.

"Muhtemelen," diye doğruladı Carson. "İkinci Dünya Savaşı'nda kullanılan ve bununla karşılaştırabileceğimiz tek Müttefik uçağı, Hiroşima ve Nagazaki'ye atom bombalarını bırakan Boeing B-29 Uçan Kale... Ama o uçağın şekliyle bunun alakası yok. Bizimki çok daha aerodinamik ve modern... Hem B-29'un iki katı boyunda... Bu durum da bilmeceyi özetliyor zaten. Nasıl bir canavar bu?"

Carson'ın yüzünü kaplayan gülümseme iyice büyüyüp daha özgüvenli, hatta kibirli bir hâl almıştı.

"Adını, 'İkinci Dünya Savaşı'nın Son Büyük Gizemi' koyduk. Gerçekten de öyle..." Şimdi tam bir satışçı rolüne bürünmüş, müşterilerine oynamaya başlamıştı. "Bize tek gerekense görevi üstlenecek doğru adam..." Bu sefer de Jaeger'a döndü. "Var mısın bu işe? Bizimle misin?"

Jaeger masanın etrafındaki yüzlere hızla baktı. Carson; adamını bulduğuna ve ikna ettiğine tüm benliğiyle inanıyordu. Raff; her zamanki gibi ne düşündüğü belli değildi. Feaney; söz konusu Enduro Adventures'ın serveti olduğu için yüzündeki endişe tüm bedenini sarmıştı. Sonra çeşit çeşit TV yöneticileri vardı. Otuzlu yaşlarının başında, pasaklı, *modaya uygun* giyinmiş ve dahası gergin görünüyorlardı. Televizyon hayalleri diken üstündeydi.

Son olaraksa Bay Simon Jenkinson vardı, arşivci. Ellili yaşlarını bitirmek üzere olan adam, odadaki açık ara en yaşlı isimdi. Hâl ve hareketleri kış uykusuna yatmış bir bal arısını andırıyordu. Karmaşık bir sakalı, reçel kavanozu gibi bir gözlüğü ve güvelere yem olmuş yünlü bir ceketi vardı. Bulutların üzerinde yüzüyormuş gibi görünüyordu.

"Siz ne düşünüyorsunuz Bay Jenkinson?" dedi Jaeger. "Anladığım kadarıyla odadaki uzman sizsiniz. Kayıp Uçak Arkeoloji Topluluuğu'nun bir üyesiymişsiniz. Ayrıca İkinci Dünya Savaşı'yla ilgili her konuda da uzmanmışsınız. Bunun ne olabileceğine dair fikirlerinizi duymak isterim."

"Kim? Bana mı dediniz?" Arşivci adam sanki uzun bir rüyadan uyanmış gibi odaya göz gezdirdikten sonra endişeyle sakallarını kaşıdı. "Ben mi? Benim fikirlerim mi? Gerek yok. Ben topluluğa karşı pek konuşamıyorum."

Jaeger içten bir kahkaha patlattı. Adama ânında ısınmıştı. Yaşlı arşivcide emaresi okunmayan gösteriş ve kurnazlık, Jaeger'ın çok hoşuna gitmişti.

"Biraz acelemiz var," diye atladı Carson, TV yöneticilerine bakarak. "Bugün bir araya gelme sebebimizi çözüme kavuşturduktan sonra arşivciyle konuşabilirsin. Yanlış mı düşünüyorum? Yani önce bizimle olup olmadığına karar ver."

"Bir karar vermeden önce yeterince bilgilenmek isterim," diye karşı çıktı Jaeger. "Evet Bay Jenkinson, bir tahmin alalım. Ne olabilir bu?"

"Biraz haddimi aşacak olursam..." Arşivci boğazını temizledi. "Bunun özelliklerine uyan bir uçak var; Junkers Ju 390. Alman, anlamışsınızdır. Hitler'in pet projelerinden biri... Amerika Bombardımanı projesinin başını çekmesi düşünülüyordu. Hitler savaşın sonlarına doğru transatlantik uçuşlarla Amerika'yı bombardımana tutmayı planlıyordu."

"Oldu mu peki?" diye sordu Jaeger. "New York? Washington? Hiç bombalandılar mı?"

"Böyle görevlere dair birkaç rapor var," diye doğruladı Jenkinson. "Tabii hiçbiri resmî değil. Ancak Ju 390'ın bunu başarabilecek özellikleri olduğunu söyleyebilirim. Havada yakıt ikmali yapabiliyordu ve pilotlarında da dönemin şaheserlerinden biri olarak kabul edilen Vampir gece görüş ekipmanları bulunuyordu. O da neredeyse gündüzmüş gibi görmelerini ve zifiri karanlıkta iniş yapabilmelerini sağlıyordu." Jenkinson masadaki fotoğraflardan birine parmağını koydu. "Bariz bir şey zaten; Ju 390'ın gövdesinin üzerinde, gökyüzü gözlemleri için kubbemsi bir yapı var. Yani mürettebatı ne bir radar ne de telsiz açmadan yıldızları kullanarak çok uzun mesafeler katedebilir. Anlayacağınız, bu uçak dünyanın etrafında tamamen gizli, izi sürülemez uçuşlar yapmak için var olabilecek en kusursuz savaş uçağı... Yani evet, New York'un üzerinden sarin gazı bırakmak isteseler, bu uçakla rahatlıkla yapabilirlerdi." Jenkinson gergin bir şekilde odaya göz attı. "Kusura bakmayın. O son kısım... New Yok'a sarin falan... Hafif gaza geldim. Benimle misiniz hâlâ?"

Odadaki herkes onaylar şekilde başını salladı. Simon Jenkinson ise dinleyicilerinin dikkatini tamamen çekebilmesini garipsiyordu.

"Belki bir düzineden daha az Ju 390 üretildi," diye devam etti. "Neyse ki Amerika Bombardımanı programı korkunç bir gerçeğe dönüşmeden önce Naziler savaşı kaybetti. Ancak işin garibi, o Ju 390'lardan hiçbiri bulunamadı. Savaş bittikten sonra... Ortadan kayboldular yani. Bu *gerçekten* de bir Ju 390 ise ilk olacağı kesin..."

"Bir Alman savaş uçağının Amazon'un ortasında ne yapabileceğine dair bir fikriniz var mı?" diye sordu Jaeger. "Üzerinde Amerikan işaretleriyle hem de..."

"Hiç yok, sıfır." Arşivci kendini küçümser bir ifadeyle sırıttı. "Hatta şunu itiraf edeyim, arşiv dairelerinden çıkmadığım son dönemde aklımı kurcalayan da bu oldu. Böylesine bir uçağın Güney Amerika'ya uçtuğuna dair hiçbir yerde kayıt yok. Üzerindeki Amerikan Hava Kuvvetleri'ne ait işaretleri de katınca kafa gidiyor zaten."

"Öyle bir kayıt olsa bulur muydunuz?" diye sordu Jaeger.

Arşivci onaylar şekilde başını sallayıp, "Anladığım kadarıyla hiç var olmamış bir uçak bu... Bir hayalet uçak..." dedi.

Jaeger gülüp, "Biliyor musunuz Bay Jenkinson, arşivlerin arasında yeteneğiniz harcanıyor. TV programları için fikirler üretmeniz lazım," dedi.

"Hiç var olmamış bir uçak," diye tekrarladı Carson. "Hayalet uçak... İnanılmaz! Will bunları duyunca iştahın kabarmadı mı?"

"Kabardı," diye doğruladı Jaeger. "Öyleyse son bir sorum ve şartım olacak. Sonrasında ben de varım."

Carson davetkâr bir şekilde kollarını açıp, "Gönder gelsin," dedi.

Jaeger'ın sorusu odaya atom bombası gibi düştü.

"Andy Smith... Neden öldürüldüğüne dair bir haber var mı?"

Carson'ın yüzündeki ifadesizlik değişmezken, soruyla birlikte ne kadar rahatsız olduğunu gösteren tek şey yanağındaki minik bir seğirmeydi.

"Açıkçası polisler bir kaza ya da intihar olduğunu söylüyor. Keşif adına ciddi bir üzüntü kaynağı olsa da atlatıp devam edeceğiz," dedikten sonra sert bir şekilde, "Şartın ne?" diye sordu.

Jaeger cevap olarak bir dosya uzattı. İçinde, her birinin kapağı uzay çağından gelmiş gibi görünen bir uçağı öne çıkaran birkaç adet gösterişli broşür vardı.

"Bu sabah Bedford'daki Hibrid Hava Araçları (HHA) genel merkezi Cardington Hangarı'ndan bir ricada bulundum. Steve McBride ile diğerlerini tanıyorsundur."

"McBride mı? Evet, tanıyorum," diye doğruladı Carson. "İyi, sağlam bir operatördür. Ama HHA ile ne işimiz olacak ki?"

"McBride bu iş için bana ellerindeki en büyük araç olan Heavy Lift Airlander 50'den ayarlayabileceklerini söyledi. Amazon'daki o bölgenin üzerinde asılı kalabiliyor." Jaeger, ikisi İngiliz ve paralı, üçüncüsü de Amerikalı olan TV yöneticilerine döndü. "En basit hâliyle ifade edersem Airlander 50 modern bir zeplin... Hidrojenle değil, helyumla dolu... Bu da tesirsiz olması anlamına geliyor. Yani bir Hindenburg olmayacak, patlama ihtimali yok. Yüz yirmi metre uzunluğunda ve altmış metre genişliğindeki Airlander," diye devam etti Jaeger, "iki amaç üzerine tasarlandı. Birincisi, devamlı geniş alan gözetimi; yani aşağıda ne oluyorsa izliyor. İkincisi de ağır yük taşıma."

Kısa bir duraklamanın ardından anlatmaya devam etti.

"Airlander'ın altmış bin kilogram taşıma kapasitesi var. McBride, bu ölçülerde bir savaş uçağının, onun yarısı kadar bir ağırlığa sahip olacağını tahmin ediyor. Yani otuz bin kilo civarı, doluysa elli bin... Altımızda Airlander 50 ile yola çıkarsak yukarıdan bize göz kulak olabilir ve o uçağı kaldırıp götürebiliriz."

Amerikalı TV yöneticisi bir anlık heyecanla masaya vurdu.

"Bay Jaeger, Will! Gerçekten az önce duyduğum şeyi söylediysen muhteşem bir fikir bu! *Muhteşem*! Oraya atlar, uçağı bulur, sağlama alır ve tek seferde kaldırabilirseniz... Öf be, bütçeyi iki katına bile çıkarırız. Yanılıyorsam da düzelt Carson ama aslan payını biz alıyoruz, değil mi?"

"Evet Jim," diye doğruladı Carson. "Zeplin kullanmak da gayet mantıklı... McBride halledebileceğini söylüyorsa ve sen de fazladan bütçe sorunlarını çözeceksen, gidip bulmakla yetinmeyelim, uçağı alıp buraya getirelim!"

"Bir sorum var," diye araya girdi İngiliz yöneticilerden biri. "Bu Airlander madem ormanın üzerinde asılı kalıp uçağı kaldırabiliyor, sizi de direkt uçağın üzerine bıraksa olmaz mı? Yani şimdiki planımıza göre uçağa birkaç günlük yürüme mesafesinde bir yere paraşütle atlamanız ve oradan devam etmeniz gerekecek. Zeplinle beraber her şey daha kolay olmaz mı?"

"İyi soru," diye yanıtladı Carson. "Neden olmayacağının ise üç sebebi var. Birincisi, bilinmeyen bir zehirle kaplı bir bölgeye hiçbir zaman takımını direkt olarak indirmezsin. Bu, intihara yakın bir şey olur. Tehdidi belirlemek ve ortadan kaldırmak için güvenli bir bölgeden ilerlersin. İkincisi, enkazın etrafındaki araziye bir baksana. Kuru, kırık, sivri dallarla dolu... Takımı oraya bırakırsak yarısı ağaç dallarına saplanarak ölür. Üçüncüsüyse..." derken Amerikalı yöneticiye döndü Carson. "Jim programa katacağı heyecan için, yani kameralar için paraşütle iniş istiyor. Bu da güvenli, açık ve temiz bir bölge gerektirir. Bu yüzden de planlandığı gibi ilerlemeleri için bulduğumuz o iniş bölgesini kullanmaları en doğrusu..."

Toplantı odasında öğle yemeği servis edildi. Dışarıdan bir yemek şirketi, her biri streç filmle kaplanmış soğuk atıştırmalıklarla dolu tepsiler getirmişti. Jaeger birini gördükten sonra aç olmadığına karar vermişti. Odada ağır ağır gezindikten sonra nispeten gizli sayılabilecek bir yerde arşivciyi sıkıştırdı.

"Enteresan," dedi Jenkinson, elinde tuttuğu, lastik gibi görünen suşiyi incelerken. "Nihayetinde eski düşmanlarımızın yemeğini yememiz beni hayrete düşürüyor. Şahsen arşivlere inerken kendi sandviçlerimi yaparım. Eski çedar peyniriyle Branston turşuları..."

Jaeger gülümsedi.

"Daha kötüsü de olabilirdi. Alman usulü lahana turşusu verdiklerini düşünsene."

Gülme sırası şimdi Jenkinson'daydı.

"Aynen. Düşünüyorum da sanırım bir yanım o gizemli uçağı bulmaya gitmenizi çok kıskanıyor. Orada hiçbir işe yaramazdım tabii ama tarih yazmaya gidiyorsunuz. Tarihi yaşayacaksınız. Kaçırılmaz bir fırsat!"

"İstersen takımda sana bir yer bulabilirim," diye önerdi Jaeger, aklından haylazlık geçiyordu. "Seni gitme şartlarımdan biri olarak öne sürerim."

Arşivci ağzına attığı çiğ balığı birden çıkarmak zorunda kalmıştı.

"Pardon ya! İğrençti zaten." Parçayı bir peçeteye sarıp uygun bulduğu bir yere bıraktı. "Hayır, hayır. Ben mahzenlerde gayet mutluyum."

"Mahzenlerden bahsetmişken..." diye düşünceye daldı Jaeger. "Bir anlığına bildiğin her şeyi unut. Tamamen varsayımların peşindeyim ben. Şimdiye kadar gördüğün ve duyduğun şeyleri hesaba kattığında sence bu gizemli uçak gerçekten ne?"

Jenkinson'ın gözleri kalın merceklerin altında gergince dönerken, "Normalde varsayım yapmam, alışılmışın dışında benim için... Ama madem sordun, bana mantıklı gelen sadece iki olası senaryo var. A; uçak bir Ju 390 ve Naziler fark edilmeden ortalıkta gezmek için Amerikan renklerine boyamış. B; şimdiye kadar kimsenin duymadığı çok gizli bir Amerikan uçağı," dedi.

"Sence hangisi daha olası?" diye sordu Jaeger.

Jenkinson önündeki vıcık vıcık olmuş peçeteye bakıp, "B seçeneği, benim suşi sevmemle aynı olasılıkta... A seçeneğindeyse, o dönem ne kadar dalavere döndüğünü duysan şaşırırsın. Biz onların uçağını kaçırdık, onlar da bizimkini. Biz düşman renklerine boyayıp en tehlikeli işlerimizi halletmek için o uçağı kullandık. Onlar da aynısını yaptı," dedi.

Jaeger bir kaşını kaldırıp, "Bunu unutmayacağım. Şimdi konuyu biraz değiştireyim. Sana bir sorum var. Bilmece daha doğrusu... İyi bir bilmeceden keyif alırsın diye düşündüm ama bunun sadece ikimiz arasında kalması gerekiyor, tamam mı?" dedi.

"İyi bir bilmeceyi çözmeye çalışmaktan daha fazla keyif aldığım bir şey yok," diye doğruladı Jenkinson, gözleri parlıyordu. "Özellikle de çok sıkı bir şekilde saklamam gerekenleri severim."

Jaeger sesini alçaltıp, "İki yaşlı adam var; İkinci Dünya Savaşı gazileri. En gizli birimlerde hizmet vermiş, sinsi sinsi işler yapmışlar. İkisi de çalışma odalarını duvardan duvara savaş hatıralarıyla süslemiş. Ancak tek bir istisna var. İkisinin de masasında tamamen anlaşılmaz bir dille yazılmış tarihî bir yazma var. Sorum basit, neden?" diye sordu.

"Yani ikisinde de neden birer tane var diye mi soruyorsun?" Jenkinson dalgın bir şekilde sakalını sıvazladı. "Daha kapsamlı bir ilgi işareti yok mu? Referans çalışma? Benzer metinler? Fenomene dair yapılmış daha geniş çaplı çalışmalar?"

"Hiçbir şey yok. Sadece bir kitap, o kadar. İki yaşlı adamın çalışma masalarında öylece duruyor."

Jenkinson'ın gözleri parıldadı. Bundan keyif aldığı çok belliydi.

"Kitap şifresi dedikleri bir şey var." Ceketinin iç cebinden eski bir zarf çıkarıp eğri büğrü yazmaya başladı. "En güzel kısmıysa basitliğinde yatıyor. Bir de her bir kişinin hangi kitaba atıfta bulunduğunu bilmediğin takdirde şifreyi çözmenin imkânsız olması var."

Zarfın üzerine rastgeleymiş gibi görünen birkaç sayı yazdı:

1.16.47/5.12.53/9.6.16/21.4.76/3.12.9.

"Şimdi sende ve arkadaşında bir kitabın aynı nüshasının olduğunu düşün. Karşıdaki kişi sana bu sayıları gönderiyor. İlk sıradan başlıyorsun, 1.16.47; yani birinci bölüm, on altıncı sayfa, kırk yedinci satır. S ile başlıyor. Sonra beşinci bölüm, on ikinci sayfa, elli üçüncü satır; A ile başlıyor. Dokuzuncu bölüm, altıncı sayfa, on altıncı satır; L ile başlıyor. Yirmi birinci bölüm, dördüncü sayfa, yetmiş altıncı satır; yine A ile başlıyor. Üçüncü bölüm, on ikinci sayfa, dokuzuncu satır; K ile başlıyor. Hepsini bir araya getirince ne oldu?"

Jaeger harfleri bir araya getirip, "S-A-L-A-K. Salak," dedi.

Jenkinson gülerek, "Buldun!" dedi.

Jaeger da kahkahasını tutamamıştı.

"Çok komikmiş. Amazon davetini yırtıp attın."

Jenkinson sessiz sessiz gülmeye devam ederken omuzları da bir aşağı bir yukarı hareket ediyordu.

"Kusura bakma, aklıma gelen ilk kelime bu oldu."

"Dikkat et. Mezarın iyice derinleşiyor," diyen Jaeger bir anlığına durdu. "Peki kitabın tamamen bilinmeyen bir dilde ve yazı sisteminde yazıldığını düşünelim. O zaman nasıl işliyor? Bu durumda şifre tamamen kullanım dışı kalmaz mı?"

"Kullanabileceğin bir çeviri varsa kalmaz. Çeviri olmadan elindeki beş harfli kelime hiçbir anlam ifade etmez. Saçmalıktan başka bir şey değildir. Ancak çeviri olduğunda, şifrelemeye bir katman daha eklersin. İki tarafın da mesajı çözmek için iki farklı kitaba ihtiyacı olması gerekir. Müthiş bir zekâ örneği gerçekten..."

"Böyle bir şifreyi kırabilir miyiz?" diye heyecanla araya girdi Jaeger.

Jenkinson başını sallayıp, "Çok zor... Hatta imkânsıza yakın... Güzelliği de orada zaten. İki kullanıcının da hangi kitaba atıfta bulunduğunu bilmen gerekiyor. Senin durumunda bir de çeviriye erişimin olması lazım. Bu da kırılmasını imkânsıza yakın yapıyor. Tabii iki ihtiyarı yakalayıp işkencede döve döve öğrenebilirsin," dedi.

Jaeger meraklı gözlerle arşivciye bakıp, "Aklından geçenler de pek karanlıkmış Jenkinson. Yine de bilgiler için sağ ol. Bizim gizemli uçakla ilgili araştırmalara devam et," dedikten sonra telefon numarasıyla e-posta bilgilerini Jenkinson'ın zarfının en altına yazdı. "Ne bulursan bul, merakla bekliyorum."

"Elbette!" Jenkinson güldü. "Sonunda birinin gerçekten bu konuyla ilgilendiğini görmek güzel..."

"Çift taraflı ayna," diye açıkladı Carson. "Hangi karakterlerin TV seyircisine daha çekici geleceğini belirlemek için kullanıyoruz. Ya da bulduğumuz dandik teori bu..."

Jaeger ile birlikte, uzunca bir camdan duvarın önünde karanlık bir odada duruyorlardı. Uzak tarafta, dışarıdan izlendiklerinden bihaber bir grup insan, soğuk yemeklerinin tadını çıkarıyordu. Carson'ın üslubu gözle görülür bir şekilde değişmişti. Artık kendince iki dost asker arasında geçiyormuş gibi görünen bir sohbeti sürdürüyordu.

"Bu takımı bir araya getirmek için neler çektim bir ben bilirim," diye devam etti. "TV yöneticileri göze hoş gelen, alımlı ve garip tipleri istiyordu. Onları reyting malzemesi olarak görüyorlar. Bense en azından uçağa kadar gidebilecek eski tarzda eğitilmiş askerlerden istiyordum. Buradaki küçük ekip ise," cama doğru bir parmağını uzattı, "ne bulabildiysek o..."

Jaeger, keşif takımının didiklemekle meşgul olduğu sandviç tepsilerini işaret ederek, "Onlar niye iğrenç?" diye sordu.

"Suşileri mi? Yönetimde olmanın faydaları..." Carson anlamsızca araya girdi. "Bize aşırı pahalı, sindirilemez yemekler düşüyor. Neyse, sana takımdan biraz bahsedeyim; sonra da bence gidip birkaç tatlı sözle kendini tanıt."

Camın üzerinden bir adamı gösterip anlatmaya başladı.

"İri herif; Joe James. Yeni Zelandalı. Eski Kiwi SAS mensubu. Bu yolda bir sürü arkadaşını kaybetmiş, stres bozukluğu çekiyor. İğrenç yağlı saçları ve Usame bin Ladin sakalı da o yüzden... Evsiz bir dilenciyle bir motorcunun karışımı gibi görünüyor. TV yöneticileri de buna bayıldı tabii. Ancak dış görünüşe bakmayacaksın, eleman sağlam ve güçlü bir asker... En azından bana öyle söylendi.

İkinci sırada keskin hatlara sahip zenci arkadaş var; Lewis Alonzo. Eski ABD Deniz Komandosu. Bu aralar korumalık yapıyormuş ama savaştaki adrenalini özlemiş. O yüzden önümüzdeki oyunlar için gönüllü olmuş. Elindeki en güvenilir adam olabilir. Ne yaparsan yap, Amazon'da onu kaybetme. Amerikalının toplantıda söylediği gibi aslan payı onlara kalacak. Amerika'daki seyircileri çekmek için de takımda aşırı kahraman rollerine bürünebilecek Amerikalılara ihtiyaçları var.

Üçüncü sırada Fransız Canal Plus'ın koyduğu hatırı sayılır bütçe sonrası takıma dâhil ettiği zarif görünümlü Fransız kuşu var; Sylvie Clermont. Fransızların kötü isimli Komando Paraşüt Grubu *CRAP*'te[4] görev almış. Özel takısı olmayan SAS gibi düşünebilirsin. İskoç tepelerindeki denemeler boyunca Dior'dan başka bir şey giymedi. Epey de güzel göründü açıkçası. Sanıyorum pek sık yıkanmıyor -her Fransız kuşu gibi- ama bana kalsa nefessiz..."

Carson kendi esprisine güldü. Bu komediye aynı tepkiyi vermesini bekliyormuş gibi Jaeger'a göz ucuyla baktı. Karşılığında gülümsemenin yanına bile yaklaşmayan bir surat ifadesi görmüştü. Omuzlarını silkti, inadını sürdürüp devam etti.

"Dördüncü sırada Asyalı tip var. Hiro Kamishi, Japon yayıncı NHK'nın seçimi. Adı gibi kendi de tam bir kahraman... Japon özel kuvvetleri Tokusha Sakusen'in eski lideri. Kendini modern bir samuray olarak görüp daha ulvi bir savaşçı sanıyor. Japonya'da, ülkenin İkinci Dünya Savaşı sonrası girdiği suçluluk duygusu üzerinden bir

---

4   Ç.N.: Argo, dışkı.

savaş tarihçisi olarak isim yapmış. Şahsen suçluluk duyulacak bir şey göremiyorum. Biz kazandık, onlar kaybetti. Bu kadar..."

Carson yine kendi esprisine güldü. Bu sefer Jaeger'dan bir tepki almaya zahmet etmemişti. Mesajı ise açıktı; "Burada ben ne dersem o olur. Ne istersem onu derim ve ne dersem onu beğeneceksin."

"Beş ve altı; daha yeni yeni tıraş olmaya başlamış uzun saçlı tipler, Mike Dale ve Stefan Kral. Bir Avustralyalı ve bir Slovak. Wild Dog Media'nın kameramanları, o yüzden pek umursamana gerek yok. Daha önce de böyle ücra ve sıkıntılı yerlerde çalıştılar, yani kendi başlarının çaresine bakabilmeleri lazım. Olumlu yanları, kameraların arkasında olup gösteriyi çekecekleri için ayak altında dolanmazlar. Olumsuz yanlarıysa babaları olacak yaştasın."

Carson bu sefer yarıla yarıla güldü. Şimdiye kadar yaptığı en iyi esprinin bu olduğu her hâlinden anlaşılıyordu.

"Yedi; Peter Krakow. Yarı Alman, yarı Leh. Alman kanalı ZDF'in kıymetli seçimi... Herif eski GSG9. Başka ne diyeyim? Tam bir Alman. Karakteri bok böceği gibi, espri anlayışı da karınca gibi... Suratsız, soğuk bir adam... Uçağın Alman olduğu anlaşılırsa Krakow'un durmadan sana hatırlatacağına emin olabilirsin.

Sekiz; seksi Latin hatun. Leticia Santos, ağaç sevici tugay bize kitledi. Brezilya hükümetinin Amazon Kızılderilileri Dairesi FUNAI'de çalışıyor. Eskiden de kankan Albay Evandro'nun Brezilya özel kuvvetleri B-SOB'da görev almış. Kadının yeni olayı, gördüğü her Amazon Kızılderilisine sarılmak... Yine de albayın göreve dâhil edebildiği en yakın isim o oldu.

Son olarak da dokuzuncu sıradayız. Biliyorum, sen de istiyorsun ama nerede! Evet, adamın dibini düşüren sarışından bahsediyorum. Resmen ateş ediyor. Irina Narov. Eski Spetsnaz subayı, Amerikan vatandaşlığı almış ve New York'ta yaşıyor. Buz gibi bir kadın... Çok yetenekli... Göze bayram ettirdiği de kesin... Bu arada bıçağı olmadan tuvalete bile gitmiyor. Haçı da eksik olmuyor. Anlayacağın üzere TV yöneticileri de kendisine âşık... Narov'un reytingleri uçuracağını düşünüyorlar."

Carson, Jaeger'a dönüp, "Seninle birlikte on kişi yapıyoruz. Ne dersin? Tam uğruna ölünecek bir takım olmuş, değil mi?" diye sordu.

Jaeger omuzlarını silkip, "Fikrimi değiştirip geri çekilmek için çok geç artık, değil mi?" dedi.

Carson'ın gülümsemesi suratını ortadan ikiye ayırmıştı.

"İnan bana, senin de çok hoşuna gidecek. Bunları uyumlu bir takım yapabilecek kusursuz bir karaktere sahipsin."

Jaeger somurtup, "Bir şey daha var; yardımcım olarak Raff'ı istiyorum. Operasyonlarda güvenilecek bir adam daha olur ve bu manyaklarla başa çıkmama yardım eder," dedi.

Carson başını sallayıp, "Maalesef. Bir asker olarak ondan iyisi yok, evet. Ama herifin pek bilgili olduğunu veya göze hoş geldiğini söyleyemeyiz. TV yöneticileri toplanan takım konusunda net... Yani sağ kolun olarak fahri Amerikalı, güzeller güzeli Irina Narov'u alacaksın," dedi.

"Olmazsa olmaz mı?"

"Evet, ya sarışın bomba ya da iptal."

Jaeger çift taraflı aynaya dönüp uzunca bir süre Irina Narov'u izledi. Garip bir şekilde kadının, kalın ve karanlık camdan geçen harlı bakışlarını hissediyormuşçasına, kendisini izlediğini bildiğini düşündü.

18

Gün yeni doğmuştu.

Lockheed Martin C-130J Super Hercules'i çalıştırıp göğe yükselme zamanı yaklaşıyordu. Jaeger'ın takımı göreve hazırdı. İşareti bekliyorlardı. Uçağın katlanan kanvas koltuklarına bağlanmış; yüzlerinde oksijen soluma sistemleriyle karşılarına çıkacak maceraya, dünyanın çatısından atlayacakları bilinmezliğe kendilerini hazırlıyorlardı.

Hayatının görevi, -daha doğrusu keşfi- gökyüzüne çıkmak üzereyken, Jaeger'ın da kısa bir süre yalnız kalma vakti gelmişti.

Tekerleri kaldırmaya hazırlardı.

Yeşil ışık yanmış, kalkış için her şey hazırlanmıştı.

Artık geri dönüş yoktu. Her şeyin ötesinde, sonuna kadar bağlıydılar.

Hayatta kalma mücadelesi tüm günlerini ve gecelerini doldurmadan önceki son birkaç dakikayı yaşıyorlardı.

Jaeger birkaç saniye yalnız kalma umuduyla piste küçük bir gezintiye çıktı. Sonraki günler ve haftalar boyunca bir daha hiç fırsat bulamayacağını biliyordu. Elit bir asker olduğu zamanlarda da yapardı aynısını. Ama şimdi Amazon'un en derinlerindeki keşfe karşı kendini hazırlıyordu.

Brezilya'daki *Serra de Cachimbo*, yani Tüten Pipo Dağları'nın kalbinde yatan Cachimbo Havaalanı'na uçuyorlardı. Cachimbo, Atlantik kıyısındaki Rio de Janerio ile Amazon'un en batıdaki sınırlarına eşit mesafedeydi; bu da asıl hedef öncesinde bölgeyi Brezilya'daki mola yeri yapmıştı.

Brezilya'nın bir ülke olarak ne kadar büyük olduğunu ve Amazon havzasının ne kadar engin olduğunu unutmak çok kolaydı. Cachimbo'nun doğusuna doğru iki bin kilometre ötede Rio de Janerio; iki bin kilometre batıda, yağmur ormanlarının en uzak taraflarında da gizemli uçak yatıyordu. Aradaki her şey ise sımsıkı bir ormandan ibaretti.

Yalnızca askerî operasyonlar için özel olarak ayrılmış Cachimbo Havalimanı, gerçek hayattaki Kayıp Dünya yolculuğuna başlamadan önce kusursuz bir kalkış noktası olmuştu. Ayrı bir güzelliğiyse, B-SOB Komutanı Albay Evandro'nun kalkış öncesinde orada çekim yapılmasına izin vermemesiydi. Cachimbo'da yürüttüğü özel görevler sebebiyle dışarı bilgi sızmaması gerektiğini söylemişti. Ancak aslında tüm bunları burnunun dibinden bir an olsun ayrılmayan kameralardan ciddi şekilde bıkan Jaeger'ın isteği üzerine yapmıştı.

Kameramanlar geçen iki haftanın büyük bölümünde keşif takımıyla birlikte olmuş, ayakta geçirdikleri her ânı olur da yaklaşan macera öncesi dramatik bir şey yakalama umuduyla kameraya almışlardı. Jaeger bu denli yakın bir takibe hiç ama hiç alışık değildi.

Bunlar yetmiyormuş gibi bir de sözde yardımcısı ve sandığı kadarıyla Andy Smith cinayetinin baş şüphelisi Irina Narov ile uğraşması gerekiyordu. Takımın geri kalanı Jaeger'ın aralarında olmasından memnun görünse de Narov, düşmanca tavırlarını açık bir şekilde sergilemekte beis görmüyordu.

Sarışın Rus, en başından beri Jaeger'ın varlığından tiksiniyormuş gibi duruyor ve yırtıcılığı da Jaeger'ın sinirlerini oynatmaya başlıyordu. Kadın, Andy Smith'in işi bitirildikten sonra keşfin önderliğini üstlenmeyi bekliyormuş da sanki hırsı ve isteğinin önüne geçilmiş gibi bir tavır takınmıştı.

Jaeger'ın Kara Sahil Cezaevi'nden hatıra olarak taşıdığı kırık el ve ayak parmakları hâlâ acı vermeye devam ediyordu. Bandajlarla sıkı sıkı sarılmışlardı ve Jaeger karşısına ne çıkarsa çıksın atlatabilecek kadar zinde olduğunu düşünüyordu. Tek endişesi, arkasını döndüğü gibi Narov'un bıçağını sırtına geçirmesiydi. Kadındaki bu düşmanca tavra ise anlam verememişti ama ormanda kaynayacak kazanla birlikte her şeyin açığa çıkacağına inanıyordu.

Dikkatinden kaçmayan başka bir keşif dinamiği daha vardı. Henüz yola çıkmadan önce bile, Brezilyalı takım üyesi Leticia Santos ile Irina Narov arasında kıvılcımlar uçuşmaya başlamıştı. Jaeger iki güzel kadın arasında her zaman olduğu gibi klasik ve pek tanıdık olan kavgalardan birinin yaşanacağını düşünüyordu.

Yine de içinden bir ses, birbirlerine karşı bu denli kıskanç tavırlar sergilemelerine rağmen, bu kıskançlık ve gerginliğin kaynağının kendisi olduğunu söylüyordu.

Bu düşünceyi aklından çıkarmaya çalıştı. Gece boyu yağmur yağmıştı ve güneşin yaktığı, sıcacık toprağın üzerine düşen taze, serin tropik sağanağın o eşsiz kokusunu aldı. Aynısıydı. SAS'ta ormana verdikleri isimle, "ağaçlarda" geçirdiği ilk güne daldı.

Orman eğitimi, SAS seçimlerinin önemli bir bölümünü oluşturuyordu. Birime girmeden önce her askerin bu acımasız seçmeleri atlatması gerekiyordu. Ağaçlarda geçirdiği daha ilk günde, Jaeger ormanda yaşama karşı doğal bir ilgisi olduğunu anlamıştı. O yoğun orman bitkileri, çamur ve yağmurla birlikte geçmişe gitmesine, küçükken babasıyla dışarıda geçirdiği zamanları hatırlamasına neden olmuştu. Basık, klostrofobik ormandaki yağmur ve çamurun içerisinde bitmek bilmeyen günler boyunca hayatta kalmaya çalışmak insanı doğaçlama yapmaya itiyordu ve Jaeger da akışına bırakmayı, bir sonraki hamlesinden önce akıllıca düşünme gerekliliğini seviyordu.

Gözlerini kapatıp derin bir nefes aldı; ciğerlerini nemli, küflü, toprak kokan havayla doldurdu. İçindeki sese, savaşçının altıncı hissine kulak vermesinin zamanı gelmişti. O sesi hep dinlemişti. Çocukluğunu geçirdiği kırsal Wiltshire'daki tepeleri karış karış gezmeye başladığı, ormanlarda hafta sonu boyunca kamp yaptığı ve merakı ve zekâsıyla hayatta kaldığı zamanlardan beri içgüdülerine güveniyordu.

Babasının rehberliğinde, çıplak elle alabalık yakalamayı öğrenmişti. Hafif hafif dalgalanan suyun üzerinde parmaklarını gezdirir; balığın soğuk, pullarla kaplı bedeni etrafında yavaşça hareket ettirir; onu boyun eğmeye zorlar ve ışık hızıyla yakalayarak nehir kenarına atardı. Tavşanlar için nasıl tuzak kuracağını ve İngiliz ormanlarında bulabileceği şeylerle su geçirmez bir sığınak inşa etmeyi öğrenmişti.

O zamanlarda bile iç sesi dikkate değer olduğunu göstermiş, ona vahşi yaşamdaki doğal düzeni hatırlatmıştı. Sonraki yıllarında elit bir asker olduğu zaman ise aynı içgüdüsü ruhuna bir kalkan olmuştu. SAS seçimlerinin Subay Haftası sırasında, herkes dalga geçmesine rağmen içindeki güçlü sese kulak verip güvenmiş ve diğer tüm adayların uygulamaya karar verdiği plana uymamıştı. O vahşi kış sonrasında seçmeleri geçen iki subaydan biri olduğunda iç sesinin haklı çıktığı da anlaşılmıştı.

İç sesi her zaman onu merkeze alarak hizmet verirdi. Ya da en azından şimdiye kadar böyle olmuştu. Garip bir sebepten, bu girişim Jaeger'ı ciddi şekilde korkutmuştu ve buna hiçbir anlam veremiyordu. Önündeki keşif, yeterince adamı ve silahı olmadan düşman hatlarının arkasına sızarak gerçekleştireceği bir görev değildi. Onu için için yiyen şeyi bir türlü bulamıyordu. Yüksek ihtimalle Andy Smith'in ölümü ve sonrasında yaşananlardı.

İngiltere'den uçmadan önce Jaeger, Smithy'nin cenazesine katılmış ama Dulce ve çocuklarıyla birlikte son vazifesini gerçekleştirirken bile kalbindeki sıkıntıdan kurtulamamıştı. Cenazenin ardından Raff ile bir şeyler içmeye gittiklerindeyse iri Maori, Andy Smith'in ölümüne dair daha önce söylemediği çok önemli bir ayrıntıyı paylaşmıştı.

Otel odasına zorla girildiğine dair hiçbir iz bulunamamıştı. Polise göre kendi başına odasından çıkmış, sarhoş bir vaziyette tepeye tırmanmış ve ölüme atlamıştı. Ancak bu ölüm bir intihar değilse, Andy de katillerini otel odasına girerken durdurmaya yönelik hiçbir hamle yapmamıştı. Bu da onları tanıdığı anlamına gelirdi. Onları tanıdığı ve onlara güvendiği anlamına... Fırtınanın dövdüğü Ocak ayında, kuş uçmaz kervan geçmez Loch Iver Oteli'nde kalıyorlardı. Keşif üyeleri dışında neredeyse hiç misafir yoktu ve bu da katilin Jaeger'ın takımından biri olduğu anlamına geliyordu. Yani, katil her kimse, aralarında geziyordu.

Jaeger'ın katilin kim olabileceğine dair şüpheleri vardı. Fakat şüphelendiği kişinin bunu anlayıp alarma geçmemesi için sesini çıkarmamıştı. Irina Narov haricinde kanının ısınmadığı isimler, ukala tavırlarıyla kameraman ekibi Mike Dale ve Stefan Kral olmuştu. Ama onların da Smithy'yi öldürmesi hiç mantıklı değildi.

Medyayla ilgili hiçbir şeye güvenmeyen Jaeger, Dale ve Kral'ın boş keseden sallayan tipler olduğunu anlamıştı. Onlar da karşılarında, kameralarını her uzattıklarında ciddi şekilde sert ve uyumsuz bir hâl alan Jaeger'ı bulmuşlardı. Muhtemelen Andy Smith çok daha uyumlu, çekimlere karşı uysal bir tavır sergilemişti. Onun ölmesini isteyecek son kişiler de bu yüzden kameramanlar olurdu.

Hangi açıdan bakarsa baksın, artık bunun gerçekten de *cinayet* olduğuna inanan Jaeger, arkadaşının neden ve nasıl öldürüldüğüne dair cevapları da yaklaşan keşifle birlikte ormanın en derinlerinde bulacağına ikna olmuştu. Bir an önce yola çıkmak istiyordu. Artık toprağa ayak basma ve bu düşüncesini tüm dünyaya kanıtlama zamanı gelmişti.

Jaeger işini yarım yamalak yapan adamlardan değildi. Keşfin liderliğini üstlenmeyi kabul ettiği zaman kendini de bütün olarak bu işe adamıştı. Smithy'nin bıraktığı yerden alıp hemen kolları sıvamıştı. Gözünü açtığı andan kapatana kadar geçen tüm süreyi heyecanla süren hazırlıklarla geçirmiş, başka hiçbir şeye vakit ayıramamıştı.

Uçuştan önce sadece kısa bir telefon konuşmasıyla anne babasına haber vermişti. Birkaç yıl kadar önce gün ışığının hiç ayrılmadığı, garip fırtınaların ve vergisiz hayatın keyfini çıkardıkları Bermuda'ya taşınmışlardı. Alelacele yaptığı aramayı kısa tuttu. Bioko'dan döndüğünü, Ruth ve Luke'tan bir haber olmadığını, Endure Adventures ile bir keşif için Amazon'a gideceğini ve daha sonra Ted Dede'nin hayatı ve ölümüyle ilgili sorular sormak için onları ziyaret etmek istediğini söyledi.

Ailesine en kısa zamanda yanlarına geleceğinin sözünü verdikten sonra telefonu kapattı. Ted Dedesinin ölümüyle ilgili şüphelerini dillendirmedi. Böyle bir telefon görüşmesinde bundan bahsetmek doğru gelmemişti. Bu tür bir diyaloğun yüz yüze yapılması gerekirdi. Amazon'da işi bittiği gibi Bermuda'ya uçacaktı.

Jaeger ile takımı, Albay Evandro ve B-SOB takımının misafiri olarak bir haftadır Brezilya'daydı. Bu süreçte Brezilya'daki hem iklim hem de insani sıcaklık, en büyük korkularının yumuşamasına yol açmıştı. İngiltere'deyken tüm benliğini saran o karanlık, aklından adım adım uzaklaşmıştı. Ancak şimdi, Amazon macerasına gerçek bir adım atmaya hazırlanırken, içindeki endişeler gömüldükleri yerden çıkmaya çalışıyor gibiydi.

19

Cachimbo uçuş pisti; iki tarafı da karmakarışık bitki örtüsüyle kaplı, aşılmaz bir yeşillik denizinin arasında derinlere uzanan, her yanı ormandan oluşmuş bir vadinin ortasında yer alıyordu. Günün ilk ışıkları ufuktaki dağınık ormanın üzerinde parıldarken, ışınlar da ağaçların tepesinde asılı kalan sisi eritiyordu. Kızgın tropik güneş kısa süre içerisinde şafağın serinliğini yakacaktı.

Jaeger ile aynı işi yapanlar, ormana karşı sadece iki tepki verilebileceğini söylerdi; ya ilk görüşte aşk ya da nefret. Ormandan nefret edenler; onu karanlık, yabancı ve kötülüklere gebe olarak görürdü. Basık, tehlikeyle doluymuş gibi hissederlerdi. Ama Jaeger bunun hep tam zıttı tarafında kendine yer bulmuştu. O vahşi, canlı, yaşam dolu hayatın isyanına, hayranlık uyandıran tropik orman ekosistemine her daim çekilmişti.

İnsan medeniyetinin tüm tuzaklarından mahrum kalmış bir doğa fikri ruhunu canlandırıyordu. İşin aslındaysa orman tamamen tarafsızdı. Ne tabiatı gereği düşmanca ne de insanlığa karşı dostça bir tavır sergilerdi. Yöntemleri öğrenildiğinde, sesine kulak verildiğinde ve özüyle bir olunduğunda eşsiz bir dost ve sığınak rolüne bürünürdü.

Bununla birlikte *Cordillera de los Dios*, Tanrıların Dağları'ndaki saf ve basit vahşi yaşama dünyanın başka bir yerinde rastlamak mümkün değildi. Tabii bir de Cordillera'nın göğsünde gizli gizli yatan o gizemli uçak vardı.

Jaeger'ın hemen üzerinden, yalnız ve çok tiz bir çığlık atan bir kartal uçtu. Ormanın en yüksek devlerinden birinin tepesinden yanıt çığlığı gecikmedi. Bu, karanlığın arasından elli metreye kadar yükselmiş, ormandaki ender girintileri de gölgelemiş dev bir tropik meşe ağacıydı. Gururlu tacı gök kubbeyi delmiş, güneşi yakalama telaşına düşmüştü. İhtişamlı şafağın ilk ışıklarında yıkanırken dimdik duruyordu. Yükselenlerin kralıydı.

En üstündeki dalları, kartalın avını yakalaması için muhteşem bir seyir imkânı sunuyordu. Jaeger ağacın zarif bir pembeyle renklenmiş çiçeklerle dolu gövdesini hızla taradı. Sanki çiçekler değil de ağaç açıyordu. Gökkuşağından bir parça gibi görünen yeşilin tüm tonlarından oluşmuş denizi hemen göze geliyordu.

Jaeger yuvayı gördü. Kartallar yeni yavrulamıştı. Besleyecek aç yavruları vardı.

Bir anlığına Jaeger, kendini ağacın iki metre yukarısında, kanatlarını ormanın üzerinde çırpan kartal olarak düşledi. O gizemli uçağın saklandığı uzaktaki ıssız araziye doğru uçtuğunu düşündü. Bir kartalın görüşüne sahip olsa, yüzlerce metre yukarıdan, ormanın zemininde kaçışan fareleri takip edebilirdi. O uçak enkazının olduğu bölgeyi, tüm nefesi sömürülmüş ve çırılçıplak bırakılmış bitki örtüsüyle iskelete dönmüş ağaçların olduğu araziyi bulmak çocuk oyuncağı olurdu.

Zihninde, bölgenin üzerinde uçarken aşağıda kalan sahnenin ne kadar doğaya aykırı olduğunu düşündü. Durgun. Hayatsız. Hayalet gibi... Ormanın böyle ölmesine ne sebep olmuştu? O gizemli uçak hangi sırlara, *hangi tehlikelere* liman olmuştu?

Kartalları izlemek, Jaeger'a *Reichsadler*'ı hatırlattı. Telaşla geçen son birkaç günde o acımasız, karanlığın habercisi kartal simgesi üzerine kafa yormak için neredeyse hiç zaman bulamamıştı. Böylesine olağanüstü bir kuşun, aynı anda hem en kötüyü hem de özgürlükle güzelliği temsil etmesi ne garipti.

İlk kez Sun Tzu demişti *düşmanını tanı* diye; eski Çin savaş üstadı. Askerdeyken Jaeger'ın mantrası da bu olmuştu. İyi bir şekilde anlayıp tanıdığı bir düşmanın karşısına çıkmaya alışıktı. Üzerine sıkıca çalışır; uydu resimlerini, gözetleme fotoğraflarını inceler; dünyanın en gelişmiş istihbarat örgütlerinden gerekli bilgileri alırdı. Sinyal kesişmelerinden faydalanırdı. Sahada bir casus ya da kötü adamların kampından bir kaynak bulur, insan istihbaratını kullanırdı.

Her görevden önce kendisine tekrar tekrar düşmanını çok iyi tanıdığını, onu yenecek kadar ciğerini bildiğini söylerdi. Ama şimdi kimsenin tanımadığı ve anlamadığı, potansiyel tehlikelerle dolu bir düşmanla karşı karşıyaydı. Risk büyüktü ama ne olduğu bilinmiyordu.

Düşman çoktu ama bir adı veya yüzü yoktu.

Yabancıydılar.

Jaeger'ı bu denli ürküten de şüphesiz bu isimsiz ve bilinmeyen tehlikelere doğru koşmaktı. Ama şimdi en azından kafasında bazı şeyleri oturtmuştu. *En azından şimdi biliyordu.*

Bu farkındalıkla birlikte Jaeger bir nevi rahatlamış hissediyordu. Yüzünü uçağa döndü. Marş motorları dev türbinleri ateşlerken çıkan tiz sese kulak verdi. Testere bıçaklı dev pervaneler, sanki kalın bir bataklığa gömülmüş gibi ağır ağır, sıkıcı bir şekilde dönmeye başladı.

Pistin kenarında uzanan tekerlek izleriyle kaplı toprak yoldan bir Land Rover hızla yaklaştı. Jaeger birinin, kendisini, bekleyen uçağa götürmek için geldiğini düşünmüştü. Araç durduğunda içinden nerede görse tanıyacağı Albay Evandro çıktı.

1.90 boyu, kapkara gözleri ve yaşına rağmen esnek ve atletik vücuduyla B-SOB albayı, Jaeger'ın yıllar önce omuz omuza savaştığı adamdan hiçbir şey kaybetmemişti. Birimini İngiliz alayları gibi şekillendirebilmek için bizzat SAS seçmelerine göğüs germiş ve Jaeger da bu yüzden adama hayran kalmıştı.

"Uçma vakti geldi," dedi. "Takımın havalanmak için son hazırlıklarını yapıyor."

Jaeger başını sallayıp, "Bizimle gelmek istemediğine emin misin?" diye sordu.

Albay gülümsedi.

"Aslına bakarsan bundan daha fazla istediğim bir şey yok. Kalem oynatmak hiç bana göre değil. Ama rütbe ve komutayla birlikte her zamanki saçmalıklar da geliyor işte."

"O zaman bana yol göründü."

Albay elini uzatıp, "Bol şans dostum!" dedi.

"Şansa ihtiyacımız mı olacak?"

Uzunca bir süre boyunca Jaeger'ı izledi Evandro.

"Amazon'a giriyorsunuz. Beklenmeyeni bekle."

"Beklenmeyeni bekle," diye tekrarladı Jaeger.

Doğrusu bilgece sözlerdi. Birlikte Land Rover'a bindiler ve bekleyen Hercules'e doğru tozu dumana katarak ilerlediler.

20

Jaeger uçağın kokpitinde durdu. Hemen üzerindeki pencerede bir yüz belirmişti.

"Atlayış bölgesinde hava güzel görünüyor," dedi pilot. "On beş dakikaya tekerleri kaldıracağız, uygun mudur?

Jaeger başını sallayıp, "Açıkçası iple çekiyorum. Beklemek beni bitiriyor," dedi.

Mürettebatın tamamı Amerikalıydı ve takındıkları tavırlar neticesinde Jaeger eski asker olduklarını anlamıştı. Hercules C-130, Carson tarafından özel bir hava taşıma şirketi aracılığıyla ayarlanmıştı ve Jaeger'a da bu adamların alandaki en iyiler olduğu söylenmişti. Gökyüzünden takımıyla birlikte kendilerini boşluğa bırakacakları yere sorunsuz bir şekilde varacaklarına güveni tamdı.

"Çalmamızı istediğin bir parça var mı?" diye sordu pilot. "*P Zamanı* için diyorum."

Jaeger güldü. P Zamanı, Jaeger ile takımının uçağın kuyruğundaki rampadan kendilerini uğuldayan boşluğa bırakacakları Paraşüt Zamanı anlamına geliyordu.

Dünyanın her yanındaki havacılar arasında çok uzun yıllardır süregelen bu gelenekte, "*Haydi, haydi, haydi!*" denmeden önce bir şarkı açılırdı. Bu sefer modern hayatın Kayıp Dünyası'na gizemli bir yolculuk olsa da normalde savaşa doğru serbest düşüşe geçmeden önce adrenalin pompalamak ve nabzı hızlandırmak için kullanılırdı.

"Klasik bir şeyler olsun," diye önerdi Jaeger. "Wagner olabilir. Sistemde ne var ki?"

Jaeger'ın atlama şarkısı kendi doğasını da yansıtıyordu. Arkadaşlarının gözünde bir karşı kültür ifadesiydi ama eski şarkılar her zaman odaklanmasını sağlamıştı. Bu sefer de öyle bir motivasyona kesinlikle ihtiyacı vardı.

Ardından geleceklere rehberlik etmek amacıyla, ilk önce Jaeger atlayacaktı. Ancak yalnız olmayacaktı.

Irina Narov takıma geç katıldığı için Andy Smith'in verdiği olmazsa olmaz YİYA takviye eğitimini alamamıştı. YİYA, "Yüksek İrtifada Yüksek Açılış" anlamına geliyordu. Yani hedeflerinden kilometrelerce önce gökyüzünde paraşütlerini açacak, sonra süzüleceklerdi. Keşfe başlamak için bu yolu seçmişlerdi.

Jaeger ise iki kişilik bir YİYA yapmak zorunda kalmıştı. 30.000 feet yükseklikten kendini boşluğa bırakacağı sırada, gövdesine bağlı bir insan -Irina Narov- daha olacaktı. O huzur verici müziğe daha önce hiç olmadığı kadar ihtiyaç duyduğunu hissediyordu.

"AC/DC'den 'Highway to Hell' var," dedi pilot. "Led Zeppelin'den 'Stairway to Heaven', ZZ Top ve Motörhead var. Eminem, 50 Cent ve Fatboy'dan da birkaç parça var. İstediğini seç dostum."

Jaeger elini cebine sokup çıkardığı CD'yi pilota gönderdi.

"Bunu dene, dördüncü sırada..."

Pilot elindeki CD'ye bir bakıp, "'Ride of the Valkries' mı?" dedikten sonra homurdandı. "'Highway to Hell'i istemediğine emin misin?"

Kuvvetli bir şarkı açtı; AC/DC'nin şarkı sözleri girerken, Hercules'in kokpitinde parmaklarıyla davul çalıyordu.

Jaeger gülbümseyip, "Onu geri alacağınız zamana saklayalım, olmaz mı?" dedi.

Pilot gözlerini devirdi.

"Siz İngilizler... Biraz akışına bırakın ya! Merak etme, eğlendireceğiz sizi."

Jaeger, Vietnam Savaşı'nı anlatan vurucu film *Kıyamet*'in jenerik müziği olan "Ride of the Valkyries"ın, önündeki görev için kusursuz olacağını hissediyordu. Aynı zamanda pilotun seçtiği gibi hızlı bir şarkıya da yakın sayılırdı. Jaeger'ın kitabında, mürettebatı mutlu etmek önemli bir yere sahipti.

Pilotla mürettebatı, uçurdukları on kişiyi, bulabildikleri o ufak açık alana inmelerini sağlayacak şekilde yerden on kilometre yukarıda, gökyüzünün tam olarak belirli bir noktasında uçaktan bırakmak gibi çok zor bir görevi üstlenmişti. Şu an için Jaeger ve takımındakilerin hayatı aşağı yukarı bu pilotun ellerindeydi.

Jaeger uçağın arkasına ilerledi ve yukarı tırmandı. Uçağın karanlık gövdesini boydan boya taradı. Düşük ışıkla birlikte ender de olsa yükselen kızıl parıltılar içeri ürkütücü bir hava katmıştı. Dokuz paraşütçü saydı, kendiyle birlikte on ediyordu. Orduda alışık olduğunun aksine onları çok az tanıyordu. Hazırlıklar süresince sadece birkaç gün birlikte zaman geçirmişlerdi.

Takımı her şeyiyle hazırdı. Tüm takıma YİYA atlayışları için özel olarak tasarlanmış, oldukça kalın ve ağır Gore-Tex yaşam kıyafetleri giydirilmişti. Onları giymek tam bir işkenceydi. Tropik güneşin yaktığı ormana indikleri anda tüm vücutları kaynayacaktı. Ama böyle bir koruma olmadan da ince ve soğuk mavilikten paraşütle o kadar uzunca bir süre süzülmek, donarak ölmekle aynı anlama gelirdi.

30.000 feet'lik yükseklikten atlarken, sonsuza kadar donmuş bir ölüm bölgesi olarak kalacak Everest'in zirvesinden üç yüz metre daha yüksekte olacaklardı. Oradaki sıcaklık -50 C dolaylarında seyrederken, ticari uçakların yol aldığı o irtifadaki rüzgâr da dehşetle esecekti. Özel olarak tasarlanmış kıyafetleri, maskeleri, eldivenleri ve kaskları olmadan göz açıp kapayıncaya kadar ölürlerdi. Dahası paraşütlerinin altında ondan çok daha uzun bir süre salınacaklardı.

Daha alçaktan atlayamamalarının sebebiyse basitti. Tam olarak belirlenen noktaya inebilmeleri için paraşütle kırk kilometre civarında süzülmeleri gerekiyordu. Böylesine bir mesafeye de ancak 30.000 feet'ten atlayarak ulaşılabiliyordu. Hem YİYA atlayışıyla birlikte kameralar da bayram edecekti.

Hercules'in tam ortasında, tuvalet kâğıdı rulosuna benzeyen iki tane kocaman konteyner vardı. Bu paraşüt tüpleri o kadar ağırdı ki tüm zemin boyunca uzanan bir çift rayın üzerine monte edilmişti. Jaeger'ın en tecrübeli iki paraşütçüsü, Hiro Kamishi ve Peter Krakow, iniş bölgesine doğru süzülmek amacıyla atlayıştan hemen önce tüplere bağlanacaktı.

Takımın sırt çantalarında taşınamayacak kadar ağır ve kaba tüm aletlerini, şişirilebilir kanolarıyla diğer yardımcı ekipmanı onlar taşıyacaktı. Kamishi ve Krakow, deyişe göre "tüpe binecekti." Bu görevin gerektirdiği fiziksel güç akıl almaz boyutlardaydı ama Jaeger'ın ikisine olan güveni tamdı.

Onun göreviyse çok daha zordu ama kendine sürekli daha önce sayısız sefer çift atlayış yaptığını ve Irina Narov'u tek parça hâlinde yere indirme konusunda canını sıkmaması gerektiğini hatırlatıyordu.

Yüzünü takımına çevirdi. Hercules'in bir tarafına dizili koltuklara dağılmışlardı. Karşı taraflarındaysa onları güvenle uçaktan çıkarma sorumluluğunu üstlenmiş paraşüt görevlileri oturuyordu.

Önlerindeki keşfin dünyanın dört bir yanına dağılan çok çeşitli öğeleri düşünüldüğünde, herkesin standart bir saatte çalışması gerekiyordu. Jaeger de daha önce askerî operasyonlarda birçok kez yaptığı şeyi yapmak üzereydi. Bir dizinin üzerine çöktü ve sol kolunu sıvadı.

"Dikkat!" diye seslendi, uçağın türbinlerinden çıkan sesi bastırmak için bağırması gerekmişti. "Zulu saatini doğrulayacağız."

Bir sıra dolusu insan, kaba kıyafetlerinin altında kalan saatlerini çıkarma mücadelesi verdi. Önlerindeki görev öncesinde herkesin saatlerini doğru bir şekilde senkronize etmesi hayati önem taşıyordu.

Takımları ve üzerlerinde yörünge çizecek olan zeplin, Bolivya saat dilimine göre çalışacaktı. Brezilya'dan uçuşa geçen C-130 mürettebatı Bolivya'dan bir saat ilerideydi ve Londra'daki Wild Dog Media'nın genel merkezi de iki saat daha ilerideydi.

Jaeger'ın görev sonunda çağıracağı çıkış uçağının, bu saat farkı sebebiyle randevu noktasına üç saat erken ya da geç gelmesi manasız olurdu. Zulu saati tüm askerî birimlerin kullandığı küresel bir standart olarak kabul edilmişti. Keşif ekibi de bundan sonra aynı yolda ilerleyecekti.

"05.00 Zulu'ya otuz saniye!" diye duyurdu Jaeger.

Uçaktaki tüm ekibin gözleri saatlerindeki saniye ibresine kilitlenmişti.

"Yirmi beş saniye ve düşüyor!" diye uyardı Jaeger. Başını kaldırıp takımına baktı. "Her şey yolunda mı?"

Herkesten bir sorun olmadığına yönelik işaretler aldı. Ağır oksijen maskelerinin ardına gizlenmiş gözleri heyecandan parlıyordu. YİYA atlayışı yapmadan önce paraşütçülerin basınçlı bir hava karışımı soluması, tazyikli saf oksijeni ciğerlerine alması gerekiyordu. Buna da direkt sakatlık veya ölümle sonuçlanabilecek yükseklik hastalığı tehlikesini azaltmak amacıyla kalkıştan önce başlıyorlardı.

Maskeler yüzünden kimse konuşamıyordu ama Jaeger yine de canlandı. Takımı, Cordillera de los Dios'a inip binbir türlü çamura batmaya sonuna kadar hazır görünüyordu.

"05.00 Zulu'ya on saniye..." diye saydı. "Yedi... Dört, üç, iki; şimdi!"

Çağrısıyla birlikte bütün takım üyeleri de onay verircesine başlarını salladı. Herkes tamamdı, Zulu saatine senkronize olmuşlardı.

Herkesin kolunda oldukça kaliteli saatler vardı ama hiçbirinin ekstradan bir özelliği yoktu. Ne kadar az tuş ve zımbırtı olursa o kadar iyiydi. Böylesine bir görevde milyonlarca özelliğe sahip bir saat son istenecek şeydi. Gereksiz tüm özelliklerin bozulma, anlamsız tuşların da takılma gibi bir alışkanlığı vardı. "Basit ve aptal olsun," sözleri Jaeger'ın SAS seçmelerinden beri içselleştirdiği önemli bir tavsiyeydi.

Kendi kolunda da sıradanlığın tanımı niteliğinde donuk yeşilden bir İngiliz ordusu saati vardı. Parlaklığı çok düşük olduğu için geceleri görünmez, üretildiği malzeme gereği hiçbir şekilde yansıma yapmazdı. En istenmeyen zamanlarda güneş ışığının bir düşmana dönüşmesine izin vermezdi. Orduda geçirdiği zamanlarda Jaeger'ın bu saati takmasının bir başka sebebi daha vardı; onu sıradan bir askermiş gibi gösteriyordu.

Düşman tarafından yakalanması hâlinde, özel olduğunu gösterecek hiçbir ayırıcı etmenin üzerinde bulunmamasına özen gösterirdi. Hatta adamlarıyla birlikte her görev öncesinde tamamen temizlenir, kıyafetlerinden tüm etiketleri çıkarır ve nişan, birim veya rütbe bildiren hiçbir kimlik taşımazlardı. Birliğindeki her asker gibi Jaeger da silik bir adam olmak için eğitilmişti. Yani, neredeyse...

Yine yaptığı gibi bu kurala kendince bir istisna getirmişti. Sol ayağındaki botun tabanında dikkatli bir şekilde gizlediği iki fotoğraf taşırdı. İlki, çocukken dedesinin hediye ettiği İskoç çoban köpeğinin fotoğrafıydı. Hayvan kusursuz bir şekilde eğitilmiş, tamamen kendini Jaeger'a adamış ve her adımında tam arkasında yer almıştı. Diğeriyse Ruth ve Luke'un fotoğrafıydı, bu da Jaeger'ın hatıralarını geçmişte bırakmayı reddettiği parçasını temsil ediyordu. Böyle fotoğraflar taşımak herhangi bir görev için kabul edilemez nitelikteydi. Ama bazı şeyler kurallardan daha önemliydi.

21

Saatler ayarlandı. Jaeger paraşüt paketine doğru ilerledi. Koşum takımının içine sokulurken kayışları sıkıca gerdi ve sağlam bir pat sesiyle birlikte göğsündeki ağır metalden tokayı kapattı. En son ise uyluğunu saran o kısıtlayıcı kayışları sıkılaştırdı. Sanki sırtına koca bir çuval dolusu kömür taşıyormuş gibi bir ağırlık binmişti ve her şey daha yeni başlıyordu.

YİYA atlayışlarını ilk yaptıkları zamanlar, paraşütçünün ağır sırt çantasının paraşütüyle birlikte sırtına bağlandığı bir sistem kullanıyorlardı. Ancak bu durum, paraşütçünün yükünü ciddi şekilde ağırlaştırıyordu. Herhangi bir sebepten ötürü atlayış sırasında bilincini kaybedecek olursa, sırtındaki onca yük sebebiyle serbest düşüşte tersine dönerdi.

Paraşüt belirli bir irtifaya geldiğinde otomatik olarak açılacak şekilde tasarlanmıştı. Ancak paraşütçü baygınlık geçirirse ve sırtüstü düşüş pozisyonuna geçerse altında açılırdı. Bu durum da paraşütünün içine düşmesine yol açardı. Sonrası ise felaketten başka bir şey değildi. Paraşütçü kendi paraşütüne sarılı bir hâlde bir göktaşı gibi toprağa çakılırdı.

Neyse ki Jaeger ile takımı çok daha yeni bir sistem olan BT80'i kullanacaklardı. BT80'de, ağır sırt çantası sırta değil, sağlam bir bez torbaya asılarak paraşütçünün önüne bağlanıyordu. Bu sayede paraşütçü bayılırsa ağırlık mevcut pozisyonunu korumasını sağlıyor, yüzünü topraktan ayırmamasını sağlıyordu. Paraşüt otomatik olarak açıldığında da hayatını kurtaracak şekilde üzerinde açılıyordu.

Paraşüt görevlileri Jaeger'ın etrafında dönüp dolaşırken bedenini saran kayışları sıkıyor, taşıdığı yük üzerinde son dakika ayarlamalarını yapıyordu. Burası çok önemliydi. Böylesine bir atlayışta paraşütlerin altında bir saate yakın bir süre süzüleceklerdi. Ağırlık dengesiz, kayışlar da gevşek olursa bütün yük kayar; kayışlar eti kesmeye başlar ve iniş de kontrolsüz bir şekilde oradan oraya savrulmakla geçerdi.

Jaeger'ın ormana indiğinde son istediği şey ağrılı ve parçalanmış bir omuz ya da kasık olurdu. O nemli ve sıcak havada yaralar kesinlikle iltihaplanırdı. Böylesine bir yaralanma da kazazede için keşfin sonu anlamına gelirdi.

Jaeger kalın paraşüt kaskını çıkardı. Görevliler özel oksijen tankını göğsüne bağladıktan sonra, lastikten bir tüple oksijen tankına bağlanan maskesini uzattılar. Jaeger maskeyi yüzüne tuttu ve hava sızdırmaz bir şekilde bağlandığından emin olmak için sert bir nefes aldı. 30.000 feet yükseklikte azıcık oksijen bulmak bile zordu. Soluklanma sistemi birkaç saniye bile çalışmasa ölürdü.

Jaeger beynine dolan saf, serin oksijenle birlikte ani bir keyif hissetti. Öylesine yüksek bir irtifada soğuk ısırığına karşı korunmak için önce deriden uzun eldivenlerini, sonra da kalın Gore-Tex eldivenleri geçirdi.

Elinde silahıyla birlikte atlayacaktı. Namlusu aşağı döndürülmüş ve üzerine sabitlenmiş, katlanabilir dipçiği olan standart bir Benelli M4 pompalı tüfeği sol omzuna astı. Atlayış sırasında sırt çantasını kaybetme ihtimali her zaman güçlü bir olasılık olduğundan, ana silahını yakınında tutması da hayati önem taşıyordu.

Jaeger bu sefer zeminde bir düşman kuvvetiyle karşılaşmayı beklemiyordu ama o daha önce iletişime geçilememiş kabileyle, Amahuaca Kızılderilileriyle başa çıkması gerekecekti. Varlıklarına dair verdikleri son habere göre, ormanda kendi arazilerine giren bir grup altın avcısını zehirli oklarla vurmuşlardı. Madenciler can havliyle kaçmış, ancak hikâyeyi anlatacak kadar yaşamışlardı.

Jaeger topraklarını böylesine azimle savunan Kızılderililerde bir suç bulamıyordu. Dış dünyadan gördükleri tek şey yasadışı altın madenciliğiyle ağaç kesme olduğundan, ormandan evleri yıkıldığı ve kirlendiği için Jaeger direkt Kızılderilileri haklı buluyordu. Tabii tüm bunlar neticesinde, Jaeger ve takımı da dâhil olmak üzere Kızılderililerin topraklarına giren tüm yabancılar, özellikle de kabilenin tam ortasına bırakıldıktan sonra birer düşman muamelesi görüyordu. Aslında, Jaeger toprağa ayak bastıkları zaman karşılarına nasıl bir düşman çıkacağını ya da çıkıp çıkmayacağını hiç bilmiyordu. Ancak aldığı eğitimler her şeye hazırlıklı olmasını öğretmişti.

Silah olarak pompalı seçmesinin sebebi de buydu zaten. O sıkı ormanda yakın çatışma sırasında harika iş görürdü. Kurşunlarını geniş bir alana yayarken, karanlığın ve bitki örtüsünün arasında düşmanı seçip hedef alma gerekliliğini ortadan kaldırıyordu. Silahı düşmana doğru tutup ateşlemek yeterdi.

22

Aslında barışçıl bir görüşme gerçekleşecek olsa Jaeger o kabileyle karşılaşmayı çok isterdi. Bu yağmur ormanlarındaki gizemi anlayan biri varsa o da Amazon Kızılderilileridir diye düşünen ve kalbinin daha hızlı atmasına yol açan bir taraf vardı. Ormanda yatan sırları, onların yüzyıllar boyunca nesilden nesile taşıdıkları bilgileri açığa çıkarabilirdi.

Üzerine bağlanan ağır kıyafetiyle koltuğuna oturdu. Rampaya en yakın oturan oydu. İlk olma şansına erişmişti. Hemen yanındaki sırada Narov oturuyordu.

Böyle bağlı ve yüklü bir hâlde otururken, kendini çirkin bir kardan adam gibi hissetti. Uçağın içerisi sıcak ve basıktı, Jaeger da beklemekten nefret ederdi.

Uçağın rampası kapandı. İçerisi gölgelerden oluşan karanlık bir tünele dönüştü. Çelikten dev bir tabut gibiydi. Dört saatlik bir uçuş planlanıyordu, yani her şey plana uygun ilerlerse 09.00 Zulu saatinde atlama noktasına gelmiş olacaklardı. Haki yeşilinden giysilere bürünmüş on kişi, yüzlerinde kamuflaj makyajı, mat siyah paraşütlerinin altında uçaktan atlayacaktı. Yere indikleri andan itibaren görünmez ve duyulmaz olacaklardı. TV kameraları için de böylece muhteşem bir drama sağlanacaktı. Ancak Jaeger dikkat çekmeden ve görünmeden ilerleme konusunda içinin daha rahat edeceğine karar vermişti.

Uçak ani bir hareketle sarsıldı ve pistte ilerlemeye başladı. Jaeger biraz yavaş olduğunu düşündüğü sırada türbinler büyük bir gürültüyle coştu ve uçak kalkış yapacağı yöne döndü. Motorlardan çıkan ses kulağı sağır edecek düzeye geldiğinde pilot kalkış öncesi son dakika kontrollerini yapıyor, Jaeger'ın vücudunda da adrenalin salgılanıyordu.

Uçağın içinde, yanan benzinin dumanlarından ötürü hava iyice boğuk bir hâl almıştı. Ancak Jaeger'ın tadabildiği ve koklayabildiği tek şey, hızla bedenine hücum eden saf oksijendi. YİYA kıyafetinin bir parçası olan eldivenler, koşum takımı, oksijen tankı, paraşüt çantası, kask, maske ve gözlüklerle birlikte ciddi şekilde kısıtlanmış; hatta tutsak kalmış hissediyordu. Yine de net bir perspektife sahip olmak çok zordu. Saf oksijen kişiyi oldukça yüksek bir benliğe taşıyordu. Sanki sonraki gün akşamdan kalmayı dert etmeden litrelerce alkol almış gibiydi.

Türbinlerin ulumasında keskin bir değişim oldu ve C-130 tüm gücüyle hızlanarak öne atıldı. Saniyeler içerisinde Jaeger kalkışı hissetmiş ve boğucu gökyüzüne doğru çıkış başlamıştı. Arkasına uzanıp pilotun konuştuklarını dinlemek için uçaktaki dâhilî telefonu aldı. Bir atlayışa hazırlanırken bunları dinlemek her zaman rahatlamasını sağlamıştı.

"Hava hızımız 180 knot,"[5] dedi pilotun sesi. "İrtifa 1.500 feet... Tırmanma hızı..."

O raddede, atlayışa tehdit olabilecek tek şey, ormanın üzerinde şekillenen fırtınaydı. 30.000 feet'teyse hava şartları rahatlıkla tahmin edilebilirdi. Daha düşük irtifada hava nasıl olursa olsun orada çok soğuk, aşırı rüzgârlı ama sabitti. Ancak zeminde çıkabilecek tropik bir fırtına inişi imkânsız kılardı.

Yandan esen rüzgârın 15 knot'u geçmesi hâlinde inerken ciddi bir zorluk çekerlerdi. Paraşütleri yana sürüklenir, insan kargolarını da

---

5 Knot, saatte 1 deniz miline eşit hız birimi. 1 kn=1 deniz mili/saat=1.852 km/ saat≈1.151 mph. Yaygın olarak denizcilik ve havacılıkta kullanılır.

yanlarında götürür ve her yanı tehlikelerle kaplı iniş noktası düşünüldüğünde ölüm kendini hissettirirdi.

Muazzam bir nehir olan Rio de los Dios, ormanı tam ortadan kesiyor; kıvrıla kıvrıla yolunu açıyordu. Özellikle iyice dolambaçlı bir hâl aldığı uzun, ince bir kıyı kordonu etrafındaysa herhangi bir bitki örtüsünün yetişmesine izin vermemişti. Bu sayede kilometrelerce uzanan ormanda, bir elin parmaklarını geçmeyecek açıklıklardan birine de ev sahipliği yapıyordu. İniş noktası olarak orayı seçme sebepleri de buydu. Ancak zor şartlar sebebiyle hataya yer yoktu.

Nehrin kenarında oldukça ince uzanan kıyı kordonu ormanın upuzun ağaçlarıyla kesiliyordu. Olur da biri rotadan sapıp o yöne ilerlerse ağaçlara çarpması neredeyse kesindi. Diğer yöne gidilmesi hâlindeyse taşıdıkları ağırlık sebebiyle Rio de los Dios'a dokundukları an dibe batarlardı.

"İrtifa 3.500 feet," dedi pilot dâhilî telefondan. "Hava hızımız 250 knot. Seyir yüksekliğine tırmanıyoruz."

"Ormandaki o çatlağı görüyor musun?" diye araya girdi rotacı. "Bir saat boyunca o nehir üzerinden batıya ilerleyeceğiz."

"Anladım," diyerek onay verdi pilot. "Muhteşem bir sabah, değil mi?"

Sohbeti dinlediği sırada Jaeger'ın midesi ağzına gelir gibi oldu. Ancak uçak tutulması gibi bir şey yaşaması söz konusu olamazdı. Bu uçuşlarda böylesine zayıflamış gibi hissetmesinin tek sebebi YİYA giysilerinin içine sarılıp tutsak düşmesiydi.

YİYA eğitimi sırasında yüksek irtifaya, düşük oksijene ve rotadan ciddi şekilde sapmaya karşı direncini ölçmek amacıyla bir dizi teste tabi tutulmuştu. Bir basınç odasına alınmış, 30.000 feet'te başına gelebilecek şeylere dair sınanmıştı.

İrtifadaki her 3.000 feet'lik artışta oksijen maskesini çıkarıp adını, rütbesini ve seri numarasını bağırarak söylemek zorundaydı. Ancak o zaman geri takabiliyordu. Nitekim bunu nispeten rahat bulmuştu. Ama sonra korkunç bir santrifüje koyuldu.

Kendini ekstra güçlendirilmiş devasa bir çamaşır makinesinde gibi hissetmişti. Bayılma raddesine gelene kadar döndü, döndürüldü; hızlandırıldı, daha da hızlandırıldı. Bunun amacıysa insanların bilinç kaybından önce görüşünün flu bir hâl almasıydı. Gözün önüne sürekli farklılaşan grilikler gelirdi. Askerlerin de gerçek bir atlayış sırasında ne durumda olduklarını bilmesi ve dönüşten kurtulması için ne zaman görüş kaybı yaşayacağını öğrenmesi gerekirdi. Girdikleri santrifüj; dehşetin su katılmamış, mide bulandırıcı bir tasviriydi.

Testin ardından Jaeger'a hatıra olsun diye bir video vermişlerdi. Görüş kaybını seyretmekse yaşamak kadar rahatsız ediciydi. İnsanın gözleri bir sineklikle ezilmiş böceğinkiler gibi yerinden fırlıyor, yüzü iyice çukurlaşıp iskeletimsi bir hâl alıyor, yanakları içine çekiliyor, yüz hatları her saniye biçimini daha da kaybediyordu.

Bu santrifüj Jaeger'ı yıkıp parçalara ayırmaya çok yaklaşmıştı. Vahşi doğada olma fikrine bile heyecanlanan bir adam olarak, o kapalı metalden varilin, insanı boğan çelikten tabutun içinde dönüp durmaktan nefret etmiş; sanki bir hapiste gibi hissetmişti. Sanki kendi mezarındaymış gibi...

Jaeger doğal olmayan herhangi bir şeyle kısıtlanmaktan veya kilitli kalmaktan tiksiniyordu. Şimdi de YİYA teçhizatının içinde atlayışı beklerken aynen öyle hissediyordu. Arkasına yaslanıp gözlerini kapattı, kendini uykuya bırakacaktı. Elit bir asker olmaya dair öğrendiği ilk şey buydu; hiçbir zaman uyku veya yemek fırsatını tepme, çünkü bir daha ne zaman yiyebileceğini veya uyuyabileceğini bilemezsin.

Bir süre sonra kendisini dürten bir el hissetti. Paraşüt görevlilerinden biriydi. Bir anlığına artık gösteri vaktinin geldiğini sandı ama takımına hızla göz gezdirdikten sonra kimsenin çıkışa doğru hareketlenmediğini fark etti. Paraşüt görevlisi iyice yaklaşıp kulağına bağırdı.

"Pilot bir şey söylemek için buraya geliyor."

Jaeger yüzünü uçağın ön tarafına çevirdiğinde kokpitin en arkasındaki katlanır koltuğunda oturan rotacının yanında ilerleyen birini gördü.

Jaeger, pilotun, uçağın kontrolünü yardımcı pilota bıraktığını düşündü. Adam biraz daha yaklaşıp eğildi, gürleyen motorlar arasında sesini duyurmak için bağırmıştı.

"Arkada rahat mısınız?"

"Bebek gibi uyuyordum. Gerçek profesyonellerle uçmak her zaman büyük keyif..."

"Fırsat bulunca kestirmek iyidir," diye doğruladı pilot. "Neyse, bir şey oldu; gelip sizi uyarayım dedim. Ne anlama geldiğini hiç bilmiyorum ama kalkıştan kısa bir süre sonra takip edildiğimizi hissettim. Bir kez Gece Takipçileri'ne girince insan çıkamıyor, anlarsın sen de."

Jaeger bir kaşını kaldırıp, "Özel Harekât'ta mıydın? 160. Alay mı?" diye sordu.

"Aynen öyle," dedi pilot. "Sonra askerlik yapamayacak kadar kartlaşıp yaşlandım."

160. Özel Harekât Havacılık Alayı, bilinen adıyla Gece Takipçileri, Amerika'nın en değerli gizli hava operasyon birimiydi. Düşman hatlarının çok ötesinde, kötü adamların nefesini ensesinde hissettiği birkaç seferde Jaeger, Gece Takipçileri'nin arama kurtarma helikopterlerinden çağırmıştı.

"Gerçekten en iyi birim," dedi Jaeger. "Size saygım sonsuz... Bizi o kadar fazla beladan çekip çıkardınız ki..."

Pilot elini cebine attı ve askerî bir bozuk para çıkarıp Jaeger'ın eline bastırdı. Jaeger'ın eskiden Noel'i kutlarken bir çorap içinde Luke'a verdiği altın rengi çikolata paralarla aynı boyuttaydı bu. Jaeger ailesi için Noel'in önemi büyüktü. Ta ki son Noel'e kadar... O zaman her şey karanlığa gömülmüştü. Bunu hatırlamak, bir anlığına da olsa Jaeger'ın kalbine bir hançer sapladı.

Gece Takipçileri'nin parası soğuk, kalın ve ağırdı. Bir yüzünde birimin nişanı görünüyor, diğer yüzündeyse sloganları yazıyordu: *Ölüm Karanlıkta Bekler.* Amerikan ordusunda dost bir savaşçıya birim parası verme gibi bir gelenek vardı. İngiliz ordusunda buna benzer bir şey olmaması Jaeger'ı üzdü.

Jaeger, bu parayı aldığı için büyük bir onur duydu ve önündeki keşif süresinde yanından ayırmayacağına karar verdi.

"Neyse, üç yüz altmış derece tarama yaptım," diye devam etti pilot. "Beklediğim gibi nispeten küçük bir sivil uçak ufukta belirdi ve bizim rotada ilerliyordu. Ancak orada kalmaya, kör noktamdan çıkmamaya devam ettikçe ben de takipçimiz olduğuna emin oldum. Hâlâ arkamızda, belki dört mil geriden geliyordur. Kalkıştan bu yana da bir saat yirmi dakika geçti. Radar imzasından, Learjet 85 tarzı bir şey olduğunu düşünüyorum," diye devam etti pilot. "Küçük, hızlı, epey güzel bir yolcu uçağı... Arayıp peşimizden ayrılmayarak ne yapmaya çalıştıklarını sorayım mı?"

Jaeger kısa bir süre düşündü. Normalde böyle davranan bir uçağın gözetim görevinde olduğuna, öndekilerin neyin peşinde olduğunu keşfetmeye çalıştığına kesin gözüyle bakılırdı. Şimdiye kadarki birçok savaşın kaderi kimin elinde daha iyi istihbarat olduğuna göre belirlenmişti ve Jaeger da gözlenmekten hiç hoşlanmazdı.

"Tesadüf olma şansı yok mu? Belki bizimle aynı vektörde ve seyir hızında ilerleyen ticari bir uçaktır."

Pilot başını sallayıp, "İmkânsız... Learjet 85 uçaklar normalde 49.000 feet'te uçar. Bizse atlama yüksekliğinde, 30.000 feet'teyiz. Pilotlar hava sahasında karmaşa çıkmaması için hep farklı irtifalarda uçar. Ek olarak bir Learjet, Herc'e göre en az 100 knot daha hızlı gider," dedi.

"Başımıza bela açabilirler mi peki?" diye sordu Jaeger. "Atlama sırasında?"

"Super Hercules'e karşı Learjet..." Pilot kahkahaya boğuldu. "Denesinler bakalım." Ardından Jaeger'a baktı. "Ama hâlâ arkamızda ve kör noktamızdan da çıkmıyor. Peşimizde olduğunu bil."

"O zaman bırakalım da orada olduklarını bilmediğimizi sanmaya devam etsinler, daha çok seçeneğimiz olur."

Pilot başını sallayıp, "Olabilir, meraklansınlar anca," dedi.

"Belki bizden taraftadır," diye öne sürdü Jaeger. "Burada ne yaptığımızı merak ediyordur."

Pilot omuz silkip, "O da olabilir ama sen de duymuşsundur, en büyük felaketler varsayımlardan çıkar," dedi.

Jaeger güldü, SAS'ta en sevdiği deyişlerden biri buydu.

"O zaman peşimizdeki kimsenin çuvallar dolusu hediye getiren bir Noel Baba olmadığını düşünüp gözümüzden ayırmayalım. Bir gelişme olursa haber verirsin."

"Tamamdır," dedi pilot. "Bu arada sabit hızla dümdüz gitmeye devam edeceğiz, az daha kestirebilirsin."

23

Jaeger arkasına yaslanıp uyumayı denedi ama garip bir şekilde huzursuzdu. Hangi açıdan bakarsa baksın, arkalarındaki o kimliği saptanamamış uçağa dair hiçbir fikir üretemiyordu. Pilotun verdiği Gece Takipçileri parasını cebine koyarken eline katlanmış bir kâğıt değdi. Orada olduğunu neredeyse unutacaktı.

Rio de Janerio'dan ayrılmadan kısa bir süre önce Arşivci Simon Jenkinson'dan hiç beklemediği bir e-posta almıştı. Jaeger herhangi bir elektrik veya mobil sinyal umudunun bile bulunmadığı keşfe bir laptop veya akıllı telefon götürmediği için mesajın çıktısını almıştı.

Gözleri yeniden arşivcinin yazdıklarına takıldı.

İlginç bir şey bulursam sana haber vermemi söylemiştin. Kew Arşivleri 70 yıl kuralı uyarınca yeni bir dosya açtı; AVIA 54/1403A. Ben de baktım ve gördüklerime inanamadım. Akıl alacak şeyler değil. Korkunç... Denetçiler işini adamakıllı yapsaydı yetkililerin bunun yayımlanmasına izin vereceğini hiç sanmıyorum.

Tüm dosyanın bir kopyasını istedim ama bu süreç çok uzun zaman alır. Bana geldiği gibi sana da gönderirim. Yine de başlıkların bir kısmının fotoğrafını telefonumla çekebildim. Ekte biri var. İsim Hans Kammler ya da savaştaki rütbesiyle SS Oberst-Gruppenführer Hans Kammler. Hiç şüphen olmasın, kilidi çözecek adam bu...

Londra'nın batısındaki Kew'de yer alan Ulusal Arşivler, İngiliz hükümetinin yüzyıllar öncesine kadar uzanan çalışmalarını barındıran mahzenlere sahipti. Belgeleri gidip incelemek mümkün olsa da üzerinde çalışmaya devam etmek adına nüsha talebinde bulunmak gerekiyordu. Bizzat kopya almak kesinlikle yasaktı.

Jenkinson'ın telefonuyla fotoğraf çekmesi Jaeger'ı etkilemişti. Arşivcinin de bir yerlere sakladığı bir cesareti vardı demek ki... Ya da belgeler o kadar olağanüstü ya da Jenkinson'ın sözleriyle o kadar "aklı baştan alıcıydı" ki adam birkaç kuralı çiğnemeden yapamamıştı.

Jaeger, Jenkinson'ın gönderdiği fotoğrafı indirmişti. İngiltere'nin savaş zamanında yürürlükte olan Hava Bakanlığı'na ait bir istihbarat bilgilendirmesinin bulanık bir fotoğrafıydı. En üstünde kırmızı bir damgayla basılmış, öne çıkan bir yazı vardı; *ÇOK GİZLİ ÖTESİ: Kilit altında tutulması ve bu daireden ayrılmaması önemle rica olunur.*

Şöyle yazıyordu:

Sinyal müdahalesi, 3 Şubat 1945. Çevirisi şu şekildedir: Führer'den Führer'in Özel Tam Salahiyetlisi SS Oberst-Gruppenführer ve Waffen SS Generali Hans Kammler'e.

Konu: Führer'in Özel Görevi, *Aktion Adlerflug* (Kartal Uçuşu Operasyonu).

Statü: *Kriegsentscheidend* (Çok Gizli Ötesi)

Operasyon: Führer'in tam salahiyetlisi olarak Kammler, tüm bölümler, havada ve karada çalışan tüm personel, uçakların taksim ve geliştirilmesiyle havalimanları da dâhil olmak üzere yakıt ve kara organizasyonlarıyla birlikte Alman Hava Bakanlığı'nın tüm komutasını alacaktır. Kammler'in Reichssportfield merkezi, teçhizat ve tedariklerin taksimi konusunda komuta merkezi olarak kullanılacaktır.

Kammler, Nazi Almanyası'nın en önemli silah ve cephanelerini düşmandan kaçırma programının başına getirilmiştir. Silah sistemlerinin alınıp daha önceden belirlenen güvenli bölgelere tahliyesi ve taşınmasıyla görevlendirilmiş Squadron 200 (LKW

Junkers) uçakları kullanan yeniden mevzilendirme komando rapor merkezleri kuracaktır.

Jenkinson, mesajında LKW Junkers'ın, Nazilerin Ju 390 için koyduğu bir diğer isim olduğu bilgisini de vermişti.

Jaeger, "salahiyet" kelimesini Google'da aramıştı. Anladığı kadarıyla, istisnai güce sahip özel bir yetkiliydi. Başka bir deyişle Kammler, Hitler'in gereken neyse yapma yetkisine sahip sağ kolu ve iş bitiricisiydi.

Jenkinson'ın e-postası kışkırtıcıydı. Hans Kammler'in, savaşın sonlarına doğru Nazilerin önemli silahlarını Müttefik kuvvetlerin ulaşamayacağı noktalara taşımakla görevlendirildiğini belirtiyordu. Jenkinson haklıysa bunu yapmanın yolu da dev Ju 390 uçaklardan oluşan bir filodan geçiyordu.

Jaeger bütün Kammler dosyasının ne anlam ifade ettiğine dair biraz daha bilgi edinmek için Jenkinson'a bir cevap göndermişti. Ama Amazon'un kalbine doğru yapacağı yolculuğa başlamak için uçağa binene kadar bir cevap alamamıştı. Artık en azından keşif tamamlanana kadar daha fazla bilgi alamayacağını kabullenmişti.

"P Saati -20." Pilotun duyurusu, dalıp giden Jaeger'ı kendine getirdi. "Hava durumu açık ve güzel görünüyor, yaklaşma rotasında bir değişiklik yok."

Uçağın arka tarafında keskin bir cereyan vardı. Jaeger biraz canlanma umuduyla iki elini hızlı hızlı birbirine sürttü. Şu an avuçlarının arasında dumanı tüten bir kahve için neler vermezdi ki...

Super Hercules, atlayış noktasının iki yüz kilometre doğusundaydı. 30.000 feet ve aradaki tüm irtifalardaki rüzgâr hızı ve yönünü göz önünde bulundurarak, normal bir insanın anlayamayacağı bir sürü hesaplamanın ardından gökyüzünde tam olarak atlamaları gereken noktayı belirlemişlerdi. Oradan sonra nehir kenarına kadar kırk kilometrelik bir süzülme vardı.

"P -10," diye seslendi pilot.

Jaeger ayağa kalktı. Sağ tarafına dizilmiş takımının da koltuklarından kalkarak, üşümüş ve sertleşmiş bacaklarını ovduğunu gördü. Eğildi ve çelikten birkaç kalın toka -karabina- ile ağır çantasını paraşüt takımının ön tarafına bağladı. Atladığı zaman, çantası bir makara sisteminin altında, göğsünden aşağı sarkacaktı.

"P -8," dedi pilot.

Jaeger'ın çantası otuz beş kilo ağırlığındaydı. Yine bir bu kadar ağır olan paraşütünü de sırtında taşıyacaktı. Ek olarak üzerinde on beş kilo silah ve cephaneyle oksijen soluma sistemi vardı. Taşıyacağı ağırlık toplamda doksan kiloya yaklaşıyordu. Kendi kilosundan bile fazlaydı bu.

Jaeger 1.75 boyundaydı. Oldukça kıvrak vücudunda bir gram dahi yağ yoktu. İnsanların, genelde elit askerleri düşündükleri zaman akıllarına iri bünyeleri, gerçekten dev adamları getirmelerine rağmen, Raff gibi kelimenin tam anlamıyla muazzam askerler olsa da büyük çoğunluk Jaeger gibi incecik, hızlı ve ölümcüldü.

Paraşüt görevlilerinin lideri görülmek için bir adım geri attı. Beş parmağını gösterdi; P -5. Jaeger artık pilotu duyamıyordu, dâhilî telefon sisteminden çıkmıştı. Bundan sonra atlayış tamamen el işaretleriyle idare edilecekti.

Paraşüt görevlisi sağ yumruğunu kaldırdı ve üflerken, aynı bir çiçek gibi parmaklarını açtı. Beş parmağını havada tuttu ve iki kez gösterdi. Bu işaret, zemindeki rüzgâr hızını belirtmek içindi; yani 10 knot. Jaeger rahat bir nefes aldı. 10 knot ile inişi yapmak mümkündü.

Kayışları sıkarak ve üzerindeki teçhizatı yeniden kontrol ederek zaman geçirdi. Paraşüt görevlisi gözlerini şişirerek yüzünün önünde üç parmağını gösterdi, atlayışa üç dakika kalmıştı. Artık Irina Narov ile bağlanma vakti gelmişti.

Jaeger yüzünü Hercules'in rampasına çevirdi. Bir eliyle ağır çantasını kaldırıp diğeriyle uçağın kenarından tutunarak dengesini sağladı ve ilerlemeye başladı. Birlikte atlayacağı Narov'un bağlanabilmesi için rampaya olabildiğince yaklaşması gerekiyordu.

Hemen üzerinden soluk ve boş bir dank sesi geldi. Bu sesi mekanik bir sızlanmayla içeri dolan buz gibi hava takip etti. Rampa yavaşça alçalmaya başlamıştı. İndiği her santimde, uçağın içine de çok daha güçlü bir rüzgâr doluyordu.

Açılan rampaya ilerlediği sırada, Jaeger uçağın hoparlörlerinden Wagner'ın giriş notalarını duymayı umuyordu. Pilotlar normalde bu sıralarda şarkıyı başlatırdı. Onun yerine, hoparlörler vahşi gitar tekrarlarıyla küt küt vuran davul seslerini kustu. Sonrasındaysa ikonik heavy rock grubunun solisti tiz sesiyle girdi. AC/DC'den "Highway to Hell"[6] çalıyordu.

Pilotun da Gece Takipçileri'nden olduğu böylece kesinleşmişti. Belli ki atlayışı kendi tarzında yapmaya karar vermişti.

Çılgın müzik devam ederken, paraşüt görevlilerinin başındaki adam, bağlanmaya hazır Irina Narov'u Jaeger'a doğru götürdü. *Cehennem yolu...*

Pilot -ve direkt şarkının adı-, Jaeger ile takımının belaya doğru tek gidişlik bir yolculuğa adım atmak üzere olduğunu söylüyor gibiydi. Peki gerçekten öyle miydi? Jaeger merak ediyordu. Gerçekten cehenneme mi atlıyorlardı? Bu görev onları oraya mı götürecekti?

Ormanda kendilerini çok daha iyi bir kaderin beklediğini umdu. Yine de içinden bir ses, Tanrıların Dağları arasında var olabilecek en kötü işkenceye atladıklarını söylüyordu.

---

6 Ç.N.: Şarkının adı, "Cehennem Yolu" şeklinde çevrilmiştir.

24

Jaeger hoparlörlerden bangır bangır yükselen çılgın şarkıyı zihninden atmak için elinden geleni yaptı. Bir anlığına gözlerini, önünde duran uzun, kusursuz biçimde kaslanmış Rus kadına kilitledi. Mükemmel bir fiziği vardı, görünür hiçbir yerinde tek bir gram bile fazla kilo yok gibiydi.

Jaeger, kadının bakışlarında ne görmeyi beklediğini bilmiyordu. Endişe mi? Korku mu? Yoksa paniğe yakın bir his mi?

Narov, Rusların SAS'a en yakın sınıfı olan Spetsnaz üyesiydi. Eski bir Spetsnaz subayı olarak da usulen taş gibi olmak zorundaydı. Ancak Jaeger, önlerinde çığlık çığlığa akan dondurucu maviliğe atlamak üzere rampaya çıktığında ödü patlayan bir sürü elit asker tanımıştı.

Bu yükseklikte, dünyanın eğimi açık bir şekilde görünüyor; ufuk bir kalemle çizilmiş gibi gözlerinin önünde uzanıyordu. Bir C-130'un rampasından atlamak en uygun şartlarda bile insanın içini titretecek cinstendi. Dünya atmosferinin en uzak noktasından kendini boşluğa bırakmak, insanın inancını sarsabildiği gibi, herkes için her zaman dehşet verici olmayı sürdürüyordu.

Ancak Narov'un buz mavisi gözlerine baktığında Jaeger'ın sezebildiği tek şey gizemli bir sükûnetten başka bir şey değildi. Kadının gözlerini şaşırtıcı bir boşluk doldurmuştu. Sanki hiçbir şey, 30.000 feet'ten sonsuza kadar uzanıyormuş gibi görünen boşluğa atlamak bile, o kuvvetli dinginliği aşıp ona ulaşamazmış gibiydi.

Kadın, gözlerini Jaeger'dan ayırıp arkasını döndü ve atlayış pozisyonunu aldı. İyice yaklaştılar.

Bir ikili atlayışta, iki paraşütçü de yüzünü aynı yöne dönerek atlardı. Jaeger'ın paraşütü ikisinin de düşüşünü önlemeye yetecek, ayakları yere değene kadar tek bir kumaşın altında süzülme imkânı sağlayacaktı. İki taraflarında duran paraşüt görevlileri, atlayıcıları birbirine bağlamaya başladı; sımsıkı olmuşlardı.

Jaeger daha önce sayısız kez ikili atlama yapmıştı. Şu an olduğu gibi hissetmemesi gerektiğinin farkındaydı. Vücuduna bu kadar yakında başka bir insanın olmasını garip karşılıyor, rahatsız oluyordu.

Şimdiye kadar ikili atlayışlarının tamamında elit bir asker, kardeşim dediği bir savaşçı vardı. Her şey mahvolsa bile yakından tanıdığı, sırt sırta verip birlikte savaşabileceği biri vardı. Bir yabancıya, bir kadına böylesine yakından bağlı olmak Jaeger'ı ciddi şekilde rahatsız etmişti.

Narov aynı zamanda takımda en güvenmediği kişi, Andy Smith cinayetinin baş şüphelisiydi. Yine de reddedemiyordu, kadının akılları baştan alan güzelliği Jaeger'ı sinir ediyordu. Bu düşünceleri kafasından atıp atlayışa odaklanmak istese de bir türlü başaramadı. Bu sırada müzik de hiç yardımcı olmuyordu, AC/DC'nin vahşi sözleri kafatasını deliyor gibiydi.

Jaeger arkasına döndü. Her şey çok hızlı yaşanmaya başlamıştı. Paraşüt görevlilerinin, uçak boyunca uzanan rayların üzerindeki iki paraşüt tüpünü sürüklediğini gördü. Kamishi ile Krakow öne çıktı ve kaba konteynerlerin önünde duaya durmuş gibi eğildiler. Paraşüt görevlileri tüpleri ikilinin göğüs takımlarına bağlamaya başladı. İki atlayıcı, Jaeger ile Narov gittikten saniyeler sonra tüpleri önlerinde yuvarlayacak ve onlarla birlikte düşüşe geçecekti.

Jaeger yüzünü yeniden güneşle yıkanan boşluğa çevirdi. Bir anda, uçağın hoparlörlerinde gürleyen cırtlak şamata ölüm sessizliğine büründü. "Highway to Hell" kısa kesilmişti. Rüzgârın her yanı kapladığı birkaç saniye sessizlikle geçildikten sonra Jaeger'ın kulaklarına yeni bir ses hücum etti. AC/DC'nin "Cehennem Şarkısı"nın yerine,

C-130'un rampasında eşi benzeri olmayan ve eski günleri hatırlatan bir parça çalmaya başladı.

Kaçınılmazdı.

Klasikti.

Jaeger'ın yüzüne bir tebessüm yerleşti. Pilot sinirlerini biraz zorladıktan sonra doğru yolu bulmuş gibi görünüyordu. Sonunda, atlayıştan önceki birkaç saniye için Wagner'dan "Ride of the Valkyries" çalıyordu.

Jaeger ile bu şarkının hikâyesi ise çok öncelere dayanıyordu. SAS'a katılmadan önce Jaeger, Kraliyet Deniz Piyadeleri'nde komandoluk yapıyordu. Eğitimini hızla tamamladıktan sonra paraşüt kanatlarını kazandığı ödül töreninde "Ride of the Valkyries" çalınmıştı. SAS Nişanı altında savaşçı kardeşleriyle başka C-130'ların rampasından kendini boşluğa bırakmadan önce de her seferinde Wagner'ın klasiği hoparlörleri doldurmuştu. İngiliz havacı birimlerinin gayriresmî marşıydı. Böylesine bir görevde de atlamak için en uygun şarkılardan biriydi.

Son adımlarına kendini hazırlarken, Jaeger'ın aklına daha önce peşlerine takılan küçük uçak geldi. C-130'un pilotu tekrar konusunu açmamıştı. Jaeger ortadan kaybolduğunu; Hercules, Bolivya hava sahasına girdikten sonra takibi kesmiş olabileceğini düşündü. Sonuçta atlayışa müdahale edecek hâlleri yoktu, pilot buna asla izin vermezdi.

Bu düşünceyi zihninden çıkarıp Narov'u hafifçe dürterek ilerlemesini işaret etti ve tek vücut olarak açık rampanın ucuna geldiler. İki taraflarındaki paraşüt görevlileri, uğuldayan rüzgâra kapılmaktan kaçınmak adına kendilerini uçağın gövdesine bağlamıştı.

Başarıyla bir YİYA uçuşu yapmanın sırrı, konumsal farkındalığı, yani paraşütçüler arasında tam olarak nerede konumlandığın bilgisini bir an olsun kaybetmemekte saklıydı. Öncü paraşütçü olarak Jaeger'ın onları aynı doğrultuda tutması hayati öneme sahipti. Nihayetinde birini kaybetmesi hâlinde telsizini kullanarak ulaşması mümkün değildi, türbülans ve rüzgâr sesi serbest düşüş sırasında tüm iletişimleri imkânsız hale getirmişti.

Jaeger ile Narov, rampanın en ucunda hazır pozisyona geçti. Takımın diğer üyeleri de onların arkasında sıralandı. Jaeger damarlarına akın eden adrenalinle birlikte kalbinin bir makineli tüfek gibi attığını hissediyordu. Dünyanın çatısında, yıldızlı cennetlerin krallığında duruyorlardı.

Paraşüt görevlileri, her paraşütçü üzerinde son bir kez görsel kontrol yaparak, hiçbir kayışın kopmadığından veya takılmadığından emin oldu. Jaeger için bu kontrol, Narov'un eksiksiz ve sağlam bir şekilde bağlantı noktalarına sabitlendiğinden emin olmaktı.

Paraşüt görevlilerinin başındaki adam son talimatını verdi.

"Kuyrukta son kontrol!"

"ON TAMAM!" dedi en arkadaki.

"DOKUZ TAMAM!"

Her bir paraşütçü kendi hazırlığını bağırırken, bir önündekinin omzuna vururdu. Omza bir darbe gelmezse arkadakinin sıkıntıda olduğu anlaşılırdı.

"ÜÇ TAMAM!"

Jaeger arkasındaki paraşütçünün yumruğunu omzunda hissetti. Avustralyalı kameraman Mike Dale vardı arkasında, kaskına takılmış küçük bir kamerayla uçağın açık rampasından Narov ile atlayışlarını çekecekti. Kelimeler boğazında donmadan önce Jaeger kendini zorlayarak bağırdı.

"BİR VE İKİ TAMAM!"

Sıra iyice sıkı bir hâl aldı. Gökyüzünde aralarındaki mesafe açılırsa serbest düşüş esnasında birbirlerini kaybetme riskiyle yüzleşmek zorunda kalırlardı.

Jaeger atlama ışığına baktı. Kırmızı ışık yanıp sönmeye başladı; *Hazırlan.*

Narov'un omuzları üzerinden önündeki boşluğa baktı. Kadının kaskından kurtulmayı başarmış birkaç tel saçın yüzüne çarptığını hissetti. Rampanın katı silüeti, öfkeyle inleyen parlak cennetin üzerine vuruyordu. Dışarıda saf, hırçın ve göz kamaştırıcı bir ışık fırtınası vardı. Rüzgârın kaskını delip yüzündeki gözlüğü parçalamaya çalıştığını hissetti. Başını eğip ilerlemeye hazırlandı. Gözünün bir ucuyla kırmızı ışığın yeşile döndüğünü gördü. Paraşüt görevlisi geri çekildi. "ATLA! ATLA! ATLA!"

Bir anda Narov'u sıkıca sararak ilerledi Jaeger ve birlikte gökyüzüne daldılar. Öfkeli boşluğa bir bütün olarak düşmüşlerdi. Ancak açık rampadan ayakları kesilir kesilmez Jaeger anlık bir şey hissetti. Onun yüzünden tökezleyip şiddetli bir şekilde dengeyi kaybettiler.

Jaeger ne olduğunu hemen anlamıştı, dengesiz bir çıkış yapmışlardı. Ayarsız bir şekilde atılmışlardı ve ciddi şekilde döneceklerdi. Bu durum nihayetinde büyük sorunlara yol açabilirdi.

Jaeger ile Narov, uçağın pervane akımının ağzına çekilmişti. Şiddetli türbülans ikiliyi sürekli hızlanan bir şekilde döndürüyordu. Uçağın kuyruğundan atladıkları andan itibaren kontrolden çıkmış bir fırıldak gibi döne döne dünyaya doğru çakılmaya başlamışlardı.

Jaeger paraşütünü açma riskini göze almadan önce saniyeleri saymaya odaklanmak istedi.

"Bin üç, bin dört..."

Ancak duyulmayan sesi zihnindeki darbeleri geçmeye başladığında işlerin hızla sarpa sardığını anladı. Dengeye geçmek yerine dönüşleri durdurulamaz bir hâl almış gibi görünüyordu. Santrifüj kâbusu yeniden kendini hissettiriyor, ancak bu sefer 30.000 feet yükseklikte ve gerçekten yaşanıyordu.

Paraşütü açma riskini alıp alamayacağını anlamak adına ne kadar hızlı döndüklerini kavramaya çalıştı. Bunu yapmanın tek yoluysa etraflarındaki havanın maviden yeşile ve yeşilden maviye ne kadar hızlı döndüğünü saymaktan geçiyordu. Mavi olursa gökyüzüne, yeşil olursa ormana baktıkları anlamına gelecekti.

Mavi, yeşil, mavi, yeşil, mavi, yeşil, maaaavi, yeşiiiiil, maviiiişiiiiil...
Aaaaaaah!

Artık Jaeger gördüklerini saymak bir yana, bilincini açık tutmaya
çalışıyordu.

25

Atlayış planına göre hepsi serbest düşüşle birlikte havada sıraya girecek ve Jaeger'ın paraşütünü açmasıyla birlikte sırayla açacaktı. Bu sayede neredeyse tek bir paraşütçü gibi alçalacak, iniş bölgesine sakin sakin süzüleceklerdi. Ancak Narov ile birlikte atlamak ve dönüşün de ikiliyi cennetin üzerinden mancınıkla fırlatılmış gibi bir pozisyona sokmasıyla birlikte takımın diğer üyelerini çoktan kaybetmişlerdi.

Serbest düşüşün etkisiyle sürekli daha hızlı bir şekilde dönen Jaeger ile Narov, dünyaya doğru hızla ilerliyordu. Havadaki hızları arttıkça G-kuvveti de artıyordu ve akıl almaz bir ölçüde esen rüzgâr, Jaeger'ın kafasında öfkeli bir fırtınaya dönüşmüştü. Sanki sarmal bir tünelin içinde saatte dört yüz kilometre hızla artık uçuşa geçen ve kontrolden çıkan dev bir motosikletin üzerine bağlıymış gibi hissediyordu.

Rüzgârın soğutma etkisiyle birlikte hissedilen sıcaklık -100 derece gibiydi. Dönüş her geçen saniye şiddetini artırırken, Jaeger donmuş göz bebeklerinin kenarlarında bilinç kaybından önce oluşan flu görüşün hazırda beklediğini hissediyordu. Sonra görüşü bulanıklaşmaya başladı. Bir nefes için, oksijen için mücadele ediyordu. Yanan ciğerleri şişeden yeterince gaz çekmek için var gücüyle çalışıyordu. Duyusal farkındalığı, yani nerede olduğunu, hatta kim olduğunu bilme yeteneği hızla uçup gidiyordu.

Tüm bunlar yetmezmiş gibi yanındaki pompalı tüfek de bir beyzbol sopası gibi Jaeger'ı dövüyor, katlanan kısmı başına güm güm vuruyordu. Aslında vücudunun yanına sabitlenmişti ama nasıl olduysa düşüş sırasında kurtulmuş, ikiliyi çok daha dengesiz bir hâle sokmuştu. Jaeger artık bilincini kaybetmenin eşiğindeydi. Narov'un ne hâlde olduğunu ise düşünmek bile istemiyordu.

Kafatasının içinde bir an olsun durmayan nabzı ve şiddetle dönen başına rağmen, Jaeger kendini zorlayarak odaklanmaya çalıştı. *Düşüşü dengelemek zorundaydı.* Narov ona güveniyordu, takımındaki tüm paraşütçüler ona bağlıydı.

Dönüşü durdurmanın tek bir yolu vardı.

Bunu yapma sırası gelmişti.

Kollarını göğsünün üzerinde birleştirdi ve sonra bacaklarıyla birlikte aynı anda bir yıldız şeklini alır gibi açtı; dayanılmaz kuvveti sırtına bindirirken, kemiklerinden lime lime parçalanacakmış gibi hissediyordu. Kasları basınç ve acıyla inliyordu. Jilet gibi kesen havada Narov ile birlikte dengeyi yakalamalarını sağlayacak pozisyonu korumaya çalışırken acıyla çığlık attı.

"Aaaaaaaaaaaaaaaahhhhhh!"

En azından sesini duyacak kimse yoktu. Dünyanın çatısından bir başlarına yere çakılıyorlardı.

Kolları ve bacaklarıyla dört adet sabit dayanak noktası oluşturmaya çalışırken bedeni hafif atmosferde umutsuzca sürüklenmeye devam etti. Vücudundan ayrılan uzuvları acıyla kilitlenirken buz gibi hava her yanında uğulduyordu. Yıldız şeklini o korkunç dönmeyi dengeye sokacak kadar koruyabilirse bir ihtimal bu durumdan canlı çıkabilirlerdi.

Adım adım, yavaş yavaş, büyük bir ağrıyla Jaeger dönüş hızının azaldığını hissetmeye başladı.

Sonunda dönüş durmuştu. Bitap düşmüş zihnini konsantre olmaya zorladı. Gözünün önünde sonsuzluğa uzanan mavilikler vardı.

Mavi, gökyüzü demekti.

İçinden bir sürü küfür geçirdi. *Yanlış tarafa bakıyorlardı.*

İkili, dünyaya sırtlarını dönmüş bir şekilde ölümcül bir hızla toprağa düşüyordu. Geçen her saniyede yemyeşil ormanda tuz buz olmaya yüz metre daha yaklaşıyorlardı. Ancak Jaeger bu hâlde paraşütü açarsa altlarında kalacak kumaşın içine düşer, ipekten kefenlerine sarılmış iki ceset olarak toprakla bütünleşirlerdi. Saatte dört yüz kilometre hızla ormana çakılırlardı.

Ölü adamlar...

Ya da ölümle kucaklaşmış bir adam ve bir kadın...

Jaeger sağ kolunu vücudunun yanına yapıştırarak pozisyon değiştirdi. Daha sonra sol omzuna elini atarak tam ters tarafa dönmeye çalıştı. Yeşile bakmaları lazımdı. Acilen!

Yeşil, dünya demekti.

Ancak bir sebepten, yaptığı tüm hamleler nihayetinde olabileceklerin en kötüsü oldu ve arkaya dönme çabası, yeniden durmaksızın dönmeye başlamalarıyla sonuçlandı.

Bir anlığına panik tüm bedenini kapladı. Bir kolu istemsizce paraşütü açmak için uzandı ama son bir çabayla kendine hâkim oldu. Deneme atlayışları sırasında özel olarak tasarlanmış bir mankenle bunu tekrar tekrar nasıl yaptırdıklarını hatırlamaya çalıştı.

Dönüş sırasında paraşütü açmak demek, bela aramak demekti. Hem de en büyüğünden...

Paraşütün ipleri, çatalında spagettileri toplayan bir çocuğun yaptığı gibi sıkıca birbirine sarınabilirdi. Kötü haber...

Dönüş gitgide daha da berbat bir hâl alırken, Jaeger artık görüşünü ve bilincini kaybetmenin eşiğinde olduğunu anladı. İflas ânı gelmişti. Sanki bin kat güçlendirilmiş bir santrifüjde gibiydi. Ama bu sefer çok yüksekte uçuyordu ve kapatma düğmesi yoktu. Görüşü gitgide bulanıklaşmaya, zihni hızla benliğinden uzaklaşmaya başladı. Bayılmak üzereydi.

"Odaklan!" diye bağırdı.

Kendine sövüyor, gözlerini kör eden karmaşıklıktan kurtulmaya çalışıyordu.

"ODAKLAN! O-DAK-LAN!"

Artık her saniyenin değeri büyüktü. Bedenini yeniden yıldız şeklini almaya zorlamalı, Narov'a da aynısını yaptırmalıydı. Birlikte yapmaları hâlinde dengeyi bulma ihtimalleri çok daha yüksek olurdu.

Kadınla iletişim kurmanın hiçbir yolu yoktu. Sadece vücut dili ve el hareketleriyle konuşabilirlerdi. Tam kollarından yakalayıp ne yapmak istediğini gösterecekti ki artık bitap düşmüş zihni kadının şiddetle mücadele ettiğini fark etti.

Kafa karışıklığı daha tam oturmadan, pırıl pırıl gökyüzünde bir gümüş parladı.

Bıçak.

Bir komando bıçağı.

Jaeger'a doğru savruluyor, göğsünü delmeye uzanıyordu.

Jaeger bir anda ne olduğunu anladı. İmkânsızdı ama gerçekti. Narov onu bıçaklamaya hazırlanıyordu.

Carson'ın uyarıları hafızasına hücum etti. *Bıçağı olmadan tuvalete bile gitmiyor.*

Bıçak, arkasında vahşi bir güçle Jaeger'a doğru süzüldü.

Jaeger bileğine takılan sert yükseklikölçeri kullanarak sağ koluyla ilk darbeyi engellemeyi başardı. Gümüş kalın camı sıyırıp geçerken Gore-Tex'inde bir kesik açmıştı.

Sonra sağ kolunu yakan bir acı hissetti.

İlk hamlesinde kesmeyi başarmıştı.

Çaresiz bir şekilde kadının darbelerini bertaraf etmeye çalışırken, Narov da tekrar tekrar bıçağını büyük bir şiddetle savuruyordu. Bıçağını bir kez daha salladı; bu sefer çok daha alçak bir bölgeyi, karnını hedef almıştı. Jaeger'ın artık buz kesmiş kolu bir salise yavaş kalmış, saldırıyı engelleyememişti.

Karnını deşmek üzere olan bıçağın tüm bedenine yayacağı acıya kendini hazırladı. Gerçi artık neresinden bıçaklandığı önemli değildi. Her saniye dünyaya çarpmaya yüz metre daha yaklaştıkları bu hâldeyken bir kesik atarsa ânında ölürdü.

26

Bıçak oldukça çevik ve hızlı bir hamleyle geldi. Ancak garip bir şekilde, karnının alt tarafında görünürden kayboldu. Jaeger bir acı hissetmemiş, hiçbir yeri acımamıştı. Tek hissettiği, bıçağın darbesiyle Narov ile kendisini bağlayan kayışlardan birinin kopması oldu.

Kadının kolu yeniden uzandı, hamlesini yaptı ve bir kez daha jilet gibi keskin bıçağı adresini bulup bezle naylonu ortadan ikiye ayırdı.

Sağ tarafındaki kayışları kesmeyi tamamladıktan sonra Narov taraf değiştirdi. Bıçağını birkaç sefer arkasına doğru sallayıp bu sefer sol tarafındaki kayışlara vurmaya başladı. Nihayet son darbelerini de vurdu ve işi bitirdi. Böylece Jaeger'ın takımındaki joker Irina Narov, paraşüt çiftinden ayrılmıştı.

Kadın serbest kalır kalmaz Jaeger kollarını ve bacaklarını açarak yıldız şeklini aldığını gördü. Girdiği pozisyonla birlikte düşüşünü yavaşlattı ve dengeyi kurmaya başlarken Jaeger dönerek yanından geçti. Birkaç saniye sonra, yukarıdan sanki denizcilerin rüzgârı yakalayan yelkeninden geliyormuş gibi bir ses çıktı ve Narov'un paraşütü gökyüzünü kapladı.

Irina Narov acil durum paraşütünü açmıştı.

İkinci bir bedenin ölü ağırlığından kurtulan Jaeger'ın hayatta kalma ihtimali, beş saniye öncesindeki imkânsızlıktan, bir anda önemli bir olasılık hâlini almıştı. Bir ömür gibi geçen birkaç saniye süresince dönüşünü kontrol altına almaya çalıştı, durdurmak için var gücüyle savaştı ve sonunda dengeyi yakaladı. Nihayet paraşütün ipini çekti-ğinde serbest düşüşün ikinci dakikasına girmek üzereydi. Sonunda yüz metrekarelik en iyisinden ipek kumaş arkasında dalgalanıyordu.

Bundan çok kısa bir süre sonra, sanki arkasından dev bir el uzanıp omuzlarından tutarak yukarı çekiyormuş gibi hissetti. Öylesine korkunç bir serbest düşüşün ardından yavaşlamak, bir arabayı inanılmaz bir hızla dümdüz duvara vurmuş ve tüm hava yastıklarını patlatmış gibi hissettirmişti.

Jaeger, artık saniyeler kalan, ormanın üzerinde hayatını sonlandıracak bir çarpışmayla yüzleşmekten paraşütü sayesinde kurtulduğunu biliyordu. Ya da Irina Narov'un becerikli elleriyle kayışları kesmesiydi ikisinin de hayatını kurtaran. Jaeger yukarı bakıp paraşütünün düzgün açılıp açılmadığını kontrol etti. Elleriyle uzanıp yönlendirme kulplarını tuttu ve birkaç keskin çekişle birlikte paraşütün hızını düşürerek tamamen uçuşa geçmesini sağladı.

Sonunda derin bir nefes alabilmişti. Serbest düşüş sırasındaki türbülanstan, mide bulandıran girdaptan ve kulak parçalayan rüzgârdan sonra Jaeger'ın dünyası bir anda pırıl pırıl, saf bir dinginlikle dolmuştu. Sadece arada sırada sertleşen rüzgâr, üzerindeki makara panelini oynatıyordu. Jaeger artık kalbini kontrol altına almaya odaklandı. Zihnini düzgün bir şekilde boşalttıktan sonra rahatlıkla süzülmeye geçebilirdi.

Yükseklikölçerine baktı. 1.800 feet yükseklikteydi. Saniyeler önce dünyaya doğru 28.000 feet'lik bir ölüm yarışını tamamlamıştı. Paraşütünün tamamen açılması altı saniye sürmüştü. On saniye daha geç kalsa saatte 200 kilometre hızla dünyaya çarpacaktı. Sona o kadar yaklaşmıştı.

Bu hızda bir çarpışmanın ardından, sevenlerinin çürümüş odun ve çalıların arasından toplayıp gömebileceği kadar bile parçalarını bulmak mümkün olmayabilirdi.

Jaeger kısa bir süre gökyüzünü taradı. Narov haricinde görünen başka bir paraşütçü yoktu.

Bedeninin her yanında zonklayan ağrıları bir süreliğine unutarak, kan çanağına dönmüş gözleriyle altında kalan kadifemsi yeşil çarşafı aradı. Onunla buluşmak için yukarı süzülüyordu ama zeminde iniş yapılacak tek bir açıklık bile görünmüyordu.

Narov ile planlanan iniş yerine otuz kilometreyi aşkın bir mesafede olduklarını düşündü. Normalde, 28.000 feet'te paraşütlerini açacak ve kırk küsur kilometrelik mesafeyi nehrin kıyısına süzülerek geçeceklerdi. Ancak o dengesiz çıkış ve ardından gelen ölümcül dönüşlerle birlikte planlanan her şey geçerliliğini yitirmişti.

Tartışmasız bir biçimde cesaretini ve gücünü kanıtlayan Narov haricinde, Jaeger takımındaki diğer tüm üyeleri kaybetmişti.

İki yalnız paraşütçü, inecek hiçbir yerleri olmadan sıcak ve nemli havada süzülüyordu.

Neyse ki çok daha kötüsü olmamıştı.

Jaeger ölümün ağzına kadar gelmelerine sebep olan düşüşe yanındaki silahın rampaya takılmasının mı sebep olduğunu merak ediyordu. Ama öyle olsa paraşüt görevlileri bu detayı nasıl kaçırabilirdi ki? Bütün paraşütçülerin engelsiz bir atlayış yapmasını, dengelerini bozabilecek kadar gevşek hiçbir şeyleri olmamasını sağlamak onların işiydi. Bunun da ötesinde atlamadan önce pompalısını sıkı bir şekilde bağladığından emindi.

Jaeger yıllar boyunca bir sürü paraşüt görevlisiyle çalışmıştı ve hepsi de oldukça profesyoneldi. Atlayan kim olursa olsun, hayatını ellerinde tuttuklarını ve en ufak hatanın ölümle sonuçlanabileceğini biliyorlardı. Hâlâ hayatta olmalarının tek sebebi şans ve belki biraz istemeden de olsa kabul etmek zorunda kaldığı Narov'un hızlı düşünme yeteneğiydi.

Paraşüt görevlilerinin atlayış sırasında silahının sallanmasına müsaade edeceğini düşünmek hiç mantıklı gelmiyordu. Olmazdı yani. Ama şimdiye kadar mantıklı gelmeyen o kadar çok şey olmuştu ki... Önce Smithy ölmüş, daha doğrusu öldürülmüştü. Sonra peşlerine takılan o kimliği belirsiz uçak vardı. Şimdi de bu hâldeydi. Acaba paraşüt görevlilerinden biri kasten atlayışı sabote mi etmek istemişti?

Jaeger'ın hiçbir fikri yoktu ama bundan sonra daha nelerin kötüye gidebileceğini merak etmeye başladı.

Nitekim bu sırada, önünde çözmesi gereken sorunların en büyüğü yatıyordu. Paraşüt açıldıktan sonra sıradaki tehlike her zaman olduğu gibi iniş ânıydı. Özellikle de ayakları yere koyabilecek hiçbir açıklık yokken, tehlikenin boyutu ölçülemez düzeydeydi. Zamanında bir paraşüt eğitmeni, Jaeger'a insanların ölümüne yol açan şeyin düşüş değil, zemin olduğunu söylemişti.

Dönüş sırasında bağları koparmasının ardından Jaeger, Narov'dan birkaç yüz feet daha aşağıda kalmıştı. Artık iki kişilik bir takım olmuşlardı. En büyük öncelikleriyse ilk başta inişte, daha sonra da karşılaşabilecekleri her şeyde bir arada kalmaktı. Jaeger, kadının kendisini yakalayabilmesi için yavaşlamaya çalıştı.

Üzerinde kalan Narov, birkaç keskin sola dönüş yaptıktan sonra paraşütünün altında yere doğru taklalar attı ve her dönüşüyle daha da alçaldı. Jaeger da kendi paraşütünü düzene sokuyor, frenleri kullanarak rüzgâr hızını ve düşüşünü yavaşlatmaya çalışıyordu.

Birkaç saniye sonra üzerindeki havada hafif bir dalgalanma hissetti. Narov gelmişti. Aradaki boşlukta gözleri buluştu. Dünyaya çakılmak üzere havada sürüklenirken girdikleri efsane bıçak dövüşüne rağmen Narov sakinliğini korumuştu. Sanki keyif kaçırabilecek hiçbir şey yaşanmamış gibi görünüyordu.

Jaeger başparmağını kaldırmaya çalıştı. Narov da karşılık verdi. Jaeger inişe önderlik edeceğine dair bir işaret yaptı. Kadın sert bir şekilde başını sallayarak onay verdi. Paraşütünü Jaeger'ın arkasına sürüp yirmi otuz metre üzerinde pozisyon aldı. Artık inişe geçmelerine birkaç yüz metre kalmıştı.

Neyse ki Jaeger biraz sonra yaşanacak paraşütle ormana çarpma konusunda eğitimliydi. Ama bunu düzgün bir şekilde başarmak herkesin harcı değildi. Sadece en deneyimli paraşütçüler bu düşüşlerden sağ çıkardı. Yine de Narov'un dönüş sırasında sergilediği inanılmaz gösteri, Jaeger'a nispeten bir şansları olabileceğini düşündürdü.

Aşağıda kalan bölgeyi hızla tarayan Jaeger, nispeten daha ince görünen, bir ihtimal kırıp geçebilecekleri bir kısım aradı. Böylesine bir ormana düşen paraşütçülerin hiçbiri bunu planlamış olamazdı. Çünkü ya vurulan ya da mekanik bir arıza yaşayan, belki de yakıtı biten bir uçaktan son anda kaçan mürettebat böyle yerlere düşerdi.

Hepsi de ormana nasıl yaklaşacağına dair bir fikri ve nasıl hayatta kalacağına dair bir eğitimi olmadan inerdi. Normalde çarpışma neticesinde oluşan kol veya bacak kırıklarıyla mücadele ederlerdi ama sonrası daha kötüydü. Paraşütçü ağaçlardan kurtulsa bile paraşüt çoğu zaman takılıp kalırdı. En üstteki dallara asılan kumaş, paraşütçüyü de ağaç tepelerinin hemen altında havada asılı hâlde bırakırdı. Bu da neredeyse her seferinde ölüm anlamına gelirdi.

Bu şekilde kapana kısılmış bir atlayıcının üç seçeneği olurdu; paraşütün içinde bekleyip birinin kurtarmaya gelmesini beklemek, yirmi otuz metre yüksekten ormana atlamak için ipleri kesmek ya da yakında varsa bir dala uzanarak ağaçtan inmek.

Nitekim çoğu sefer de paraşütçüler olası bir kurtarılma ihtimaline bel bağlayarak asılı kalmayı tercih ederdi. Diğer seçenekler aynı zamanda intihar anlamına geliyordu. Yolunu kaybetmiş, yaralanmış, şok geçirmiş ve susuz kalmış paraşütçüler, kurtarılmayı beklerken aç böcekler tarafından istila edilirdi. Birçoğu bitmek bilmeyen birkaç gün sonunda ölürdü.

Jaeger böyle bir ölümü ne kendine ne de Irina Narov'a yakıştırıyordu.

27

Jaeger ufuk boyunca göz alabildiğine uzanan koyu yeşillerin üzerinde asılı kalan sisten bulduğu ender fırsatlardan birinde, açık yeşil, sarıya kaçan bir aralık gördü. Taze bitki örtüsü anlamına geliyordu bu. Yeni büyüyen ağaçlar daha yapraklı, daha esnek ve daha zayıf olmalıydı. Yani birer mızrak gibi bedenlerine saplanacak yaşlı ağaç dallarına nazaran kırılma ihtimalleri daha yüksekti. En azından Jaeger böyle umuyordu.

Daha birkaç dakika önce gökyüzünde bıçaklanma korkusuyla bir koruma aleti olarak kullandığı yükseklikölçerine baktı. Yüz elli metre kalmıştı.

Önüne uzandı ve çantasının uzantısındaki iki metal kolu itti. Bir halatın ucuna bağlı olan ağır çanta artık on metre altında sarkıyordu.

Ormanın tepesiyle buluşmasına saniyeler kala yaptığı son şey, bileğine monte edilmiş GPS'inde -küresel konum sistemi- bulunan bir tuşa basmak oldu. Yakın gelecekte böylesine bir fırsatı bir daha bulamayacağını düşündüğü için orman tarafından yutulmadan önce konumlarını tam olarak işaretlemek istemişti.

Çarpışmadan birkaç saniye önce tüm odağını sağ ve sol ellerinde tuttuğu manevra kulplarıyla paraşütü dengelemeye verdi. Böylece o daha açık renkli yeşilin üzerine yerleşebilecekti.

Altındaki ağaçların hızla üzerine doğru geldiğini gördü. İki tarafındaki tutacakları sıkıca çekti ve paraşütünü yavaşlattı. Hızını kesmenin ve dalların arasından geçmenin tek yolu buydu. Kısa bir süre sonra altındaki otuz beş kiloluk çantanın en üstteki dallara girişini duydu; hızla parçalamış, sonra da görünürden kaybolmuştu.

Jaeger bacaklarını kaldırdı, dizlerini kırdı ve göğsüyle başını koruyacak şekilde kollarıyla siper aldı. Hemen sonra botlarıyla dizlerinin, altındaki çantanın geçtiği yoldan ilerleyerek bitki örtüsüne daldığını hissetti. Keskin dallar kalçasını kesiyor, altındaki karanlığa doğru şimşek gibi çakılırken omuzlarını tokatlıyordu.

Nispeten kalın dalları kırıp geçerken ağrıdan inlemeleri tüm ormanda yankılandı. Paraşütü tepedeki örtüye takılmadan önce bir süre daha düştü ve en sonunda durdu. Ani duraksamayla nefesinin kesildiğini hissetti. Ama bir ileri bir geri sallanmayı sürdürürken Jaeger binlerce kez şükretmişti bile.

Yaralanmamıştı.

Hayattaydı.

Yukarıdan ikinci bir çarpışmanın sesi geldi ve hemen ardından Narov da yanında göründü. Aynı şekilde bir ileri bir geri sallanıyordu.

Ağır ağır etraflarındaki ortamı incelemeye başladılar. Sıkı orman örtüsünün üzerinde açtıkları deliklerden içeri sızan güneş ışınları, yeşilliğe bir mızrak gibi vuruyordu. Sanki ormanda hayat bulan tüm canlılar nefesini tutmuş, dünyalarına düşen bu iki yabancı yaratık karşısında donakalmış gibi bir sessizlik hâkimdi.

Paraşütlerin sallanması yavaşladığında, "İyi misin?" diye seslendi Jaeger.

Yaşadıkları onca şeyin ardından dünyanın en yetersiz sorusu gibi gelmişti bu.

Narov omuzlarını silkip, "Hayattayım. Sen de belli ki hayattasın. Daha kötüsü olabilirdi," dedi.

Nasıl acaba?

Jaeger sormayı çok isterdi ama kendini tuttu. Narov'un İngilizcesi gayet akıcı olsa da Rus aksanı varlığını belli ediyordu. Konuşma tarzı garip bir şekilde düz ve duygusuzdu.

Dakikalar öncesindeki düşüşü zihninde yeniden canlandırıyormuş gibi başını kaldırdı. Kazanmanın sevinci yüzüne minik de olsa bir gülümseme yerleştirdi.

"Yukarıda bir ara beni öldürmeye çalıştığını sandım. O bıçakla..."

Kadın ifadesiz bir şekilde bakıp, "Seni öldürmek isteseydim öldürürdüm," dedi.

Jaeger yediği lafı duymazdan gelmeyi seçip, "İkimizi dengelemeye çalışıyordum. Çıkarken bir şey bize çarptı, silahım açıldı. Sen kayışları kesip kurtulmadan hemen önce çözmek üzereydim. Biraz güven sorunlarımız var galiba," dedi.

"Olabilir." Yüzündeki ifadesiz maskeyi koruyan Narov bir saniyeliğine Jaeger'a baktı. "Ama beceremedin." Ardından yüzünü çevirdi. "Ben kesip kurtulmasaydım ikimiz de ölürdük."

Jaeger'ın buna söyleyebileceği pek bir şey yoktu. Narov haklıydı. Paraşüt takımından sıyrıldı ve altlarında kalan bölgeyi daha net bir şekilde görmeye çalıştı.

"Hem neden seni öldürmek isteyeyim ki?" diye devam etti Narov. "Bay Jaeger takımına güvenmeyi öğrenmen gerekiyor." Ormanın tepesine doğru baktı. "Şu an cevabını bulmamız gereken soru buradan nasıl ineceğimiz... Spetsnaz'da buna dair bir eğitim almamıştık."

"İkili atlayışta ipleri kesip kurtulma eğitimi almış mıydın?" diye sordu Jaeger. "Ustaca kesikler attın."

"Öyle bir eğitim almadım. Ama yapacak bir şey yoktu, başka seçeneğim kalmamıştı." Narov duraksadı. "'Her görevde, her zaman, her yerde; ne gerekirse.' Spetsnaz'ın sloganı."

Jaeger'ın buna uygun bir cevap düşünmesine fırsat kalmadan, yukarıdan büyük bir patlamaya benzer bir ses geldi. Hemen ardından ağır bir dal kopup orman zeminine çakıldı. Narov da birkaç metre aşağı kaymıştı. Hâlihazırda hasar görmüş paraşütünün panellerinden biri dirence dayanamamış, kopmuştu. Başını kaldırıp Jaeger'a baktı.

"Buradan nasıl ineceğimize dair bir fikrin var mı peki? Düşmek dışında? Yoksa bizi bundan da mı ben kurtaracağım?"

Jaeger gerginlikle başını salladı. Kadın gerçekten de damarına basıyordu. Yine de gökyüzünün ortasında bıçağıyla sergilediği gösterinin ardından Smithy'nin katili olabileceğine dair şüpheleri ciddi şekilde azalmıştı. Bıçağını Jaeger'a saplayıp öldürmek için kusursuz bir fırsat yakalamış ama öldürmemişti. Jaeger buna rağmen kadını biraz daha denemekten zarar gelmeyeceğini düşündü.

"Buradan kurtulmamızın belki bir yolu olabilir." Ormanın tepesinde asılı kalan karmakarışık paraşütleri gösterdi. "Ama önce o bıçağına ihtiyacım olacak."

Vücuduna bağladığı bir bıçağı vardı aslında; Bioko'da Raff'ın verdiği Gerber bıçağı. Bu bıçakla yakın arkadaşının hayatını kurtardığı için artık özel bir anlam da ifade ediyordu. Onu göğsü boyunca çapraz bir şekilde uzanan kılıfın içinde saklıyordu. Yine de Narov'un dakikalar öncesinde kendisini öldürmenin birkaç santim uzağında olan bıçağını verip vermeyeceğini görmek istemişti.

Kadın pek tereddüt etmedi.

"Bıçağımı mı? Ama düşürme sakın. Eski bir dosttur," dedikten sonra uzun bıçağına uzanıp tokasını açtı, ucundan tuttu ve aralarındaki kısa mesafeyi aşacak şekilde fırlattı. "Yakala!" dediği sırada bıçak gölgelerin arasından sızan güneş ışınlarıyla parladı.

Jaeger'ın tuttuğu bıçak enteresan bir şekilde tanıdık gelmişti. Kısa bir süreliğine elinde gezdirdi, yirmi santimlik hançer şeklindeki ince bıçak güneşin altında ışıldıyordu. Jaeger gayet emindi; Wardour Kalesi'ndeki evinde duran, Ted Dedesinin sandığındaki bıçağın aynısıydı bu.

Jaeger on altı yaşına bastığında dedesiyle birlikte keyifle pipo tüttürdükleri sırada o bıçağı kınından çıkarmasına izin vermişti. O günden kalan dumanlı, aromalı koku yeniden burnuna geldi; yanında bıçağın adını da getirdi. Kabzasına damgalanmıştı. Narov'un bıçağına bir kez daha baktı, sonra değerini anladığını gösterir bir şekilde kadına gösterdi.

"Güzelmiş. Fairbairn Skyes yakın dövüş bıçağı. Yanılmıyorsam İkinci Dünya Savaşı'ndan kalma..."

"Öyle." Narov omuzlarını silkti. "Siz SAS'ların o dönem kanıtladığı gibi Almanları öldürme konusunda çok başarılı..."

Jaeger uzunca bir süre kadına baktı.

"Almanları öldüreceğimizi mi düşünüyorsun? Bu keşifte?"

Narov'un hiç beklemeden küstahça verdiği yanıt, Joe Amca'nın dudaklarından çıkan karanlık sözleri tekrarladı. Akıcı bir Almancayla; *"Denn heute gehort uns Deutschland, und morgen die ganze Welt,"* dedi. "Bugün Almanya bize ait, yarın bütün dünyaya."

"O uçağın oralarda hayatta kalmış bir Alman bulma ihtimalimiz çok düşük..." Jaeger'ın sesine çok hafif bir iğneleme yansıdı. "Amazon'un ortasında yetmiş küsur yıldan sonra imkânı yok."

"Schwachkopf! Aptal!" Narov, Jaeger'a öfkeli bir bakış attı. "Bunu bilmediğimi mi sanıyorsun? Artık faydalı bir şey yapıp bizi soktuğun bu rezil durumdan çıkarmaya ne dersin Bay Keşif Lideri!"

28

Jaeger aklındakileri Narov'a anlattı.

Narov'un açmak zorunda kaldığı acil durum paraşütü, kendi üzerindeki BT80'e nazaran daha küçük ve daha dayanıksızdı. Ormana daldığı sırada ağaçların tepesindeki dallardan nasibini alıp yırtılmıştı. Bu yüzden Jaeger iki paraşütün altında dengeyi sağlamalarını, böylece aşağı inebilmek için güçlü bir nokta oluşturmayı önerdi.

Açıklamasını yaptıktan sonra, bir süredir altlarında asılı bıraktıkları çantaları kesmeye başladılar. Ağır çantalar bitki örtüsünü yarıp geçtikten sonra uzaklarda kalan orman zemine çarptıkları gibi boğuk bir ses çıkardı. Ayaklarının altında sallanan otuz beş kiloluk çantalarla birlikte Jaeger'ın planladığı manevraları yapmanın imkânı yoktu.

Daha sonra Narov'a kendisine doğru sallanmasını söyledi. Jaeger da paraşütünü bir dayanak noktası alarak aynısını yaptı. Kollarıyla hemen üzerlerinde duran ipleri yakaladılar ve bir o tarafa, bir bu tarafa sallanmaya başladılar. Sarkaç benzeri salınım bir süre devam ettikten sonra ikisi de birbirini tutabilecek kadar yaklaşmıştı.

Jaeger'ın bacakları Narov'un bedenini hissetti. Kadının kalçalarını arasına alarak sıkıca tuttu. Sonra kollarıyla gövdesine uzandı ve Narov'un göğsündeki tokayı kendininkine taktı. Artık iki paraşütün arasında birbirine sıkıca kilitlenmiş bir şekilde salınıyorlardı.

Ancak ikili atlayışın tersine, bu sefer kalın bir karabina[7] ile yüz yüze bakacak şekilde bağlanmışlardı. Jaeger bu pozisyonu ve aralarındaki mesafesizliği, özellikle de kalın ve külfetli hayatta kalma kıyafeti ve YİYA atlayışının diğer malzemeleriyle birlikte diri diri yanıyormuş gibi hissettiği için ciddi şekilde rahatsız edici buldu. Ama tek parça hâlinde aşağı inmelerini ne sağlayacaksa ona sarılmaya hazırdı.

İkinci bir karabina kullanarak, iki paraşütün en dar noktasındaki halat donanımını bağlayıp paraşütleri sıkıca kilitledi. Ardından bir çamaşır ipi kalınlığında olmasına rağmen olağanüstü bir dayanıklılığa sahip haki renkte uzunca bir Specter paraşüt kordonu çıkardı. 220 kilograma kadar dayanıklı olmasına rağmen Jaeger ne olur ne olmaz diye ikiye katlamıştı.

Sürtünmeyi artırmak için dağcıların iple iniş sırasında kullandığı bir salınma cihazından iki kez geçirdi, ucunu paraşütlere bağlamış oldu. Paraşüt kordonunun kalanını dikkatlice aşağı saldı ve toprakla aralarındaki otuz metrelik mesafe boyunca ilerlemesini izledi. En son da salınma cihazını göğüs takımına bağlı karabinaya geçirdi, böylece Narov ile az önce uydurarak yaptığı paraşüt kordonundan halata bağlanmış oldular.

Artık Jaeger'ın biraz önce toparladığı kordon teçhizatı sayesinde ikisi de paraşütlerine bağlı ama bir taraftan da bağımsız bir şekilde sarkıyordu. Kritik an gelmişti; paraşütlerini keseceklerdi ve Jaeger da zemine inmelerini sağlayacak iniş işlemlerine başlayacaktı.

Narov ile birlikte kasklarını, maskelerini ve gözlüklerini çıkarıp orman zemine bıraktılar. Jaeger onca uğraşın ardından oldukça terlemişti. Saçlarından süzülen ter damlalarının yüzünden bir dere gibi aktığını ve Narov ile sıkı sıkıya bağlı olduğu klipslerin bulunduğu kıyafetini sırılsıklam yaptığını hissedebiliyordu. Islak tişört yarışmalarından birine benziyordu bu. Ama bu sefer çok daha yakın ve kişiseldi. Hem de kadının vücudunu en ince ayrıntısına kadar çizebilirmiş gibi hissediyordu.

---

7 D şeklinde yaylı klipsleri bulunan metal halka.

"Rahatsızlığını anlıyorum," diye belirtti Narov. Sesinde acayip, duygusuz ve mekanik bir ton vardı. "Böylesine yakın bir birliktelik çeşitli sebeplerden ötürü ortaya çıkabilir. Bir, pratik gereklilik. İki, vücut ısısını paylaşmak. Üç, sevişmek. Bizim buradaki durumumuz birinci sebeple ilgili... İşine odaklan."

Falan filan falan filan, diye düşündü Jaeger. *Bu şekilde ormana düşüyorum ve yanımda da buzdan bir kraliçe var, tam benlik!*

"Beni kandırarak dibine kadar soktun," diye düz bir şekilde devam etti Narov. Sonra yukarıyı işaret etti. "Şimdi ne yapacaksan hızlı olmanı öneriyorum."

Jaeger gösterdiği yere baktı. Bir metre kadar üstünde, el büyüklüğünde bir örümcek vardı. Gövdesine vuran yarım yamalak ışıkta yarı fosforlu ve gümüşi duruyor, bacakları da bedenine doğru saldırıya geçmiş sekiz adet sıska parmak gibi görünüyordu.

İyice şişmiş, şeytani kırmızı gözlerinin parladığını; açlıkla yerinde duramayan ağzının sulandığını görebiliyordu. Öndeki bacaklarını kaldırdı, saldırgan bir tutumla sallayıp biraz daha yaklaştı. En kötüsüyse yüksek ihtimalle zehirle dolu dişlerini çıkarıp saldırıya hazırlanmasıydı.

Narov'un bıçağını düzeltti, hayvanı parçalara ayırmak için hamlesini yaptı ama kadının elleri onu tutup, "Yapma!" diye çıkıştı.

Ardından Narov yedek bıçağına uzandı ve kınından çıkarmaya bile zahmet etmeden dar ucunu örümceğin killı bedeninin altına sokarak hayvanı havaya fırlattı. Örümcek havada taklalar atarken güneşi yakalayan bedeni bir anlığına parıldadı ve yeminden olduğu için tüm bedenini kaplayan öfkesi, yere düştüğü sırada ağzından bir tıslama olarak ormanda yankılandı.

Narov gözlerini ağaç tepelerinden ayırmadan, "Ben sadece gerektiğinde öldürürüm. Akıllıca bir hamle olduğunda..." dedi.

Jaeger, kadının baktığı yere döndüğünde kendilerine doğru hızla ilerleyen bir sürü eklem bacaklı gördü. Hatta paraşütün halat teçhizatı, üzerindeki örümceklerle birlikte nefes alıyor gibi görünüyordu.

"Phoneutria," dedi Narov. "Yunancada 'kadın katil' demek. Düştüğümüz sırada yuvalarına çarptık herhâlde." Jaeger'a baktı. "Ön bacaklarını kaldırarak yükselmeleri, savunmaya yönelik bir pozisyon aldıkları anlamına gelir. Birini kesersen, bedeninden diğerlerini uyaran bir koku yayılır ve o zaman da gerçekten saldırırlar. Zehri PhTx3 nörotoksin içeriyor. Yani sinir zehri... Semptomları bir sinir gazı saldırısına çok benziyor; kas kontrolü ve nefes almada zorluk, ardından felç ve oksijensiz kalma."

"Nasıl diyorsan Dr. Ölüm," diye fısıldadı Jaeger.

Narov hızla gözlerine bakıp, "Ben savuştururum. Sen bizi buradan indirmeye bak," dedi.

Jaeger elindeki komando bıçağıyla kadının arkasına uzandı ve paraşüt takımını halat teçhizatıyla buluşturan bezimsi kalın şeridi kesmeye başladı. Bu sırada Narov'un da bıçağıyla ileri atılıp ikinci ve üçüncü örümceği uzaklaştırdığını gördü. Kadın örümcekleri birer birer uzaklaştırıyordu ama Jaeger birini kaçırdığını fark etti. Örümcek hızla kendisine doğru ilerleyip ön bacaklarını kaldırdı ve dişlerini, Jaeger'ın çıplak ellerinden birkaç santim uzakta ısırmaya hazır bir şekilde gösterdi. Anlık bir içgüdüyle hareket eden Jaeger bıçağını savurdu ve jilet gibi keskin ucunu örümceğin alt kısmına soktu. Bıçağın darbesiyle yaralanan örümcek yuvarlanıp orman zemine çakıldı.

Hayvanın düşmesiyle Jaeger tıkırtıyı duydu ve kendilerinden birinin öldürüldüğünü hisseden diğer örümcekler sinyali aldı. Hemen tek bir vücut hâline gelip saldırıya geçtiler.

"Şimdi gerçekten geliyorlar!" diye haykırdı Narov.

Bıçağını kınından çıkardı ve bir sağa, bir sola savurarak yığın yığın saldıran örümceklere saplamaya başladı. Jaeger da iki katı bir güçle çalışıyordu. Son birkaç kesiği attıktan sonra Narov'u serbest bırakmayı başardı. Jaeger'ın takımına kilitlenen karabinası durdurana kadar kadın sert bir şekilde düştü.

Bir saniyeliğine Jaeger, paraşütünün fazladan ağırlığa dayanamayacağını hissetti ama neyse ki şansı yaver gitmiş ve ipler sağlam kalmıştı. Başının üzerine uzandı, bir hışımla halatına saldırdı ve kısa bir süre sonra kendisi de indi. Şimdi hem Jaeger hem de Narov, sanki düşüyormuş gibi serbest kalmıştı.

Jaeger, ölümcül örümcek ordusundan yeterince uzaklaştıklarına karar verene kadar, dik düşüşe müdahale etmedi. Sonra paraşüt kordonuna uzanıp dik bir şekilde aşağı çekerek iyice sıktı. Bağlama çeliği üzerindeki sürtünme, düşüşün yavaşlamasını ve nihayet durmasını sağlamıştı. Artık zehirli örümcekler tarafından istila edilmiş paraşütlerinden on metre aşağıda, paraşüt kordonunun ucunda salınıyorlardı.

Phoneutria. Jaeger hayatı boyunca bunlardan bir tane daha görmezse çok mutlu olacağını düşündü. Daha bu düşüncesinin hayalini kuramadan, gümüşi yaratıklardan biri daha üzerlerine ilerlemeye başladı. Kendi halatının -ince örümcek ağı- açtığı yolu izleyerek dik bir şekilde ikiliye doğru dalmıştı. Buna karşılık Jaeger da paraşüt kayışını bıraktı ve Narov ile bir kez daha düşüşe geçtiler.

29

Mide bulandırıcı bir sarsılmayla durduklarında sadece birkaç metre aşağı inebilmişlerdi. Narov'un paraşüt kıyafetinde kırılan bir kayış, bağlama çeliğine takılıp sıkışmasına yol açmıştı.

Jaeger küfretti. Sıkışan noktaya boştaki eliyle uzanıp kurtarmaya çalıştı. Tam bu sırada yumuşak ama kemiksi bir şeyin öfkeli bir tıslamayla saçına indiğini hissetti. Kafatasına dokunmasına milim kala keskin bir bıçak hayvanı biçti.

Jaeger, bıçağın *Phoneutria*'ya girdiğini hissetti ve örümcek, acıyla bıraktığı çığlığın ardından bacaklarındaki güçten olup Jaeger'ın başından boşluğa doğru düştü. Narov tekrar tekrar bıçağını savurup gölgelerdeki örümcekleri defederken, Jaeger da inatçı kayışı kurtarmaya çalışıyordu. En sonunda çelikten ayrılmasını sağladı ve yeniden inişe geçtiler.

"Kolay kolay vazgeçmiyorlar," diye homurdandı Jaeger, paraşüt kordonu bağlama sisteminden aşağı kayarken.

"Geçmiyorlar," diye doğruladı Narov.

Kadın bir kolunu kaldırıp yüzüne siper etti. Solak olduğu Jaeger'ın dikkatinden kaçmamıştı. Sol elinin üst yüzeyinde hızla yayılan, kırmızı-siyah karışımı korkunç bir izle ortasında gayet belirgin iki adet ısırık izi vardı.

Kadının gözleri acıyla doldu.

"Bir *Phoneutria*'yı kesersen hepsi saldırır," diye hatırlattı Jaeger'a. "Kurbanlar, ısırık sonrasındaki acıyı, tüm damarlardan akan bir ateş olarak tanımlıyor. Oldukça doğru bir tanım..."

Jaeger'ın nutku tutulmuştu. Üzerlerine düşen örümceklerden biri Narov'u ısırmış ama kadının gıkı çıkmamıştı. Daha da önemlisi, henüz yolun başındayken keşif üyelerinden birini kaybetmek üzere miydi?

"Panzehir var bende." Aşağı baktı. "Ama çantada... Seni aşağı indirmemiz lazım, hızla!"

Jaeger sağ elini uzatabildiği kadar yukarı uzattı. Paraşüt kordonu daha önce kaymadığı hızla bağlama cihazından kaymış ve ikili son sürat orman zemine doğru çakılmaya başlamıştı. İkiye katladığı kordonu tutmak, bir bıçağı avuçlamak anlamına geleceği için elindeki kalın eldivenlere şükretti.

Yere ilk önce botlarının değeceğinden emin oldu, ikisinin ağırlığını da bacaklarına bindirecekti. Normalde halatla bağlama sistemini kullanarak yere değmeden önce yavaşlayıp durmalarını sağlardı. Ama bu sefer *Phoneutria*'ya karşı zamanla yarışıyordu ve süresi çoktan dolmuştu. Bir an önce panzehri bulmak zorundaydı.

Kasvetli ormana ayak bastılar. Orman zeminine ancak ağaç tepelerinden süzülmeyi başaran çok az sayıda güneş ışığı ulaşıyordu. Mevcut aydınlatmanın yüzde doksanı daha yükseklerdeki aç bitki örtüsü tarafından emiliyor, zemini nispeten karanlık kılıyordu. Jaeger'ın gözleri bu ışığa alışana kadar herhangi bir tehlikeyi belirlemesi mümkün değildi. *Örümcekler gibi...*

Hiçbir eklem bacaklının böylesine bir düşüşün ardından onları takip etmeyeceğinden gayet emindi. Ama bir kez ağzı yanmıştı. Başını yukarı kaldırdı. Ormanın derinliklerine doğru süzülen güneş ışınlarının arasında uğursuzca parlayan örümcek ağlarını gördü, her biri zehirli ölümü tattırmak için birbiriyle yarışıyormuş gibiydi.

Akıl almaz bir şekilde, *Phoneutria* gelmeye devam ediyordu ve görünüşe göre Narov'un bu sefer onları savuşturmak için kılını kıpırdatacak hâli kalmamıştı.

Örümcekler aşağı süzülürken, Narov'u iniş bölgesinden birkaç metre öteye sürükledi Jaeger. Sonra pompalısını açtı, örümceklerin geldiği tarafa yöneltip ateş açtı. Bu saldırıya karşı verdiği ardı arkası kesilmeyen yanıt kulakları sağır edici düzeydeydi: *Bum! Bum! Bum! Bum!*

Benelli model silah, her biri dokuz milimetre mermiyle doldurulmuş yedi atışlık şarjörlerle dehşet saçıyor; ucundan çıkan saçma dalgaları örümcekleri parçalara ayırıyordu.

Bum! Bum! Bum!

Örümcek sürüsünün sona kalan birliği neredeyse Jaeger'ın pompalısının ucunda duruyordu. Son bir ateşle hepsi örümcek püresine dönüştü. Jaeger'ın Benelli'yi bu kadar sevmesinin sebebi de buydu. Düşmanın olduğu tarafa tutuyor ve ateşini açıyordu. Tabii şimdiye kadar onu örümceklere karşı kullanacağı aklının ucundan bile geçmemişti.

Kulakları sağır eden patlamalar devasa ağaç gövdelerinden ormanın derinlerine taşınırken Jaeger da son yankıları duydu. Ağaçların üzerinde olan biteni izleyen primatların paniğe kapılmış çığlıklarını duyabiliyordu. Maymunlar kısa bir süre içinde bir daldan diğerine atlayıp kaçarak bölgeyi boşaltmıştı.

Silah sesleri gerçekten sağır edici bir şekilde çıkmış ve kötülüğün habercisi olmuştu. Jaeger'ın az önceki hareketi, ormanda kulağını bu tarafa veren herkesin veya her şeyin yeni gelen misafirlerden haberi olmasını sağlamıştı. Ama umrunda değildi. Sürü sürü gelen örümceklere karşı gerçek bir ateş gücüne ihtiyacı vardı ve pompalısı da bunu sonuna kadar sağlamıştı.

Silahını sırtına attı ve Narov'u iniş iplerinden çözdü. Kadını tuttu ve botlarıyla ince ve kumlu toprağın üzerinde biriken çürümüş yaprakları temizledikten sonra çatallı köklerin -dev ağaçların tabanında zemine çıkmış V şeklindeki ters dönmüş kökler- arasına yatırdı.

Yağmur ormanı kumların üzerine kurulmuş bir kale gibiydi, ormanın altındaki toprak kâğıt gibi inceydi. Yoğun nem ve sıcaklıkla birlikte ölen bitki örtüsü hızla çürüyor, saldığı besleyici maddeler de hem bitkiler hem de hayvanlar tarafından çabucak geri dönüştürülüyordu.

Bunun sonucunda da ormandaki devlerin büyük çoğunluğu çatallı köklerden oluşan bir ağın üzerinde yükseliyordu. Kök sistemleriyse zayıf toprağın yalnızca birkaç santim altına ilerleyebiliyordu. Jaeger, Narov'u bu köklerden birine yasladıktan sonra hızla koşup çantasını aldı. Orduda aldığı özel dersler sayesinde kalifiye bir ilk yardım uygulayabilecek kadar bilgisi vardı ve buna benzer nörotoksinlerin etkilerini de tanıyordu; zehir sinir sistemine saldırarak öldürüyor, bunu yaparken de sinir uçlarını kalıcı bir şekilde yakıp Narov'un göstermeye başladığı korkunç seğirmelere ve kıvranmalara yol açıyordu.

Ölüm çoğu zaman, nefes almaya yarayan kasların normal bir şekilde çalışamaması sonucunda geliyordu. İnsan resmen kendi kendini boğarak ölüyordu.

Sinir etmeninin tedavisi için gereken panzehir ComboPen'in ise üç çabuk seansta vücuda enjekte edilmesi gerekiyordu. Bu ilaçla zehirlenmenin semptomları iyileşecekti ama Narov'un nefes almasını kontrol eden kasları için pralidoksim ve avizafona da ihtiyacı olabilirdi.

Jaeger ilk yardım çantasını aldı ve eliyle karıştırarak şırıngalarla küçük ilaç şişelerini buldu. Neyse ki çantadaki her şey pamukla sıkıca sarılmıştı ve görünüşe göre büyük çoğunluğu düşüşte zarar görmemişti. İlk ComboPen şırıngasını hazırlayıp başının üzerinde kaldırdı ve büyük iğnenin ucundaki ilacı Narov'un vücuduna aktardı.

30

Beş dakika sonra tedavi tamamlanmıştı. Narov'un bilinci hâlâ açıktı ama kusacak gibi görünüyor ve zar zor nefes alıyordu. Seğirmeleri ve spazmları ise iyice kötüleşmişti. Isırılmasıyla Jaeger'ın panzehri hazırlayıp vücuduna enjekte etmesi arasında sadece dakikalar olmasına rağmen örümcek zehri yine de canını alabilirdi.

Kadının üzerindeki ağır YİYA kıyafetini çıkardıktan sonra, bitap hâldeki Narov'un yanına koyduğu şişeden olabildiğince çok su içmesini söyledi Jaeger. Toksinleri sisteminden atması için bu sıvı desteğine ciddi şekilde ihtiyacı vardı.

Jaeger da üzerinde sert pamuktan savaş pantolonuyla bir tişört kalana kadar soyundu. Kıyafetleri terden sırılsıklam olmuştu ve hâlâ her yanından ter boşalıyordu. Ormandaki nem oranının en az yüzde doksan olduğunu düşündü. Tropik bölgedeki yüksek sıcaklığa rağmen hava hâlihazırda buhara doyduğu için üzerindeki terin çok az bir kısmı buharlaşıyordu. Ormanda kaldıkları sürece böyle sırılsıklam olacakları kesindi, o yüzden alışmaktan başka çareleri yoktu.

Jaeger kafasını toplamak için duraksadı. O korkunç düşüşün ardından ormana saplandıklarında, saat 09.03 Zulu'yu gösteriyordu. Ağaçların tepesinden aşağı inmek için bir saati aşkın bir zaman harcamışlardı. Şimdi 10.30 Zulu'ya geliyordu ve artık kalkış öncesinde planlanan olası kötü durum senaryolarında Jaeger'ın aklının ucundan bile geçmeyen bambaşka bir av dünyasının içine düşmüşlerdi.

SAS zamanlarında bir eğitmeni, Jaeger'a, "hiçbir planın düşmanla ilk karşılaşmada işe yaramayacağını" söylemişti. 30.000 feet'ten üzerine bağlı bir Rus buz kraliçesiyle Amazon'un ortasına son sürat düştüğünü düşününce eğitmenine sonuna kadar hak verdi. Sonra dikkatini çantasına yöneltti. Özel olarak orman için tasarlanmış, ABD menşeili Bergen marka yetmiş beş litrelik bir Alice Pack çantaydı. Diğer büyük çantaların aksine metal bir kafesi vardı ve bu sayede kullanıcısının sırtıyla arasına birkaç santim koyuyordu. Bu da berbat terlerin vücuttan akıp gitmesine olanak sağlıyor, kalçada isilik riskiyle omuzlarda sürtünmeyi azaltıyordu.

Çoğu büyük çantanın geniş bir yapısı ve kenarlarında sarkan küçük cepleri olurdu. Bunun sonucundaysa kullanıcısının omzundan daha geniş bir yer kaplar, ormandaki bitki örtüsünde yırtılıp çeşitli yerlere takılırdı. Alice Pack ise üst tarafta daha dar, alta indikçe genişleyen bir yapıya sahipti ve tüm cepleri de arka tarafındaydı. Bu sayede Jaeger dar bir yerden geçebilirse çantasının da arkasından geleceğini bilebiliyordu.

Çantanın yanında bir de sert kauçuktan bir kano balonu vardı. Onun sayesinde su geçirmezdi ve yüzecek kadar kaldırma kuvvetine sahipti. Ek olarak bir de az önceki gibi otuz metrelik bir düşüş sırasında ekstra tampon görevi üstlenmişti.

Jaeger çantayı altüst etti. Korktuğu üzere içindeki her şey düşüşten sağlam vaziyette kurtulamamıştı. Thuraya uydu telefonu kolay ulaşılması açısından çantanın arkadaki ceplerinden birine koyulmuştu. Şimdiyse ekranı kırılmıştı ve Jaeger açmaya çalışsa da hiçbir şey olmadı. Krakow ile Kamishi'nin birlikte atladığı paraşüt tüplerinde yedek bir telefon daha vardı ama şu raddede onun pek işe yarayacağından söz etmek mümkün değildi.

Haritasını çıkardı. Neyse ki her haritanın olması gerektiği gibi sapasağlam kalmıştı. Yarı su geçirmez olması için ince bir tabakayla kaplatmış ve çoktan doğru sayfaya katlamıştı. Ya da doğru olması planlanan sayfaya... Narov ile ilk başta belirlenen iniş noktasından aşağı yukarı kırk kilometre daha uzakta bir yerdeydiler.

Çantasının üzerine oturan Jaeger, dev ağaç dallarından birine yaslandı ve haritasında doğru sayfa olduğunu düşündüğü yeri açtı. Orduda olsa haritayı katlamak gibi bir fikri aklından bile geçiremezdi. Ele geçirilmesi hâlinde düşmana direkt hedeflediği bölgeyi de göstermiş olurdu. Ama Jaeger burada bir operasyonda değildi, sonuçta sivil bir orman keşfi yürütecekti.

Bileğindeki GPS'e bakarak ormana dalmadan hemen önce işaretlediği noktayı öğrendi. Altı haneli karelaj sisteminden aradığı yanıtı bulmuştu; 837529. Karelajı haritada belirledi ve tam olarak nerede olduklarını gördü.

İçine düştükleri belayı değerlendirmek adına düşünmeye başladı. Nehrin kıyısındaki planlanan iniş noktasının yirmi yedi kilometre kuzeydoğusuna düşmüşlerdi. Bu çok kötüydü ama daha kötüsü olabilirdi. İniş noktasıyla aralarında oldukça geniş akan Rio de los Dios yatıyordu. Keşif takımının diğer üyelerinin nehir kenarına indiğini varsayarak Jaeger ve Narov'un mevcut konumuyla onlar arasında bir nehir olduğunu düşündü.

Nehrin etrafından geçmenin hiçbir yolu yoktu ve Jaeger da bunu biliyordu. Hem sık ormanda yirmi yedi kilometreyi bir yaralıyla geçmek sallana sallana yapılabilecek bir şey değildi.

Birinin belirlenen bölgeye inmeyi başaramaması hâlinde, takımın geri kalanı kırk sekiz saat boyunca orada beklemek üzere anlaşmıştı. Kayıp kişi veya kişiler o zamana kadar geri dönmezse bir sonraki randevu noktası nehirdeki belirgin bir kavisin olduğu bölgeydi ve o da akış yönünde bir günlük mesafedeydi. Daha sonra yine nehir yolunda birer günlük mesafede iki randevu noktası daha bulunuyordu.

Rio de los Dios uçak enkazına ulaşmak için gitmeleri gereken yönde akıyordu. O kıyıyı iniş noktası seçmelerinin bir diğer sebebi de buydu. Oradan nehri takip ederek ilerlemek ormanda hareket açısından nispeten daha kolay olacaktı. Ancak belirlenen üç randevu noktası da batı tarafındaydı, yani Jaeger ile Narov'un mevcut konumlarından iyice terse düşüyordu.

İniş noktası şu anki konumlarına daha yakındı ve oraya ulaşmak için kırk sekiz saatleri vardı. Bunu başaramazlarsa keşif ekibinden kalan ana takım batıya yol alacaktı ve Jaeger ile Narov da muhtemelen onları asla yakalayamayacaktı.

Thuraya uydu telefonunun da bozulmasıyla Jaeger'ın yaşananlara dair birine haber verme şansı da ortadan kalkmıştı. Bir şekilde telefonu çalıştırsa dahi sinyal alabileceğini pek sanmıyordu. Uydu telefonun çalışması için açık bir gökyüzü ve uydulara erişim gerekiyordu. Bunlar olmadan hiçbir mesajı gönderip almak mümkün değildi.

Rio de los Dios'a varabildiklerini düşünse bile, sonrasında ormanın kalbine doğru göz korkutan bir yolculuk daha yapmaları gerekecekti. Ayrıca Narov'un böyle bir yolculuğa çıkmasının imkânsız olması dışında, Jaeger'ın aklını kurcalayan devasa bir sorun daha vardı.

Albay Evandro enkazın tam olarak bulunduğu noktayı sır gibi saklamış, bu sayede bölgeyi korumuştu. GPS koordinatlarını yalnızca Jaeger'a bizzat görüşerek vermeyi kabul etmiş, bunu da C-130'a binmeden kısa süre önce yapmıştı. Jaeger da karşılığında konum bilgisini sadece kendine saklamayı kabul etmişti. Tabii bu kararın arkasında, takımında kime güvenebileceğine dair hiçbir fikrinin olmaması da önemli bir etkendi.

Enkazın konumuna dair kesin bilgilendirmeyi nehir kıyısına ayak bastıkları zaman yapmayı planlamıştı. Ama acil durum hâlinde kullanılacak randevu noktalarını belirlerken aklından bir kez olsun iniş noktasına varmayı başaramayacak kişinin *kendisi* olabileceğini geçirmemişti. Şu an Jaeger'dan başka enkazın yerini bilen yoktu, bu da onsuz ancak bir yere kadar ilerleyebilecekleri anlamına geliyordu.

Jaeger, Narov'a baktı. Durumu gittikçe kötüleşiyordu. Yüzü terden sırılsıklam olmuş, cildi de ölüm döşeğindeymiş gibi solgunlaşmıştı.

Jaeger başını arkasındaki dev köke yaslayıp derin derin birkaç nefes aldı. Artık mevzu keşif değil, ölüm kalım meselesiydi. Bir hayatta kalma mücadelesi verecekti ve alacağı kararlar, Narov ile battıkları bu beladan canlı bir şekilde çıkıp çıkmayacaklarını belirleyecekti.

31

Narov'un gümüş sarısı saçları, gök mavisi bir saç bandıyla tutturul-muştu. Sanki uykuya dalmış ya da bayılmış gibi gözlerini kapatmış, zar zor nefes alır bir hâlde uzanıyordu. Bir anlığına, Jaeger kadının ne kadar güzel ve an itibariyle ne kadar savunmasız göründüğünü düşündü.

Aniden Narov'un gözleri açıldı.

Kısa bir süreliğine Jaeger'ın gözlerine baktı. Geniş, boş, dikkatsiz; fırtınalı bulutların yaraladığı buz mavisi bir gökyüzü. Ardından gözle görülür bir çaba sonunda zihnini yeniden acı verici âna odaklamayı başardı.

"Acı çekiyorum," dedi sessizce, sıktığı dişlerinin arasından. "Ben bir yere gidemem. Diğerlerini bulmak için kırk sekiz saatin var. Benim de çantam yanımda; yemek, su, silah, bıçak. Git sen."

Jaeger başını sallayıp, "Öyle bir şey olmayacak," dedikten sonra duraksadı. "Kendi başıma sıkılırım."

"Öyleyse *tam* bir *Schwachkopf*'sun!" Jaeger kadının gözlerinde bir anlığına beliren gülümsemeyi gördü. Onu tanıdığından bu yana, üstü kapalı nefreti haricinde en ufak bir duygu parçasına bile rastlamamış-tı. "Ama kendi başına sıkılmana hiç şaşırmadım," diye devam etti. "*Gerçekten* sıkıcısın. Yakışıklısın, evet ama çok sıkıcısın..."

Gözlerindeki bir tutam ışıltı, bedenine hücum eden ağrıyla ortadan kayboldu.

Jaeger kadının neyi amaçladığını anladığını düşünüyordu. Kendisini kışkırtmaya çalışıyordu; az önce söylediği gibi onu ormanda bir başına bırakana kadar zorlayacaktı. Ama Narov'un ona dair bilmediği önemli bir şey vardı; Jaeger arkadaşlarını yarı yolda bırakmazdı. Bir kez olsun bırakmamıştı. En delilerini bile...

"Ne yapacağımızı anlatayım," diye devam etti. "En önemli ihtiyaçlarımız haricinde her şeyi burada bırakacağız ve Sıkıcı Bey de seni kucaklayıp buradan götürecek. Hemen itiraz etmeden önce bunu sana ihtiyacım olduğu için yaptığımı bil. Enkazın koordinatlarını bilen tek kişi benim. Ben oraya varamazsam görev de biter. Şimdi koordinatları sana da vereceğim. Böylece ben düşersem sen devralabilirsin, tamam mı?"

Narov omuzlarını silkip, "Büyük kahramanlık! Asla başaramazsın ki... Bu planla başaracağın tek şey beni çantamdan ayırmak olacak ve suyla yemek olmadan da öleceğim. Yani sadece sıkıcı olmakla kalmıyor, aynı zamanda büyük aptallık ediyorsun," dedi.

Jaeger güldü. Yeniden düşünüp kadını orada bırakma konusunda az da olsa kışkırtılmıştı. Ama ayağa kalktı ve en önemli parçaları ayarlamak için iki çantayı sürükledi. Bir ilkyardım paketi, kırk sekiz saat boyunca ikisine de yetecek kadar yemek, altında uyuyacakları bir panço, pompalısı için mermi, harita ve pusulasını aldı. Bu listeye birkaç şişe tamamen dolu su şişesiyle, ihtiyaç hâlinde hızla içme suyu elde etmelerini sağlayacak Katadyn filtresini ekledi.

Kendi çantasını alıp en altına iki kano balonunu yerleştirdi, üzerine hafif eşyaları koydu. Yemek, su, bıçak, pala ve mermiler gibi ağır eşyalarıysa en üste koydu. Böylece ağırlığın büyük kısmı omuzlarına binecekti. Kalanlarıysa olduğu gibi orada bırakacaktı, ormanın onları bir şekilde sahipleneceğinden emindi.

Çantayı doldurduktan sonra Bergen'i sırtına attı ve ön tarafına düşmeleri için kendi pompalısıyla Narov'un silahını omzundan geçirdi.

Son olarak da en önemli üç parçayı yerleştirdi; suyla dolu iki şişeyle haritası ve pusulasını askerî tarzda bir kemerin üzerindeki ceplere koyarak beline oturttu. Artık hazırdı.

GPS'i, uydu telefonuyla benzer bir sistemi kullanarak, yani uydulara sinyal göndererek çalışıyordu. Gökyüzünün zar zor göründüğü böyle bir yerde hiçbir işe yaramazdı. Yolu yordamı olmayan bu ormanda otuz kilometrelik bir mesafeyi, oradaki dağlar kadar eskilere dayanan "adımlama" denilen bir yöntemle geçmek zorundaydı. Neyse ki bu, modern teknoloji çağında bile SAS'ta oldukça üzerine titredikleri bir yetenekti ve bunda ustalaşmadan kimse rütbesini alamazdı.

Narov'a uzanıp kadını kaldırmadan önce Jaeger, enkazın koordinatlarını paylaştı. Sonra kadına birkaç kez tekrar ettirerek ezberlediğinden emin oldu. Ona ihtiyacı olduğunu bu şekilde hatırlatırsa Narov'un nispeten daha iyi hissedeceğini biliyordu. Ama bir tarafı da bu yolculuğu tamamlayabileceğinden emin değildi. Böylesine bir arazide, böylesine bir yükle, dahası böylesine bir mesafe almak birçok adamı öldürürdü.

Eğildi ve Narov'u sıkıca tuttu. Kadını kaldırıp yüzü aşağı bakacak şekilde bir omzuna yerleştirdi. Bu sayede Narov'un karnı ve göğsü direkt olarak çantanın üzerine denk geliyordu. Tam da istediği gibi ağırlığın büyük çoğunluğunu çanta üstlenmişti. Kemerini ve Bergen'in göğüs iplerini iyice sıktı, taşıdığı ağırlığın bacakları ve kalçası da dâhil olmak üzere tüm bedenine yayılması için gövdesine daha yakın bir pozisyona getirdi. Son olarak da pusulasında kerteriz aldı. Otuz metre ileride yükselen farklı bir ağacı gözüne kestirip ulaşacağı ilk nokta olarak orayı belirlemişti.

"Tamam," dedi, "böyle olmaması gerekiyordu ama başlıyoruz."

"Haydi ya!" Narov acıyla yüzünü buruşturdu. "Dediğim gibi sıkıcı ve salaksın."

Jaeger duymazdan geldi. Her birini saydığı sağlam adımlarla yola koyuldu.

32

Ormanın sesi Jaeger'ın dört bir yanını sarmıştı. Ağaçların tepesinde feryat eden vahşi hayvanlar, çalılıklara canlılık katan binlerce böcek ve düzenli bir şekilde vaklayan kurbağa korosuyla ilerlediği yolda karşısına ıslak bir şeylerin çıkacağını anlamıştı. Nem oranının arttığını ve bedeninden akan terleri hissedebiliyordu. Ama kafasını kurcalayan bir şey daha vardı; zaten içine düştükleri felaketin sunduğu tehlikeler-den çok daha fena bir şey... Orada yalnız olmadıklarını hissediyordu. Mantığa aykırı bir histi bu ama bundan bir türlü kurtulamıyordu.

Geçtiği her yerde, orada olduklarına dair bir iz bırakmamak için elinden gelen her şeyi yapmıştı. Ancak yolculuk ilerledikçe izlendikle-rinden de bir o kadar emin oluyordu. Bu tekinsiz hissiyat, boynuna ve omuzlarına alevli bir ok gibi saplanmıştı. Ama taşıdığı yükle birlikte hareket etmek zaten başlı başına bir belaydı.

Ormanlar birçok açıdan çalışmanın en zor olduğu bölgelerdi. Karla kaplı kutuplarda dert edilecek tek şey vücudu sıcak tutmaktı. GPS sinyali almak her daim mümkün olduğu için yön bulma işi çok ko-laydı. Çöllerdeyse yapılması gereken sadece sıcaktan kaçıp hayatta kalmak adına yeterince su içmekti. Geceleri yol alır, gündüzleri bir gölge oluşturarak uzanılırdı.

Bunların aksine, ormanlar sayısız tehlikeye gebeydi. Başka hiçbir yerde böylesini bulmak mümkün değildi; bitkinlik, susuz kalma, donma, kaybolma, iltihaplar, ısırıklar, yaralar, bereler, hastalık taşıyan böcekler, aç gezen sivrisinekler, vahşi hayvanlar, sülükler, yılanlar...

Kutupların ve çöllerin alabildiğine uzanan arazisinin yanında orman her zaman boğucu, yakın bir dövüş gerektirirdi. Tabii bir de katil örümceklerle saldırgan kabileler vardı.

Jaeger tehlikeli ve kaygan zeminde bir adımının önüne diğerini koyup sıkı ormanda yol aldığı her an bunları düşünüyordu. Burun delikleri küflü çürük kokusuyla dolmuştu. Rio de los Dios'a yaklaşırken orman da iyice üzerine geliyordu. Yakında nehrin kuzey kıyısına ulaşacaklar ve asıl eğlence o zaman başlayacaktı.

Ormanda rakım ne kadar artarsa arazide ilerlemesi bir o kadar kolaylaşıyordu. Zemin çok daha kuru bir hâl alıyor, bitki örtüsü yumuşuyordu. Ancak öyle ya da böyle, Rio de los Dios'u geçmek zorundaydılar ve bu da çok daha sıkı, çok daha çamurlu orman zemininde ilerlemek anlamına geliyordu.

Jaeger biraz nefes alıp önündeki yolu değerlendirmek için mola verdi. Tam önünde derin bir hendek vardı, yağmur yağdığında bunun Rio de los Dios'a su taşıdığını düşündü. Zemini ıslak ve balçık görünüyordu, hiç güneş yüzü görmediği belliydi. Ufak kanal, gövdelerinden sekiz on santim uzanan yırtıcı dikenlere ev sahipliği yapan orta boy ağaçlarla doluydu.

Jaeger o dikenli ağaçları iyi tanırdı. Uçlarında zehir yoktu ama çok fark etmiyordu zaten. Bir orman eğitim egzersizi sırasında bunlardan birinin üzerine düşmüştü. Sert tahtadan oklar kolunu birkaç yerinden delmiş, mikropları ne kadar hızla çektiğine herkesi şaşırtmıştı. O zamandan beri bunlar Jaeger'ın gözünde "piç ağaçlardı."

Tehlikeli gövdelerin arasında kalın sarmaşıklar uzanıyor, her biri de vahşi görünümlü dikenlerini gösteriyordu. Jaeger pusulasını çıkarıp hızla yönüne baktı. Hendek, Jaeger'ın da gitmesi gereken güney yönünde ilerliyordu ama ondan uzak durmanın en iyisi olacağına karar vermişti. Bunun yerine yüzünü batıya çevirip gözlerini alabildiğine uzanan meşe ağaçlarına dikti ve o tarafa ilerlemeye başladı. O hendeğin etrafından dolanacak, sonrasında güneye dönecek ve böylece direkt nehir kıyısına ulaşacaktı. Her yirmi dakikada bir Narov'u sırtından alarak, ikisinin de nefeslenip birer yudum su içmesi için dinlenmeye karar vermişti. Ancak hiçbir seferde iki dakikayı geçirmiyor, derhâl yola koyuluyordu.

Tırmanmayı sürdürdükçe Narov'un ağırlığını da omuzlarında daha fazla hissetmeye başlamıştı. Bir anlığına kadının ne durumda olduğunu merak etti. Yola çıktıklarından bu yana tek bir kelime bile etmemişti. Bilincini kaybettiyse nehirden geçmeleri de imkânsız olur ve Jaeger'ın yeni bir eylem planı hazırlaması gerekirdi.

On beş dakika sonra dar bir yokuştan aşağı kaydı ve sağlam görünen bir yeşilliğe geldiğinde durdu. Uzak tarafa baktığında hareket hâlinde devasa bir kitle gördü, güneş ışığının parıltısı onu kendine çağırıyor gibiydi.

Su... Neredeyse nehre ulaşmıştı.

Yüzyıllardır balta girmemiş orman çoğunlukla yüksek bir örtüyle kaplıydı. Zemindeki büyüme nispeten kıt sayılırdı. Ancak bu bakir yağmur ormanlarının delindiği yerlerde, -mesela içinden geçen bir otoban veya burada olduğu gibi en derinlerinde süzülen bir nehir gibi- oluşan boşluklarda ikinci bir bitki örtüsü boy gösterirdi.

Rio de los Dios orman boyunca uzanan bir güneş ışığı tüneli açıyordu. İki tarafında da sıkı, birbirine geçmiş çalılıklardan oluşan bir isyan vardı. Jaeger'ın önünde yükselen bitki örtüsüyse karanlık ve aşılmaz bir uçurum gibiydi. Upuzun orman devleri, yanlarında daha ufak palmiye benzeri çalılarla süslenmiş; orman zeminine kadar gelen eğreltiler ve sarmaşıklarla bölgeyi tamamlamıştı. Mevcut yüküyle burayı aşmanın herhangi bir şekilde imkânı yoktu.

Jaeger yüzünü doğuya dönüp az önce etrafından dolandığı hendeğe gelene kadar kıyıdan ilerledi. Kanalın nehirle buluştuğu noktada neredeyse hiçbir bitki örtüsü yoktu. Burası İngiltere'nin kırsal kesimlerindekilere çok benzer kayalıklı bir sahil görüntüsü çiziyordu. Aradığı yeri bulmuştu. Artık nehri geçmek için yola koyulabilirdi. Tabii Narov'un da gücünü toplaması gerekiyordu.

Kadını omuzlarından alıp yere yatırdı. Bedeninde yaşadığına dair çok küçük emareler vardı ve Jaeger bir anlığına ormandaki zorlu yolculuk sırasında örümcek zehrinin Narov'u yenmiş olabileceğinden korktu. Nabzını hissetmek için parmaklarını bileğine koyduğunda, *Phoneutria* zehrinin Rus kadının sisteminde daha derinlere ulaşmaya çalışırken kol ve bacaklarında bıraktığı tuhaf titremelerle kasılmaları da hissetti. Neyse ki titremeler ilk baştakiler kadar kötü değildi, yani panzehrin işe yaradığı ortadaydı. Yine de kadın hiçbir tepki vermiyor, komaya girmiş gibi bir izlenim oluşturuyordu. Jaeger, kadının başını kaldırdı; bir elini başının arkasına koyup desteklerken diğeriyle de biraz su içirmeye çalıştı. Narov birkaç yudum su içmesine rağmen kapalı gözlerinde en ufak bir hareket dahi yoktu.

Jaeger çantasına uzanıp GPS cihazını çıkardı. Kullanılabilir bir sinyal için gökyüzünü yeterince görüp göremeyeceğini kontrol etmesi gerekiyordu. Cihaz bir kez öttü, ikinci kez öttü; üçüncü ötüşüyle ekranında uydu simgeleri göründü. Konumlarını kontrol etti ve GPS'in ekranında görünen koordinatla birlikte tam olarak istediği yere ulaştığını anladı. Sonra yüzünü nehre çevirip önlerinde uzanan zorlu geçişi düşünmeye başladı. Aşağı yukarı beş yüz metre ilerlemeleri gerekiyordu, belki daha fazla... Karanlık, miskin su burada bölünüyordu; o yüzden de yüzeye anca çıkabilmiş ince çamurdan kıyılar oluşmuştu. Yetmiyormuş gibi, Jaeger bunlardan bir ikisinde en korktuğu şeyle karşılaştı; sabah sıcağında güneşlenen sürüngenler gözdağı veriyordu.

Karşılarına çıkan bu yaratıklar, bütün Amazon'daki en büyük yırtıcılar olma özelliğine de sahipti. Sıradan timsahlardan değillerdi, özel bir isimleri vardı; kaymanlar.

33

Siyah Güney Amerika timsahı, *Melanosuchus niger*, beş metreye kadar uzayabilen ve normal bir insan ağırlığının beş katına, dört yüz kilo ağırlığa ulaşabilen bir hayvandı. Son derece güçlü bu yaratığın bir gergedan kadar kalın derisi vardı.

Jaeger'ın hatırlaması pek zaman almadı. Zamanında "ayı gibi timsah" şeklinde tanımlanan bir hayvan duymuştu ve bunlardan daha büyüğü ve saldırganı bulunamazdı. Jaeger aklına temkinli olması gerektiğini kazıdı.

Bununla birlikte siyah kaymanların nispeten düşük görme duyusuna sahip olduklarını da hatırlamıştı. Daha çok karanlıkta avlanmaya yönelik evrimleşmişlerdi. Su altında neredeyse hiç göremiyorlardı ve böylesine kumla dolu bir nehirde de hiç şansları yoktu. Saldırmak için kafalarını yüzeye çıkarmaları gerekiyordu, yani ister istemez öncesinde görünmek zorundaydılar.

Bu timsahlar avlarına ilerlerken daha çok koku duyularından destek alırdı. Bir anlığına, o korkunç düşüş sırasında Narov'un bıçak darbelerinden korunmak için kolunu siper ettiği yeri kontrol etti Jaeger. Yaranın kanaması uzun zaman önce durmuştu ama yine de sudan uzak tutmak en iyisi olacaktı.

Alternatif bir planın yokluğunda, elindeki tek seçeneğe yoğunlaşmaya başladı. Çantasını açıp kano balonlarını çıkardı. Kalan diğer malzemeleri boşalttıktan sonra ağırlığın eşit bir şekilde dağılması için her şeyi iki balon arasında paylaştırdı. Ardından balonlardan birini şişirdi ve ipini sıkıca balonun ağzının etrafında çevirip iki kez düğümleyerek kapattı. İkinciyi de şişirip özenle ağzını kapattıktan sonra çantasındaki tokaları kullanarak kano balonuyla ikisini birbirine bağladı. Ardından kendi pompalısıyla Narov'un silahını alarak, hızla bağlanıp çözülebilen düğümlere sahip yeni yaptığı yüzdürme cihazının iki köşesindeki gevşek uçlara uzunca bir paraşüt kordonu aracılığıyla bağladı. Bu sayede olur da silahlardan biri düşerse yeniden yanına çekebilecekti.

Sonra su kenarına yakın yerde büyüyen ağaçlıktan kalın bir bambu seçti. Palasıyla kamışı düşürdü ve gövdesini bir buçuk metre uzunluğunda iki parçaya ayırdı. Keskin bıçağını kullanarak iki parçayı da ortadan ikiye kesti ve dört çapraz direk yaptı. Ardından bu dört parçanın boyutunda bir bambu kamışını alıp paraşüt kordonuyla direklere bağlayarak hepsini basit ama sağlam bir çerçeveye dönüştürdü ve bu yapıyı yüzdürme balonlarına bağladı.

Geçici çözümle ortaya çıkardığı salını sığ kıyıya sürükleyerek üzerine oturdu, test ediyordu. Kendi ağırlığını rahatlıkla taşıyan sal tam da istediği gibi suyun üzerinde kalmıştı. Bununla birlikte Jaeger artık hazırdı. Narov'u taşıyabileceği konusunda içi oldukça rahattı.

El yapımı salını yere bağladı ve biraz su temizlemek için durdu. Bu denli ter döktüğü bir ortamda şişelerini dolu tutmanın önemi büyüktü. Katadyn'i kullanarak kahverengi nehir suyunu giriş bölmesine doldurdu; filtreden geçen pis su, yerini bir şişe dolusu taze suya bıraktı. İki şişeyi de yeniden doldurmadan önce içebildiği kadar su içti. Tam bitirmek üzereydi ki ıslak ve nemli havadan bitap düşmüş bir ses duydu; kırılgan, acı dolu, titrek bir ses.

"Sıkıcı, salak ve yarım akıllısın!" Narov kendine gelmiş ve salını test ettiği sırada Jaeger'ı izlemişti. "Beni o şeye bindirmen imkânsız... Kaçınılmaz olanı kabul edip tek başına yola koyulmanın zamanı geldi."

Jaeger bu yorumu duymazdan geldi. Silahları salın iki tarafına, gidiş yönüne bakacak şekilde yerleştirdi ve hemen önünde çömelerek Narov'a döndü.

"Kaptan Narov geminiz hazır." Önlerindeki macerayı düşündükçe midesinin içine çekildiğini hissediyordu ama bunu göstermemek için elinden geleni yaptı. "Seni taşıyıp sala koyacağım. Gayet dengeli oldu ama devirmemeye çalış. Silahları da batırma sakın."

Teşvik edici bir gülümseme paylaştı ama kadının tepki verecek hâli yoktu.

"Düzeltiyorum," diye fısıldadı. "Yarım akıllı değilsin, bildiğin *akıl hastasısın*. Ama görebildiğin üzere tartışacak bir durumda değilim."

Jaeger, kadını kaldırıp, "Aferin benim kızıma!" dedi.

Narov kaşlarını çattı. Uygun bir cevap veremeyecek kadar bitkin olduğu her hâlinden belli oluyordu.

Jaeger uzun bacaklarını içeride tutması gerektiği yönünde uyarılarını yaptıktan sonra kadını hafifçe sala yatırdı. Narov, cenin pozisyonu alarak iyice kıvrıldı. Onun ağırlığıyla birlikte sal on beş santim daha batmıştı ama büyük kısmı yine de nehrin üzerindeydi. Artık gitmeye hazırdılar.

Jaeger derin suya dalarak önündeki salı itmeye başladı. Ayağının altındaki kalın çamur tabakası her adımında yükseliyordu. Ilık diyebileceği su, tortularla kaygan hissettiriyordu. Arada sırada botlarına; bir ağaç dalı olduğunu düşündüğü, ince kumların arasına gömülmüş çürüyen bir bitki takılıyordu. Üzerlerinden geçtiği sırada hepsi bir sürü baloncuğu su yüzeyine gönderiyor, çürüyen gövdelerindeki gazı boşaltıyordu.

Su artık göğüs seviyesine geldiğinde Jaeger da yola koyuldu. Akıntı beklediğinden daha güçlüydü ve onunla birlikte taşınacaklarından emindi. Ama bu yolculuğun bir an önce bitmesini istemesinin asıl sebebi akıntıdan ziyade nehrin içinde saklananlardı.

34

Jaeger iki elini de salın üzerinde tutarak ilk açıklığa doğru yüzdü. Önünde bir yumak şeklinde yatan Narov'da hiçbir hareket yoktu. Sabit bir şekilde dümdüz ilerlemesi çok önemliydi. Olur da sal şiddetle eğilir veya dengesiz bir hâl alırsa Narov direkt düşerdi ve suya girmesiyle ölmesi bir olurdu. Kendi başının çaresine bakacak, hatta sadece yüzecek kadar bile dermanı yoktu.

Jaeger'ın gözleri durmaksızın nehrin iki tarafını da tarıyordu. Kendisi neredeyse su yüzeyiyle paralel bir pozisyondaydı ve bu da ona tuhaf, başka bir dünyaya aitmiş gibi bir bakış açısı sunuyordu. Büyük çoğunluğu suya batık bir şekilde avlarının peşinde yüzen Rio de los Dios kaymanlarından biri olmanın nasıl bir şey olduğunu anlamış gibi hissediyordu.

Bir sağına, bir soluna bakarak onlara doğru gelen bir kayman olup olmadığını kontrol etti. Nitekim önlerindeki ilk çamur birikintisine on beş metre kala ilk timsahı gördü. Dikkatini çeken şey hareket olmuştu. Nehrin akıntıya ters tarafında, yüz metre kadar uzakta ağır ağır suya süzülmüştü. Karada bir hayli beceriksiz olan dev yaratık, suya girdiği gibi ölümcül bir incelik ve hızla hareket ediyor ve Jaeger her kasının dövüş için kasıldığını hissediyordu.

Ancak timsah kuzeye dönerek ikisinin aksi yönünde hareket etti. Burnunu çevirip elli metre daha uzağa gitti. Sonra oradaki çamurluğa tırmandı ve biraz önceki işine, yani güneşlenmeye devam etti.

Jaeger rahat bir nefes almıştı. Demek ki o kayman kendisini pek aç hissetmiyordu.

Birkaç dakika sonra Jaeger'ın botları dibe değdi. Artık sığ suda yürüyordu. Salı ilk kara parçasına doğru itti, üç metre uzunluğunda çamurlu bir yerdi bu. Salın ön tarafına geçip ileri taşımaya başladı. Bütün bedeni üstlendiği yükün altında alev almış gibiydi. Her bir adımda dizine kadar kararmış, yapış yapış çamura batıyordu.

İki kez kontrolü tamamen kaybederek elleri ve dizlerinin üzerine düşmüş, pis kokan çamurlu su her yana sıçramıştı. Bir saniyeliğine Bioko Adası'nda Raff ile saklandıkları bataklık aklına geldi. Ama bu sefer büyük bir fark vardı; dev Güney Amerika timsahlarıyla başa çıkmak zorundaydı.

Derinleşen suyun ucuna ulaştığında yapış yapış iğrenç çamurla baştan ayağa kaplanmıştı. Harcadığı gücün ardından nabzı makineli tüfek gibi atıyordu. Yanından geçemeyip üzerinden ilerlemek zorunda kalacağı iki tane daha sığ çamurluk olduğunu gördü. Karşı tarafa çıktıkları zaman tükenmiş olacağı kesindi artık. *Tabii çıkarlarsa...*

Yeniden suya dalıp arkasında kalan salı çekti ve sonrasında ilk baştaki pozisyonuna döndü. Tamamen suya girdikten ve salı nehrin ortasına yönlendirdikten sonra akıntının çok daha güçlü bir şekilde vurduğunu hissetti. Jaeger her bir yön değişiminde bacaklarıyla müdahale ederek salı dengede tutmak için tüm benliğiyle savaşıyordu.

Akıntı yönünde su gittikçe sığlaşıyor ama kıyıya yaklaştıkça hızlanıyordu. Jaeger, akıntının, kayalara çarparak köpüklü su oluşturduğu yerlerde iyice çalkantılı bir hâl aldığını gördü. Bu hızlı akıntıya kapılmadan önce nehri geçmeleri gerekiyordu.

El yapımı sal artık ikinci çamurluğa iyice yaklaşmıştı. Tam bu sırada Jaeger hiç beklemediği bir temasla irkildi. Sağ koluna bir şey sürtünmüştü. Başını kaldırdığında bunun Narov'un eli olduğunu gördü. Parmaklarıyla uzanmış, Jaeger'ın kolunu tutup güçsüz bir şekilde sıkmıştı. Kendisine tam olarak ne anlatmaya çalıştığından emin değildi; bu kadını kıyısından köşesinden tahmin etmek bile imkânsızdı. Belki ama belki buz kraliçesi yavaş yavaş erimeye başlıyor olabilirdi. "Ne düşündüğünü biliyorum." Sesi Jaeger'a zar zor ulaştı. Vücudunda dolaşan zehirlerle birlikte artık fısıltı bile sayılamazdı. "Amacım yakınlaşmak değil ama. Seni uyarmaya çalışıyorum. İlk kayman... Geliyor."

Salı bilekleriyle dengeleyen Jaeger, elleriyle silahları yakaladı. İkisini de kabzasından tutup işaret parmaklarını tetiklerin üzerine getirmişti bile. Namlular suyun sağ ve sol tarafına gözdağı verirken Jaeger'ın gözleri de yüzeyi tarıyordu.

"Nerede?" diye seslendi. "Ne tarafta?"

"On bir yönünde," diye fısıldadı Narov. "Neredeyse tam önümüzde... On beş metre öteden hızla yaklaşıyor."

Kayman kör noktadan geliyordu.

"Sıkı tutun!" diye bağırdı Jaeger.

Solundaki silahı bıraktı, yakın dövüş pompalısını sala sabitleyen bağları çözüp silahı yakaladı ve düşüşüne izin verdi. İki bacağıyla güçlü bir şekilde iterek salın altına girdi. Ön taraftan çıktığında, simsiyah devasa bir burnun önündeki suyu kestiğini gördü. Arkasındaki girintili çıkıntılı, pullu ve zırhlı beden en az beş metre uzanıyordu. Gerçek bir Güney Amerika timsahıydı ve korkunç görünüyordu.

Kaymanın çenesi tam önünde ardına kadar açıldığı sırada Jaeger da silahını düzeltti. Namlusu direkt boğazını gösteriyordu. Hedef alacak zaman yoktu. Neredeyse dibine girdiği sırada tetiği çekti. Sol eliyle pompalı mekanizmasını düzeltip bir el daha sıktı, sonra bir tane daha...

Art arda gelen atışlar, sürüngenin dev kafasını sudan ayırmaya yetmişti ama bedenine önceden yüklenen ilerleyiş sona ermemişti. Beynini parçalayan kurşunlarla ânında ölmesine rağmen dört yüz kiloluk kanlı cesedi tüm gücüyle Jaeger'a çarptı.

Jaeger karanlık ve bulanık suya hızla düştüğü gibi ciğerlerindeki tüm havanın çekildiğini hissetti.

***

Üzerinde, kaymanın ön tarafı mide bulandırıcı bir çatırdamayla durdu; ölü gözleri aç bakışından bir şey kaybetmemiş, yırtılan çenesi salın ön tarafına kapanmıştı.

Hafif sal korkunç bir şekilde sarsıldı, timsahın hamlesiyle neredeyse ikiye ayrılıyordu. Kısa bir süre sonra kaymanın cesedinin cansız ağırlığı nehir yüzeyinden ağır ağır süzülmeye başladı. Hasar görmüş sal alabora olurken, kayalara çarptığı ve hızla akıntıya kapıldığı sırada Narov'un başı ve omuzları çamura bulandı. Narov batacağını anlamıştı. Anlık bir refleksle tutunmaya çalıştı. Ancak o kadar gücünü toparlayacak durumda değildi.

***

Jaeger sonunda yüzeye çıkmayı başardığında, ciğerleri Rio de los Dios'un iğrenç suyuyla dolmuştu. Çok derine çekilmiş ve neredeyse boğulacakmış gibi hissettiği sırada can havliyle savaşmıştı. Uzunca bir süre boyunca nefes almaya çalıştı, bedeni oksijen için kıvranıyor ve hayat veren havayı sistemine almak için mücadele ediyordu.

İki tarafına toplanan dev kaymanlar, az önce öldürdüğü canavarın cesedine doğru hamle yapmaya hazırlanıyordu. Kan kokusu hepsini oraya çekmişti. Dahası Jaeger nehir yatağına çekildiği sırada pompalısını kaybetmiş ve tamamen savunmasız kalmıştı. Ama timsahlar onu pek umursamıyor gibiydi. Jaeger yerine, aradıkları ziyafeti kendi türlerinde bulmuşlardı. Suya karışan kanın tadı hepsini çılgına çevirmiş gibi görünüyordu.

Bir süre boyunca Jaeger doğuya yönelmeye çalıştı, sonra o da akıntıya kapıldı. Kayalara çarpa çarpa ilerlerken gövdesini koruma mücadelesi veriyordu. Ayaklarını akıntı yönünde uzatarak önüne çıkabilecek engelleri uzaklaştırıyor, kollarını da yana açarak dengede durmaya çalışıyordu.

Köpüklü suyun diğer ucundaki daha yavaş akıntıya doğru süzüldü ve hızla 360 derece dönerek salı aradı. Etrafındaki nehri taramasına rağmen hiçbir tarafta saldan iz yoktu. Küçük teknesi tamamen ortadan kaybolmuştu ve bu kayıp Jaeger'ın damarlarında akan bütün kanı dondurdu.

Daha da öfkeli bir şekilde aramaya devam etti ama el yapımı sal hiçbir yerde görünmüyordu. Irina Narov'a dair de hiçbir yerde herhangi bir iz yoktu.

35

Jaeger nehir kıyısına süründü. Sırılsıklam, bitap düşmüş bir vaziyette dizlerinin üzerine çöktüğünde kolları ve bacakları yanıyor, ciğerleri bir tutam nefes için yalvarıyordu. Orada kendisini izleyen bir göz olsa, bir insandan ziyade çamurla kaplı, yarı boğulmuş bir sıçan olduğunu düşünürdü. Tabii izleyen biri olduğunu pek sanmıyordu.

Saatler ilerlemiş ve Rio de los Dios'un her yanında Irina Narov'u aramıştı. Nehri kıyıdan kıyıya dolaşmış, her yeri didik didik etmiş ve kadının adını haykırmıştı. Ama ne kadından ne de saldan en ufak bir iz bulmak mümkün olmuştu. Sonrasında bulmaktan en korktuğu şeyle, çantası ve kano yüzdürme ekipmanıyla karşılaştı. Hâlâ birlikteydiler ama timsah dişleri ve pençeleriyle paramparça olmuşlardı.

El yapımı saldan geriye kalan yıpranmış parçalar, akıntı yönünde epey bir mesafe katederek sığlığa vurmuştu. Hemen yakınlarındaki bir çamur birikintisindeyse çaresizce güvende tutmaya çalıştığı kadına dair tüm umutlarını yerle bir eden bir iz buldu Jaeger. Gök mavisi saç bandı yırtılmış, paramparça olmuş ve çamurla kaplanmıştı.

Yine de gücü yettiğince kıyıdan kıyıya ilerledi ve aramasını sürdürdü. İçindeki ses tüm bu çabaların nafile olduğunu söylüyordu artık. Kaymanın ölü bedeni kendisini nehrin kapkara derinliklerine sürüklediği sırada, Narov'un da saldan düşmüş olabileceğini düşündü. Kalanını zaten akıntılarla diğer timsahlar hallederdi. Oysa yeniden su yüzeyine çıkmak için bir dakikaya yakın bir süre boyunca savaş vermiş ama bu bile salın tamamen ortadan kaybolmasına yetmişti. Tek bir parça hâlinde kalsa, hâlâ yüzüyor olsa onu güvenceye alabilir ve yakalayıp karaya doğru sürükleyebilirdi. Irina Narov da üzerinde olsa kadını kurtarabilirdi.

Ama... Narov'un kaderi üzerine kafa yormak istemiyordu ama hayatını kaybettiğinden de emindi artık. Narov ölmüştü. Ya Rio de los Dios'ta boğulmuş ya da vahşi siyah timsahlarca parçalanmıştı. Hatta büyük ihtimal ikisinin karışımıyla canından olmuştu. Ama o, Will Jaeger, kadını kurtarmak adına hiçbir şey yapamamıştı.

Ayağa kalktı ve çamurlu nehir kıyısında sendeleyerek ilerlemesini sürdürdü. O ânın korkunç şokuyla, aldığı eğitimler beyninde canlandı. Artık tamamen hayatta kalma moduna geçmişti, zaten daha iyi bildiği bir şey de yoktu. Narov'u kaybetmişti ama keşif takımının kalanı hâlâ ormanda bir yerdeydi. Çok uzaklardaki bir kıyıda büyük olasılıkla onu bekleyen, ona güvenen sekiz kişi vardı.

Şu an itibariyle ne gidebilecekleri bir koordinat ne de enkaza doğru ilerleyebilecekleri bir rota vardı. İlerlenecek bir rota olmadığı zamansa bu vahşi Kayıp Dünya'da kolay bir çıkış yolu, bir kaçış stratejisi olmuyordu. Cordillera de los Dios gibi böylesine uzak ve görünüşe göre lanetli bir yerden ayrılmak önemli miktarda planlama ve hazırlık gerektiriyordu ve Jaeger da bunu iyi biliyordu. Narov'un bir hiç uğruna ölmediğini kanıtlamak için takımıyla yeniden bir araya gelmeli ve yola koyulmalıydı. Onları enkaz sahasına götürmek zorundaydı. Yani her şeyden önce kendisi o iniş bölgesine ulaşmalıydı ama bunun olasılığı da her geçen saniye hızla azalıyordu.

Önce üzerindeki, sonra da kemerindeki cepleri birer birer boşaltmaya başladı. Korkunç nehir geçişinin ardından eşyalarından neyin kalıp neyin gittiğine dair hiçbir fikri yoktu. Kaymanların parçalarına ayırdığı ve içindekileri nehre bıraktığı sırt çantasının işe yarar bir tarafı kalmamıştı. Ama zaten kıt olan eşyalarını bir bir tararken Jaeger'ın ağzından bir şükür duası çıktı.

En ama en önemli eşyası; pantolonundaki cebin derinlerine tıkılmış ve sıkıca kapatılmış pusulası yerinde duruyordu. Sadece onunla bile o uzaktaki kıyıya ulaşma şansı vardı. Pantolonunun yan cebinden haritasını çıkardı. Dağılmış ve yırtılmıştı ama yine de kullanılabilirdi. Hem haritası hem de pusulası vardı. Fena bir başlangıç sayılmazdı.

Göğsüne yapıştırdığı bıçağı kontrol etti. Kılıfına sıkıca bağlanmış bir şekilde yerli yerinde duruyordu. Raff'ın verdiği, Fernao sahilinde Küçük Mo'nun öldürülmesine yol açan inanılmaz dövüş sırasında çok işlerine yarayan bıçaktı bu.

Çok ölüm görmüştü Jaeger, şimdi aralarına bir tane daha katılmıştı.

36

Şu an Raff'ın yanında olması için neler vermezdi ki? İri Maori burada olsa Narov da hâlâ hayatta olurdu. Tabii kesin konuşmak mümkün değildi ama Raff olsa katil kayman ile savaşırken büyük yardımı dokunur, ilk saldırının ardından da en azından ikisinden biri yara almadan kurtularak sal ve değerli kargosunu güvenceye alabilirdi. Ama Jaeger yalnızdı, Irina Narov ölmüştü ve acı gerçeklerle yüzleşmek zorundaydı. Başka çaresi yoktu, devam etmeye mecburdu.

Üzerindeki takımı kontrol etmeyi sürdürdü. Kemerine asılı iki şişe su olduğu gibi duruyordu ama Katadyn filtresi yoktu. Acil durumlarda yiyebileceği çok az bir yemeği, Narov ile ağaçların tepesinden inmek için kullandığı paraşüt kordonu ve pompalısı için yirmiye yakın mermisi vardı. Pompalı kovanlarını bıraktı. Silah olmadan hiçbir işe yaramayacak boş ağırlıktan başka bir şey değillerdi.

Kontrolü sırasında birer birer elinden geçirdiği küçük parçalar arasında bakışları, C-130 pilotunun verdiği bozuk paraya takıldı. Gece Takipçileri'nin sloganı güneş ışığında parlıyordu: *Ölüm Karanlıkta Bekler*. Ne kadar doğruydu; ölümün kırmızısı, Rio de los Dios'un karanlık sularında süzülen keskin dişler ve pençelerle taşınmış ve onları bulmuştu. Ya da daha doğrusu Narov'u bulmuştu.

Tabii pilotun bunda bir hatası yoktu. O, takımı tam olarak planlanan atlayış noktasında uçağından indirmişti. Az buz bir başarı değildi bu. Felaket ise sonrasında gelmişti, onunla alakasızdı. Parayı da üzerindeki az sayıda eşyayla birlikte cebinin derinlerine koydu. İnsanları hayatta tutan umuttu, bunu unutmayacaktı.

Elinden geçirdiği son parça, aynı zamanda en zor olanıydı; Irina Narov'un bıçağı. Aşağı indikleri ipi kesmek için kullandıktan sonra bıçağı kendi kemerine asmıştı Jaeger. O karmaşanın arasında bir de Narov örümcek ısırığı yüzünden hareket edemez hâle geldiğinde en doğrusunun bu olacağına karar vermişti. Şimdiyse aralarındaki tek bağ bu bıçaktı.

Uzunca bir süre bıçağı ellerinde tuttu. Bakışları, çelikten kabzasına basılmış adı üzerinde gezindi. Dedesininki üzerinde yaptığı detaylı araştırmalar sonucunda bu tarz bıçakların tarihine dair her şeyi öğrenmişti.

Hitler'in 1940 baharında Müttefik güçlerini Fransa'dan sürdüğü yıldırım harekâtının ardından Winston Churchill, düşmana karşı ani ve güçlü saldırılar düzenlemesi için özel bir birimin oluşturulmasını emretmişti. Bu çok özel gönüllüler, o dönemki İngiliz tarzına oldukça ters olarak hızlı ve pis bir şekilde gereken neyse göze alarak savaşa girmek üzere eğitilmişti.

Gözlerden ciddi şekilde sakınılan bu katliam ve cinayet okulundaki öğrencilere nasıl kolaylıkla yaralayıp öldürecekleri gösterilmişti. Eğitimcileriyse yıllar boyunca varlığını hiç belli etmeden yakın mesafeden öldürme konusunda uzmanlaşmış William Fairbairn ile Eric "Bill" Sykes olmuştu.

Sykes ve Fairbairn, Churchill'in özel gönüllüleri tarafından kullanılması için Wilkinson Sword'dan bir yakın dövüş bıçağı sipariş etmişti. On beş santimlik bir ağzı, ıslak ortamlarda sıkı bir tutuş sağlaması için ağır bir kabzası ve jilet gibi kenarlarıyla keskin bir ucu vardı.

Bıçaklar, Wilkinson Sword'un Londra'daki üretim hattından birer birer düşmüştü. Her birinin üzerineyse şu sözler kazınmıştı; "Fairbairn-Sykes Dövüş Bıçağı." Fairbairn ile Sykes, özel gönüllülere dünyada yakın dövüşte daha ölümcül bir silah olmadığını öğretmiş; en önemlisi de "mermisinin asla bitmediğini" akıllarına yazmıştı.

Jaeger bıçağını öfkeyle kullanırken Narov'u izleme şansına erişememişti. Ama zamanında dedesinin taşıdığı bıçağı taşımayı tercih etmesi, daha nereden aldığını ya da kendisi için ne ifade ettiğini sormaya fırsat bulamamasına rağmen bir şekilde kadına çekilmesine sebep olmuştu.

Onun eline nasıl geçtiğini merak etti. Kadın Rus'tu, eski Spetsnaz üyesiydi ve İngiliz komando bıçağı taşıyordu. Peki o yorumu niye yapmıştı? *"Almanları öldürme konusunda çok başarılı..."* Savaş zamanı her İngiliz komandosu ya da SAS askerine bu bıçaklardan verilmişti. Efsane silahların Nazi düşmanlarla epey bir karşılaştığına da şüphe yoktu. Ama o çok uzun yıllar önce, bambaşka bir dünyadaydı.

Jaeger kemerindeki bıçağı değiştirdi. Kısa bir süreliğine, Narov'u da yanında götürme konusundaki ısrarıyla hata yapıp yapmadığını düşündü. Kadının istediği gibi onu ağacın dibinde bıraksa çok daha yüksek bir ihtimalle şu an hayatta olurdu. Ama arkasında bir adamını -ya da kadınını- bırakmamak genlerine kazılıydı. Hem tek başına ne kadar dayanabilirdi ki?

Hayır. Üzerinde düşündükçe doğrusunu yaptığına olan inancı da o kadar sağlamlaşmıştı. Yapacak başka bir şey yoktu. Zaten diğer türlü daha da mahvolurdu. Narov'u orada bıraksa, çok daha uzun ve ağır bir şekilde, yalnız başına ölürdü. Jaeger, Narov'a dair aklından geçen tüm düşünceleri artık bir kenara bırakmalıydı.

Sayım yaptı. Önünde dehşet verici bir yolculuk uzanıyordu; ayakta durmasını sağlayacak sadece iki litre içme suyuyla yirmi kilometrenin üzerinde bir yolu bu balta girmemiş ormandan geçmesi gerekiyordu. İnsan yemek yemeden uzun süre yaşayabiliyordu ama susuz mümkün değildi. Jaeger kendini sıkı bir şekilde karneye bağlamak zorundaydı artık. Her saatte bir yudum, şişe başına dokuz yudum; yani en fazla on sekiz saat yürüyüş...

Saatine baktı. Güneşin batmasına neredeyse iki saat kalmıştı. Acil durum randevu noktasına ulaşmak için iniş bölgesine zamanında yetişmek istiyorsa gece vakti de yürümeye devam etmek zorundaydı. Bu da normalde orman şartlarında koca bir hayır anlamına gelirdi.

Ağaçların altında kapkara bir hâle bürünen zeminde görüş sağlamak imkânsızdı.

Çıplak elleri ve bıçağı dışında kendini savunacak hiçbir şeyi de yoktu. Ciddi bir tehlikeyle karşılaşması hâlinde yapılabilecek tek şey kaçmak olurdu. Burada bir avantajı vardı ama. Narov olmadığı için artık onun ağırlığı yüzünden yavaşlamayacaktı. Sadece üzerinde taşıyabildikleri vardı artık yanında, bu sayede daha hızlı hareket edebilirdi. Her şeyi hesaba kattığında nispeten bir şansı olduğunu düşündü. Tabii yine de önündeki yolculuktan kanı çekiliyordu.

Ayağa kalktı, pusulasını avcunun içine yerleştirdi ve ilk kerterizini aldı. Hedeflediği yolda, devrilmiş bir ağaç gövdesi, ilerlemesi gereken taraf olan güney yönünde uzanıyordu. Pusulasını yerleştirdi, yere eğildi ve topladığı on adet küçük çakıl taşını cebine koydu. Her on adımda bir, aldığı bir çakıl taşını diğer cebine koyacaktı. Hepsi diğer cebe taşındığındaysa yüz adımı tamamlamış olacaktı.

Uzun yılların getirdiği tecrübeye dayanarak, Jaeger düz zeminde ağırlıksız bir vaziyette yetmiş sol adım attıktan sonra yüz metrelik bir yol aldığını biliyordu. Tamamen yüklü bir hâlde, silah ve mühimmat da taşıdığı zamanlarda, ağır yük altında bacakları daha az ilerleyebildiği için seksen adımda yüz metreye ulaşabiliyordu. Dik bir yamaca tırmandığı zamanlardaysa bu sayı yüz sol adıma tekabül ediyordu.

Zorlu arazilerde, üzerinde ağır yüklerle yol aldığı sayısız seferde bu çakıl sistemi çok işine yaramıştı. Hem sürekli cep değiştirmek de odaklanmasını sağlıyor ve aklını meşgul ediyordu.

Yola çıkmadan önce son bir şey yaptı; bir kalem alıp mevcut konumunu işaretledi. Yanına da şu cümleyi yazdı; "Irina N'nin son bilinen konumu."

Bu sayede, olur da bir fırsat yakalarsa, kadından geriye kalanları bulmak için daha fazla zaman ve insanla buraya döner ve daha düzenli bir çalışma sergileyebilirdi. Kim olduklarını ve nerede olduklarını hiçbir şekilde bilmese dahi, bu çalışma sonucunda Narov'un ailesine verebilecek bir şeyi olurdu.

Jaeger yürümeye başladı, yürüyor ve sayıyordu. Ormanın derinlerine doğru ilerledi. Her on adımda bir, cebinden aldığı bir çakılı diğer cebine koyuyordu.

Bir saat geçmiş ve içeceği ilk yudum suyla haritasını kontrol etme zamanı gelmişti. Konumunu haritada işaretledi; nehir kıyısından güneye iki kilometre ilerlemişti, kerteriz alıp yeniden yola koyuldu. Teoride, oldukça basit olan adımlama ve kerteriz alma yöntemini kullanarak ormanın içinden o sığ alana ulaşabilirdi. Yanında iki litre su ve hiç silah olmadan bunu başarıp başaramayacağı ise apayrı bir konuydu.

Yalnız figürü sıkı ormanın kasveti arasında kaybolsa bile, Jaeger o gizemli gözlerin hâlâ üzerinde olduğunu, gölgelerin arasından kendisini izlediğini hissedebiliyordu.

Karanlığa doğru kararlı adımlarla ilerleyip kara kara düşünürken sol elini çakıllarla dolmuş cebine soktu ve adımlarını sayarken dudaklarını oynatmayı sürdürdü.

37

Çok uzaklarda, ormanın birkaç yüz kilometre ötesinde başka bir ses duyuldu.

"Gri Kurt, ben Gri Kurt Altı," dedi ses. "Gri Kurt, ben Gri Kurt Altı. Duyuyor musun?"

Vasat ama iş görür bir uçuş pistinin kenarındaki kamufle edilmiş çadırın içinde yer alan telsiz setinin üzerinde duran hoparlör titredi. Her yanı sarkmış ağaçlarla süslenmiş pistin uzak tarafındaki tepeler şekilsiz gri gökyüzüyle buluşuyordu. Gevşek kanatlara sahip bir grup siyah helikopter topraktan piste dizilmişti. Başka da bir şey yoktu.

Bu sahne Serra de los Dios'u andırıyordu ama bir taraftan da farklıydı. Yakındı, ama çok da yakın değildi.

Güney Amerika ormanlarında, dağların çok yukarılarına kurulmuştu; uzak ve el değmemiş bir arazide, Bolivya ve Peru'ya uzanan vahşi ve kuralsız And Dağları'nın arasına gizlenmişti. İkinci Dünya Savaşı'ndan kalma bir uçağı sonsuza kadar ortadan kaldırmak, varlığını dünyadan silmek adına tasarlanmış karanlık bir operasyon için kusursuz bir mevkideydi.

"Gri Kurt, Gri Kurt Altı," diye tekrarladı telsiz operatörü. "Duyuyor musun?"

"Gri Kurt Altı, ben Gri Kurt," diye doğruladı bir ses. "Gönder, tamam."

"Takım planlandığı gibi yerleştirildi," diye duyurdu operatör. "Yeni emirler bekleniyor."

Sonraki birkaç saniye boyunca söylenenlere kulak verdi.

Bu adam -bu asker-, her kimse, üzerinde ne bir birim ne de bir rütbe işareti vardı. Düz, haki yeşili orman kıyafetinde milliyetini bildiren tek bir simge bile yoktu. Etrafını çevreleyen çadır da benzer şekilde herhangi bir tanımlayıcı özellikten arındırılmıştı. Pistte sıralanmış helikopterler bile tüm etiketlerden, uçuş numaraları veya bayraklardan mahrum bırakılmıştı.

"Emredersiniz efendim," dedi operatör. "Zeminde altmış çift botum var. Kolay olmadı ama hepsini yerleştirebildik."

Birkaç saniye süresince talimatları dinledi, sonrasında anladığını doğrulamak için tekrarladı.

"Savaş uçağının koordinatlarını güvenceye almak için eldeki tüm imkânları kullanacağız. Tam konumuna yönelik arama sürecinde kimseyi es geçmeyeceğiz. Anlaşıldı."

Operatör son yanıtını vermeden önce kısa birkaç mesaj daha iletildi.

"Anlaşıldı efendim. On kişilik güçlü bir ekipler, hepsini saf dışı bırakacağız. Kimse hayatta kalmayacak. Gri Kurt Altı çıktı."

Bunun ardından telsiz aramasını sonlandırdı.

38

Jaeger dizlerinin üzerine çöktü; acıyla kıvranan, içinde fırtınalar esen başını iki elinin arasına aldı. Sarf ettiği onca çabanın yorgunluğuyla, beyninin sanki alnından dışarı fırlayacakmış gibi durmaksızın döndüğünü hissedebiliyordu.

Şeklini yitirmiş, eğri büğrü bitki örtüsü gözlerinin önünde hareketleniyor; korkunç canavarların şekline bürünüp havada süzülüyordu. Yönelim bozukluğu kendini göstereli saatler olmuştu; susuzluk artık ölümcül seviyeye ulaşmış, ardından da her geçen saniye daha kötüye giden acı ve halüsinasyonlar baş göstermişti.

Nehirden uzaklarda hiçbir su kaynağı bulunmuyordu ve Jaeger'ın dirilmek adına cansiperane beklediği yağmurdan da eser yoktu. Su şişelerinin dibini göreli çok uzun süre geçmiş, sonrasında kendi idrarını içecek kadar alçalmıştı. Ancak bir saat kadar önce bedeninden artık ne bir damla idrar ne de ter çıkmaya başlamıştı. Vücudu iflas ediyordu. Ama Jaeger bir şekilde, tökezleyerek de olsa ilerlemeyi sürdürdü.

Yalnızca irade gücüyle yeniden ayağa kalkıp bir ayağını diğerinin önüne sürüdü.

"Ben Will Jaeger, geliyorum!" Gırtlaktan çıkan yaralanmış sesi boğuk boğuk yankılanmış, etrafındaki ne olduğundan bihaber ağaçlara çarpmıştı. "Will Jaeger, geliyorum!"

Hemen önündeki açıklıkta toplanması gereken keşif takımına bir uyarı gönderiyordu. Son birkaç saatlik süreçteki hâli düşünüldüğünde, doğru yere gelip gelmediğini sorgulasa da tüm benliğiyle oraya yaklaştığını umuyordu. Sımsıkı ağaçlarla dolu muazzam ormanın ortasında küçük bir açıklık, hata payı çok düşüktü.

Artık tükenmiş, dengesiz ve kesik kesik adımlarla yürüyüşüne devam etti. Beyni acıyla haykırıyordu ama bir şekilde adımlarını saymaya, her on adımında bir cebindeki çakıl taşlarını taşımayı bırakmadı.

Şimdiye kadarki hiçbir orman içi yolculuğun kuş uçuşu yaşandığı görülmemişti. Nitekim Jaeger'ın hâlindeki bir adam için de, özellikle gece saatlerinde de ilerlediği düşünüldüğünde, bunun imkânı yoktu. Bu yüzden sözde yirmi yedi kilometre, zeminde kırk beş kilometrenin üzerine çıkmıştı. Bir yudum su dahi olmadan gösterdiği yiğitliğin tarifi yoktu. Bir kez daha deneyip bağırdı.

"Will Jaeger, geliyorum!"

Cevap yoktu. Olduğu yerde durdu; hareket etmeyip etrafı dinlemeye çalışıyordu ama bitap düşmüş bedeni laf dinlemiyor, sallanıyordu. Bir kez daha denedi, daha yüksek sesliydi bu sefer.

"Will Jaeger, geliyorum!"

Kısa bir süre hiç ses çıkmadı, sonra bir yanıt geldi.

"Olduğun yerde kal, yoksa ateş açarım!"

Takımındaki eski deniz komandosu Lewis Alonzo'nun nerede olsa tanıyacağı sesi ağaçlarda yankılanmıştı.

Jaeger kendine söyleneni yaptı, dizlerinin üzerine düşmeden önce bir kez daha sallandı. O sırada elli metre ötesindeki çalılıkların arasından güçlü, iri yarı bir figür belirdi. Afro-Amerikan Alonzo, Mike Tyson'ın fiziğiyle Will Smith'in görünüşü ve espri anlayışına sahipti. Ya da en azından onu tanıdığı iki haftalık kısa süreçte Jaeger bunu çıkarmıştı. Ama şimdi, Alonzo'nun tetiğin üzerinde gerim gerim gerilmiş işaret parmağıyla sıkıca tuttuğu Colt tüfeğin namlusuna bakıyordu.

"Bir adım at ve kendini tanıt!" diye bağırdı Alonzo. Saldırıya hazır sesi iyice kalınlaşmıştı. "Bir adım at ve kendini tanıt!"

Jaeger kendini zorlayarak ayağa kalktı. Öne bir adım atıp, "William Jaeger. Jaeger!" dedi.

Alonzo'nun onu tanımaması şaşırtıcı değildi belki de. Jaeger'ın sesi yorgunluktan kısılmış, boğazı kelimelere ses veremeyecek kadar kavrulmuştu. Üzerindeki kıyafetler parçalara ayrılmış; böcek ısırıkları ve sıyrıklar yüzünden yüzü şişmiş, kızarmış ve kanla kaplanmıştı. Bir de baştan ayağa çamurla yıkanmıştı.

"Kollarını başının üzerine kaldır!" diye kızdı Alonzo. "Silahını bırak!"

Jaeger iki elini de kaldırıp, "William Jaeger, silahsızım be!" diye bağırdı.

"Kamishi! Koru beni!" diye bağırdı Alonzo.

Jaeger o zaman ikinci bir figürün çalılıklardan çıktığını gördü. Japon Özel Kuvvetler gazisi Hiro Kamishi'ydi gelen ve Jaeger'ın yüzüne ikinci bir Colt tüfeği doğrultmuştu.

Alonzo ilerledi, silahını indirmemişti.

"Yere yat!" diye bağırdı. "Bacaklarını aç!"

"Of be Alonzo, ben de sizdenim!" diye itiraz etti Jaeger.

İri Amerikalı, karşılığını, Jaeger'ı tekmeleyip çamura düşürerek verdi. Kol ve bacakları yanlara açılmış bir vaziyette sertçe yere kapaklandı. Alonzo arkasına geçmişti.

"Bu sorulara cevap ver!" diye bağırdı. "Takımın ve sen buraya niye geldiniz?"

"Uçak enkazını bulmak, kimliğini tespit etmek ve ormandan kaldırmak için!"

"Yerel bağlantımızın adını söyle Brezilyalı tuğbay!"

"Albay olacak," diye doğruladı Jaeger. "Albay Evandro. Rafael Evandro."

"Takımındaki üyelerin isimleri!"

"Alonzo, Kamishi, James, Clermont, Dale, Kral, Krakow, Santos."

Alonzo, Jaeger'ın gözlerine oldukça yakından bakana kadar eğildi.

"Birini atladın. On kişiydik."

Jaeger başını sallayıp, "Atlamadım, Narov öldü. Size ulaşmak için Rio de los Dios'u geçmeye çalışırken onu kaybettim," dedi.

"Haydi ya!" Alonzo bir elini kısacık kesilmiş saçlarının arasında gezdirdi. "Böylece beş oldu."

Jaeger şaşkınlıkla etrafına baktı. Alonzo'yu doğru duymuş olamazdı. Ne demekti ki şimdi bu? *"Böylece beş oldu."*

Alonzo kemerinden bir şişeyi çözüp Jaeger'a uzattı.

"Geçen iki günde neler yaşadığımıza inanamazsın. Bu arada bok gibi görünüyorsun."

"Sen de pek farklı değilsin," diye karşılık verdi Jaeger zorla.

Uzatılan şişeyi aldı, ağzını açtı ve hepsini tek seferde boğazına doldurdu. Boş şişeyi Alonzo'ya salladı, o da Kamishi'ye el etti ve Jaeger'ın susuzluğu geçene kadar iki şişe daha boşaldı. Alonzo gölgelerin arasından üçüncü kişiyi de çağırmıştı.

"Dale Noel erken geldi sana! İzni kaptın, motor!"

Mike Dale öne çıktı, küçük dijital kamerası omzuna bağlanmıştı. Jaeger mikrofonun önündeki küçük ışığın kırmızı renkte yanıp söndüğünü görebiliyordu, yani kayıttaydı. Alonzo'ya baktı. Amerikalı özür diler şekilde omuzlarını silkti.

"Kusura bakma dostum, eleman sürekli darlayıp durdu. *'Jaeger ile Narov geri gelirse girişlerini çekmem lazım. Jaeger ile Narov geri gelirse girişlerini çekmem lazım.'"*

Dale otuz santim önüne gelince durup kalçalarının üzerinde çöktü. Böylece kamera, Jaeger'ın göz seviyesindeydi. Birkaç saniye açısını korudu, sonra bir tuşa bastı ve kırmızı yanıp sönen ışık durdu.

"Oğlum bunu oynamak mümkün değil," diye fısıldadı Dale. "Muhteşem!" Kameranın arkasından Jaeger'a baktı. "Baksana Bay Jaeger, şu çalıların arkasına geçip deminki gibi bir giriş yapabilir misin acaba? Yeniden sahneleme gibi, ilkini kaçırdım da..."

Jaeger bir ömür gibi geçen uzunca bir saniye boyunca kameramana baktı. Dale; yirmili yaşlarının ortasında, uzun saçlı, yakışıklı sayılabilecek ve üç günlük tasarımcı sakalını canı gibi koruyan biriydi. Jaeger'ın içi ona bir türlü ısınamamıştı. Ya da bir ihtimal, adamın taşıdığı kameraya içgüdüsel bir tepki koyuyordu. Cihaz çok sırnaşıktı ve gizliliğe gram saygısı yoktu. Gerçi bunlar da Dale'i özetliyordu.

"Geri dönüşümü kamera için yeniden mi sahneleyeyim?" diye inledi Jaeger. "Hiç sanmıyorum. Bu arada haberin olsun; bir saniye daha çekim yaparsan o kamerayı alıp parçalarına ayırır ve hepsini bir bir sana yediririm."

Dale, biri kameranın üzerinde duran ellerini sahte bir teslimiyetle kaldırıp, "Anlıyorum ya. Sağlam bir işkence çektin. Anlıyorum. Ama Bay Jaeger şu an tam da kameraların çalışması gereken zaman, işlerin en sarpa sardığı zaman... Yakalamamız gereken bunlar işte! Müthiş bir TV deneyimi için bunlar lazım," dedi.

İçtiği litrelerce suya rağmen Jaeger hâlâ ölü gibi hissediyordu ve bu saçmalıkları dinleyecek hâli yoktu.

"Müthiş TV deneyimi mi? Sen hâlâ televizyon için mi burada olduğumuzu sanıyorsun? Dale anlaman gereken bir şey var. Artık mevzu hayatta kalmak... Ölüm kalım meselesi... Hepimiz için olduğu kadar senin için de böyle... Artık senaryo yok. *Filmin içindesin!*"

"Ama ben çekim yapamazsam program da olmaz," diye karşı çıktı Dale. "Bunu fonlayan insanlar, yani TV yöneticileri de parayı sokağa atmış olur."

"TV yöneticileri burada değil!" diye çıkıştı Jaeger. "Biz buradayız!" Ardından yükselerek, "Ben izin vermeden bir saniye dahi çekim yaparsan filmin tarih olur, yanında seni de götürerek!" dedi.

39

"Anlatın bakalım, ne oldu burada?" diye sordu Jaeger. Alonzo ile diğerlerinin ormandaki imkânları kullanarak yoğun bitki örtüsüyle açıklığın buluştuğu yere kurduğu kampta oturuyordu şimdi. Üstlerinden sarkan ağaçların gölgesiyle, böyle bir arazide bulunabilecek en rahat yer hâlini almıştı.

Her zamanki gibi ağır ağır ve düşünceli bir şekilde kıvrılan nehirde hızla yıkanmıştı. Paraşüt tüplerinden bir sırt çantası çıkarıp inanılmaz orman yolculuğu sonrasında iyileşmek için gerekenleri yanına almıştı. Yemek kapları, şişe su, rehidrasyon tuzları ve biraz da böceksavar... Bunlarla birlikte artık ucundan da olsa insan gibi hissetmeye başlamıştı.

Keşif takımı ya da daha doğrusu takımdan kalanlar toplantı için bir araya gelmişti. Ancak havada garip bir gerginlik vardı, düşman güçlerin kampın dört bir yanında dolaştığı ve görülmeden pusuda beklediği hissediliyordu. Jaeger paraşüt tüplerinden bir yedek pompalı çıkarmıştı ve tek elinde silahını tutarak bir gözünü ormandan ayırmayan tek kişi değildi.

"O zaman en başından, atlayış sırasında sizi kaybettiğimiz zamandan başlayayım." Alonzo'nun cevabı, iri Afro-Amerikalıların hepsinde sezilen derin bir tonda çıkmıştı.

Jaeger'ın yavaş yavaş anlamaya başladığı üzere, Alonzo içi dışı bir olan bir adamdı. Konuşmaya devam ettikçe yaşananlardan dolayı duyduğu pişmanlık sesine de yansıdı.

"Atlayıştan neredeyse hemen sonra sizi kaybettik, ben de kalanlara önderlik ettim. Temiz bir iniş oldu. Herkes yere ayak bastı; yaralanan yoktu, sağlamdık. Kamp kurduk, teçhizatı ayarladık, nöbet paylaşımı yaptık ve pek dert etmedik. İlk randevu noktası olduğu için Narov ile buraya gelmenizi bekleyecektik. Tam da o sıralarda iki kampa ayrıldık," diye devam etti Alonzo. "Bir benim ekip vardı, 'Savaşçı Takımı' diyelim. İndiğinizi düşündüğümüz tarafa inceleme devriyeleri göndermek istiyorduk. Sizi getirmek için yardım edip edemeyeceğimize bakacaktık. Tabii hayattaysanız... Neyse, bir de 'Ağaç Sevici Takımı' vardı... James ve Santos'un başı çektiği Ağaççılar, şu tarafa gitmek istedi." Alonzo bir parmağını batıya doğru tuttu. "Kızılderililer tarafından yapılmış bir nehir kenarı patikası bulduklarını söylediler. Kabilenin buralarda olduğunu hepimiz biliyorduk zaten. Ormandan bizi izleyen gözleri hissediyorduk. Ağaç Sevici Takımı ise çıkıp barışçıl bir temas kurmak istedi."

"Barışçıl temas!" Alonzo, Jaeger'a baktı. "Yani ben Sudan'daki barış operasyonlarında bir yıl geçirdim. Nuba Dağları'nda... Daha insan eli değmemiş bir yer bulamazsın. Nuba kabilelerinden bazıları hâlâ anadan doğma geziyordu hatta. Ama ne oldu, o insanları canım kadar sevdim. Orada öğrendiğim de çok büyük bir ders oldu; barışçıl temas istediklerinde sana haber veriyorlar."

Alonzo omuzlarını silkip, "Özetle, James ile Santos ilk gün öğle saatlerinde yola çıktı. Santos sürekli ne yaptığını bildiğinden, Brezilyalı olduğundan, Amazon kabileleri üzerinde yıllarca çalışma yaptığından falan bahsediyordu," deyip başını iki yana salladı. "James ise bildiğin deliydi, aklını kaçırmış. Kızılderililere saçma sapan bir not karaladı, resim falan çizdi." Dale'e baktı. "Çektin mi onları?"

Dale kamerasını aldı, yanındaki ekranı açıp kameranın hafıza kartında depolanan dijital dosyalar arasında gezmeye başladı. Birinde durup "oynat" tuşuna bastığında ekranda bir resim belirdi, notun yakından çekimiydi. Joe James'in boğuk, Avustralya aksanıyla süslü sesi arka planda yazanları okurken duyuluyordu.

"Hop! Amazon sakinleri! Siz barış istiyorsunuz, biz de barış istiyoruz. Haydi barışalım!" Kamera ağır ağır uzaklaşırken, James'in kocaman Bin Ladin sakalıyla motorcuları andıran hatlarına odaklandı. "Selam vermek ve barışçıl bir temasta bulunmak için sizin sahaya geliyoruz."

Dale şaşkınlıkla başını sallayıp, "İnanabiliyor musunuz şu herife? 'Hop! Amazon sakinleri!' diyor. Sanki Kızılderililer İngilizce anlayacak. Beyni tamamen kapatmış. Kendi ormanındaki kulübede çok vakit geçirmiş. Kamera için harika ama görev için rezalet..." dedi.

Jaeger yeterince gördüğünü ifade eden bir işaret yapıp, "Biraz garip bir tip ama hangimiz değiliz ki? Tamamen aklı başında olan kimse burada olmaz zaten. Hafif deli olmak iyidir," dedi.

Alonzo kirli sakallarını kaşıyıp, "Evet dostum ama... James iyice uçmuştu. Neyse, Santos ile yola çıktılar. Yirmi dört saat geçti ve ikisinden de bir iz yoktu. Ama herhangi bir sorun çıktığına dair de bir işaret almadık. Ağaç Sevici Takımı'ndan ikinci bir birlik; Fransız Clermont ve garip bir şekilde hiç doğuştan ağaççı olacağını düşünmeyeceğin Alman tip Krakow, James ile Santos'u bulmak için yola çıktı. Gitmelerine izin vermeyecektim," dedi Alonzo. "İçimde kötü bir his vardı. Ama senle Narov da olmadığınız için ne bir keşif lideri ne de emir verecek biri vardı. Öğle saatlerinde, yani yola çıkmalarından bir saat sonra çığlıklar ve silah sesleri duyduk. Çift taraflı gibiydi. Sanki pusu kurulmuş, karşılık olarak da ateş açılmıştı."

Alonzo, Jaeger'a bakıp, "Bu kadar dedik, ağaç sevicilerin işi bitmişti. Avcı kuvvet olarak yola çıktık ve 700-800 metre civarında bir yol boyunca Clermont ile Krakow'un bıraktığı izleri takip ettik. Sonra zeminde ciddi bir kargaşa gördük. Taze kanla bunlardan birkaç tane vardı," diye devam etti. Çantasından bir şey çıkarıp Jaeger'a uzattıktan sonra, "Dikkat et, ucunda bir tür zehir var sanırım," dedi.

Jaeger kendisine uzatılan şeyi bir süre inceledi. On beş santim uzun-luğunda ince bir odundu. Özenle oyulmuş ve bir tarafı keskinleşti-rilmişti. Ucunda siyah ve yapış yapış bir sıvı vardı.

"Biz de hızlandık," diye devam etti Alonzo, "ve James ile Santos'un izini bulduk. Kurdukları kampa ulaşmıştık ama ikisinden de hiçbir iz yoktu. Bir mücadele emaresi de göremedik. Ne bir dövüş ne kan ne ok... Hiçbir şey yoktu. Sanki uzaylılar gelip onları oradan ışınla-mışlardı."

Alonzo durdu.

"Sonra bunu gördük." Cebinden boş bir mermi kovanı çıkardı. "Dönüş yolunda bulduk. Denk geldik hatta." Kovanı Jaeger'a uzattı. "7.62 mm. Ya GPMG ya da AK-47. Bizden olmadığı kesin..."

Jaeger kovanı elinde birkaç saniye boyunca gezdirdi. Yirmi otuz sene öncesine kadar tüm NATO kuvvetleri tarafından 7.62 mm ka-libre kullanılıyordu. Vietnam Savaşı'nda Amerikalılar daha düşük bir kalibre olan 5.56 mm'yi denemeye aldı. Daha hafif mermilerle birlikte, yayan askerler daha fazla mühimmat taşıyabiliyordu; bu da ormanda ilerleyerek gerçekleştirilen uzun görevler sırasında devamlı ateş imkânı sağlıyordu. O zamandan beri 5.56 mm tüm NATO güçleri tarafından kabul edildi. Amazon'daki o açıklığa paraşütle inen hiç kimse 7.62 mm silah taşımıyordu.

Jaeger, Alonzo'ya bakıp, "Dördüne dair de bir iz çıkmadı mı sonra?" diye sordu.

Alonzo başını sallayıp, "Yok," dedi.

"Bundan ne çıkarıyorsun peki?" diye sordu.

Alonzo'nun yüzüne bir karanlık indi.

"Dostum bilmiyorum ki... Ormanda düşmanlar var, orası kesin ama kim oldukları büyük gizem... Kızılderililer olsa, 7.62'lik mermiler araya nasıl karıştı? Kayıp bir kabile ne zamandır bunları kullanıyor?"

"Söylesene," diye araya girdi Jaeger, "kan nasıl görünüyordu?"

"Pusunun orada mı? Aklında ne varsa o şekilde... Birikinti olmuştu. Pıhtılaşmıştı."

"Çok mu kan vardı?" diye sordu Jaeger.

Alonzo omuz silkip, "Yeterince vardı," dedi.

Jaeger, az önce Alonzo'nun verdiği odunun ucundaki ince gümüşü kaldırıp, "Ağız tüfeğinden olduğu bariz... Kızılderililerin bunlara sahip olduğunu da biliyoruz. Söylenene göre ucu zehirli... Peki oklarını zehirlemek için ne kullandıklarını biliyor musunuz? Kürar. Orman asmalarının özünden elde ediliyor. Kürar, diyafram kaslarının çalışmasını engelleyerek öldürür. Yani başka deyişle, boğularak ölürsünüz. Hoş bir ölüm değil. Albay Evandro'nun B-SOB takımıyla eğitime çıktığım zaman biraz öğrenmiştim. Kızılderililer bunları kullanarak ağaç tepelerindeki maymunları avlıyor. Ok isabet ettiğinde maymun düşüyor. Kabile de maymunu alıp oku çıkarıyor. Bunların her biri elle oyulmuş ve ortalıkta pek bırakmıyorlar. En önemlisi de ucuna kürar sürülmüş bir okla vurulursanız iğne batmış gibi oluyor ve pek kan da dökülmüyor," dedi.

"Hem de bu var." Jaeger oku kaldırıp ucunu ağzına aldı. Siyah, yapışkan maddenin tadına baktı. Takımından birkaç kişi geri çekilmişti. "Kürarı sindirerek zehirlenmezsiniz," diye rahatlattı ekibini. "Direkt kan dolaşımına katılması gerekir. Bir de tadı o kadar acı ki şaşırsınız. Bu ise... Tahminimce şekeri yakıp bir şerbet yapmışlar." İç karartıcı bir şekilde güldü. "Hepsini bir araya getirdiğinizde karşınıza ne çıkıyor?"

Kalan takım üyelerinin gözlerine birer birer baktı. Alonzo; keskin çenesi, temiz bir yüzü vardı, boncuk boncuk terliyordu. Her şeyiyle deniz komandosu olduğunu gösteriyordu. Kamishi; sessiz, sabırsız, yay gibi bir vücut... Dale ile Kral, gişe rekorları kıran filmleri çekme ümidiyle buraya gelmiş, medyanın yükselen yıldızları...

"Kimse bu oklarla vurulmadı." Jaeger kendi sorusunu cevaplamıştı. "Silahlı adamlar tarafından pusuya düşürülmüşler. Kan bunu gösteriyor zaten. Yani bu kayıp kabile bir şekilde sağlam bir mühimmata elini uzatmadıysa karşımızda gizemli bir güç var. Bunu bırakmaları," oku kaldırdı, "ve mermi kovanlarını temizlemek için bu kadar uğraşma-larıysa suçu Kızılderili kabilesine yıkmaya çalıştıklarını gösteriyor."

Bir saniye oka bakıp, "Burada bizden ve o kayıp kabileden başka kimsenin olmaması lazım. Şu an itibariyle bu gizemli silahlı adam-ların kim olduğuna, buraya nasıl geldiklerine veya bize niye saldır-dıklarına dair hiçbir fikrimiz yok," dedikten sonra karanlık gözlerle başını kaldırdı. "Ama açık olan tek bir şey var; bu keşif bambaşka bir boyuta taşındı. Beşimiz artık yok," dedi sessizce. Bakışlarında şimdi soğuk bir cesaret vardı. "Ormana daha yeni ayak bastık ama adamlarımızın yarısını kaybettik. Şimdi seçeneklerimizi dikkatle değerlendirmemiz lazım."

Durdu. Gözlerinde daha önce hiçbirinin görmediği bir kasvet vardı. Kaybolanlardan hiçbirini adamakıllı tanımıyordu ama yaşananlardan bizzat kendini sorumlu hissediyordu.

Koca deli Avustralyalı Joe James'in hile hurdasız yapısındaki açıklığı sevmişti. Leticia Santos'un da Albay Evandro'nun takımdaki adamı olduğunun acı verici bir şekilde farkındaydı. Güzelliği herkesi çeken Santos, Brezilyalı oyuncu Tais Araujo'nun daha şehirli -ya da orman-lı- hâliydi. Simsiyah gözleri, simsiyah saçları, fevri ve tehlikeli espri anlayışıyla Irina Narov'un tam zıttı bir kadındı.

Jaeger için birini -Narov'u- kaybetmek yeterince trajik bir felaketti. Keşfin ilk kırk sekiz saatinde takımının beş üyesini kaybetmekse kabul edilemezdi.

40

"İlk seçeneğimiz..." diye duyurdu, ânın gerginliğiyle sesi iyice boğuk bir hâl almıştı. "Görevin artık korunmasının mümkün olmadığına karar verir ve tahliye takımını çağırırız. İletişim kanallarımız açık, burası da uygun bir iniş bölgesi... Çekip çıkarmaları mümkün... Böylece kendimizi tehditlerden koruruz ama arkadaşlarımızı geride bırakmış oluruz. Hem hayatta olup olmadıklarını da bilmiyoruz. İkinci seçeneğimiz; kayıp takım üyelerini aramaya çıkarız. Hepsinin aksi ispatlanmadığı sürece hayatta olduğu varsayımına göre hareket ederiz. İyi yanı, dostlarımız için doğru olanı yapmış oluruz. Karşımıza çıkan ilk sıkıntıda sırtımızı dönüp kaçmamış oluruz. Kötü yanı, küçük ve hafif silahlı bir grubuz. Önümüzdeyse yüksek ihtimalle daha kuvvetli ateş gücüne sahip bir kuvvet var ve kaç kişi olduklarını bilmiyoruz."

Jaeger durup, "Bir de üçüncü seçeneğimiz var, planlandığı gibi keşfe devam ederiz. Şahsen, tamamen içgüdüsel olarak bu sayede kayıp arkadaşlarımıza ne olduğunu öğreneceğimizi düşünüyorum. Öyle ya da böyle, bize kim saldırdıysa bunu hedefimize ulaşmamamız için yapmış olmalı. Devam edersek onları zorlamış oluruz. Burada bir askerî operasyonda değiliz," diye devam etti Jaeger. "Öyle olsaydı adamlarıma emirler verirdim. Buraya bir grup sivil olarak geldik ve ortak bir karar almamız gerekiyor. Görebildiğim kadarıyla önümüzdeki üç seçenek bunlar. Oylama yapmalıyız. Ancak ondan önce, sorusu veya önerisi olan var mı? Rahatça konuşabilirsiniz, kamera açık değil zaten."

Dale'e tehditkâr bir bakış atıp, "Kapattın kamerayı, değil mi Bay Dale?" diye sordu.

Dale uzun ve ince telli saçlarını arkaya atıp, "O işi yasakladın, unuttun mu? Toplantıda çekim olmayacak," dedi.

"Evet, yasakladım!" dedikten sonra sorular için etrafına baktı Jaeger.

"Merak ediyorum da," diye araya girdi Hiro Kamishi sessizce. İngilizcesi, çok hafif Japon dokunuşu haricinde kusursuzdu. "Bu bir askerî operasyon olsa adamlarına hangi seçeneği emrederdin?"

"Üçüncü seçeneği," diye cevapladı Jaeger, bir an bile tereddüt etmemişti.

"Sebebini açıklayabilir misin?" Kamishi oldukça garip, dikkatli bir şekilde konuşuyor; ağzından çıkan her kelimeyi özenle tartıyordu.

"Çünkü beklenmeyen bir hamle olur," diye cevapladı Jaeger. "Stres ve tehlikeye karşı normal insan tepkisi ya kaçmak ya da savaşmaktır. Kaçmak ilk seçeneğimiz... Savaşmak da direkt kötü adamların peşine düşmemiz anlamına gelir. Üçüncü seçenekse içlerinde en beklenmeyeni ve bu sayede onları zorlayabileceğimizi düşünüyorum. Kendilerini açık etmeye, bir hata yapmaya zorlayabiliriz."

Kamishi hafifçe başını eğip, "Teşekkür ederim. İyi bir açıklama oldu. Ben de katılıyorum," dedi.

"Aslında dostum sayı beş değil," diye araya girdi Alonzo. "Altı. Andy Smith ile altı kişiyi kaybettik. Smith'in kazara öldüğüne bir an bile inanmadım, bir de bu olanlardan sonra..."

Jaeger başını sallayıp, "Smithy ile altı," dedi.

"Koordinatları ne zaman alacağız peki?" diye sordu bir ses. "Enkazın koordinatları..."

Jaeger'ın takımındaki Slovak kameraman Stefan Kral'dı konuşan. İngilizcesine güçlü, gırtlaksı bir aksan katılmıştı. Jaeger adamı süzdü. Kısa, tıknaz, neredeyse bir albino gibi görünen Kral, oyuk ve çukurlu yüzüyle Dale'in Güzel'ine karşı Çirkin rolünü üstleniyordu. Hiç göstermese de Dale'den altı yaş daha büyüktü ve sadece kıdem yüzünden dahi filmi yönetmesi gereken oydu. Ama Carson, yetkiyi Dale'e vermişti ve Jaeger da sebebini anlayabiliyordu. Dale ile Carson'ın huyu birbirine çok benziyordu. Dale çok becerikli, uysal ve havalı bir tipti; medya ormanında nasıl hayata tutunacağını iyi biliyordu. Kral ise tam aksine sakardı ve bir sinir küpü gibi takılıyordu. TV endüstrisinde yer edinmeye çalışan acayip bir tipti.

"Narov'un kaybıyla, yardımcım olarak Alonzo'yu seçtim," diye yanıtladı Jaeger. "Koordinatları onunla paylaştım."

"Ee? Biz ne olacağız?" diye zorladı Kral.

Kral ne zaman konuşsa, mevzubahis konu ne kadar ciddi olursa olsun yüzünde garip, orantısız bir gülümseme beliriyordu. Jaeger bunu gerginliğinin dışa vurumu olarak değerlendirdi ama yine de ciddi şekilde rahatsız olmuştu.

Orduda Kral gibi adamları yeterince tanıma fırsatı bulmuştu. İçine kapanık tiplerdi, başkalarıyla anlaşmayı zor bulurlardı. Birimine bunlardan biri gelirse her seferinde eğitmeye çalışırdı. Çoğu zaman da ancak bir yere kadar sadık kalırlardı, savaşın kırmızı sisi indiğinde hepsi birer şeytan olduğunu gösterirdi.

"Devam edecek olursam, üçüncü seçenek oylanırsa nehre indiğimizde koordinatları alacaksınız," dedi Jaeger. "Albay Evandro ile bu şekilde anlaştık. Ancak Rio de los Dios'ta yolculuk başladığında açık edeceğim."

"Narov'u kaybetmeyi nasıl başardın?" diye üsteledi Kral. "Tam olarak ne oldu?"

Jaeger dik dik bakıp, "Narov'un nasıl öldüğünü anlattım zaten!" dedi.

"Bir daha dinlemek istiyorum," dedi Kral. O eğri büğrü gülümsemesi yine yüzüne yayılmıştı. "Yani herhangi bir anlaşmazlık kalmasın, her şey açığa kavuşsun diye..."

Narov'un kaybı Jaeger'ı zaten çok derinden yaralamıştı ve o anları bir kez daha yaşayamayacaktı.

"Hızla çirkinleşen, yaşadığım en berbat andı. İnan bana, onu kurtarmak için yapabileceğim bir şey yoktu."

"Öldüğünden nasıl bu kadar emin olabiliyorsun?" diye inatla devam etti Kral. "James, Santos ve diğerlerinden pek emin değil gibisin."

Jaeger'ın gözleri kısıldı.

"Orada olman lazımdı," dedi sessizce.

"Ama yapabileceğin *bir şey* vardır kesin. Daha ilk gündü, nehri geçiyordunuz..."

"Hemen vurayım mı şunu?" Alonzo araya girdi, sesindeki uyarı barizdi. "Yoksa dilini kestikten sonra mı öldüreyim?"

Jaeger, Kral'a baktı. Sesine ciddi bir gözdağı katmıştı.

"Enteresan bir şey Bay Kral, sanki benimle röportaj yapıyormuşsun gibi... Yapmıyorsun, değil mi? Benimle? Röportaj?"

Kral gerginlikle başını sallayıp, "Aklımdaki birkaç soruyu yönelttim sadece. Anlaşmazlık kalmasın diye..." dedi.

Jaeger bakışlarını Kral'dan Dale'e çevirdi. Kamerası hemen yanında yerde duruyordu. Elleri gizlice üzerinde dolaştı.

"Biliyor musunuz çocuklar," dedi Jaeger. "Benim de ortadan kaldırmam gereken bir *anlaşmazlık* var." Kameraya baktı. "Kırmızı çekim ışığının üzerini siyah bantla kapatmışsınız. Kamerayı yere koyup lensini yüzüme çevirdiniz. Daha koymadan önce kayda başladığınızı düşünüyorum." Bakışlarını Dale'e çevirdi, genç kameraman gözle görülür bir şekilde titriyordu. "Bunu bir kez söyleyeceğim. Son kez! Bir daha böyle bir numara çevirmeye kalkarsanız o kamerayı arka tarafınıza öyle bir sokarım ki lensini dişlerinizi fırçalarken temizlersiniz! Anladınız mı?"

Dale omuzlarını silkip, "Evet, galiba ama..." diye kekeledi.

"Aması yok!" diye kestirip attı Jaeger. "Burada işimiz bittiği zaman çektiğiniz her şeyi kayıtlardan sileceksiniz. Ben de göreceğim."

"Ama böyle önemli sahneleri çekemezsem gösterecek bir şeyimiz olmaz," diye itiraz etti Dale. "Müdürler, TV yöneticileri..."

Jaeger'ın bakışları susması için yeterli olmuştu.

"Anlamanız gereken bir şey var; şu an TV yöneticileriniz gram umurumda değil. Şu an umursadığım tek bir şey var; o da takımımdan olabildiğince fazla sayıda üyeyi buradan canlı çıkarmak! Şu an beş... Şu an altı kişiyi kaybettik, yani köşeye sıkıştım ve tutunacak bir dal arıyorum. Bu da beni tehlikeli bir adam yapıyor," diye devam etti Jaeger. "Sinirli bir adam yapıyor." Bir parmağıyla kamerayı gösterdi. "Ben sinirlendiğimdeyse bir şeyler kırılıp parçalanır. Yani Bay Dale, derhal kapat şunu!"

Dale kameraya uzandı, birkaç tuşa basıp kapattı. Suçüstü yakalanmıştı ama huysuz tavırlarına bakılırsa sanki kendisine yanlış yapılmıştı.

"Saçma sapan sorular sordurdun bana," diye fısıldadı Dale'e bakarak Kral. "Salak fikirlerinden biri daha..."

Jaeger, Dale ve Kral gibi adamlarla daha önce tanışmıştı. Elit asker arkadaşlarından yalnızca birkaçı o dünyaya girmeye çalışmıştı; dışarının dünyasına, medyaya. Ne kadar acımasız olabileceğinizse iş işten geçtikten sonra öğrenmişlerdi. Bu dünya insanı çiğneyip çiğneyip tükürüyordu. Onur ve sadakat ise pek görülmeyen özelliklerdi.

Zalim bir işti. Dale ve Kral gibi adamların, tabii patronları Carson ile birlikte, bu yolda nasıl bir zarar görürlerse görsünler başarıya ulaşma hırsları olmak zorundaydı. Söz verdikleri hâlde insanlar ölüm kalım kararları alırken çekim yapmaya hazır olmaları gereken bir dünyaydı. Çünkü şartlar onu gerektiriyor, harika hikâyeler böyle çıkıyordu.

Aynı zamanda, kendi işine gelecekse kameraman dostunun sırtına bıçağı da saplatabiliyordu bu dünya. Jaeger bu dünyadan tiksiniyordu ve başından beri medya takımına karşı böyle kapalı olmasının en büyük sebebi de buydu.

Kral ve Dale'i, burada yakından takip edeceği kişiler listesine ekledi. Artık zehirli örümcekler, dev timsahlar, vahşi kabileler ve yeni eklenen, görüldüğü kadarıyla şiddet uygulamaktan hiç kaçınmayacak silahlı adamların yanına eklenmişlerdi.

"Tamam, şimdi kameralar gerçekten kapandığına göre oylamaya geçelim," diye duyurdu. "İlk seçenek, geri çekilir ve keşfi bırakırız. Evet diyenler?"

Hiçbir el kalkmadı. Jaeger rahatlamıştı. En azından bir süre kuyruklarını kıstırıp Serra de los Dios'tan kaçmayacaklardı.

41

"Çekebilir miyim?"

Dale, Jaeger'a kamerayı gösterdi. Jaeger, nehrin kenarına eğilmiş, her sabahki temizlik safhasıyla meşguldü. Bir tarafından eksik etmediği pompalısı, olası tehlikelere karşı hazırdı.

Suya tükürüp, "İnatçısın, hakkını vereyim. Keşif lideri dişlerini fırçalıyor. Etkileyici bir sahne..." dedi.

"Yok, cidden. Böyle şeyleri de çekmem lazım. Arka plan için gerekiyor. Hayatın..." Bir elini nehre uzatıp etraflarını saran ormanı göstererek gezdirdi. "Hayatın burada nasıl geçtiğini göstermek gerekiyor."

Jaeger omuzlarını silkip, "Keyfine bak. En iyi kısmı geliyor şimdi, iğrenç yüzümü yıkayacağım," dedi.

Dale, Jaeger'ın Rio de los Dios'u banyo olarak kullanma çabasını kayda almaya devam etti. Bir noktada kameraman suya girdi ve sırtını nehre verdi. Kamerasını neredeyse Jaeger'ın ağzına sokarak alçak açılı çekim yapıyordu. Jaeger o beş metrelik timsahlardan birinin gelip Dale'i parçalara ayırmasını istese de aradığını bulamadı.

Direkt kötü adamların peşine düşüp hepsini tek tek avlamak isteyen Alonzo haricinde, oylama sonucu aynı çıktı. Üçüncü seçenek, keşfe planlandığı gibi devam etmek, herkesin istediği şeydi. Jaeger'ın onay için Carson ile görüşmesi gerekti ama Thuraya uydu telefonuyla yaptığı kısa bir konuşmanın ardından her şey çözüldü.

Carson önceliklerini gayet açık bir şekilde belli etmişti; keşfin iler-lemesini hiçbir şey durdurmayacaktı. En başından beri herkes söz konusu tehlikelerin farkındaydı. Bütün takım üyeleri böylesi bir yol-culuğa çıktıklarının bilincinde olduklarını gösteren hukuken bağlayıcı feragatnameler imzalamıştı. Kaybolan beş kişi de buna dâhildi; *aksi ispatlanana kadar kayıplardı.*

Carson'ın devam etmesi gereken on iki milyon dolarlık küresel bir TV gösterisi vardı ve Wild Dog Media'nın geleceği -tabii Enduro Adventures'ın da- bu keşfin başarısına bağlıydı. Karşılarına ne çıkarsa çıksın; Jaeger'ın takımını o enkaz sahasına götürmesi, ardındaki sır perdesini kaldırması ve mümkünse gizemli savaş uçağını oradan çıkarması gerekiyordu.

Yolculuk süresince olur da biri yaralanır veya ölürse, başlarına gelen talihsizlik bu inanılmaz keşfin gölgesinde kalacaktı ya da en azından Carson böyle iddia ediyordu. Sonuçta bu, İkinci Dünya Savaşı'nın Son Büyük Gizemi'ydi. Jaeger'a yeniden hatırlatmıştı; *hiç var olmamış bir uçak bu, bir hayalet uçak.* Carson'un arşivci Simon Jenkinson'ın ağzından çıkan sözleri bu kadar hızlı bir şekilde sahiplenmesi komik kaçıyordu.

Carson bununla da yetinmeyip Jaeger'ı çekimlere engel olduğu için azarladı. Jaeger da bundan, Dale'in patronunu arayıp şikâyet ettiğini çıkardı. Jaeger, Carson'ın söylediklerini neredeyse yok sayarak, ze-mindeki keşif liderinin kendisi olduğunu ve ormanda ağzından çıkan her şeyin de kural teşkil ettiğini söyledi. Carson'ın hoşuna gitmiyorsa Serra de los Dios'a uçup yerini alabilirdi.

Carson ile görüşmesi sona erdiğinde Jaeger, ikinci bir arama yapıp Airlander'a ulaştı. Dev zeplinin İngiltere'den havalanması biraz za-man almıştı ama artık tam üzerlerinde belirlenen yörüngeye doğru ilerliyordu. Jaeger, Pilot Steve McBride'ı ordudaki zamanlarından tanıyordu. Airlander'ın komutasını hak eden, güvenilir ve iyi bir adamdı. Jaeger'ın Airlander mürettebatına güvenmesinin arkasında bir sebep daha vardı; Londra'dan ayrılmadan önce Carson ile son bir anlaşma yapmış, Raff'ı ormanda yanına alamıyorsa gökyüzünden sırtını kollamasını istemişti. Carson da ayak diretmeden kabul etmişti ve iri Maori, Airlander'da Mcbride'ın harekât subayı olarak yerini almıştı.

Jaeger zeplini arayıp keşfe dair daha kapsamlı bilgiler almak ve genel olarak son gelişmeleri öğrenmek için Raff ile konuşmuştu. Andy Smith'in ölümüne dair yeni bir gelişme yoktu, buna şaşırmamıştı. Ama Simon Jenkinson ile ilgili bir haber donup kalmasına sebep oldu.

Arşivcinin Londra'daki evine hırsız girmişti. Çalınan sadece üç şey vardı; Ju 390 hayalet uçağa dair dosyası, Hans Kammler dosyasının gizlice fotoğrafını çektiği telefonu ve dizüstü bilgisayarı. Jenkinson bu soygun neticesinde epey korkmuş, Ulusal Arşivler'e ulaştıktan sonra iyice paniklemişti.

Hans Kammler dosyasının referans numarası AVIA 54/1403'tü. Ulusal Arşivler bu numarada bir dosyanın hiçbir zaman var olmadığını söylemişti. Ama Jenkinson kendi gözleriyle görmüş, hatta telefonuyla gizlice bir fotoğrafını bile çekmişti. Ancak evine giren hırsızın ve arşivlerde ortadan kaldırılan dosyanın ardından sanki AVIA 54/1403 hiç var olmamıştı. Hayalet uçağın artık bir de hayalet dosyası vardı.

42

Jenkinson korkmuştu ama Raff'ın anlattıklarına göre kaçmaya niyeti yoktu. Hatta tam tersi... Ne olursa olsun o fotoğrafları geri alacağına yemin etmişti. Neyse ki çektiği fotoğrafları farklı bulut sistemlerinde depolamıştı. Yeni bir bilgisayar aldığı gibi fotoğrafları yeniden indirecekti.

Jenkinson'a dair gelen haberin Jaeger için bir anlamı vardı; karşılarına aldıkları her kimse, İngiliz hükümetine ait bir dosyayı ortadan kaldıracak nüfuza sahipti. İşin ulaştığı nokta ciddi şekilde endişe verici olsa da Amazon'un ortasından bizzat yapabileceği pek bir şey yoktu. Jaeger, Raff'tan bir gözünü İngiltere'de tutmasını ve Airlander ile yerdeki takımın iletişim kurabildiği her seferde kendisini bilgilendirmesini istedi.

Temizlik malzemelerini topladı, sıkı bir tomar şeklinde katladı. Sonraki sabah erken saatlerde nehir üzerinde yola çıkacaklardı ve botlarda da pek yer yoktu. Kamerasını kapatan Dale artık yeterince çekim yapmıştı. Ama Jaeger adamın sanki bir şeyler söylemek istermişçesine oyalandığını gördü.

"Bak, bu işin pek senlik olmadığını biliyorum," diye söze başladı. "Çekimler falan... Geçenki olay yüzünden de özür dilerim. Cidden saçmaladım. Ama ortaya bir şey çıkaracak kadar çekim yapamazsam da benim işim riske giriyor."

Jaeger cevap vermedi. Adamı zaten sevmiyordu ama el altından çekim olayından sonra ondan iyice soğumuştu.

"Bizim sektörde sık sık söylenen bir laf vardır," diye devam etti Dale. "TV sektörünü diyorum. Hunter S. Thompson söylemiş. Duymak ister misin?"

Jaeger, pompalısını omzuna atıp, "Can kulağıyla dinliyorum," dedi.

"'TV işi çok acımasız ve sığ bir para çukurudur,'" diye başladı Dale, "'hırsızlar ile pezevenklerin elini kolunu sallayarak gezdiği, iyi adamların birer İtmiş gibi öldüğü uzun, plastik bir koridordur.' Tam kelimesi kelimesine olmadı ama, *'iyi adamların it gibi öldüğü'* kısmı sektörü bayağı iyi özetliyor."

Jaeger kameramanı süzüp, "Bizim işte de benzer bir laf var; 'Omuza vuran el, girecek bıçağın keşfini yapıyordur.'" deyip durdu. "Bak, seninle birlikte çalışabilmek için illa seni sevmem gerekmiyor. Buraya işini bozmaya da gelmedim zaten. İki taraf için de uygulanabilir birkaç kuralda anlaşırsak birbirimizi öldürmeden işi halledebileceğimizi düşünüyorum."

"Ne gibi kurallar?"

"Makul kurallar... Bağlı kalacağınız kurallar... Mesela ilk olarak; çekim yapmak için benden izin istemene gerek yok. İstediğin zaman yap. Ama olur da ben durmanı söylersem lafımı dinle."

Dale başını sallayıp, "Makul, evet," dedi.

"İki; takım üyelerinden herhangi biri çekim yapmamanı söylerse isteneni yap. Tepkiden memnun kalmazsan bana gelebilirsin ama ilk etapta isteklerine saygı duyacaksın."

"Ama o zaman herkesin direkt reddetme hakkı olur," diye itiraz etti Dale.

"Hayır, sadece benim var. Bu benim keşfim, yani Kral ile sen de benim takımımın birer üyesisiniz. Film çekmenizin uygun olduğunu düşünürsem sizin tarafınızda olurum. Gayet zor bir iş yapıyorsunuz, buna saygı duyuyorum ve tarafsız bir hakem olacağım."

Dale omuzlarını silkip, "Tamam, öyle olsun madem. Başka şansım yok gibi zaten," dedi.

"Yok," diye doğruladı Jaeger. "Üçüncü kural; bu sabahki gibi bir numara yapmaya çalışırsan, yani söz verdikten sonra çekime devam edersen kameran nehrin dibini boylar. Çok ciddiyim. Beş kişiyi kaybettim zaten. Zorlama beni."

Dale pişmanlığını ifade edecek şekilde ellerini iki yana açıp, "Dediğim gibi, özür dilerim," dedi.

"Dördüncü ve son kural..." Jaeger uzunca bir saniye boyunca Dale'e baktı. "Kuralları ihlal etme."

"Tamamdır," diye onayladı Dale. Bir müddet durdu. "Yalnız bizim açımızdan işleri kolaylaştıracak bir şey yapabilirsin. Mesela seninle hemen burada, nehir kenarında bir röportaj yapabilirsek bugün yaşananları özetlemiş olursun. Çekemediğimiz şeyleri aktarırız."

Jaeger bir süre düşünüp, "Ya cevaplamak istemediğim bir soru sorarsanız?" diye sordu.

"Cevaplamazsın, olur biter. Ama keşif lideri olarak bu olayın sözcüsü de sen olmalısın."

Jaeger omuz silkip, "Tamam, yapalım. Ama unutma, kurallar hâlâ geçerli..." dedi.

Dale gülümseyip, "Tamam tamam, anladım," dedi.

***

Dale, Kral'ı getirdi. Kamerayı hafif bir tripodun üzerine yerleştirip düzgün bir ses almak için Jaeger'a boğaz mikrofonu taktılar ve Dale muhabir rolüne bürünürken Kral da kameranın arkasında sahneyi kaydetmeye başladı. Kameranın yanına oturan Dale, Jaeger'dan direkt kendisine bakmasını, yüzüne dönük kamera sanki orada değilmiş gibi konuşmasını ve geçen kırk sekiz saatte yaşananları özetlemesini istedi.

Röportaj ilerledikçe Jaeger da içten içe kendini Dale'in işinde iyi olduğunu kabul etmek zorunda hissetti. Sanki mahalledeki bir barda arkadaşlarla sohbet edermiş gibi hissetmesini sağlayarak istediği tüm bilgileri alabiliyordu.

Röportaj başlayalı on beş dakika geçmişti ve Jaeger neredeyse kameranın orada olduğunu unutmuştu. Neredeyse...

"Irina Narov ile, aynı dövüşe hazırlanan aslanlar gibi birbirinizi sınadığınız ortada," diye araya girdi Dale. "Peki nehirden geçerken neden onun için her şeyi riske attın?"

"Takımımın bir üyesiydi," diye yanıtladı Jaeger. "Bu kadarı yeterli..."

"Ama beş metrelik bir timsahla dövüşmüşsün," diye üsteledi Dale. "Neredeyse canından oluyormuşsun. Sana taktığını düşündüğün biri için adeta savaşa girmişsin. Neden?"

Jaeger, Dale'e dik dik bakıp, "Benim işimde ölülerin arkasından kötü konuşmak olmaz. Devam edelim..." dedi.

"Tamam, edelim," diye onay verdi Dale. "Bu ne olduğu belirsiz silahlı adamlara ne diyorsun? Kim olduklarına ya da neyin peşinde olabileceklerine dair bir fikrin var mı?"

"Açıkçası hiçbir fikrim olmadığını söyleyebilirim," diye cevap verdi Jaeger. "Serra de los Dios'un bu bölgesinde bizden ve Kızılderililerden başka kimsenin olmaması gerekiyor. Neyin peşinde oldukları konusundaysa enkazın yerini belirlemeye çalışıyor olabileceklerini düşünüyorum. Ya da belki bizim ulaşmamızı engellemek istiyorlar. Diğer hiçbir seçenek mantıklı değil. Tabii bunlar da içgüdü yani, o kadar."

"Enkazı bulmaya çalışan rakip bir güç olabileceği yine de çok ciddi bir iddia," diye uzattı Dale. "Şüphelerinin dayandığı bir nokta var mı?"

Jaeger cevap veremeden, Kral'dan acayip bir şapırdatma sesi çıktı. Jaeger, Slovak kameramanın dişlerini emmek gibi üzücü bir alışkanlığı olduğunu o an fark etmişti.

Dale döndü ve ters ters bakıp, "Dostum röportaj yapmaya çalışıyoruz burada. Az odaklan ve şu iğrenç sesi kes!" dedi.

Kral da benzer bir bakışla karşılık verip, "Odaklandım zaten. Farkında mısın bilmiyorum ama kameranın arkasında çekimi yapan benim," dedi.

Müthiş, diye düşündü Jaeger. Daha geleli bir iki gün olmuştu ama kamera tayfası şimdiden kavga etmeye başlamıştı. Ormanda haftalar geçirdikten sonra nasıl olacaklardı acaba?

Dale, Jaeger'a döndü. Sanki, *bak nelerle uğraşıyorum* dermişçesine gözlerini devirip, "Bu rakip güç hakkındaki kuşkularını soruyordum," diye kaldığı yerden devam etti.

"Düşünsene," diye başladı Jaeger. "Savaş uçağının tam koordinatlarını kim biliyor? Albay Evandro, ben, Alonzo. Ona ulaşmaya çalışan başka bir güç varsa bizi takip etmek zorundalar. Ya da takımdan birini konuşturmaları gerekir. Buraya uçarken peşimize kimliği belirlenemeyen bir uçak takılmıştı. Yani bir ihtimal, küçük bir ihtimal en başından beri takip edilip gözdağı verilmiş olabiliriz."

Dale gülümseyip, "Muhteşem, bu kadarı yeter," dedikten sonra Kral'a döndü. "Kapa kamerayı." Ardından tekrar Jaeger'a dönüp, "Çok iyi oldu," dedi. "Harika bir iş çıkardın!"

Jaeger, pompalısını kucağına alıp, "Biraz daha az kurcalasan daha mutlu olabilirdim. Ama yine de gizlice çekim yapmanızdansa böylesi daha iyi..." dedi.

"Katılıyorum," dedikten sonra Dale duraksadı. "Peki her gün böyle bir şey çekmeye ne dersin? Video günlüğü gibi olur."

Jaeger kampa doğru yürümeye başlamıştı.

"Olabilir, zaman kalırsa..." Omuzlarını silkti. "Bakalım daha neler göreceğiz."

43

Ormanda gece hızlı çöküyordu. Karanlığın iyice yaklaşmasıyla Jaeger üzerindeki böceksavar miktarını artırdı ve savaş pantolonunun paçalarını, gecenin bir yarısı sürünebilecek korkunç yaratıklardan korunmak için botlarına soktu. Bu şekilde uyuyacaktı, bütün kıyafetleri üzerinde ve pompalısı da kollarının arasında... Bu sayede karanlığın hüküm sürdüğü saatlerde saldırı alırlarsa karşı koyabilecek bir hâlde olacaktı.

Tabii tüm bu hazırlıklar Serra de los Dios'un en ölümcül düşmanını mağlup etmeye yetmiyordu; sivrisinekler. Jaeger daha önce böyle bir türle karşılaşmamıştı. Kan emme ve hastalık bulaştırma niyetiyle minik vampir kanatlarını çırpa çırpa vücudunun üzerinde gezerken o acımasız vızıldamalarını duyabiliyordu. Elbette çok rahat bir şekilde üzerindekileri geçip cildine ulaşabiliyor, Jaeger'a o minik çeneleriyle kanını içeceklerini hissettiriyorlardı.

Hamağına çıktı, tüm bedeni yorgunluktan alev almışçasına yanıyordu. Narov'u kurtarmak için verdiği savaştan ve ormanın içindeki yalnız macerasından sonra kelimenin tam anlamıyla tükenmişti. Geçen gece de neredeyse hiç dinlenmemişti. Özellikle Alonzo karanlık boyunca nöbet tutacağına söz verdikten sonra ölü gibi yığılıp uyuyacağından hiç şüphesi yoktu.

Eski komando, tüm gece boyunca ormanı gözleyecek birilerinin olacağını garanti altına almak için sağlam bir nöbet düzeni kurmuştu. Herhangi bir sebepten ötürü, hatta ihtiyaç gidermek için bile olsa birinin açıklığın kenarındaki kamptan ayrılması gerekirse yanına başka birini almak zorundaydı. Bu sayede olası bir sıkıntıya karşı herkesin yanında bir destek oluyordu.

Yoğun ve yumuşak bir karanlık, nehrin kıyısındaki açıklığa çöktü. Beraberindeyse gece seslerinin korosunu getirdi; ağustos böceklerinin sersem ötüşleri -cır, cır, cır, cır, cır- gün doğumuna kadar devam edecekti. Dev böceklerin ve uçan diğer şeylerin çarpışmaları geceyi çınlatırken, suyun üzerinde süzülerek avlarının peşinde uçan kocaman yarasaların da tiz çığlıkları her yanı kaplayacaktı. Rio de los Dios'un üzerindeki havada karanlığı döven kanatlar eksik olmuyordu. Jaeger ormanın üzerini tüy gibi örten ağaç tepelerinden sızan ürkek yıldız parıltılarının arasında hızla hareket eden yarasaların gölgesini yakalayabiliyordu. Hayaletimsi silüetleri, insanın içini titreten ateş böceklerinin parıltısında iz bırakıyordu.

O ateş böcekleri, yağan yıldız tozlarıyla yumuşamış geceye can veriyordu. Nehrin kıyısı boyunca ağaçlara batıp çıkarken mavi ve yeşilin kusursuz uyumuyla karanlığın ortasında ışıltılı bir leke bırakıyorlardı. Arada sırada da biri puf diye ortadan kayboluyor, bir yarasanın havada kapmasıyla ışığını karanlığa teslim ediyordu. Jaeger'ın takımındaki dört kişi de aynı böyle karanlık ve hayaletimsi bir güç tarafından ormanın gölgeleri arasında kaçırılmıştı.

Gece saatleri zamana hükmederken, Jaeger da kendini gündüz en derinlere gömdüğü şüpheleriyle kuşatılmış bir hâlde buluyordu. Daha ineli birkaç gün olmuş ve beş kişiye veda etmeleri gerekmişti. Yine de o veya bu şekilde keşfin geleceğini kurtarması gerekiyordu. Ama aslında bunu nasıl yapacağına dair hiçbir fikri yoktu.

Jaeger daha önce de pek çok sefer bu kadar dibe batmış ama her seferinde işleri yoluna koymayı başarmıştı. Böyle durumlarda kendini gösteren özel bir gücü vardı ve bir yanı da ihtimallerin bu kadar düşük olmasına ve belirsizliğe çekiliyordu. Ama bir şeyi netleştirmişti artık; her şeyin cevabı, başlarına gelen tüm talihsizliklerin yanıtı ormanın en derinlerinde, o gizemli enkazın uzandığı bölgede yatıyordu. Adım atmasını sağlayan tek şey buydu.

Jaeger sol ayağını hamağında iyice yukarı kaldırarak botunun bağcık-larını çözdü. Ayağından çıkardı, elini daldırdı ve tabanından bir şey aldı. Üzerine kısa bir süre fenerini tuttu, ışık ve gözleri bir müddet kendisine bakan iki yüzün üzerinde oyalandı. Yeşil gözlü, simsiyah saçlarıyla dünyanın en güzel annesi ve yanında Jaeger'ın burnundan düşmüş gibi görünen oğlu onu seyrediyordu.

Bazı gecelerde, -her gece- onlar için dua ederdi. Bioko'da geçirdiği uzun ve boş yıllar boyunca duasını eksik etmemişti. Bu gece de Rio de los Dios'un kenarındaki iki ağacın arasında sallanan hamağında yatarken onları düşünüyordu. Uzaktaki uçağın enkazına vardığında aradığı cevapları bulacağını biliyordu. Ama belki de bir ihtimal en çok aradığı cevabı, karısına ve oğluna ne olduğunu da orada öğrenebilirdi.

Jaeger kollarının arasında o fotoğrafla dinlendi. Uykuya dalmak üze-reyken orada başlayan savaşta bir nevi ateşkes ilan edildiğini düşündü. Serra de los Dios'a paraşütle inmelerinden bu yana ilk kez ormanın gölgeleri arasında onları seyreden düşman gözlerini hissetmemişti. Ama bunun geçici bir ara olduğunun da farkındaydı. İlk çatışmalar yapılmış, ilk zayiatlar verilmişti.

Asıl savaş daha yeni başlıyordu.

44

Rio de los Dios'ta üçüncü günlerine gelmişlerdi. Jaeger, bu üç günü, artık tüm dikkati dağılana kadar yolculuğun sonraki kısımlarını uzun uzun düşünmekle geçirmişti. Saatte ortalama altı kilometre hızla nehir akıntısıyla üç gün boyunca batıya ilerlemişlerdi. Su üzerinden sağlam bir yüz yirmi kilometre yol almışlardı.

Jaeger ilerleyişten memnundu. Böylesine bir mesafeyi karadan almayı denemeleri hâlinde çok daha uzun bir zaman geçer, çok daha fazla yorulur ve akıl sır ermez tehlikelerle karşılaşırlardı.

Üçüncü günün akşamüzerine doğru Jaeger aradığı şeyi gözüne kestirdi; Yolların Buluşması. Rio de los Dios'a burada daha küçük bir akıntı, Rio Ouro, Altın Nehir katılıyordu. Rio de los Dios, ormandan yakaladığı alüvyonla neredeyse siyaha çalan koyu kahverengi bir suyla akarken, Rio Ouro dağlardan süpürdüğü kumlu tortularla altın sarısı bir renkte akıyordu. İkisinin buluştuğu noktadaysa Rio Ouro'nun daha soğuk, daha yoğun suyu; ılık akan kuzeniyle birleşmeye isteksiz bir tutum sergiliyordu. Jaeger da önünde neredeyse hiç karışmadan bir kilometre boyunca yan yana akan siyah ve beyaz suyu gördüğü gibi nerede olduğunu anlamıştı.

Yolların Buluşması'nda, Rio Ouro'nun daha küçük akıntısı, Rio de los Dios tarafından emilecekti. Tam olarak o anda Jaeger ile takımı da durmak zorunda oldukları konuma üç kilometre uzakta olacaktı.

Çünkü önlerinde geçilmesi mümkün olmayan bir engel, nehrin üç yüz metre boyunca yağdığı "Şeytanın Şelalesi" vardı.

Buraya kadarki yolculuk neticesinde ormanla örtülmüş yüksek bir platoya gelmişlerdi. Rio de los Dios'un şelaleyle gürlediği bölge, platonun dik bir hatla ikiye ayrıldığı noktayı temsil ediyordu. Batıda kalan kara üç yüz metre aşağıda yatıyor, sonu gelmez bir yağmur ormanı örtüsüne ev sahipliği yapıyordu. Ulaşmaya çalıştıkları gizemli uçak enkazının olduğu bölgeyse o alçak ormanın ortasında, Şeytanın Şelalesi'nden otuz kilometre ileride onları bekliyordu.

Jaeger küreklerini sessizce suya sokup ufacık bir dalga bile yaratmadan ilerlemeyi sürdürdü. Eski bir Kraliyet Deniz Komandosu olarak su üzerinde hâkimiyeti tam anlamıyla kurabiliyordu. Nehir safhasında liderliği üstlenmiş, tehlikeli sığlıklarda arkasındakilerin daha rahat hareket etmesini sağlamıştı. Bir sonraki hamlelerini gösterdi. Bu raddeden sonra alacağı tüm kararlar çok önemliydi.

Nehir akıntısıyla yaptıkları yolculuk en azından önceki sürece göre nispeten huzurlu geçmişti. Ancak karaya çıkış zamanı yaklaştıkça Jaeger da bu geçici sükûnetin son bulacağını hissetmeye başladı. Havada yeni bir tehdidin yankılandığını hissediyordu; boğuk, gırtlaktan gelen bir inleme kulaklarını doldurdu. Sanki yüz binlerce antilop, Afrika düzlüklerinde muazzam bir izdihama yol açmış gibiydi. İleri baktı. Ufukta, yükselen buğuların oluşturduğu bir kule gördü; Rio de los Dios'un suları uçurumun kenarında çağlayarak dünyanın en uzun ve en coşkulu şelalelerinden birine can veriyordu.

Şeytanın Şelalesi'nden geçmenin hiçbir yolu yoktu, gökyüzünden çekilen fotoğraflara bakarak bunu anlaması gayet kolay olmuştu. Hedefe doğru geçilebilir görünen tek yol; sarplıktan aşağı süzülen, bir nevi patikaya benzer bir aralıktı. Ama onun için de buradan bir gün boyunca kuzeye ilerlemeleri gerekiyordu. Jaeger'ın planı nehirden erkenden çıkmak ve dik inişle birlikte yolculuğun kalan kısmını yayan bir şekilde tamamlamaktı.

Şeytanın Şelalesi'nin etrafından dolaşarak yoldan epey bir ayrılmış olacaklardı ama Jaeger'ın gözünde başka bir alternatif yoktu. Araziyi mümkün olan her açıdan incelemişti ve sarp kayaların arasındaki patika dışında onları enkaza götürecek bir yol yoktu. O patikayı kimin veya neyin yaptığıysa apayrı bir gizem konusuydu. Vahşi hayvanlar olabilirdi. Kızılderililer olabilirdi. Ya da o acımasız, tehlikeli ve silahlı gizemli güç olabilirdi.

45

Jaeger'ın boğuştuğu ikinci sorun, şimdiye kadar yolculuğun son kısmını hep on kişilik bir takım hâlinde yapmaya göre planlamasıydı. Artık beş kişiydiler ve kayıp takım üyelerinin eşyalarını ne yapacağı konusunda bir türlü emin olamıyordu. Kişisel eşyalarını kanolara yüklemişlerdi ama buradan sonra taşımak gibi bir durum söz konusu olamazdı. Böylesine yüklü bir takımı bırakmak da kaybolan takım üyelerinin hayatını kaybettiğini kabullenmekle eşdeğer olurdu. Ama Jaeger başka bir yol göremiyordu.

Arkasına baktı. Kendi kanosu önde, diğerleri de tam arkasında sıralanmıştı. Toplamda beş tekne vardı, her biri çok fonksiyonlu kayıklardandı. Dört buçuk metre uzunluğunda, yarı katlanabilir, şişirilebilir keşif kanosu... Kamishi ve Krakow'un birlikte atladıkları paraşüt tüpleriyle aşağı indirilmişlerdi. Her biri yirmi beş kilo olan kayıklar, yirmi santimetrekarelik küpler hâlinde katlanmış bir şekilde taşınabilmesine rağmen, açıldığında 249 kilo eşya taşıyabilecek bir tekne hâlini alıyordu.

Nehir kenarındaki açıklıkta kayıkları açmış, el pompalarıyla şişirmiş ve teçhizatla doldurarak suya sokmuşlardı. Her bir kayık patlamaya karşı dayanıklı olması adına üç katlı ripstop naylondan üretilmiş, içindeki dâhilî alüminyum dayanaklarla daha dengeli bir hâl almış ve uzun mesafe kürek çekme görevlerinde cildi rahatsız etmemesi için ayarlanabilir oturaklarla güçlendirilmişti. Bir kanoya düşen altı adet şişirilebilir hazne ve yüzdürme balonları da eklenince, karşılarına çıkan beyaz sulu kısımlarda ispatlandığı üzere neredeyse batırılamaz bir hâle gelmişlerdi.

İlk etapta Jaeger'ın planı suya her birinde takımından iki kişinin oturacağı beş kayık indirmekti. Ancak sayı bu denli azaldıktan sonra kayıklar her birine bir kişi oturacak şekilde yeniden düzenlendi. Üç günlük yolculuğu bir kanoda sıkış tıkış geçirmeme işineyse en çok Dale ile Kral sevindi.

Jaeger çekim ekibi arasındaki husumetin ardında yatan şeyi bulmuştu; Kral, Dale'in kıdeminden adeta tiksiniyordu. Yönetmen koltuğunda Dale otururken, Kral sadece yardımcı yapımcı rolünü üstlenmişti ve Slovak adamın öfkesi kimi zamanlar açık bir şekilde gözlerine yansıyordu. Dale tarafındaysa Kral'ın talihsiz diş emme huyu adamı canından bezdiriyordu.

Jaeger bu tür keşif gezilerinde ormanın kalbine indikleri sırada en yakın arkadaşların bile nasıl kanlı bıçaklı hâle gelebileceğine yeterince tanık olmuştu. Bu sorunu çözmesi gerektiğini biliyordu, yoksa şimdilik hafiften başlayan sürtüşmeler nihayetinde tüm keşfi tehlikeye atabilirdi.

Takımın kalanı; yani Jaeger, Alonzo ve Kamishi gayet iyi anlaşıyordu. Böylesine yırtıcı olduğu kadar gizemli de bir düşmanla yüzleştiklerinde, alfa erkeklerin kendine çekidüzen vermesi de bir oluyordu. Dünyanın en elit kuvvetlerinde görev yapmış üç eski asker, karşılarındaki güçlük karşısında bir araya gelmişti; birbirinin arkasından mızmız eden sadece çekim ekibi vardı.

Jaeger'ın sivri uçlu salının başı, bir tarafında altın sarısı, bir tarafında kapkara akan Yolların Buluşması'na doğru süzülürken bir saniye durup nehirde neredeyse mutlu olduğunu düşündü. Neredeyse...

Takımından beş kişiyi kaybetmek tüm keşfin üstüne karanlık ve daimî bir gölge bırakmıştı.

Ama Londra'dayken en çok istediği şeylerden biri de buydu; dünyanın en büyük ormanlarından birinin kalbinde akan vahşi ve kimsesiz bir nehirde uzun bir yolculuk hayali kuruyordu. Burada nehirler hem gün ışığına hem de hayata birer koridor açıyordu; vahşi hayvanlar kendi kıyılarında toplanıyor ve gökyüzü binbir çeşit kuş kanadının havayı dövmesiyle şakıyordu.

Kayıkların her birinde, en önemli mühimmata erişim için lastikli bir şerit vardı. Jaeger da yakın dövüş pompalısını hemen elini uzatıp alabileceği bu bölmeye koymuştu. Olur da bir kayman sorun çıkarmaya gelirse saniyeler içinde silahını çekip ateş açmaya başlayabilirdi. Ancak böyle bir şey olmadan, kayıklar nehirde hareket eden en büyük şey olduğu için tüm timsahlar aradaki mesafeyi korumayı yeğlemişti.

O sabah bir ara Jaeger, kayığıyla sessiz bir şekilde akıntıyla birlikte süzülürken bir jaguarın -güçlü bir erkek- avını izlediğini görmüştü. Koca kedi nehir kenarında saklanmış, bir ses çıkarmamak veya nehirde dalgalanma yaratmamak için özenle hareket etmişti. Timsahın kör noktasına geldiğindeyse dev yırtıcının güneşlendiği çamur birikintisine doğru yüzmüştü. Hedefinde, siyah kaymanların aksine, türün küçüğü kabul edilebilecek bir yakare vardı.

İri kedi çamur birikintisine doğru süzülmüş ve saldırıya geçmişti. Son saniyede tehlikeyi sezen timsah karşılık vermek için çenesini savurmayı denemişti ama kedi çok daha hızlıydı. Bacaklarını açıp timsahın başının biraz arkasında yerini almış, pençelerini en derine saplayarak ürkütücü canavarın başını ağzının arasına yerleştirmiş ve dişlerini beynine kadar sokmuştu.

Timsahın ölümü hızlıydı. Sonrasında jaguar, timsahı suya çekti ve avıyla birlikte kıyıya yüzdü. Bütün süreci bu şekilde seyreden Jaeger, içinden koca kediye alkış fırtınaları koparmak istemişti. Jaguar 1-0 öne geçmişti ve Jaeger alınan sonuçtan oldukça memnundu. Dev yırtıcılarla girdiği savaştan ve Irina Narov'u onlara kaptırmasının ardından onlara karşı en derinden samimi bir nefret beslemeye başlamıştı.

Nehirden seyahat etmenin keyifli olan başka bir yanı da vardı. Dale ile Kral'ın kayıkları, filotillanın en arkasından ilerliyordu. Jaeger, en tecrübesiz kanocu onlar olduğu için, olası bir tehlikeden en uzakta olması gerekenin de çekim ekibi olduğunu söylemişti. Ek olarak filonun en arkasında oldukları için Jaeger da Dale'in kamerasından uzak kalabilmişti.

Ancak garip bir şekilde, özellikle son günün ardından, Jaeger kamera önünde yaptığı sohbetleri neredeyse özlediğini fark etti. O kamera Jaeger için konuşacak biri hâlini almış, yükünü omuzlarından atmasını sağlamıştı. Katıldığı başka hiçbir keşifte kardeşim, dostum dediği birinin eksikliğini bu denli çekmemişti.

Alonzo yedek bir ikinci yardımcı olma konusunda fena sayılmazdı. Hatta Jaeger'a birçok açıdan Raff'ı hatırlatıyordu. Bununla birlikte kocaman fiziğiyle eski komandonun eşsiz bir savaşçı olduğundan da şüphesi yoktu. Jaeger, Alonzo'nun zamanla iyi ve sadık bir arkadaş olabileceğini düşündü ama yoldaşı değildi; henüz değildi.

Hiro Kamishi de aynı şekildeydi. Jaeger, Doğu'nun mistik savaşçı öğretilerine kendini adamış, samuray yaşamı süren sessiz Japon ile paylaşabileceği çok şey olduğunu düşünüyordu. Ama önce Kamishi'yi tanıması lazımdı. Alonzo da, Kamishi de damarında elit asker kanı akan adamlardandı ve bu adamların savunmayı bırakıp açılmaları zaman alırdı.

Aslında aynı durum Jaeger için de geçerliydi. Bioko'da geçirdiği üç yılın ardından kendi refakatinde ne kadar rahat olabileceğini fark etmişti. O bilindik hiç kimseye güvenmeyen eski askerler gibi numunelik bir yalnız değildi ama tek başına yaşamaya adapte olmuştu. Kendiyle bir arada olmaya alışmış ve çoğu zaman da bir başına olmak daha kolay gelmişti.

Bir anlığına Jaeger, Irina Narov'un nasıl bir yer edinebileceğini düşündü. Zaman ilerledikçe konuşabileceği biri hâlini alabilir miydi? Yoldaşı, sırdaşı olabilir miydi? Bilemiyordu. Ne olursa olsun onu kaybetmişti ve bu kayıp da geleceğe dair yaşanabilecekleri anlamaya başlamasından bile çok önce meydana gelmişti.

Onun yokluğunda, kamera tuhaf bir sırdaş rolüne bürünmüştü. Ama yanında büyük bir sorunla, Dale ile birlikte geliyordu. Yani güvenilir olmasına imkân yoktu. Ancak Jaeger'ın elinde de başka hiçbir şey yoktu.

Önceki akşam, nehir kenarında kamp kurdukları sırada Dale ile ikinci röportajı yapmışlardı. Bu sohbet sırasında, genç yönetmene yavaş yavaş da olsa ısındığını fark etti. Onda röportaj yaptığı kişilerden gayet temiz bir sükûnet ve itibarla dürüstçe bilgi alma gibi bir yetenek vardı. Oldukça ender rastlanan bir şeydi bu ve Jaeger da bu yüzden adama saygı duymaya başlamıştı.

Röportaj bittikten sonra, Stefan Kral özel bir konuşma için oyalanmıştı. Kamera ekipmanını topladığı sırada, ilk kamp yaptıkları açıklıktaki gizli çekimle ilgili küçük bir itiraf yapmak için yanına geldi.

"Umarım masal anlattığımı düşünmüyorsundur ama bilmen gerekiyor diye düşündüm." O tuhaf, orantısız gülüşü yine yüzüne yerleşmeye başlamıştı. "Gizli çekim işi tamamen Dale'in fikriydi. Kendisi kamerayı kontrol ederken bana da soruları sordurttu." Sıkıntılı bir ifadeyle Jaeger'a baktı. "Ben işe yaramayacağını, anlayacağını söyledim ama Dale dinlemedi. Büyük yönetmen o sonuçta, ben de aşağılık yardımcı yapımcıyım. Kararları o veriyor." Kral'ın ağzından çıkan kelimeler buram buram nefret kokuyordu. "Aslında yaş olarak ben kıdemliyim, ormanlarda da bir sürü çekim yaptım ama nasıl olduysa emir alan da ben oldum. Açıkçası böyle bir şeyi yine yapmaya çalışırsa şaşırmam, haberin olsun yani."

"Sağ ol," dedi Jaeger. "Bir gözüm açık olacak."

"Benim üç çocuğum var. En sevdikleri film ne biliyor musun?" diye devam etti Kral, eğri büğrü yarım gülüşü yüzünü iyice kaplamıştı. "Shrek. Bir şey daha diyeyim mi? Dale o iğrenç Beyaz Atlı Prens! Bunu da kullanıyor yani. TV sektörü bir sürü kadınla dolu; yapımcılar, yönetmenler, senaristler... Bizimki de hepsini parmağında oynatıyor."

Orduda geçen zamanı süresince Jaeger, sıfırdan yanına gelen adamları kahramana çevirme konusunda isim yapmıştı. Belki de "ezilen" tarafta olanlara karşı her daim doğal bir yakınlık beslemesini de böyle açıklayabilirdi. Nitekim bu çekim ekibinde ezilen kişi de açık ara Kral'dı. Ama aynı zamanda, Carson'ın liderliği neden Dale'e verdiğini de gayet iyi anlıyordu. Askerde de çoğu zaman genç subaylar, daha deneyimli askerleri komuta ederdi. Bunun tek sebebiyse liderlik hamuruna sahip olmalarıydı. Jaeger da Carson'ın yerinde olsa aynısını yapardı.

Kral'ı rahatlatmak için elinden geleni yaptı. Bundan sonra ciddi endişelere kapılırsa direkt onunla konuşacağını söyledi. Ama ne olursa olsun işi çözmesi gereken yine o ikisiydi. Bu çözümün bir an önce gelmesiyse hayati bir önem taşıyordu.

Böylesine bir gerginlik, sürekli artan nefret bütün keşfi mahvedebilirdi.

Jaeger'ın kayığının ucunda, artık siyah ve beyaz nehir suları bir araya geliyor; Şeytanın Şelalesi'ne yaklaşırken büründüğü kirli gri rengiyle kulakları sağır edici bir şekilde çağlamaya hazırlanıyordu. Bununla birlikte Jaeger'ın kafası da mevcut durumun acımasız önceliklerine odaklandı.

Çok hızlı bir şekilde karaya çıkmaları gerekiyordu.

İleride sağ tarafına doğru uzanan bölgede, sarkan ağaç dalları arasında gözlerden sakınılmış çamurlu bir kıyı gördü. Eliyle işareti verdi ve kayığını o tarafa çevirdi, arkasındaki kanolar da sırayla aynısını yaptı. Küreğini o tarafa doğru çekerken ağaçların altında anlık bir hareket gördü. Nehir kıyısında dolanan bir hayvan olduğundan emindi. Yine de bir kez daha kendini gösterip göstermeyeceğini anlamak için ağaçların altındaki karanlığı seyretmeye devam etti.

Bir sonraki hareket, ormandan çıkan bir figürdü; bir insan figürü.

Çıplak ayaklıydı, belinin etrafına sardığı bir kumaş parçası haricinde tamamen çıplaktı ve direkt Jaeger'ın olduğu tarafa bakar şekilde dikiliyordu. Şimdiye kadar bağlantı kurulmamış bu Amazon Kızıldereli kabilesinin savaşçısıyla Jaeger'ın arasında artık sadece beş yüz metre genişliğinde bir su vardı.

46

Jaeger, orman savaşçısının kendini göstermeyi seçtiğini biliyordu. Asıl soru, nedendi. Kızılderili bir anda gölgelerin arasından süzülmüştü, istemesi hâlinde gizli kalacağı su götürmüyordu. Bir elinde özenle kavislendirilmiş yayıyla oku vardı. Jaeger bu silahlara aşinaydı. Uzun okların ucu, otuz santimlik düz bambulardan bilenerek jilet kadar keskin hâle getirilmiş; kenarlarına da ölümcül dişler eklenmişti.

Bambudan ok başlarının bir tarafı, pıhtı önleyici özelliğe sahip tiki uba ağacının zehrine bandırılmış olurdu ve arka tarafı da okun düzgün uçmasını sağlamak için papağan tüyleriyle desteklenirdi. Bu oklardan birinin vücuda saplanması hâlinde zehir yüzünden kan pıhtılaşamaz ve kurban kan kaybından ölürdü.

Kızılderililerin ağız tüfekleri, ağaç tepelerine yetecek ölçüde otuz metre civarında bir menzile sahipti. Ancak yay ve ok devreye girdiğinde bu mesafenin dört ya da beş katını alabiliyorlardı. Kabile büyük avlarının peşine düştüğünde bu silahları kullanıyordu; belki kaymanlara, kesinlikle jaguarlara ve şüphesiz topraklarına giren insanlara karşı.

Jaeger küreğinin düz kısmını suya vurarak bir alarm sinyali verdi. Belki fark etmemişlerdir diye arkasındakileri uyarıyordu. Sonra küreğini nehirden çıkarıp kayığının üzerine uzunlamasına yatırdı, sağ elini pompalısından ayırmamıştı. Birkaç saniye boyunca süzülürken Amazon Kızılderilisini sessizce seyretti. Savaşçı da aynı şekilde karşılık vermişti.

Adam bir işaret verdi; tek elini bir sağa bir sola salladı. Hemen ardından benzer şekilde giyinmiş ve silahlanmış daha fazla insan sağdan ve soldan yanında belirdi. Jaeger bir düzine adam saymıştı ve arkalarında kalan gölgelerin içinde gizlenen çok daha fazlası olduğunu düşünüyordu. Bu şüphesini doğrularmışçasına, liderleri olduğunu çıkardığı öncü savaşçı ikinci bir el hareketi yaptı; sanki bir çağrıda bulunuyordu.

Nehrin dört bir yanından feryatlar koptu. Hayvani, boğuk, gırtlaksı sesler suyun etrafını sararken hızla ilahî bir savaş narası hâlini aldı. Ardından yanlarına çok güçlü vuruşlar eklendi, sanki ormanın ortasında devasa bir davul ritim tutuyordu; *bum-bum-bum, bum-bum-bum!*

Derinlerden gelen sesler suda yankılanırken, Jaeger bunların ne anlam ifade ettiğini hatırladı. Albay Evandro'nun B-SOB takımlarıyla birlikte çalışırken de benzer sesler duymuştu. Ağaçların başladığı yerde Kızılderililer ağır savaş sopalarını dev köklere çarpıyor, bu vuruşlar odundan bir gök gürültüsü gibi her yere yayılıyordu.

Jaeger, Kızılderili liderin yayını kaldırdığını ve kendisine doğru çektiğini gördü. Savaş naralarının sesi yükseldi; köklere inen sopalar yay gerildikçe daha da güçlü vurdu. Liderin yaptığı işaretin, tüm yaşananların tercümeye ihtiyacı yoktu.

"Daha fazla yaklaşmayın."

Asıl sıkıntı, Jaeger'ın geri dönebileceği bir yer olmamasıydı. Arkasında yüz küsur kilometrelik bir nehir vardı ve ters yönde akıyordu. Önündeki tek seçenekse Şeytanın Şelalesi'nden boşluğa dalmak olurdu.

Ya burada karaya çıkarlardı ya da Jaeger ile takımı büyük bir belaya daha adım atardı.

İlk temas düşünüldüğünde pek elverişli bir yol değildi ama Jaeger başka çaresi olmadığının farkındaydı. Birkaç saniye daha böyle ilerlerse kabilenin gerdiği okların menziline girecekti ve bu sefer uçlarında zehir olduğuna emindi.

Pompalısını yuvasından çıkardı, kanosunun hemen önündeki nehre doğru tutup ateş açtı. Altı uyarı ateşi birbiri ardına patlarken, nehrin ortasında bir yarık açtı ve çok yükseklere su sıçrattı.

Kızılderililerin tepkisi de anlık oldu. Savaşçıların sıkı sıkı tuttuğu yaylar sonuna kadar gerildi ve oklar uçtu. Havayı delip geçen atışları hedefin tam üzerine geliyordu ama Jaeger'ın kayığının ucuna gelemeden tüm oklar suya düştü. Uyarı naraları ormanda ve nehirde yankılandı. O an Jaeger kabilenin geri adım atmayacağını ve savaşacağını anladı. Buraya gelirken istediği son şey bu kayıp kabileyle savaşmaktı. Ama başka çaresi kalmazsa gereken ne varsa yapacak ve takımını sonuna kadar savunacaktı.

Uzunca bir süre boyunca bakışları, kabilenin savaşçı liderinin gözlerine kilitlendi. Sanki suyun üzerinde bir irade savaşı patlak vermişti. Ardından savaşçı yeni bir işaret yapıp koluyla ormanı gösterdi. İki tarafındaki adamlar bir anda ağaçların arasına karışmıştı. Harekete geçmeleriyle görünürden kaybolmaları bir oldu.

Jaeger daha önce de orman kabilelerinin böylesine anlık kaybolma hareketleri yaptığını görmüştü ama bir kez daha hayran kaldı. Hiç kimsenin, Raff'ın bile bunun yakınına yaklaşamayacağını biliyordu.

Ama lider olduğu yerde kalmış, hareket etmemişti; öfkesi gözlerinden okunuyordu. Bir başına orada durarak Jaeger'a baktı.

Kayık nehir kıyısına doğru akıntıyla birlikte süzülmeye devam ederken Jaeger, Kızılderili'nin sağ elinde bir şeyi kaldırdığını, sonra büyük bir öfke çığlığıyla birlikte çamur birikintisine gömdüğünü gördü. Bu, arka tarafında dalgalanan bir savaş bayrağı ya da flama benzeri bir şey olan bir mızrak gibiydi. Ardından savaşçı dönüp ortadan kayboldu.

Jaeger karaya çıkış fırsatını tepmeyecekti. Tek başına ilerledi ve Alonzo ile Kamishi de bir ellerinde tüfekleriyle birlikte biraz arkasından hareketlerini sürdürdü. Filonun en arkasına, yolculuğun tamamını filme alma konusunda kararlı olan Dale ve Kral'ı yerleştirmişti.

Jaeger arkasındaki desteğe güveniyordu ve pompalısından çıkan uyarı ateşleriyle yaptığı güç gösterisinin kabileyi caydıracak önemli bir faktör olduğunu umuyordu. Küreğini birkaç kez daha güçlü bir şekilde çektikten sonra kayığı son birkaç metreye doğru süzüldü. Pompalısını alıp omzuna attı; silahın geniş, açık ağzı ağaçların oluşturduğu karanlık çizgiye gözdağı veriyordu. Hiçbir hareket belirtisi yoktu. Kayığın ucu çamura çarptıktan sonra durdu. Jaeger hızla atladı, yüklü salının arkasına geçip suda eğildi ve silahıyla ormanı taramaya başladı. En az beş dakika boyunca hareket etmedi.

Pompalısının arkasında siper alır bir şekilde durdu ve kulak verip sessizce izledi. Tüm duyularını bu yeni çevreye uyarladı, tamamen doğal olduğunu düşündüğü tüm sesleri bir bir eliyordu. Ormanın tüm normal nabzıyla ritimlerine, yani kalp atışına kulaklarını kapatırsa bir ayak sesi ya da bir savaşçının yayında gerdiği ok gibi doğal olmayan sesleri duyabilirdi. Ama şu an anormal hiçbir şey sezememişti.

Kabile üyeleri, aynen ortaya çıkışları gibi hızla ortadan kaybolmuş gibi görünüyordu. Ama Jaeger bir an bile tamamen peşlerini bıraktıklarına inanamıyordu. Silahını hazırda tutarak Alonzo ile Kamishi'yi yanına çağırdı. İkilinin kanoları kendi kanosuyla aynı hizaya geldiğinde eğildiği pozisyondan kalktı ve ormana cehennemi göstermeye hazır bir şekilde tuttuğu silahıyla sığ bölgeye ilerledi.

Çamur birikintisine uzanan kısmın yarısına geldiğinde bir dizinin üzerine çöküp silahının arkasından önündeki araziyi taradı. Ardından Alonzo ve Kamishi'yi çağırdı. İkisi de yanına geldiğinde ilerlemeye devam etti ve Kızılderili savaşçının mızrağını topraktan söküp çıkarana kadar yürüdü.

Leticia Santos, Jaeger'ın takımındaki kaybolan Brezilyalı kadın, üzerinde *"Carnivale!"* kelimesiyle süslenmiş çok renkli ipekten bir şal takıyordu. Jaeger, B-SOB takımlarıyla eğitim yaptığı sırada yeterli düzeyde Portekizce öğrenmişti ve şalın, kadının sıcak Latin ruhunu nasıl pekiştirdiğine dair bir yorum yapmıştı. Kadın da şalı geçen Şubat düzenlenen Rio Karnavalı sırasında kız kardeşinin hediye ettiğini ve keşifte şans getirmesi için taktığını söylemişti.

Kızılderili savaşçının mızrağının diğer ucunda asılı duran, Leticia Santos'un şalıydı.

47

Jaeger eşyalarını çantasına yerleştirirken hızlı hızlı konuşuyor ve çok acele ediyordu.

"Bir; nehri kullanmadan bu kadar hızlı bir şekilde nasıl önümüze geçtiler? İki; neden Santos'un şalını göstermek istediler? Üç; madem öyle, sonra neden ortadan kayboldular?"

"Hepimizi ele geçirmelerinin an meselesi olduğunu göstermek ve bizi uyarmak," dedi Kral. Jaeger adamın yüzünden eksik olmayan o gülüşün şimdi korkuyla gerildiğini görebiliyordu. "Tüm bu olay hızla kötüleşiyor."

Jaeger onu duymazdan geldi. Böyle durumlarda gerçeğin yüzüne vurulmasına ses çıkarmazdı ama Kral'ın insanı karamsar moda sokma gibi bir huyu vardı ve bu sefer bardağın dolu tarafına bakmak zorundaydılar. Yağmur ormanlarının tam ortasında, vahşi yaşamın kalbinde bu durumu toparlayamazlarsa işleri de biterdi.

Geçici bir kamp yapmak için kanolarındaki yükleri nehir kıyısına çıkardılar ve Jaeger da hızla eşyalarını toplamaya devam etti.

"Demek ki bizi düzenli bir şekilde takip ediyorlar," dedi. "Varlıklarını belli etmeden bir yerden izliyorlar. Bu da devam etmemizi daha önemli bir hâle getiriyor; çok yüklenmeden, hızla ilerleyeceğiz."

Bir tentenin üzerine yerleştirilmiş eşyalara baktı, geride bırakmayı planladıkları malzemelerdi bunlar. Tüm haricî takımlar onların arasındaydı; paraşütler, kayık malzemeleri, yedek silahlar.

"İhtiyacınız olmayan her şeyi, tekrar ediyorum her şeyi zulada bırakın. Fazladan yük olacak ne varsa, şüphe ediyorsanız bırakın gitsin." Jaeger kıyıya çekilmiş kayıklara baktı. "Kanoları da çevirip zulalayacağız. Önümüzdeki yolun tamamını yayan alacağız zaten."

Diğerleri de başlarını sallayarak onay verdi.

Jaeger, Dale'e baktı.

"İkiniz bir Thuraya'yı paylaşın. Wild Dog Media'nın uydu telefonu zaten. Bir tane ben alacağım. Üçüncüyü de sen al Alonzo. Bizde üç tane olsa yeter, kalanları zulada bırakacağız."

Gruptan yine onaylar nitelikte sesler çıktı.

"Beyler bir de," Dale ve Kral'a döndü, "aranızda silah kullanmayı bilen var mı?"

Dale omuz silkip, "Xbox'ta alıp sıkmaktan farklı değildir herhâlde," dedi.

Kral, Dale'e doğru gözlerini devirip, "Ben dedim size, Slovakya'da herkes ateş etmeyi öğrenir. Benim geldiğim yerde hepimiz avlanmayı öğrendik, özellikle de dağlarda..." dedi.

Jaeger başparmağını kaldırıp, "O zaman git bir tüfek, altı tane de dolu şarjör al. İkinizin silahı bu olacak. Kamera aletleri yüzünden zaten fazladan yükünüz var, o yüzden silahı sırayla taşıyın," dedi.

Bir saniyeliğine, Jaeger elinde tuttuğu Narov'un bıçağına baktı. Sonra o bıçak da geride bırakılacak eşyalar arasındaki yerini aldı. Teoride, zulaladıkları her şeyi daha sonra gelip alacak; bildikleri bir yerde saklamış olacaklardı. Pratikteyse arkada bıraktıkları şeyleri kimsenin gelip alacağını sanmıyordu. *Giden gitti*, diye düşündü.

Sonra fikrini değiştirdi, Narov'un bıçağını da yanına aldığı eşyaların arasına koydu. Aynısını C-130'un Gece Takipçisi pilotunun verdiği bozuk para için de yaptı. Bu iki kararın arkasında da duyguları vardı. Önündeki yolculuk için ne paraya ne de bıçağa ihtiyacı vardı ama Jaeger böyle bir adamdı; batıl inançları vardı, bunları bir işaret olarak görür ve özel olarak kendisine bir anlam taşıyan şeyleri kolay kolay geride bırakamazdı.

"En azından şimdi düşmanın kim olduğunu biliyoruz," dedi herkesin moralini yerine getirmeye çalışarak. "Daha açık bir mesaj bırakamazlardı, kuma yazsalar belki..."

"Mesajın ne olduğunu düşünüyorsun?" diye sordu Kamishi, sesi her zamanki gibi ölçülü bir sakinlikle çıkmıştı. "Ben farklı şekillerde yorumlanabileceği kanaatindeyim."

Jaeger, merakla Kamishi'ye dönüp, "Santos'un şalı, bir mızrağın ucunda ve kuma gömülü bir şekilde... Ben gayet açık olduğunu düşünüyorum. 'Daha fazla yaklaşmayın, yoksa aynısı size de olur,'" dedi.

"Belki bunu yorumlamanın farklı bir yolu vardır," diye araya girdi Kamishi. "Direkt bir tehdit olmak zorunda değil."

Alonzo homurdanıp, "Nereye değil!" dedi.

Jaeger sessiz olması için elini kaldırırken, "Ne düşünüyorsun?" diye sordu.

"Onların gözünden olayı değerlendirmek yardımcı olabilir," diye başladı Kamishi. "Bence Kızılderililer korkmuş durumda... Onlar için başka bir dünyadan gelen uzaylılar gibiyiz. Bu izole dünyalarına gökten düştük. Büyülü sallarla suyun üzerinde süzüldük. Elimizdeki gürleyen sopalarla nehri patlattık. Daha önce böyle bir şey görmeseydiniz siz de korkmaz mıydınız? Peki insanoğlu korktuğu zaman nasıl bir tepki gösterir? Sinirlenir, saldırır."

Jaeger başını sallayıp, "Devam et," dedi.

Kamishi gözlerini diğerlerinin üzerinde gezdirdi. Herkes yaptığı işi bırakıp ona kulak vermişti. Dale için bunun anlamı çekim yapmaktı tabii.

"Bu kabilenin şimdiye kadar yabancılardan sadece saldırı gördüğünü biliyoruz," diye devam etti Kamishi. "Dış dünyayla kurdukları az sayıda temasın tamamında kendilerine zarar vermek isteyen insanlarla karşılaştılar; oduncular, madenciler ya da toprağı çalmak isteyen başkaları. Bizden de aynısını beklemeleri doğal değil mi?"

"Nereye bağlayacaksın?" diye üsteledi Jaeger.

"Bence çift taraflı bir yaklaşım sergilemeliyiz," diye duyurdu Kamishi sessizce. "Bir taraftan, özellikle de onların bölgesi olan ormandayken iki katı tedbirli oluruz. Diğer taraftan, Amahuaca'nın gönlünü kazanmaya çalışmalı; buraya geliş niyetimizin barışçıl olduğunu göstermeliyiz."

"Sevgi ve güven mi diyorsun?" diye sordu Jaeger.

"Sevgi ve güven," diye doğruladı Kamishi. "Kabilenin güvenini kazanmamız neticesinde başka bir avantaj da elde edebiliriz. Önümüzde hâlâ uzun ve zorlu bir yolculuk var. Kızılderililer, ormanı kimse onlardan iyi bilmiyor."

"Haydi ama Kamishi! Etrafına bir bak!" diye çıkıştı Alonzo. "Bizden birini aldılar, muhtemelen haşlayıp yediler ama biz gidip onlara mı yamanacağız? Sen hangi gezegenden geldin bilmiyorum ama benim dünyamda ateşe ateşle karşılık veririz."

Kamishi hafifçe başını eğip, "Bay Alonzo ateşe ateşle karşılık vermeye her zaman hazır olmalıyız. Bazen tek yol o olur zaten. Ama bir taraftan da dostluk eli uzatmaya da hazır olmalıyız. Bazen daha iyi yol bu olur," dedi.

Alonzo başını kaşıyıp, "Bilemiyorum ya... Jaeger?" diye sordu.

"İki ihtimale karşı da hazırlıklı olalım," dedi Jaeger. "Gerektiğinde dostluk, gerektiğinde de savaşın elini uzatabilecek durumda olalım. Ama kimse Kızılderilileri yanımıza çekecek saçma riskler almayacak. Az önce olanların tekrarı yaşanmayacak." Takımların toplandığı zulayı gösterdi. "Kamishi hoşlarına gidebileceğini düşündüğün bir şeyler seç; yanımızda götüreceğimiz hediyeler, onları cezbedecek şeyler."

Kamishi başını sallayıp, "Bir seçki oluşturacağım. Yağmurluklar, palalar, tencereler... Böylesine bir kabilenin işine kesin yarar," dedi.

Jaeger saatine bakıp, "Tamam, saat 14.00 Zulu. Sarp kayalardan inmemizi sağlayacak patikanın başlayacağı noktaya bir buçuk günlük mesafedeyiz. Zorlarsak daha hızlı bile gidebiliriz. Şimdi yola çıkarsak yarın gün batımında oraya ulaşırız," dedikten sonra pusulasını çıkardı ve daha önce kullandıklarına benzer birkaç tane çakıl taşı topladı. "Ağaç örtüsünün altında, sadece adımlama ve kerteriz hesabıyla yol alacağız. Sanıyorum bazılarınız," Kral ve Dale'e döndü, "tekniğe pek aşina değil. O yüzden yanımızda kalın ama çok da yaklaşmayın."

Ardından diğerlerine dönüp, "Dip dibe gitmek istemiyorum, yoksa çok kolay bir hedef oluruz," dedi.

48

Orman içindeki yolculuk Jaeger'ın tam da isteyebileceği şekilde geçti. Rotaları kırık hattın kenarından süzülüyordu ve orman nispeten daha az yoğundu. Zemin ise daha taşlı ve kuruydu. Tüm bunlar bir araya geldiğinde sağlam bir ilerleme kaydettiler.

İlk gece ormanın ortasında kamp kurup çift taraflı stratejilerini uygulamaya koydular. Güvenliği iki katına çıkarırken, barışçıl bir temas için de Kızılderilileri çekmeye çalışmışlardı.

Orduda geçirdiği zaman süresince Jaeger çok sayıda sevgi ve güven operasyonu yapmıştı. Bu operasyonların amacı bölgedeki yerel halkla dost olmaktı. Bölge yerlileri her zaman düşman hamlelerine dair en kilit bilgilere sahip olurdu ve takip edip pusuya düşürme konusunda da en iyi yolları bilirlerdi. Onları yanlarına çekmek her açıdan oldukça mantıklı bir hareketti.

Hiro Kamishi'nin yardımlarıyla Jaeger, Kızılderililere verilecek hediyeleri sıralayıp kampın görüş menzilindeki ağaçlara astı. Birkaç bıçak, birkaç pala ve biraz tencere dünyanın en büyük ormanında yaşayan yalnız bir kabilenin üyesi olsa Jaeger'ın hoşuna gidecek şeylerdi.

Joe James'in Kızılderililer için yazdığı türden bir notla uğraşmadılar. Daha önce iletişim kurulmamış kabilelerin okumayı pek önemsediği söylenemezdi. Ancak iyi haber o sabah geldi, ağaçlara asılan hediyelerden bazıları alınmıştı. Yerlerineyse biri, muhtemelen Kızılderili savaşçılar kendi hediyelerini bırakmıştı; biraz taze meyve, hayvan kemiğinden birkaç takı ve bir de jaguar derisinden yapılma ok kılıfı. Jaeger çok sevindi. Barışçıl temasa yönelik ilk adım başarıyla geçilmişti. Yine de tetikte kalmaya kararlıydı. Kızılderililer belli ki çok yakındaydı. Jaeger ile takımını sürekli takip ediyorlardı ve bu da tehdidin sürdüğünü açıkça gösteriyordu.

Jaeger, üç yüz metrelik uçurumun ucundaki, aşağı doğru yolu açan patikanın dibinde kamp kurmayı planladıkları ikinci yere ilerleyen yolda takımına rehberlik etti. Geceyi geçirmek için uygun bir yer bulana kadar hava kararmaya başlamıştı bile. Takıma durmalarını işaret etti. Herkes çantalarını bıraktı ve üzerine oturdu, tek bir ses bile çıkmıyordu. Jaeger hepsine on dakikalık "dinleme nöbeti" tutturuyor, bütün takım ormana dönüp tehdit olup olmadığını anlamak için etrafı tarıyordu.

Her taraf sakin görünüyordu. Ardından kamp kurma işaretini verdi. Kızılderililere tam konumlarını belli etmeme çabasıyla hiçbir ışık yapmadan ormanı kaplamaya başlayan karanlığın arifesinde hızla çalıştılar. Kamp kurulduktan sonra Jaeger ile Kamishi birkaç hediye daha asmaya karar vermişti. Ama bu sefer ekstra bir güvenlik katmanı olması açısından daha uzak bir yere asacaklardı.

Jaeger çantasındaki pançosunu açtı ve dört ağacın arasına bağlayarak su geçirmez bir çatı oluşturdu. Bundan sonra terle yıkanmış gezi kıyafetlerini değiştirdi. Takımındaki herkes kuru kıyafet takımı taşıyordu; savaş tişörtleri, pantolon ve çoraplar. Karanlık çöktüğünde kuru kıyafet zamanı gelmiş oluyordu. Vücudun biraz da olsa kendine gelebilmesi için bu değerli birkaç saate ihtiyaçları vardı.

Kuru kıyafet zamanı olmazsa olmazdı. Giydikleri sürekli ıslak kalırsa sıcak ve nemli havada ciltleri tahriş olmaya başlardı. Kuru kıyafetlerini giydikten sonra Jaeger pançosunun altına hamağını astı. Paraşüt kumaşından elle dikilmiş bir hamaktı bu; böylece hafif, sağlam ve güçlü bir yapıya sahipti. Paraşüt ipeğinin iki katı vardı; birinin üzerinde uzanıyor, diğerini de üzerine çekerek koza pozisyonu alıyordu. Bu sayede sivrisinekler giremiyor ve sıcaklık da içeride kalıyordu.

Nitekim yağmur ormanları gece vakti şaşırtıcı bir şekilde soğuk olabiliyordu.

Hamağın ağaçlara uzanan iki ucuna, gövdelere bakacak şekilde ikiye ayrılmış bir squash topu yerleştirilmişti. Böylece akan suların hamağın başına ve ucuna erişmesi engelleniyordu. Jaeger topun hemen arkasındaki bölgeyi iyice spreyleyerek böcekleri uzak tutacak güçlü bir duvar ördü. Hamağı bağlayan iplere emilecek ve sızacak böcekleri vazgeçirecekti.

Pusulasını kuru kıyafet takımının cebine koydu. Gece vakti hızla kaçmaları gerekirse bu önemli parçası elinin altında olacaktı. Islak kıyafetlerini plastik bir torbaya koyup sırt çantasının kapak kısmına bağladı. Çantası hemen hamağın altında duruyor, en üstünde de silahı bekliyordu. Gecenin bir yarısında pompalısına uzanması gerekirse hemen elini uzatıp alabilirdi.

Keşfin artık altıncı gününe gelmişlerdi ve bitmek bilmeyen çabalarına bir de sürekli pürdikkat olma zorunluluğu eklenince hepsi ciddi şekilde bitap düşmüştü. Ama sıkı bir kuru ve ıslak kıyafet rutini tutturmak hayati önem taşıyordu. Tecrübeli Jaeger böylesine uzun bir keşifte birinin *Çok yorgunum, uğraşamam* diye kuru kıyafetine geçmediği an işlerinin biteceğini adı gibi biliyordu. Benzer şekilde kuru kıyafetleri bir kez ıslanırsa da geri dönüşü olmazdı. Ayak donması ve kasık mantarları fırsattan ânında yararlanır, adamı kurşun yemişçesine yavaşlatırdı.

Hamağına çekilmeden önce, en hassas bölgelerine; parmak aralarına, koltuk altlarına ve kasıklarına mantar önleyici pudradan sürdü. Kirin, nemin ve bakterilerin bir araya gelmeyi en sevdiği ve ilk önce çürüyüp mikrop kapacak yerler buralardı.

Sabah olduğunda takımıyla bütün gece rutinini tersine çevirecek; kuru kıyafetleri çıkarıp ıslakları giyecek, kuruları çantaya koyacak, çorapları ve diğerlerini talk pudrasına yatıracak ve önlerindeki yolculuğa hazırlanacaklardı. Zahmetli bir süreçti ama bu şartlarda vücudun çalışmayı sürdürmesi için bunları harfiyen uygulamaları gerekiyordu.

Son olarak, Jaeger meme uçlarının üzerine yapıştırdığı bantları kontrol etti. Islak kıyafetlerin sürekli sürtünmesi göğüste kızarıklıklara yol açıyordu. Biraz yeni bant kesti, yapıştırdı ve eskilerini çantasının arka ceplerinden birine koydu. Geride ne kadar az iz bırakırlarsa takip edilmeleri de o kadar zorlaşırdı.

Bunu da hallettikten sonra Kızılderilileri çekmek için sunacakları hediyeleri ağaçlara asmaya hazırdı. Kamishi ile bir önceki akşam yaptıklarını tekrarladılar; ellerinde kalan birkaç hediyeyi alabildiğine gökyüzüne uzanan ağaçların alçak dallarına astılar. Sonra kampa döndüler, ilk nöbeti ikisi tutacaktı. Gece boyunca her zaman iki çift göz tetikte olacak ve iki saatlik nöbet görevleri sırayla ilerleyecekti.

Jaeger ile Kamishi yerleşti, artık duyularına odaklanacaklardı. En çok da kulak ve gözlerine, en iyi erken uyarı sistemlerine yoğunlaştılar. Ormanın derinlerinde hayatta kalmak kelimenin her anlamıyla teyakkuzda olmayı gerektiriyordu.

Gecenin karanlığında tüm bedeni ormana bırakmak bir tür meditasyon gibiydi. Jaeger yanındaki Kamishi'nin de aynısını yaptığını hissediyordu. Ortamda yaşanacak değişikliklere karşı zihnini açtı, en ufak bir tehdit belirtisinde harekete geçecek durumdaydı. Olur da kulaklarına hafif bir ses çalınırsa, ormanın gölgelerinde ağaçların nabzı gibi atan böceklerin kulakları sağır edici darbeleri dışında bir şey duyarsa gözleri ânında gelen tehdidi arayacaktı.

Kamishi ile karanlıkların arasında bir hareket sezdiklerinde gerilim tüm vücudunu sardı. Gölgelere saklanmış yeşillikten gelen her sesle Jaeger'ın kalp atışları hızlandı. Ormanda garip hayvan sesleri yankılandı; Jaeger bazılarını daha önce hiç duymamıştı. Bu gece o seslerin arasına insanların karıştığına da emindi.

Tuhaf, doğal hissettirmeyen tiz çığlıklar ve feryatlar ağaçlara çarpıp durdu. Ormandaki hayvanların çoğu, özellikle de maymun sürüleri böyle çağrılar yapardı. Ama Amazon kabilelerinin de birbirlerine sinyal vermek adına aynı yöntemleri kullandığını biliniyordu.

"Duydun mu?" diye fısıldadı Jaeger.

Kamishi'nin dişleri, sızan ay ışığında parlıyordu.

"Evet, duydum."

"Hayvanlar mı, yoksa Kızılderililer mi?"

Kamishi, Jaeger'a dönüp, "Bence Kızılderililer. Belki yeni hediyelerimizi buldukları için sevinip işaret göndermişlerdir," dedi.

"Sevindiyseler iyi," dedi Jaeger.

Ama o feryatlar daha önce duyduğu sevinç çığlıklarının yanına bile yaklaşmıyordu.

49

Jaeger uyandı. Gecenin ortasında bir zamandı. İlk başta kendisini rahatsız edenin ne olduğundan emin değildi. Duyuları mevcut duruma uyanmaya başladıkça, kampın üzerinde güçlü ve sinsi bir gerilim olduğunu hissetti. Sonra gözünün bir ucuyla karanlık ormandan süzülen hayalet gibi bir şekil yakaladı. Neredeyse aynı anda ağaçlardan kamp alanına doluşan en az bir düzine adam daha olduğunu fark etti.

Hemen hemen çıplak figürlerin kasvetli ağaçların arasından çıktığını ve sessizce kampa sızdığını gördü. Silahları hazırda bekliyor, tek bir amaç uğruna hareket ediyorlardı. Jaeger hamağının altına uzandı, parmakları yakın dövüş pompalısının soğuk çeliğini hissetti. Elini etrafına sardı ve yanına çekti. Kendisi dışında sadece Alonzo'nun uyanık olduğunu görmüştü. Aralarındaki karanlıkta sessizce bir fikir alışverişi yaşandı; bir şekilde takımın nöbeti dağılmış ve Kızılderililer fark edilmeden içeri sızmıştı.

Jaeger'ın takımı sayıca çok eksikti, orası kesindi. Bununla birlikte Kızılderililerin ormanda gizlediği çok daha fazla silahı olduğuna da emindi. Alonzo ile o anda ateş açmaları hâlinde yaşanacakları kafasında canlandırabiliyordu. Katliamdan bir farkı olmazdı ama sayıca üstün olan Kızılderililer hepsini deşip geçerdi. Jaeger ateş etmemek için direndi, Alonzo'ya da aynısını yapması için işaret göndermişti.

Kısa bir süre sonra hemen yanında üç adam belirdi. Sesleri çıkmıyordu, ağaç kabuğundan birkaç parçayla tüy ve kemikten takılar hariç bir şey giymemişlerdi. Hepsinin elinde içi boş bir odundan tüp, bir ağız tüfeği vardı ve Jaeger'ın başına tutuyorlardı. Jaeger tüplerde ucu zehre bandırılmış oklar olduğuna emindi.

Jaeger'ın etrafındaki kâşif dostları da birer birer hareketlendi; hepsi ele geçirildiklerini fark ederek korkuyla bütünleşmişti. Sadece Hiro Kamishi'nin hamağı boştu. Sıralı nöbet görevleri belirlemişlerdi, herkesin değişim zamanı farklıydı. Jaeger görev başında Kamishi'nin olması gerektiğini ve saldırganları fark etmekte başarısız kaldığını anladı. Peki neden Kamishi tek başına nöbet tutuyordu? Oysa gece boyunca hep ikişer ikişer nöbet tutmaları gerekiyordu. Yine de artık fark etmiyordu, tüm takımıyla birlikte Kızılderililere esir düşmüşlerdi işte.

Jaeger'ın şu an yaşananları ölçüp biçecek çok kısıtlı zamanı vardı. El işaretleri ve zorlamalara boğuk sesli komutlar eklenmişti, Jaeger tam olarak ne anlama geldiklerini bilmiyordu ama arkasındaki mantık çok açıktı; hamağından inmesi emredilmişti. İki Kızılderili ağız tüfeği tehdidini korumayı sürdürürken, üçüncüsü de pompalısını elinden almaya çalıştı.

Kampı toplamaya, hamağını ve pançosunu kaldırmaya ve çantasını omuzlamaya zorlandı. Ardından sırtına sert bir tahta darbesi aldı, kendinden istenenin ne olduğunu anlamaması mümkün değildi. Jaeger'ın yürümesi isteniyordu ve artık her nereye gidiyorsa önündeki yolculuk için ıslak kıyafetlerine geçemeyecekti.

Kamptan çıktıkları sırada Kızılderili grubunun liderini gördü. Nehir kıyısında karşılaştığı aynı savaşçı emirler veriyordu. İki liderin bakışları buluştu ve Jaeger kapkara bir hiçliğin en derinlerine baktığını hissetti.

O jaguarın bakışlarını hatırlatmıştı.

Düz, karanlık, gizemli...

Av üstünde...

Jaeger, Hiro Kamishi'nin yanına düştü. Japon elit askerî kuvveti Tokusha Sakusen Gun gazisi yüzünü kaldıramıyordu. Kamishi tüm takımı yüzüstü bıraktığını, sonucunda ölüme yürüyebileceklerini biliyor olmalıydı.

"Özür dilerim," diye fısıldadı. Utançtan gözlerini yerden ayırmamıştı. "İkinci nöbet görevimdi, bir saniye gözlerimi kapadım ve..."

"Hepimiz yorgunuz," dedi Jaeger. "Kendini suçlamana gerek yok. Ama seninle nöbet tutması gereken diğer adam neredeydi?"

Kamishi göz ucuyla Jaeger'a bakıp, "Seni uyandırmam gerekiyordu ama dokunmayayım dedim. Nöbeti tek başıma geçirecek kadar güçlü olduğumu sandım. Bu da," deyip Kızılderili savaşçıları gösterdi, "sonucunda olanlar. Bir savaşçı olarak görevimde başarısız oldum. Bushido mirasına gururumla leke sürdüm."

"Bak, hediyelerimizden bazılarını aldılar," diye hatırlattı Jaeger. "Yani dostça bir temas kurabiliyor, hatta istiyorlar. Sen olmasan onlarla asla iletişime geçemezdik. Utanmana hiç gerek yok dostum. Güçlü kalmana..."

Jaeger'ın sözleri başına inen ağır bir sopayla kesildi. Kızılderililerden biri Kamishi ile konuştuklarını fark etmişti ve ödülü de kafatasında bir çatlak açılmış gibi hissettiren acı olmuştu. Belli ki konuşmaları değil, yürümeleri isteniyordu.

Kamptan uzaklaştıkça gölgelerin arasından çıkan adamların sayısı da arttı. Anlaşılmaz bir şekilde Kızılderililer çok yakında bile olsa görünmez kalmayı başarabiliyordu, tabii kendilerini göstermek istemezlerse...

Jaeger elit kuvvetlerin uyguladığı kamuflaj tekniklerine aşinaydı. Ormanların ortasına gizlenmiş gözetim noktalarında günlerce kalmış, oradan geçenler için görünmez olmuştu. Ama buradaki Kızılderililerin yaptığına basitçe kamuflaj demek mümkün değildi; çok daha derin, çok daha kapsamlı bir şey yapıyorlardı. Nasıl oluyorsa kendilerini ormanla bir bütün hâline getiren bir güç, gözle görülmez bir enerji kullanıyorlardı.

Zamanında katıldığı çok gizli bir SAS eğitim okulunda, yıllarını dünyanın en soyutlanmış kabileleriyle geçiren bir adamla tanışmıştı. O görevlerin amacı bu tür ortamlarda yerlilerin nasıl hareket edip savaştığını öğrenmekti. Ama katılanlardan hiçbiri bu işte yerliler kadar uzmanlaştığını söyleyerek kendini kandırmıyordu.

Bu kabilelerin söz konusu gücü kullanma şekli kelimenin tam anlamıyla inanılmazdı. İçine düştükleri bu acımasız çıkmaza rağmen Jaeger, Kızılderililerin yaptıklarını bu kadar yakından seyretme şansına eriştiği için büyülenmişti. Ses çıkarmadan ilerliyor, zifiri karanlıkta bile hiçbir adımını yanlış bir yere atmıyorlardı. Diğer taraftan Jaeger'ın takımı sürekli zemine çıkan köklere takılıyor ya da ağaç dallarına çarpıyordu.

Jaeger kaçış için en iyi, bazen de tek şansın ele geçirildikten hemen sonrasında yattığını biliyordu. Esirlerin gözünü karartıp harekete geçecek enerji ve morale sahip olduğu son an buydu ve ele geçirenler de tutsaklarıyla mücadele konusunda en çok bu anda hazırlıksız olurdu. Çoğu zaman görevi üstlenenler muhafız değil, asker olurdu ve bu da büyük bir fark yaratırdı. Yine de Jaeger biri kaçmaya çalışırsa olacakları adı gibi biliyordu; zehirli oklarla yere indirilmeleri yalnızca birkaç saniye alırdı.

Her şeye rağmen Jaeger ilerledikçe adımlarını saymaya devam etti. Bir elinde karanlıkta çok az görünen hafif ışıklı pusulasını tutuyor, diğeriyle de çakıl taşlarını değiştiriyordu. Nerede olduklarını takip etmesi hayati öneme sahipti, bu sayede bir ihtimal de olsa kaçış şansları olurdu.

50

Kızılderililer Jaeger ile takımını dışarıdan pek belli olmayan köylerine getirdiğinde güneş yeni doğuyordu. Bölge küçük bir aralıktan ibaretti. Tam ortasındaysa tek bir yapı yükseliyordu; büyük, halka şeklinde, muhtemelen tüm yerlilere ait bir toplanma eviydi bu. Üzeri neredeyse yere kadar uzanan kamış ve sazlarla kapatılmıştı ve yapının tam ortasındaki açıklıktan, içeride pişen yemeklerden ince bir duman süzülüyordu. Yapının etrafı ağaçlarla örtülmüştü, bu da gökyüzünden görülmesini imkânsız kılmıştı. Jaeger bir anlığına köylülerin nerede yaşadığını merak etti ama sonra yukarıdan gelen sesleri duydu. Başını kaldırdığında aradığı cevabı da bulmuştu. Bu kabile, evlerini ağaç tepelerine kuranlardandı.

Dikdörtgen biçiminde kulübe tarzı yapılar yerden yirmi metre civarında yukarı asılmış, en üstteki ağaç dallarının altına sığınmıştı. Evlere sarmaşıklardan oluşmuş merdivenlerle tırmanılıyordu ve bazı kulübelerin arasında kırıldı kırılacakmış gibi görünen köprüler vardı.

Jaeger daha önce de bu şekilde yaşayan kabileleri duymuştu. Papua Yeni Gine'de gittiği bir keşifte, yerli Korowai halkı da ağaç tepelerinde yaşamasıyla nam salmıştı. Belli ki ormanın en tepesinde hayatını geçirmeyi seven bir onlar değildi.

Yürüyen grup nihayet durdu. Etrafları kendilerine kilitlenmiş gözlerle sarılıydı. Yetişkin erkekler saldırıya hazır bekliyordu ama kadınlar kaçmaya çalışır bir görüntü çiziyor, çocuklarını da korumacı bir tavırla göğüslerine bastırıyorlardı. Kirli, çıplak, biraz meraklı, biraz da korkmuş çocuklar ağaçların arkasından başlarını çıkarıyor; hayret ve endişeyle açılmış gözleriyle olanları izliyordu.

Çok zayıf ve iki büklüm görünen yaşlı bir adam yanlarına geldi. Duruşunu dikleştirip yüzünü rahatsız edici bir şekilde Jaeger'ın suratına yaklaştırdı ve gözlerinin içine baktı. Sanki kafatasını delip içeride dönen her şeyi görebiliyor gibiydi. Birkaç saniye daha seyretmeye devam etti ve sonra kahkahaya boğuldu. Olanlar tuhaf bir şekilde rahatsız ediciydi, tacize uğramış gibi hissettiriyordu. O yaşlı Kızılderili kafasının içinde her ne gördüyse Jaeger'ın eli ayağı birbirine dolanmıştı.

Mızraklar ve ağız tüfekleriyle ağır bir şekilde silahlanmış savaşçılar iki taraftan gelerek Jaeger ile takımının etrafını sardı. İkinci bir figür öne çıktı, yaşlı ve kır saçlı bir köy yaşlısıydı. Adam konuşmaya başladığında Jaeger da karşısındakinin ağırbaşlı ve statü sahibi biri olduğunu anladı.

Yaşlı adam, kuş ve hayvan naralarını andıran, kulağa oldukça garip gelen bir dille tiz bir şekilde cıvıldıyor, şakıyor ve cıyaklıyordu. Hemen solunda daha genç biri vardı ve can kulağıyla yaşlı adamın ağzından çıkanları dinliyordu. Burada her ne oluyorsa Jaeger, takımıyla birlikte bir tür teste tabi tutuldukları gibi rahatsız edici bir izlenime kapılmıştı. Dolu dolu geçen iki dakikanın ardından Şef konuşmayı kesti. Yanındaki genç adam, Jaeger ile takımına döndü.

"Hoş geldiniz." Sözler ağır ağır çıkmıştı ağzından, İngilizcesi nispeten bozuktu ama rahatlıkla anlaşılabilecek düzeydeydi. "Kabilemizin şefi barış içinde geldiyseniz sizleri selamlıyor. Ancak öfkeyle geldiyseniz ve bize ya da orman evimize zarar vermek istiyorsanız öleceğinizi söylüyor."

Jaeger bir anda zihnini kaplayan şaşkınlığı atmak için elinden geleni yaptı. Dış dünyayla daha önce temasa geçmemiş hiçbir kabilede böylesine İngilizce konuşabilen bir genç bulmak mümkün olmazdı. Ya biri onlara yalan söylemişti ya da en basitinden ciddi şekilde yanlış bilgilendirilmişlerdi.

"Şaşırmış görünüyorsak bağışlayın bizi," diye konuşmaya başladı Jaeger. "Ancak bize kabilenizin dışarıdaki dünyayla herhangi bir iletişim kurmadığı söylendi. Buradan dört günlük mesafede bir uçak bulunuyor, dünyanın savaşta olduğu zamanlarda düştüğüne inanıyoruz. Belki yetmiş yıl, belki daha uzun bir süredir burada... Amacımız o uçağı bulmak, kime ait olduğunu belirlemek ve mümkün olması hâlinde buradan kaldırıp götürmek... Topraklarınıza yalnızca bu amaç doğrultusunda adım attık ve buradan tamamen barış içerisinde geçmek istiyoruz."

Genç adam söylenenleri çevirdiğinde köyün şefi karşılık olarak birkaç şey söyledi. Ardından genç adam tekrar Jaeger'a dönüp bunları aktardı.

"Gökten inen güç siz misiniz?"

"Biziz," diye doğruladı Jaeger.

"İndiğinizde kaç kişiydiniz? Yolda kaç kişiyi kaybettiniz?"

"On kişiydik," diye cevapladı Jaeger. "Birini neredeyse aynı anda, nehirde kaybettik. Aynı gün iki kişi daha aramızdan alındı, sonraki gün iki kişi daha... Nasıl götürüldüklerini ya da kaderlerini bilmiyoruz ama adamlarınızdan biri..." Jaeger gözleriyle kalabalığı taradı, savaşçı lideri bulduğunda durdu. "Bunu bıraktı." Çantasından Leticia Santos'un şalını çıkardı. "Belki siz daha fazlasını anlatabilirsiniz."

Sorusu duymazdan gelinmişti. Şefle genç adam arasında süren kısa bir sohbetin ardından soru geldi.

"Barış içinde geldiğinizi söylüyorsunuz. Öyleyse neden bu gördüğümüz silahlardan taşıyorsunuz?"

"Kendimizi korumak için," diye yanıtladı Jaeger. "Ormanda tehlikeli hayvanlar var. Benzer şekilde tehlikeli insanlar da var gibi görünüyor. Ancak kim olduklarını bilmiyoruz."

Yaşlı adamın gözleri parıldadı.

"Size altın verirsek alır mısınız?" diye sordu çevirmeni aracılığıyla. "Biz böyle şeylere değer vermiyoruz. Altını yiyemeyiz. Ancak beyaz adamlar onu almak için savaşıyor."

Jaeger artık sınandıklarına emindi.

"Biz uçak için geldik. Tek görevimiz o... Tüm altın, burada, ormanda kalmalı. Aksi takdirde size getireceği yalnızca bela olur. Nitekim bu da bizim isteyeceğimiz son şeydir."

Yaşlı adam gülüp, "Halkımız bu sözü birçok sefer söylemiştir. Ancak son ağaç kesildiğinde, son hayvan avlandığında ve son balık yakalandığında; beyaz adam ancak o zaman parayı yiyemeyeceğini anlayacak," dedi.

Jaeger sessizliğini bozmadı. Bu sözlerde karşı çıkamayacağı bir bilgelik vardı.

"Peki aradığınız bu uçak, onu bulursanız da başımıza bela gelecek mi?" diye sordu yaşlı adam. "Aynı altın gibi, ormanda kalması daha mı iyi? Beyaz adamın başta onun olanı yeniden almaması daha mı iyi?"

Jaeger omuzlarını silkip, "Olabilir. Ancak ben öyle düşünmüyorum. Biz başaramazsak daha fazlası gelecek. Kayıp olan artık bulundu. Açıkçası bizden iyisini göreceğinizi de düşünmüyorum. Uçağın, etrafındaki ormanı zehirlediğini biliyoruz. Burası da," deyip ormanı gösterdi, "burası da sizin eviniz... Evinizden de öte... Hayatınız. Kimliğiniz. O uçağı kaldırırsak ormanın zehirlenmesini de durdururuz."

Bir müddet aradaki sessizliğin sürmesine müsaade etmişti. Yaşlı adam dönüp halka ait yapıyı gösterdi.

"Ruh evinden çıkan dumanı görüyorsun. Bir ziyafet hazırlanıyor. İki sebep için o yemeği yaptık, ya bir dost olarak sizi karşılayacak ya da bir düşman olarak veda edeceğiz." Yaşlı adam güldü. "Şimdi bu dostluğu kutlayalım."

Jaeger, köyün şefine teşekkür etti. Bir tarafı bir an önce göreve dönme isteğiyle yanıp tutuşuyordu. Fakat aynı zamanda bu kültürlerde belirli şeylerin yapılması gerektiğini, bir zamanlama ve uyumun şart olduğunu da biliyordu. Buna saygı gösterecek ve kaderine güvenecekti. Hem başka çaresi olmadığını da biliyordu.

Şef'in yanında yürümeye başladığında dikkati bir tarafta toplanmış gruba çekildi. Tam ortalarında nehir kenarında karşılaştığı savaşçı lider duruyordu. Şef'in sorgusu neticesinde alınan sonuçtan herkes memnun olmamıştı anlaşılan. Jaeger, savaşçıyla adamlarının, düşmanlarını ormandan sürmek için mızraklarını keskinleştirmekle meşgul olduğunu anlamıştı.

Bu anlık dikkat dağınıklığında Dale'in kamerasını çıkardığını fark etmemişti. Jaeger olan biteni görene kadar Dale çoktan kamerasını omzuna almış ve çekmeye başlamıştı.

"Dur!" diye bağırdı Jaeger. "Kaldır kamerayı!"

Ama çok geç kalmış, olan olmuştu. Kızılderililer olan biteni fark ettiğinde kalabalığın arasında gerilim yayılmıştı bile. Jaeger, Şef'in Dale'e döndüğünü gördü. Yüzü taş kesilmiş, gözleri korkudan fal taşı gibi açılmıştı. Ağzından birtakım emirler çıktı ve aynı anda tüm takımın üzerine mızraklar döndü.

Dale omzunda kamerayla donup kalmıştı, yüzünde herhangi bir renkten eser yoktu. Şef ona doğru yürüyüp kameraya uzandı. Dehşete düşmüş Dale, makineyi uzattı. Şef ters tarafından aldı, bir gözünü lensin olduğu yere koyup içeri baktı. Uzunca bir süre boyunca bakışlarını kameranın içinden ayırmadı, sanki kendisinden ne çalındığını anlamaya çalışıyor gibiydi. Nihayet kamerayı savaşçılarından birine verdi. Arkasını döndü ve tek bir kelime dahi etmeden ruh evine yöneldi. Mızraklar indirilmişti.

Çevirmen bir ürpertiyle konuştu.

"Sakın bir daha yapmayın onu. Yaparsanız attığınız bütün iyi adımları silersiniz."

Jaeger, Dale'in hizasına gelene kadar birkaç adım geri yürüdü.

"Bir daha böyle bir şey yaparsan seni kaynatır ve kendi kelleni yediririm. Ya da daha iyisi, Şef'in seni kaynatıp yemesini sağlarım."

Dale başını salladı. Göz bebekleri korku ve endişeyle kocaman olmuştu. Felaketin ne kadar yakınından döndüklerini anlamıştı ve her fırsatta lafını sokmayı iyi bilen genç yönetmen ilk kez söyleyecek söz bulamıyordu.

Jaeger dumanla dolu ruh evine doğru Şef'i izledi. Görünürde bir duvarı yoktu, yalnızca çatısını destekleyen direkler vardı ama sazdan örtüleri yere kadar uzanıyordu. İçerisi gölgeli ve karanlıktı. Jaeger'ın aydınlıktan ayrılıp içerideki kasvete gözlerini alıştırması biraz zaman aldı. Daha tam alışamamıştı ki bir ses duydu. İmkânsız bir şekilde tanıdık gelmişti bu ses.

"Söylesene, bıçağımı getirdin mi?"

Jaeger olduğu yerde donup kaldı. Kendine bir daha duymayacağını inandırdığı bir sesti bu; mezarda olması gereken ses şimdi kulaklarındaydı.

Gözleri karanlığa alıştığında karıştırılması mümkün olmayan o figürün yerde oturduğunu gördü. Jaeger'ın zihni, kadının buraya nasıl gelebileceğini düşünmekle nasıl hâlâ hayatta olabileceğine kafa yormak arasında gidip geliyordu.

Ruh evinde oturan, çok uzun bir zaman önce öldüğünü sandığı kadın; Irina Narov'du.

51

Narov'un yanında iki kişi daha oturuyordu. Biri; takımın Brezilyalı üyesi Leticia Santos'tu. Yanındaki iri adam da Joe James'ti. Jaeger'ın dili tutulmuştu ve tüm bedenine yansıyan bu şaşkınlık Kızılderili şefin de gözünden kaçmamıştı. Hatta yaşlı kabile liderinin onu yakından izlediğini, her hareketini gözlemlediğini hissedebiliyordu.

Üçüne doğru yaklaşıp, "Ama nasıl..." dedi.

Yüzüne yavaş yavaş bir gülümseme otururken sırayla hepsine baktı. Hiçbir şey olmadıysa bile Joe James'in Usame bin Ladin sakalı daha da gürleşmişti.

Jaeger bir elini uzatıp, "Kabasakal seni! Şu yüzünü bir daha görmesem de olurdu," dedi.

James kendisine uzatılan eli görmezden geldi, Jaeger'ı kocaman kollarının arasına alıp sarıldı.

"Oğlum hâlâ öğrenememişsin bak, erkek dediğin sarılır."

Sonra Leticia Santos vardı, o umursamaz Latin sıcaklığının bir göstergesi olarak kollarını Jaeger'ın boynuna doladı.

"Demedim mi ben? Kızılderililerimle tanışacağına söz vermiştim."

En son sıra Narov'a geldi. Jaeger'ın önünde durdu, ondan birkaç santim kısaydı. Gözleri her zamanki gibi ifadesizdi ama Jaeger'ın gözlerinden kaçıyordu. Jaeger kadını baştan ayağa süzdü. Onu nehirde kaybettiğinden bu yana acılar içinde kıvranmasına sebep olan

Phoneutria ısırığı ve iki büklüm sal yolculuğundan sonra neyle baş ettiyse çok dağılmış gibi görünmüyordu.

Bir elini uzatıp, "Bıçak!" dedi.

Jaeger derhâl uzanan ele baktı. Sol eliydi ve o korkunç şişkinlikle ısırık izleri neredeyse tamamen kaybolmuştu.

Kulağına fısıldayabilmek için hafifçe eğilip, "Şef'e verdim. Mecburdum. Hayatlarımıza karşılık sunabileceğim tek şeydi," dedi.

"*Schwachkopf*!" Ufak da olsa gülüyor muydu? "Bıçağım hâlâ sende... Öyle olsa iyi olur. Yoksa dert edeceğin son şey Şef olur."

Şef, Jaeger'a seslendi.

"Dostlarınız burada... Onlarla vakit geçirin. Yiyecek ve içecekler gelecek."

"Teşekkür ederiz, minnettarız."

Şef, çevirmene başıyla işaret etti.

"Puruwehua sizinle kalacak, en azından evinizde hissedene kadar..."

Ardından Şef uzaklaşıp halkının arasına karıştı. Jaeger da diğerlerinin yanına oturdu. İlk olarak James ile Santos hikâyelerini anlattı. Ormana paraşütle indikleri gün, açıklıktan belki bir saat uzaklıkta, ormanın içinde kamp kurmuşlardı. Ağaçlara çeşitli hediyeler asmış ve beklemişlerdi. Beklendiği üzere Kızılderililer gelmişti ama bekledikleri gibi olmamıştı. Gece vakti ikisi de esir alınmış ve köye yürütülmüştü. Kızılderililer ormanın gizli patikalarını bildikleri ve hızlı bir şekilde sessizce ilerleyebildikleri için fark edilmemişlerdi. Daha sonra Şef tarafından Jaeger'a yönelttiği sorulara benzer ifadelerle sorgulanmışlardı; öfkeyle mi, yoksa barışla mı geldikleri ve görevlerinin asıl amacı sorulmuştu.

Şef'e ellerindeki tüm bilgileri verdikten sonra yazılı olmayan bir testi geçmiş gibi hissetmişlerdi. Bunun ardından Şef, Irina Narov ile yeniden görüşmelerine izin vermişti. Belli ki hikâyelerin uyuşup uyuşmayacağını görmek için tarafları ayrı tutmuştu.

Jaeger'ın sorgusundaysa üçüncü bir denetleme vardı. Şef yine hikâyelerin tutarlı olup olmadığını görmek adına kayıp takım üyelerini göstermemişti. Saf bir adam olmadığı ortadaydı. Hatta Jaeger ile, tüm takımla ustaca oynamıştı.

"Krakow ve Clermont'a ne oldu peki?" diye sordu Jaeger, ruh evindeki gölgelere bir bir bakarak. "Onlar da burada mı?"

Cevabı veren kişi çevirmen, Puruwehua oldu.

"O konuda konuşacak çok şey var. Ancak kayıp iki arkadaşınızın kaderini Şef'in anlatması daha uygun olur."

Jaeger diğerlerine baktı. James, Santos ve Narov ciddiyetle başlarını salladı. Krakow ve Clermont'un başına her ne geldiyse iyi bir haber olmadığı belliydi.

"Peki sen?" Narov'a baktı. "Anlat bakalım, nasıl oldu da mezardan çıktın?"

Narov omuzlarını silkip, "Hayatta kalma yetilerimi küçümsediğin ortada... Aklındakine göre hareket etmişsindir belki," dedi.

Ağzından çıkanlar Jaeger'ı yaralamıştı. Belki de haklıydı. Belki de onu kurtarmak için daha fazlasını yapabilirdi. Ama nehirde sarf ettiği o inanılmaz çaba ve ardından gelen aramayı düşününce nasıl ve ne yapabileceğini gözünde canlandıramadı. Boşluğu dolduran, çevirmen Puruwehua oldu.

"Buradakini, bu *ja-gwara*'yı bir bambunun ucuna sıkı sıkı sarılmış bir hâlde nehirde bulduk. İlk başta boğulduğunu, bir *ahegwera* olduğunu sandık. Ama sonra *kajavuria,* insanın ruhunu yiyen örümcek tarafından sokulduğunu gördük. Bunu hangi bitkinin iyi edeceğini biliyoruz," diye devam etti. "Biz de iyileştirdik. Sonra taşıyıp buraya getirdik. Ölmeyeceğini anladığımız bir an geldi ardından. *Ma'e-ma'e* ânıydı, uyanışı..."

Puruwehua simsiyah gözlerini Jaeger'a çevirdi. Tercümanın bakışlarında savaşçı liderinkileri andıran bir şeyler vardı. Avının peşinde bir kedinin, bir jaguarın düz, boş gözlerine sahipti. Hatta bakışlarında Jaeger'a nasıl oluyorsa Narov'u hatırlatan bir şeyler de vardı.

"Sana kızmış görünüyor," diye devam etti Puruwehua. "Ama biz onun ruh çocuklardan biri olduğuna inanıyoruz. Kimsenin kurtulmaması gereken şeylerden kurtuldu. Çok ama çok güçlü bir *a'aga*'sı, ruhu var." Durdu. "Yanından ayırma onu. El üstünde tut bu *ja-gwara*'yı. Bu jaguarı..."

Jaeger utançtan yüzünün kızardığını hissetti. Dünyadan soyutlanmış insanların yanında nedense böyle bir yatkınlığı olmuştu. Onlarda çoğu düşünce ve deneyim herkese aitti. Kişisel olanla özel olan arasında, açık açık konuşulması gerekenle kendine saklanması gereken arasında çok az sınır tanırlardı.

"Elimden geleni yapacağım," dedi Jaeger sessizce. "Elimden gelen yeterince iyi görünmüyor tabii. Ama bir şeyi merak ediyorum Puruwehua, daha önce 'iletişim' kurulmamış bir kabilede nasıl oluyor da İngilizce konuşan genç bir adam bulunuyor?"

"Biz Amahuaca'yız. Komşu kabilemiz Uru-Eu-Wau-Wau'nun kuzenleriyiz," diye cevapladı Puruwehua. "Uru-Eu-Wau-Waularla biz aynı Tupi-Guarani dilini konuşuyoruz. Bundan yirmi yıl önce Uru-Eu-Wau-Wau dış dünyayla temasa geçmeye karar verdi. Zaman ilerledikçe öğrendiklerini bize de anlattılar. Brezilya adında bir ülkede yaşadığımızı söylediler. Dış dünyadakilerin dilini öğrenmemiz gerektiğini, çünkü öyle ya da böyle yanımıza geleceklerini de... Bize Portekizce ve İngilizce öğrenmemiz gerektiğini anlattılar. Biri Brezilya'nın, biri de dünyanın dili... Ben Şef'in en küçük oğluyum. En büyüğü, kıymetli savaşçılarımızdan biriyle nehir kenarında karşılaştınız. Babam, benim vasfımın mızrak kolumda değil, başımın gücünde yattığına inandı. Ben aklın savaşçısı olacaktım. Uru-Eu-Wau-Wau ile birlikte beni eğitim almaya gönderdi," diyerek hikâyesini bağladı. "Dış dünyada on yıl geçirdim, dilleri öğrendim. Sonra da geri döndüm. Şimdi kabilemin dış dünyaya açılan kapısıyım."

"İyi ki öylesin," dedi Jaeger. "Bugün hayatımızı kurtarmış olabilirsin."

***

Ziyafet safhası akşamın ilerleyen saatlerine kadar sürdü. Aralarda, kollarına ve bacaklarına orman meyvesine -*pequia*- ait ay şeklinde çekirdeklerle örülmüş takılardan takan kabilenin erkek ve kadınları ruh evinin geniş merkezinde dans etti. Ayaklarını bastıkları ve kollarını hep birlikte salladıkları zaman çarpışan çekirdekler, toplanan karanlıkta ruh evinin kalbinden çıkan ses oldu.

Jaeger kendisine sunulan ve tuhaf kırmızı bir macunla dolu olan kabı görünce şaşırıp bir anlığına ne yapması gerektiğini bilemedi. Sonra yardımına Leticia Santos koştu. Macunun belirli bir ağacın kabuğundan yapıldığını söyledi. Cilde sürüldüğü zaman oldukça güçlü bir böceksavar etkisi yaratıyordu.

Jaeger bu bilgilerin ardından kesinlikle istediğine karar verdi. Santos'un macunu yüzüne ve ellerine sürmesine müsaade etti ve o sırada Narov'un gözlerinde anlık parlayan rahatsızlığı -*yoksa kıskançlık mı?*- izleyerek keyiflendi. Ardından daha büyük bir tas uzatıldı; gri, köpüklü ve acı acı kokan bir sıvıyla doluydu. Santos bu içeceğin *masata* olduğunu söyledi. Amazon yerlisi kabileler arasında oldukça yaygın, alkollü bir içkiydi. Reddetmek bir hakaret olarak algılanırdı.

Jaeger bu yoğun, ılık ve sakız gibi içkiden sağlam birkaç yudum aldıktan sonra Santos tam olarak nasıl yapıldığını anlattı. Portekizce konuştuğu için kalan herkesi sohbetin dışında bırakmıştı, Narov da dâhil... Bu sayede Jaeger ile küçük bir samimiyet balonuna girmiş ve birlikte az önce içtikleri şeye iğrene iğrene gülmüşlerdi.

İçkiyi yapmak için kabilenin kadınları patatese benzer nişastalı bir kök olan çiğ manyokları toplayıp çiğniyordu. Ardından ortaya çıkan yapış yapış maddeyi bir kâseye tükürüyor, biraz su ekleyerek birkaç gün mayalanmaya bırakıyordu. Sonucundaysa Jaeger'ın az önce içtiği şey oluşuyordu.

Müthiş!

Ziyafetin doruk noktasıysa ruh evini zengin kokularla dolduran kızarmış etti. Üç kocaman maymun, ortada yakılan ateşin üzerinde çevrilmiş ve Jaeger kızarmış maymun en sevdiği yemekler listesinde pek üst sıralarda olmasa da kokunun cazibesini kabul etmek zorunda kalmıştı. Bir haftayı kuru kumanyayla geçirdikten sonra köpek gibi aç olduğunu hissediyordu.

Topluluktan bir haykırış yükseldi. Jaeger'ın ne olduğuna dair en ufak bir fikri yoktu ama Narov anlamış görünüyordu. Bir elini Jaeger'a uzatıp, "Üçüncü ve son kez diyorum, *bıçak*," dedi.

Jaeger şakadan teslim olmuşçasına kollarını kaldırdı, ardından çantasına uzanıp Narov'un Fairbairn-Sykes dövüş bıçağını çıkardı.

"Bunu kaybetmen, benim hayatımdan daha değerli galiba..."

Narov bıçağı aldı. Saygılı ve özenli bir şekilde kınından çıkarıp uzunca bir süre boyunca etraflıca kontrol etti.

"Diğerini Rio de los Rios'ta kaybettim," dedi sessizce. "Onunla birlikte binlerce anımı da yitirdim." Ayağa kalktı. "Geri getirdiğin için teşekkür ederim." Bakışlarını, Jaeger'ın gözlerinden kaçırıyordu ama sözlerinde samimi olduğu belliydi. "Bunu keşifteki ilk başarın olarak değerlendiriyorum."

Arkasını döndü ve ruh evin ortasına ilerledi. Jaeger gözlerini kadından ayırmıyordu. On beş santimlik bıçağını sıkı sıkı tutarak ateşin üzerine eğildi. Daha sonra kızarmış etten iri parçalar kesmeye başladı. Nedendir bilinmez; Amahuaca bu yabancıya, bu kadına, bu *ja-gwara*'ya ilk eti kesme hakkını tanımıştı.

Kalın etler elden ele dolaştı ve kısa süre içinde Jaeger'ın çenesinden sıcak, yağlı sular akmaya başladı. Çantasına sırtını vererek arkasına yaslandı, sonunda dolu bir midenin keyfini çıkarıyordu. Ancak keyfini yerine getiren başka bir şey daha vardı; herhangi bir yemekten çok daha değerli, çok daha doyurucu bir şey. Uzun zaman sonra ilk kez bir gözünü açık tutmak zorunda olmadığını biliyordu, ilk kez diken üstünde değildi; takımıyla birlikte uzun zaman sonra ilk kez gölgelerin arasında saklanan düşmanın tehdidine maruz kalmıyordu. Çok kısa bir süreliğine Will Jaeger kendine rahatlama izni verdi.

52

Yemeğin üzerine gelen güvende olma hissiyle uyuyakaldığını fark etti. Kalktığında ortada yanan ateşin donuk bir kırmızıya döndüğünü ve ziyafetin çoktan bittiğini görmüştü. Yukarıda yıldızlar parlıyor ve barakada gizliden gizliye bir beklentiyle karışmış ılık bir sükûnet havası seziliyordu.

Jaeger ilk geldiklerinde gözlerini delip geçerek zihnine bakan iki büklüm yaşlı adamın bu sefer ilgiyi üzerinde topladığını gördü. Elleriyle bir şeyler yaparken arkasına yaslanmıştı. Elindeki, Amahuaca'nın kullandığı ağız tüfeklerinin daha kısa, daha ince bir hâline benziyordu ve Jaeger bir ucuna bir şeyler tıktığını görebiliyordu. Meraklı gözlerle Puruwehua'ya döndü.

"Şamanımız," diye açıkladı Puruwehua. "Şu an *nyakwana* hazırlıyor. Sanırım siz 'enfiye' diyorsunuz. Tam ne demek olduğunu unuttum. Bir şeyler görmeni sağlıyor."

"Halüsinasyon," dedi Jaeger.

"Halüsinasyon," diye doğruladı Puruwehua. "*Cebil* ağacının tohumlarından yapılır, kavrulur ve iyice toz hâline getirilir. Sonra da dev orman salyangozunun kurumuş kabuğuyla karıştırılır. Kullanan kişiyi bir transa geçirir, böylece ruhlar dünyasını ziyaret etmesi sağlanır. Çekersen, *topena* kadar, köyden bir tavuk çalacak kadar büyük beyaz şahin gibi yüksekten uçabilirsin. Seni çok uzak yerlere götürebilir, belki bu dünyadan bile çıkarabilir. Biz her seferinde yarım gram kadar çekeriz." Puruwehua güldü. "Sen, sen onun çok daha azıyla denemelisin."

"Ben mi?"

"Evet, tabii ki. Buraya ulaşıldığında takımınızdan birinin pipoyu kabul etmesi gerekir. Aksi takdirde bu akşam yaptığınız tüm iyilikler silinir."

"Ben ve uyuşturucu..." Jaeger gülmeye çalıştı. "Şu an kafam başka bir yere uçamayacak kadar dolu zaten... Ben almayayım."

"Grubun lideri sensin," diye sessizce üsteledi Puruwehua. "Bu şerefi başka birine bırakabilirsin ama... Alışılmadık olur."

Jaeger omuzlarını silkip, "Alışılmadık bana uyar. Alışılmadık iyidir," dedi.

Piponun ruh evinde sırayla döndüğünü izledi. Her durağında bir kişi piponun bir ucunu burnuna dayıyor, diğer taraftaki şaman da enfiyeyi içine üflüyordu. Alan kişi dakikalar içerisinde ayağa kalkıyor, şarkılar söyleyip dans ediyordu. Zihninin bambaşka dünyalarda olduğu her hâlinden anlaşılıyordu.

"*Nyakwana* aracılığıyla atalarımız ve ruhlarımızla iletişime geçeriz," diye açıkladı Puruwehua. "Ormanın dünyasına bağlananlarla, hayvanlarla, kuşlarla, ağaçlarla, nehirlerle, balıklarla ve dağlarla..." Kendinden geçmiş bir kişiyi gösterdi. "Bu adam eskilerden bir ruh hikâyesini yaşıyor. 'Zamanında aya dönüşen bir Amahuaca kadını varmış. Bir ağaca tırmanmış ama sevdiği kendine rakip bir aşk bulduğu için gökyüzünde kalmaya karar vermiş, böylece aya dönüşmüş...'"

Puruwehua anlattıkça pipo da iyice yaklaştı. Jaeger kendisine ulaştığı zaman olacakları merak eden Şef'in, bakışlarını üzerinden ayırmadığını hissediyordu. Şaman durdu. Öne eğildi; uzun, özenle ve süslü bir şekilde oyulmuş piposunun bir ucuna enfiyeyi doldurdu. Enfiye hazırlanırken, Jaeger kendini başka bir pipoyu, ona çok uzun yıllar önce bambaşka bir dünyada uzatılanı hatırlarken buldu. O an dedesinin Wiltshire'daki çalışma odasına geri dönmüş, Lazikiye yaprakları ve çamla desteklenmiş tütün kokusu burnuna dolmuştu.

Dedesi, on altı yaşında bir çocuğun eline o pipoyu verdiyse, belki de Jaeger bu sefer farklı bir elin, farklı bir yaşlının hazırladığı farklı bir pipoyu kabul edebilirdi.

Bir an tereddüt etti. Şaman sorgulayan gözlerle onu izliyordu. Daha pipoyu kaldırmadan Joe James önüne çıkan herkesi yıkıp geçerek ilk olmak için geldi.

"Oğlum hiç sormayacaksın sandım ya!"

Şamanın hemen önüne bağdaş kurarak oturdu, sakalları yere kadar uzanıyordu. Piponun ucunu yakalayıp burnuna koydu ve içine çekti. Hemen ardından iri Avustralyalının aklı bambaşka bir yere gitmişti.

İyi yaptın James, dedi Jaeger kendi kendine. Beyaz atlı süvari tam zamanında yetişmişti. Ama şaman hareket etmedi. Onun yerine ikinci bir tutam hazırlayıp pipoya yerleştirdi.

"İki grupsunuz," diye açıkladı Puruwehua. "Bir ilk gelenler var, onlar *nyakwana* ile zihinlerini zaten açtı. James'in pipoyla ilk seferi değil. Bir de yeni gelenler var. İkinci pipo senin için..."

Şaman başını kaldırdı. Jaeger'ın başını delip geçen bakışlarıyla gözlerini bir kez daha kenetledi. Sınıyordu. Jaeger öne çıkmaya zorlanmış gibi hissetti, uzatılan pipoya doğru çekiliyordu. Az önce James'in oturduğu gibi kendini bir anda Amahuaca şamanının önünde buldu. Bir kez daha aklı, dedesinin çalışma odasına gitmişti. Ama artık o on altı yaşındaki çocuk değildi. Bir zamanlar dedesinin olduğu gibi, Jaeger de şimdi bir liderdi. Bambaşka bir yerde ve zamanda da olsa bir şekilde aynı düşmana karşı savaşan bir komutandı.

Komutasındaki erkek ve kadınların da güçlü, kararlı ve zinde olmasına ihtiyacı vardı. Kızılderililerin gelenekleri ve misafirperverliği bir tarafa, Jaeger buraya bir görev için gelmişti ve onu yerine getirmeye kararlıydı. Ellerini kendi önünde kaldırıp *dur* işareti yapıyordu.

"Sanıyorum sizin de bildiğiniz gibi benim zaten bir sürü hayaletim var," dedi sessizce. "Ama şu an önderlik etmem gereken bir de görev var. O hayaletlerin, en azından ben herkesi bu ormandan çıkarıp evi-

ne sağ salim ulaştırana kadar girdikleri kafeste kalması gerekiyor."
Durdu. "Pipoyu kabul edemem."

Puruwehua söylediklerini çevirdi, ardından Jaeger'ın bakışlarını dikkatle inceledi şaman. Sonra tek bir hamleyle başını eğdi, gözlerinde anlık bir saygı okunmuştu. Pipoyu indirdi.

***

Jaeger'ın kendine gelmesi biraz zaman aldı. Çantasına dayanmış bir şekilde uzanıyordu, gözleri kapalıydı. Pipoyu almadığı için affedildikten sonra belli ki tok bir karın ve ruh evinin sıcaklığıyla mayışıp uyuyakalmıştı. Ancak zihni tek bir şey haricinde bomboştu. O büyüleyici görüntü sanki göz kapaklarının içine mühürlenmişti. Rüyasında gördüğü bir sahneydi ve şamanla arasındaki yakınlık sonucunda ortaya çıktığına emindi. Tamamen imkânsız olduğunu düşünmeye başladığı ama şimdi her şeyden daha gerçekmiş gibi hissettiği bir şeydi.

Yemyeşil gözleriyle güzeller güzeli bir kadınla yanında onu koruyormuş gibi görünen bir çocuk görmüştü. Kadın konuşmuştu; sesi, kaybolan yılların ardından Jaeger'ı çağırıyordu. Çocuk ise çok daha uzamış görünüyordu. Hatta on bir yaşında bir erkek çocuğuna göre tam da olması gereken boydaydı. William Jaeger'a benzerliğiyse geçen yıllarda çok daha belirgin bir hâl almıştı.

53

Jaeger'ın bu olağanüstü düzeyde vurucu rüyası üzerine düşünecek pek bir vakti yoktu. Enfiye piposu ruh evinde herkesin elinden geçmişti ve Amahuaca şefi, Jaeger ile takımının yanına katılmıştı. O konuştu, Puruwehua çevirdi ve söylediklerinin ağırlığı tüm dikkatleri Şef'e çevirdi.

"Aylar önce, Amahuaca'nın hatırlayabildiğinden de önce, ormana beyaz adamlar geldi. Korkunç silahlara sahip bu yabancılar topraklarımızda gezdi. Savaşçılarımızdan bir grubu yakalayıp ormanın uzak bir bölgesine götürdüler. Orada ölüm tehdidi altında ormanı düşürmeye ve ağaçları bir tarafa taşımaya zorlandılar."

Jaeger ilk başta Şef'in kabileye ait bir efsaneyi mi, halkının hikâyesini mi, yoksa *nyakwana* ile esinlendiği bir görüşü mü anlattığından emin olamadı.

"Tüm bitki örtüsünü temizlemeye zorlandılar," diye devam etti Şef. "Toprağı sanki bir nehirmiş gibi dümdüz dövdüler. Bunlar bizim inandığımız ne varsa tersidir. Ormana zarar verirsek kendimize de zarar veririz. Toprakla biz bir bütünüz, aynı yaşam gücünü paylaşırız. Birçoğumuz hastalanıp öldü ama o zamana kadar arazi temizlenmiş ve orman da yok edilmişti." Şef başını kaldırıp açık çatıdan gökyüzündeki yıldızlara baktı. "Sonra bir gece cennetten dev bir canavar indi. Duman, gürültü ve karanlıktan oluşan koca bir kartaldı. O ölü ormanın bıraktığı düz toprağa dalıp orayı yuvası yaptı. Gök canavarı içinden daha fazla yabancı kustu. Hayatta kalabilen savaşçılarımız, canavarın karnındaki ağır yükleri taşımaya zorlandı. Metal bidonlar vardı. Gök canavarı sanki kocaman ve aç bir sivrisinekmiş gibi onlardan sıvı emmeye başladı. İşi bittiğinde yeniden gökyüzüne tırmanıp gitti. Sonra aynı onun gibi ikisi daha geldi. Onlar da açıklığa indi, daha çok sıvı emdi ve havaya yükselip o tarafa," Şef güney yönünü gösterdi, "dağlara gitti."

Duraksamıştı.

"Sonra karanlıkların içinden dördüncü hava canavarı geldi. Ama bu son aç sivrisineği doyuracak kadar kan yoktu. Bidonlar kurumuştu. Orada oturup daha fazlasını bekledi, daha fazlasının geleceğini ümit etti. Ama gelmedi. Sonra beyaz adamlar o canavarın içine girdi. Ormanın öfkesini anlayamamışlardı, kendisine zarar verenlere karşı ruhların ne kadar acımasız ve affetmez olacağını bilmiyorlardı. O beyaz adamlar ölüm ve acı içinde kıvrandı. En sonunda, kalan iki beyaz adam metalden gök canavarını kapattı ve taşıyabildikleri az miktarda eşyayla ayrıldı. Onlar da ormanın içinde helak oldu.

Yıllar geçti ve orman, açıklığı yeniden sahiplendi. Ağaçlar yeniden canavarın boyunu aştı ve onu dünyaya unutturdu. Ama hiçbiri Amahuaca'nın hafızasından silinmedi, öyküsü babadan oğula anlatıldı. Sonra daha karanlığı geldi. Biz öldüğünü sanıyorduk, beyaz adamın ölü bir şeyin gövdesini buraya getirdiğini sanıyorduk. Ama o şey, daha doğrusu içindeki bir şey hâlâ yaşıyordu ve bize zarar verebilecek durumdaydı."

Şef'in hikâyesi sürerken Jaeger takımından bir üyenin mıh gibi olduğu yere çakıldığını fark etti. Kadın, onun ağzından çıkan her kelimeye tutunuyordu; takıntılı gibiydi, gözleri alev alev yanıyordu. Jaeger, İrina Narov'u ilk kez bir şeyle bu denli ilgilenirken görmüştü. Yine de bakışlarındaki bir şey, deliliğin sınırlarında dolaştığı hissi yaratıyordu.

"İlk acı çekenler hayvanlar oldu," diye devam etti Şef. "Kimileri gök canavarının kanatları altına sığınıp yuvası belledi. Kimileri hastalanıp öldü. Diğerleri korkunç şekilde bozulmuş yavrular dünyaya getirdi. O bölgede avlanan Amahuaca savaşçıları nehirden su içtikten sonra hastalandı. Su bile lanetlenmiş, zehirlenmiş gibiydi. Sonra ormanın oradaki tüm bitkiler ölmeye başladı." Şef en genç oğluna baktı. "Ben o zamanlar gençtim, Puruwehua'nın yaşlarındaydım. İyi hatırlıyorum ama. En sonunda ağaçlar bile gök canavarına kurban gitti. Geriye sadece çıplak iskeletler, güneşte kalmış kemik gibi beyaza bürünen ölü tahtalar kaldı. Ama biz biliyorduk, bu canavarın hikâyesinin son bulmadığını biliyorduk."

Bakışlarını Jaeger'a çevirip anlatmaya devam etti.

"Beyaz adamın geri döneceğini biliyorduk. Gelenlerin bu gök canavarının lanetini topraklarımızdan sonsuza kadar uzaklaştıracağını biliyorduk. Adamlarıma bu yüzden size saldırmamalarını emrettim, buraya getirilmenizi istedim. Böylece sizi sınayabildim. Böylece emin olabildim. Ama ne yazık ki yalnız değilsiniz. İkinci bir güç daha topraklarımıza girdi. Sizden hemen sonra geldiler, sanki buraya gelirken sizi takip etmiş gibiydiler. Ancak onların amacı sizinkinden çok daha kötü niyetli... Onlar canavarın taşıdığı şeytana yeni bir can vermek için geldi."

Jaeger'ın aklından binlerce soru geçiyordu ama Şef'in anlatacaklarının henüz bitmediğini hissetmişti.

"O gücü gölgesi gibi izleyen adamlarım var," diye devam etti Şef. "Onlara, 'Karanlık Güç' diyoruz; bunun da iyi bir sebebi var. Ormanda direkt o canavarın yuvasına çıkan bir yol açıyorlar. İki savaşçımı yakaladılar. Cesetlerini ağaçlara asılı hâlde bulduk, sırtlarına garip simgeler kazınmıştı. Bizi uyarıyorlardı. Onlarla savaşmak zor olacak. Çok kalabalıklar, belki sizden on kat daha kalabalık... Bir sürü gürleyen sopa taşıyorlar. Bunun sonucunda bir savaş çıkarsa kabilem adına bir katliam olur. Ormanın derinlerinde bir ihtimal kazanabiliriz. Belki... Bu bile kesin değil. Ama gök canavarının yuvaladığı açık alanda halkımı silip süpürürler."

Jaeger ağzını açar gibi oldu ama Şef bir hareketiyle onu susturdu.

"Başarının tek yolu gök canavarına ilk önce ulaşmaktan geçiyor." Jaeger'a ince bir bakış attı. "Bu Karanlık Güç'ü yenmenizin başka bir yolu yok. Tek başına başaramazsınız. Ancak Amahuaca'nın yardımını kabul ederseniz başaracaksınız. Biz ormanın gizli yollarını biliyoruz. Hızlı ilerleyebiliriz. Yalnızca cesur yürekliler böyle bir yükün altına girmeli. Yolculuk sadece Amahuaca'nın bildiği bir kestirmeden geçecek. Şimdiye kadar hiçbir yabancı böyle bir yolculuğa çıkmadı," diye devam etti Şef. "Bu yolculuk için direkt Şeytanın Şelalesi'ne gitmeniz, oradan da... Hayatınızı avcunuzun içine almanız gerekiyor. Karanlık Güç'ü gök canavarının olduğu yerde yenmek ve zafere ulaşmak için başka bir yol yok. Orman sizi koruyacak, size yol gösterecek. Şafak vakti hazır olanlar yola çıkacak. Puruwehua rehberiniz olacak ve yanınıza en iyi savaşçılarımdan iki düzine vereceğim. Bu teklifi kabul edip etmeyeceğiniz ve sizden kimlerin gideceği henüz meçhul..."

Jaeger bir anlığına söyleyecek hiçbir şey bulamadı. Her şey o kadar hızlı gelişiyordu ki... Hem aklını kurcalayan binlerce soru vardı. İlk öne çıkan ise Joe James oldu.

"Bana o pipodan bir fırt daha verin, sizin peşinizden her yere gelirim," diye gürledi.

Kahkahalar duyuldu, James'in yorumu ortamdaki gerilimi almış gibiydi.

"Bir sorum var," diye araya girdi Jaeger. "Kaybolan iki üyemiz ne durumda? Onlardan haber var mı?"

Şef başını iki yana sallayıp, "Üzgünüm. Arkadaşlarınız bu Karanlık Güç tarafından yakalandı ve ölene kadar dövüldü. Cesetlerini alıp yaktık. Amahuaca geleneğinde ölülerimizin kemiklerini yakar ve küllerini suyumuza karıştırıp içeriz. Böylece sevdiklerimiz sonsuza kadar bizimle kalır. Dostlarınızın küllerini de sakladık, dilediğinizi yapabilirsiniz. Başın sağ olsun Bay Jaeger," dedi.

Jaeger ateşe baktı. Ne kadar kayıp olmuştu. İyi insanlar ölmeye devam ediyordu. Kendi komutası altındakiler hem de... Çaresizliği kalkan edinmiş öfke ve hüsranla içinde bir şeylerin koptuğunu hissetti. O an bunu yapanlardan hesabını soracağına yemin etti. Cevapları bulacak, adaleti sağlayacaktı. Kendi adaletini...

Bu fikre tutunup kendine geldi. Karşısına çıkacaklar için artık hazırdı.

54

Jaeger endişe dolu gözlerle Şef'e baktı.

"Sanırım küllerini ağaçların arasına saçmayı tercih ederiz," dedi sessizce. Sonra takımına döndü. "Size de şunu diyeyim, bence tek başıma Şef'in savaşçılarıyla gitmem daha iyi olur. Yalnızken daha hızlı hareket edebilirim ve sizin de bu işe daha fazla batmanızı..."

"Ne beklersin ki?" diye kesti bir ses sözünü. "Bir aslanın yüreğine sahip olabilirsin ama beynin az önce yediğin maymununki kadar..." Konuşan Irina Narov'du. "Kendini herkesten daha güçlü sanıyorsun. Yalnız kurt, yalnız kahraman... Her şeyi bir başına yapabilirsin. Kalan herkes bir yük, bir engel... Diğerlerinin değerini göremiyorsun, bu da takımındaki herkese bir yerde ihanet etmen anlamına geliyor."

Jaeger kadının söylediklerine vurulmuştu. Karısı ve çocuğunu kaybetmenin ardından Bioko'da geçirdiği yıllarla birlikte diğer insanlara karşı iyice güvensiz bir hâl almıştı, bunun farkındaydı. Ama bu sefer yalnız gitmeyi istemesinin sebebi başkaydı; takımından birini daha kaybetmek ve onları korumayı başaramamaktan korkuyordu.

"İki kişi öldü zaten," diye karşı çıktı. "Keşif gezisi olmaktan çıktı bu, her şey saçma sapan bir hâl aldı. İşe girdiğin zaman, hepiniz bu işe girdiğiniz zaman bunun altına atmadınız imzanızı."

"Schwachkopf!" Narov'un sesi biraz yumuşamıştı. "Uçaktan atlayıp ölümün kıyısından döndükten sonra da aynısını söylemiştim sana, takımına güvenmeyi öğrenmen lazım. Hem şimdiye kadar yaptıklarınla liderlik etme hakkını kazandın. Hak ettin bunu. Sana inanmakta, sana *güvenmekte* bizim de haklı olduğumuzu kanıtla."

Bu kadında bambaşka bir şeytan tüyü var, diye düşündü Jaeger. Nasıl oluyordu da seçtiği birkaç kelimeyle Jaeger'ın bu kadar derinlerine ulaşabiliyordu? Sosyal incelikleri yerle bir edip meselenin en can alıcı noktasına direkt ulaşan bir konuşma tarzı vardı. Takımın kalanına baktı.

"Siz ne diyorsunuz?"

"Çok basit," diye çıkıştı James hemen. "Oylama yap. Gitmek isteyenler gider. İstemeyenler burada kalır."

"Evet," diye ekledi Alonzo. "Gönüllülere bak. Ama şunu da belirteyim, burada kalmak istemenin utanılacak *hiçbir* yanı yok."

"Tamam," dedi Jaeger. "Şef burada kalmayı seçenleri güvende tutabilir misiniz? En azından şu iş bitene kadar..."

"Kapımız her daim açık," dedi Şef. "Ne kadar süre ihtiyaçları olursa olsun evimiz onların da evidir."

"Tamam, o zaman gönüllü arıyorum," diye duyurdu Jaeger. "Tehlikeleri hepiniz biliyorsunuz."

"Ben varım," dedi James daha Jaeger sözünü bitirmeden.

"Epey boktan bir tatil oldu," diye mırıldandı Alonzo. "Ama ben de varım."

Kamishi bakışlarını Jaeger'a kenetledi.

"Seni bir sefer yüzüstü bıraktım. Bir daha olur diye korku..." Jaeger bir elini Kamishi'nin omzuna koydu. Kamishi canlandı. "Kabul edersen..."

Alonzo adamın sırtına vurdu.

"Kamishi kardeşim de geleceğini söylüyor."

Dale önce köyün şefine, sonra Jaeger'a bakıp, "Gelirsem çekim yapabilecek miyim? Yoksa kameramı çıkarır çıkarmaz mızraklarla delinecek miyim?" diye sordu.

Jaeger, Puruwehua'ya baktı.

"Şef ve savaşçılarıyla bir tür anlaşma sağlayabiliriz bence."

Puruwehua başını sallayıp, "Yaşlılar kameranın ruhlarında yara açtığına inanıyor. Genç adamları, yani savaşçıları ikna edebileceğimize eminim," dedi.

Dale bir an tereddüt etti, gitme isteğiyle karşısına çıkabileceklere yönelik korkusunu düşünerek ikilemde kaldığı belliydi. Omuzlarını silkti.

"Öyleyse uğruna ölünecek bir film çekelim."

Jaeger, Santos'a döndü.

"Leticia?"

Santos bilmiyorum der gibi omuzlarını silkip, "Gelmeyi çok isterdim, gerçekten. Ama vicdanım burada, Kızılderililerimle birlikte kalmamı söylüyor. Sen ne dersin? Olmaz mı?" diye sordu.

"Kalman gerektiğini düşünüyorsan kalmalısın zaten," dedikten sonra kadının ipekten şalını çıkardı Jaeger. "Şalını da vereyim, aynı senin gibi çok dayanıklıymış."

Gözleri dolan Santos uzanıp şalı aldı.

"Ama bunu sen takmalısın, olmaz mı? Önündeki yolculuk için iyi şans getirir."

Uzanıp Jaeger'ın boynuna şalı doladı, ardından geri çekilmeden önce yanağına bir öpücük kondurdu. Jaeger, Narov'da daha önce yakaladığı kıskançlığı yine gördüğü için memnundu. Bununla birlikte önündeki yolculuk boyunca şalı boynundan çıkarmamaya karar verdi. Narov'u kışkırtacak ne olsa yapardı. İçinde sakladığı o gizli insandan bir parça görmek için her şeyi denerdi.

"Dört kişi geliyor, biri kalıyor," diye özetledi Jaeger. "Diğerleri?"

"Benim evde üç çocuğum var," diye araya girdi bir ses. Stefan Kral'dı konuşan. "Londra'da daha doğrusu... Artık Londra'da da değiller gerçi. Tatlı kasaba Luton'a taşındık." Dale'e içerlemiş bir bakış attı. "Londra'ya paramız yetmedi. Yardımcı yapımcı olunca böyle oluyor. Ben hayatta kalmaya ve eve tek parça hâlinde dönmeye karar verdim." Jaeger'a baktı. "Gelmeyeceğim."

"Anlaşıldı," dedi Jaeger. "Sağ salim evine varırsın umarım. Git ve çocuklarına babalık et. Ormanın ortasında kaybolmuş bir uçak enkazından çok daha önemli bu..."

Bunu söyledikten sonra Jaeger midesinden yükselen bir parça safra hissetti. Kendini zorlayıp onu yerinde tuttu. Kaybolmalarının ardından bir yıl boyunca ailesini aramıştı. Her yoldan geçmiş, her taşı kaldırmıştı. Bulabildiği tüm ipuçlarını kovalamış, her izin peşine düşmüştü. Ancak hepsi boşa çıkmıştı. Peki onları bulabilmek için her şeyi yapmış mıydı gerçekten?

Ailesinden, kendi hayatından vazgeçip Bioko'ya kaçmıştı. Yoksa devam etmesi gereken zaman, o zaman mıydı? Jaeger bu düşünceleri kafasından atıp Narov'a döndü.

"Sen?"

Kadın, Jaeger'ın bakışlarını yakalayıp, "Sormana gerek var mı?" dedi.

Jaeger başını iki yana sallayıp, "Sanırım yok, Irina Narov geliyor," dedi.

Amahuaca şefi başını gökyüzüne çevirip, "Böylece takımını kurdun. Güneş çıktığı zaman siz de çıkacaksınız. Belki üç saatlik bir yol... Savaşçılarıma hazırlanmalarını emredeceğim," dedi.

"Bir şey var," diye araya girdi bir ses. Konuşan Narov'du ve bizzat Şef'e yönelmişti. "Gök canavarının olduğu yere gittiniz mi hiç?"

Şef başını sallayıp, "Evet *ja-gwara*, gittim," dedi.

Narov'un inanılmaz adaptasyon ve hayatta kalma yeteneklerini kusursuz bir şekilde yansıtan, ona tam uyan bir isimdi *ja-gwara*.

"Ne kadar iyi hatırlıyorsunuz?" diye sordu Narov. "Orada görmüş olabileceğiniz bir işaret varsa benim için çizer misiniz?"

Şef kulübenin kumlu zeminine bir şeyler karalamaya başladı. Hatalı birkaç başlangıcın ardından ortaya rahatsız edici yakınlıkta karanlık bir görsel çıktı. Kanatlarını açmış, çengelli ağzı sağ omzuna dönmüş, pençeleriyle anlamsız bir dairesel şekli kavrayan bir kartal silüetiydi bu; *Reichsadler.*

Şef'in söylediğine göre, kuyruğunun hemen önünde, uçağın arka tarafına damgalanmıştı. Karanlık Güç tarafından yakalanıp öldürülen savaşçılarının derisine de aynı sembolün kazındığını ekledi.

Jaeger'ın aklı pervane gibi dönüyordu, uzunca bir süre önüne çizilmiş resme baktı. Yaklaştıklarını hissediyordu artık; işin sonuna, hesaplaşmaya yaklaştıklarını. Bir taraftan da boğucu bir korkuyla mücadele ediyordu, sanki yazgısı her tarafından hücum ederek onu bir köşeye sıkıştırmıştı ve kontrol etmek adına elinden hiçbir şey gelmiyordu.

"Kartal simgesinin yanına iliştirilmiş sözler var," dedi Puruwehua. "Not düşmüştüm zamanında." Kumun üzerine bir şeyler karaladı; *Kampfeswader 200* ve *Geswaderkomodore A3.* "Ben İngilizce, Portekizce ve yerel dilimizi konuşuyorum," diye ekledi. "Ama bu... Sanırım Almanca..."

Yanıt Narov'dan geldi. Sesi alçak çıkıyor, bastırmaya tenezzül etmediği nefretini yayıyordu.

"Telaffuzun biraz yanlış ama Kampfgeschwader 200, Luftwaffe'nin özel kuvvetler uçağıydı. Geschwaderkommodore A3 de o uçağın komutanı SS General Hans Kammler'e verilmiş bir unvandı. Hitler'den sonra Nazi Almanyası'nın en güçlü adamı oydu."

"Hitler'in tam salahiyetlisiydi," diye ekledi Jaeger, arşivcinin gönderdiği gizemli e-postayı hatırlayarak. "Savaşın sonlarına doğru Hitler ona bu gücü vermişti."

"Evet," diye doğruladı Narov. "Ama salahiyet statüsünün neye yaradığını biliyor musun?"

Jaeger omuz silkip, "Bir tür özel temsilci değil mi?" diye sordu.

"Çok daha fazlası... Salahiyetli biri sonuçlarını hiçbir şekilde düşünmeden rejim adına hareket etme konusunda tam yetkili kişidir. Hitler'den sonra Kammler bu akıl almaz derecede kötü ekibin en güçlü ve kötü adamıydı. Savaş sona erdiğinde ellerinde binlerce insanın kanı vardı. Bununla birlikte dünyanın en zengin adamlarından biri de olmuştu. Paha biçilemez sanat eserleri, külçe külçe altınlar, elmaslar, nakit para," diye devam etti Narov. "Fethedilmiş Avrupa'nın her yanında Naziler bulabildikleri değerli ne varsa yağmaladı. Peki SS Oberst-Gruppenführer Hans Kammler'e ve yağmaladıklarına savaş bittikten sonra ne olduğunu biliyor musun?"

Narov'un sözlerinin arkasındaki o şiddetli öfke iyice belirgin bir hâl almıştı.

"Ortadan kayboldu. Dünyadan silindi. İkinci Dünya Savaşı'nın en büyük gizemlerinden ve skandallarından biri budur; Hans Kammler'e ve çala çırpa topladığı servetine ne oldu? Onu kim korudu? Milyonlarını kim sakladı?" Sırayla tüm yüzleri gezdikten sonra alev alev yanan bakışlarını Jaeger'a kilitledi. "Bu uçak büyük ihtimalle Kammler'in özel savaş uçağı..."

55

İlk ışıkla birlikte Amahuaca köyünden ayrılmaya hazırdılar. Jaeger ile takımına; Şef'in en genç oğlu Puruwehua ile en yaşlısı, savaşçı liderin de aralarında bulunduğu yirmi dört Kızılderili eşlik ediyordu. Liderin adı, Amahuaca dilinde "yaban domuzu sürüsündeki en büyük domuz" anlamına gelen Gwaihutiga'ydı.

Yaban domuzları ormanın en değerli ve korkulan hayvanlarından biri olduğu için bu isim tercihi Jaeger'a gayet uygun gelmişti. Nitekim bir yaban domuzunun peşine düşüp onu öldürmeyen hiçbir Amahuaca tam anlamıyla savaşçı olamazdı.

Gwaihutiga artık babasının, Jaeger ile takımının mızraklara hedef olarak öldürülmesini istemediğini anlamıştı; hatta babası hızla uçak enkazına gitmelerini ve yol boyunca karşılarına çıkacak tüm tehlikelerden korunmalarını istiyordu.

Yine de Jaeger, Şef'in en yaşlı oğlunun savaşa hazır hâlinden hiçbir şey kaybetmediğini görebiliyordu; neyse ki bu sefer doğru düşmana bilenmişti. Bir mızrak, ok ve yay, ağız tüfeği ve bir de sopa taşıyor; boynuna da kısa tüylerden yapılma bir yaka takıyordu. Bunun *gwyrag'waja* olduğunu açıklamıştı Puruwehua; her bir tüy, öldürülen bir düşmanı temsil ediyordu. Dış dünyaya çıktığı zaman izlediği filmleri hatırlayarak bunu silahına çentik atan beyaz adamların geleneğine benzetmişti.

On birinci saate girildiğinde Jaeger'ın gönüllülerden oluşan takımında beklenmeyen bir değişiklik yaşandı. Leticia Santos bir anda kararını değiştirerek gelmek istemişti. Tez canlılığı, pek düşünmeden hareket etmesi ve sıcakkanlılığıyla sonuna kadar Latin özelliklerini taşıyan kadın, diğerlerini yolculuk hazırlığı yaparken izlemeye katlanamamıştı.

O sabahın erken saatlerinde Jaeger, Dale ve Kral'a kısa bir röportaj verip geçen yirmi dört saatte yaşananları tam olarak kavramalarını sağladı. Aynı zamanda bu röportaj, Stefan Kral'ın çekim ekibinde olduğu son sahneydi. Kamerayı topladıktan sonra Slovak adam kısa bir sohbet için Jaeger'dan bir dakikasını istedi.

Kral, bu konuşmada, keşiften ayrılma sebeplerini detaylandırdı; mevcut sözleşmeyi aslında kabul etmemesi gerektiğinden bahsetti. Dale'den kıdem olarak çok üstündü ve uzak bölge çekimlerinde de çok daha tecrübeliydi. Sırf paraya ihtiyacı olduğu için işi kabul etmişti.

"Düşünsene," dedi. "Dale gibi bir adamın altında çalışıyorsun ama çok daha iyi, daha profesyonel olduğunu biliyorsun. Sen dayanabilir miydin?"

"Orduda da böyle şeyler sürekli oluyor zaten," dedi Jaeger. "Yeteneğinin ötesinde yükselen rütbeler çok... Bazen bunlara göğüs germek gerekiyor."

Kral'ı sevmediği söylenemezdi ama aslında ondan ayrılacakları için rahatlamıştı. Slovak kameraman en ufak bir şeyde sorun çıkarmaya hazır duruyordu ve Jaeger onsuz daha rahat olacaklarını düşünüyordu. Bu durumda Dale'in tek başına tüm çekim yükünü üstlenmesi kesinlikle çok ağır olacaktı ama sürekli birbirini yiyen iki adamdansa tek kişi daha iyiydi. İkisinden birinin gitmesi gerekiyordu ve film düşünüldüğünde onun gitmesi daha iyiydi.

"Keşifte bundan sonra her ne olursa," dedi Kral, "sanırım gerekçelerimi anladın. *Her ne olursa...* Zaten olabileceklerin çoğunu biliyorsun."

"Bana demek istediğin bir şey mi var?" diye üsteledi Jaeger. "Burada ayrılacağız, ne istersen söyleyebilirsin."

Kral başını iki yana sallayıp, "Benden bu kadar... Girdiğiniz yolda size bol şans! Neden sizinle gelmediğimi biliyorsun artık," dedi.

İki adam yeterince dostane bir vedayla ayrılırken, Jaeger her şey bittiğinde Kral ile Londra'da birer içki içmek için buluşacağına söz verdi.

Yeni keşif ekibini uğurlamak için bir sürü Amahuaca gelmişti, neredeyse bütün köy orada gibiydi. Ancak Jaeger, takımını karanlık ormanın derinlerine sürmeye hazırlanırken, gözüne takılan bir şeyle sertçe vuruldu. Kral'ın yüzünde rahatlıkla belli olan sıkıntılı bir ifade vardı. Slovak kameramanın yüzündeki çarpık yarım gülüşe alışmıştı şimdiye kadar. Ancak yola çıkış sırasında Dale'e yönelttiği bakışları kanı bile dondurabilecek kadar soğuktu; o solgun, mavi gözleri galip gelmiş bir edayla parlıyordu.

Yine de Jaeger'ın o bakış veya ne anlama gelebileceği üzerine kafa yoracak zamanı yoktu. Önlerinde, oradan geçen sıradan birinin rahatlıkla kaçıracağı bir patika açılmış ve bir anda orman tüm takımı yutmuştu. Buna rağmen Jaeger'ın aklından silinmeyen bir düşünce vardı.

Geride kalan birkaç önemli anda, özellikle nehir kenarındayken Kral'ın gelip de gizli çekim konusunda Dale'i şikâyet etmesinde, Jaeger'ın tam olarak kafasında oturtamadığı şeyler vardı. Ama şimdi her şey toparlanmış gibiydi. Kral etrafına tepeden bakan bir mizaca sahipti; en basit ifadeyle üç maymunu oynuyordu. Bu doğrucu hâlleri abartıya kaçmış, sanki bir şeyleri saklamış gibiydi. Ama neyi gizliyordu, Jaeger orasını bilemiyordu. Bu düşünceyi, bu rahatsız edici endişeyi aklının uzak köşelerine kovaladı.

Ormana girdikleri anda Amahuaca savaşçılarının ne kadar ölümcül bir hız belirlediğini anladı. Başta ağır bir koşuyla yola çıkmış; derinden, ritmik ve boğuk naralarını yol boyunca kesmemişlerdi. Böyle bir hıza ayak uydurmak için Jaeger'ın tüm konsantrasyonunu yolculuğa vermesi gerekmişti. Hemen yanında koşusuna devam eden Puruwehua'ya baktı.

"Peki senin adın bir şey ifade ediyor mu?"

Puruwehua sırıttı.

"Puruwehua; alt tarafı siyah beyaz beneklerle dolu, kırmızı ve kahverengiye çalan, büyük bir kurbağadır. Doğumdan hemen önce çok iri bir tanesi gelip annemin göbeğine oturmuş." Omuzlarını silkti. "Çocuklarımıza böyle olayların ardından isim veririz."

Jaeger gülümseyip, "Yani ağabeyin Gwaihutiga'nın doğumundan önce de bir yaban domuzu mu gelmiş?" diye sordu.

Puruwehua da güldü.

"Annem gençliğinde çok iyi bir savaşçıymış. Bir yaban domuzuyla vahşi bir dövüşe girmiş. En sonunda mızrağını saplayıp onu öldürmüş. Bunun ardından ilk çocuğunda o domuzun ruhunun olmasını istemiş." Kuyruğun başındaki ağabeyine baktı. "Gwaihutiga... Domuzun ruhunu aldığı kesin..."

"Peki kurbağa? Sana adını veren... Ona ne olmuş?"

Puruwehua karanlık ve boş bir bakışla Jaeger'a dönüp, "Annem açmış, öldürüp yemiş," dedi.

Birkaç dakika sessizce ilerledikten sonra Puruwehua ağaçların üzerinde bir şeyi gösterdi.

"O meyveden beslenen yeşil papağana *tuitiguhu'ia* deriz. İnsanlar onları evcil hayvan olarak alıyor. Kuş konuşmayı öğrenebiliyor ve bir jaguar köye saldırmadan önce haber verebiliyor."

"Çok kullanışlıymış," dedi Jaeger. "Peki nasıl evcilleştiriyorsunuz?"

"Önce bir tane *kary'ripohaga* çalısı bulman lazım. Biraz yapraklarını kesip papağanın yüzüne birkaç kez vuruyorsun. Sonra evcilleşmiş oluyor."

Jaeger bir kaşını kaldırıp, "O kadar kolay mı?" diye sordu.

Puruwehua gülüp, "Tabii ki! Ormanın yolunu bildiğin zaman kolaylaşan bir sürü şey var," dedi.

İlerlemeye devam edip çürümüş bir kütüğü geçtiler. Puruwehua, ellerini, siyaha çalan kırmızıya dönmüş bir mantara sürüp sonra parmaklarını burnuna götürdü.

"*Gwaipeva.* Kokusu çok barizdir." Karnına birkaç kez vurdu. "Her türlü yenir."

Mantarı tutup kökünden çıkardı ve omzunda taşıdığı örme çantaya attı. Birkaç adım daha ilerledikten sonra, yakınlardaki bir ağacın gövdesine yapışmış büyük, siyah bir böceği gösterdi.

"*Tukuruvapa'ara.* Çekirgelerin kralıdır. Düşürene kadar ağacı yer."

Ağacın ardından, hemen ayaklarının altındaki kıvrımlı sarmaşığa dikkat etmesi için Jaeger'ı uyardı Puruwehua.

"*Gwakagwa'yva.* Dikenli su sarmaşığı. Hamaklarımızı bağladığımız ipler için bunun kabuğunu kullanırız. Tohum kozaları muza benzer ve açıldığı zaman içindeki tohumlar rüzgârda uçar."

Jaeger büyülenmişti. Ormanı her daim tamamen tarafsız bir yer olarak görmüştü ama şimdi sırlarını daha yakından öğrendikçe müttefiki yapması da kolaylaşıyordu.

Kısa bir süre sonra Puruwehua bir elini kulağına götürüp, "Duyuyor musun? O *prik-prik-prik-prik* sesi var ya... *Gware'ia'*dan geliyor. Büyük, kahverengi bir sinekkuşu; ön tarafı beyaz ve uzunca bir kuyruğu var. Sadece vahşi bir domuz gördüğü zaman öter," dedikten sonra okuna uzandı. "Yani köy için yemek..."

Jaeger'ın eli pompalısına giderken Puruwehua'nın da bir tercümandan avcıya dönüşünü izlemişti, neredeyse boyu kadar olan yayına ölümcül okunu sürüyordu. Puruwehua savaşçı ağabeyinden belki birkaç santim kısaydı ama omuzları en az onun kadar geniş ve güçlüydü.

Jaeger savaş zamanı geldiğinde Puruwehua'nın öyle kolayca yem olmayacak bir kurbağa olduğunu düşündü.

56

Oradan epey geride, Amahuaca köy meydanı artık boşalmış ve iyice sessizleşmişti. Ancak açıklıkta yalnız bir kişi dolanıyordu.

Gün doğumundaki gökyüzüne baktı, tamamen yalnız kalacağı ve etrafında neredeyse hiç ağaç olmayan bir yere ilerledi. Cebinden bir Thuraya uydu telefonu çıkarıp bir ağaç kökünün üzerine yerleştirdi ve eğilip beklemeye başladı.

Telefon bir kez öttü, ikinci kez öttü, üçüncü kez öttü ve yeterince uyduya erişim sağladığını haber verdi. Başındaki kişi hızlı aramaya girdi, sonra tek bir sayıya bastı. Telefon iki kez çaldıktan sonra karşıdan bir ses yanıt vermişti.

"Gri Kurt konuş!"

Hafif bir gülümsemenin ardında Kral'ın dişleri görünür oldu.

"Ben Beyaz Kurt. Yedi kişi, iki düzine Kızılderiliyle birlikte şelaleye doğru güney yönünde yola çıktı. Oradan sadece Kızılderililerin bildiği bir rotayı takip edecek, hedefe doğru batıya ilerleyecekler. Daha önce konuşma fırsatım olmadı ama artık hepsini atlattım. Elinizden geleni ardına koymayın."

"Anlaşıldı."

"Uçağın, SS Oberst-Gruppenführer Kammler'in savaş uçağı olduğunu doğrulayabilirim. İçindekiler nispeten sağlam... Ya da yetmiş küsur yılın ardından ne kadar sağlam kalabildiyseler o kadar..."

"Anlaşıldı."

"Uçağın tam koordinatlarına sahibim." Duraksadı. "Üçüncü ödeme geçildi mi?"

"Koordinatları biz de aldık, insansız gözetim uçağımız buldu."

"Tamam," derken sinirle dolu bir gölge Kral'ın yüzüne oturmuştu. "Bana verilenler 964864."

"964864. Uyuyor."

"Üçüncü ödeme?"

"Ayarlandığı gibi Zürih hesabına geçilecek. Çabucak harca Bay Beyaz Kurt. Yarının ne getireceğini asla bilemezsin."

"Wir sind die Zukunft," diye fısıldadı Kral.

"Wir sind die Zukunft," diye doğruladı ses.

Kral aramayı sonlandırdı.

***

Hattın diğer ucundaki adam ahizeyi boynuna doladı, uzunca bir süre boyunca orada bekletti. Ardından masasında duran çerçeveye baktı. İnce çizgili gri bir takım elbise giyen, orta yaşlı bir adamın fotoğrafıydı. Şahin gibi keskin bakışları vardı; burnu kemerliydi ve rahat ama küstah duruşu, yaşını çok daha aşkın özgüvenle dolu nüfuz ve gücünü her şeyiyle yansıtıyordu.

"Nihayet!" diye fısıldadı oturan adam. *"Wir sind die Zukunft."*

Ahizeyi yeniden kulağına götürüp sıfırı tuşladı.

"Anna, bana Gri Kurt Altı'yı bağla. Evet, derhâl lütfen."

Kısa bir süre bekledi, sonra hattın diğer ucundan bir ses geldi.

"Gri Kurt Altı."

"Koordinatları aldım," dedi. "Uyuşuyorlar. Hepsini yok edin. Hiçbiri hayatta kalmasın, Beyaz Kurt da dâhil!"

"Anlaşıldı efendim," dedi ses.

"Temiz olsun, uzaktan halledin. Predator'ı kullanın. *İnkâr edebilelim.* Takip biriminiz var, kullanın. İletişim sistemlerini de izleyin. Bulun onları. Bulun ve yok edin!"

"Anlaşıldı efendim ancak onlar ağaçların altından ilerlerken havadan izleme konusunda sorunlar yaşayabiliriz."

"Öyleyse ne gerekiyorsa yapın. Savaş köpeklerinizi salın. Ama sakın o uçağın yakınlarına gitmesinler."

"Anlaşıldı efendim."

Oturan adam aramayı sonlandırdı. Kısa bir süre düşündükten sonra uzanıp dizüstü bilgisayarının klavyesine dokunarak uyku modundan çıkardı. Kısa bir e-posta yazmıştı.

Sevgili Ferdy,

***Adlerflug IV* bulundu. Yakında kurtarılacak/ilgilenilecek. Temizlik operasyonu başlatıldı. Bormann Dede yaşasaydı bizimle gurur duyardı.**

Wir sind die Zukunft.

HK.

"Gönder" tuşuna bastıktan sonra parmaklarını başının arkasında birleştirerek sandalyesine iyice yaslandı. Arkasındaki duvarda, gençliğinden kalma bir fotoğrafı çerçevelenip asılmıştı. Üzerindeki albay üniforması Amerikan ordusuna aitti.

***

Jaeger ile takımı, Amahuaca Kızılderililerinin rehberliğinde, Şeytanın Şelalesi'ne daha önceki sürenin yarısında geri dönmüştü. Keşif malzemelerini zuladıkları bölgenin aşağı yukarı bir kilometre aşağısından Rio de los Dios'un kıyısına çıktılar.

Puruwehua, püsküren suların kalıcı bir bulutla havayı bulandırdığı yere geldiklerinde, orman örtüsünün sınırında durmalarını işaret etti. Binlerce yıl boyunca akan suların yardığı, önlerindeki uçurumda açılan keskin kayalığa uzanan nehir, sisini göstermişti. Aşağıdaki vadiye üç yüz metre boyunca çağlayan Rio de los Dios'un sağır edici gürlemesinde sesini duyurabilmek için bağırması gerekmişti.

"O taraftan... İlk adaya bir köprü var," diye duyurdu. "Oradan sonra iplerle salınacağız. İlerideki iki *evi-gwa*'ya, yani kara adalarına doğru iki halata tutunup uzak tarafa ulaşacağız. Orada; atalarımızın çok uzun yıllar önce açtığı, kayalıklarla kesilen bir geçit şelaleye uzanıyor. Bir saate, belki daha kısa bir süreye şelalenin dibine ulaşacağız."

"Oradan sonra enkaza varmamız ne kadar sürecek?" diye sordu Jaeger.

"Amahuaca hızıyla bir gün..." Puruwehua omuzlarını silkti. "Beyaz adam hızıyla en fazla bir buçuk gün..."

Jaeger ilk geçidi arayan gözlerle kayalığa ilerledi. İlk etapta bulamadı, köprü çok iyi bir şekilde gizlenmişti. Ancak Puruwehua gösterdiği zaman görebildi.

"Orada..." Kollarını aşağı uzatarak oldukça dar ve dayanıksız görünümlü bir yapıyı gösterdi. "*Pyhama*, ağaçlara tırmanmak için kullandığımız bir sarmaşık ipi... Ama nehir üzerinde bir köprü için de çok işe yarıyor. *Gwy'va* ağacının yapraklarıyla kaplı, onun odunlarıyla da oklarımızın sapını yapıyoruz. Aynı böyle, neredeyse görünmez..."

Jaeger ile takımı geçidin başlangıcına dönerek çantalarını yüklendi. Hemen arkalarında Kızılderililer sıralanmıştı. Önlerinde; üzerine çıkmak için deli olmanın gerekeceği, halatlarla yapılmış sallantılı bir köprü, ilk büyük geçitte uzanıyordu. Diğer ucundaysa şelalenin hemen kenarına asılmış, toplamda üç adet olan adaların ilkine bağlanıyordu.

Şelalenin çıkardığı ses burada herhangi bir konuşmayı engelliyordu. Jaeger hemen Puruwehua'nın ardından ilerleyerek takımında tehlikeli yapıya ayak basan ilk isim oldu. İki taraftaki sarmaşıktan tutacaklara asıldı ve bir örülmüş halattan diğerine ayağını götürmek için kendini zorladı. Basılacak her halat, bir adamın uzun bir adımıyla ulaşacağı kadar aralıklarla örülmüştü.

Bir anlığına büyük bir hata yaparak aşağı baktı. Altmış metre aşağısında, Rio de los Dios'un kahverengi ve öfkeli suları gürleyerek

geçiyor; ardından köpürerek cehennemin kapılarını yere doğru açı-
yordu. Jaeger başını önünde tutmanın en iyisi olacağına karar verdi.
Gözlerini Puruwehua'nın omuzlarına kilitleyerek bir ayağını dikkatle
diğerinin önüne koydu.

Köprünün tam orta noktasına yaklaşırken takımı da hemen arkasın-
da sıralanmıştı. Tam o sırada hissetti. Hiçbir uyarı olmadan, orada
olduğuna ihtimal veremeyeceği bir roket, kulaklarını tırmalayan bir
uğuldamayla hemen üzerlerindeki nehir sisini yarıp geçmişti. Halat
köprünün tam ortasını parçalayıp bir salise sonra aşağıdaki Rio de
los Dios'a çarparak bembeyaz suların göğe yükseldiği inanılmaz bir
patlamayla durdu.

Jaeger, çarpışmanın yukarıda bıraktığı etkiyle olduğu yerde kalırken,
çıkan ses kulaklarına sağır edici bir şekilde vuruyor; köprü boyunca
tekrar tekrar yankılanıyordu.

Her şey bir saniyeden kısa bir sürede olmuştu. Köprü; üzerinde gözleri
dehşetle açılmış, sıkı sıkı tutunan insanlarla birlikte şiddetle ileri geri
sallanıyordu. Jaeger, silahın bu can yakan, çok tiz sesini duyduğu gibi
tanıyabilecek kadar Hellfire füzesi çağırmıştı. Ama hayatında ilk kez
bunlardan birinin hedefi oluyordu.

"HELLFIRE!" diye bağırdı. "HELLFIRE! Geri dönün! Kıyıya dönün!
Ağaçların altına girin!"

Ucunda ölüm kalımın olduğu böylesine anlarda, garip ama olmazsa
olmaz bir şekilde zaman yavaşlamış gibi gelirdi. Jaeger sanki her
saniyeyi yüzlerce yıl yaşıyormuş gibi hissediyordu. Önündeki adam-
ları ormanın koruması altına almak için hızla ilerletmeye çalışırken
aklından binbir türlü düşünce geçiyordu.

Brezilya Amazonlarının bu kadar derinlerinde, Peru sınırının he-
men dibindeki Acre eyaletine bağlı Assis Brezilya'nın en batısında,
üzerlerinde uçabilecek tek bir savaş uçağı olabileceğini düşündü.
Bir insansız hava aracı olmak zorundaydı. Onları bulabilecek kadar
uzunca bir süre ormanın üzerinde dolaşabilecek ve o kadar menzile
sahip olan başka bir araç yoktu.

Jaeger, dünyanın en gelişmiş orduları tarafından kullanılan en yaygın İHA olan Predator'ın, yeniden silahlanıp hedefine ateş açması için ne kadar süre geçmesi gerektiğini biliyordu. Yalnızca bir Hellfire'ı ateşlemek bile hava aracının dengesini bozuyor, aracın uzaktaki operatörüyle arasındaki video bağlantısını kesiyordu. Dengeyi kurması ve video bağlantısını sağlamasıysa yaklaşık altmış saniye alıyordu.

Bir sonraki AGM-114 Hellfire füzesi -birçok Predator en fazla üç tane taşırdı- artık her an ateşlenmeye hazırdı. Predator'ın seyrettiği irtifaya göre, -ki bu da yüksek ihtimalle 25.000 feet'ti- roketin dünyaya ulaşması en fazla on sekiz saniye sürerdi. Yani Jaeger'ın elinde en iyi ihtimalle on sekiz saniye vardı.

İlk Hellfire, halat yapıyı yarıp geçerken patlamamış; sanki tereyağına vurulan bir bıçak gibi köprüyü ortadan ikiye ayırmıştı. Ancak ikinci sefer bu kadar şanslı olmayabilirlerdi.

Kalan son kişi, Şef'in en yaşlı oğlu zar zor geri tırmanmış; Jaeger tarafından nehir kenarına atılmıştı. Artık orman örtüsünün güvenliğine koşması gereken sadece kendisi kalmıştı. Botları ayaklarının altındaki basamaklara tırmanırken orman her adımında daha da yaklaşıyordu.

"AĞAÇLARA GİDİN!" diye bağırdı. "AĞAÇLARIN ALTINA Gİ-RİN!"

Yukarıdaki bitki örtüsü onları Hellfire saldırısına karşı koruyamazdı. Bunu yapabilecek çok az şey vardı zaten. Ancak kalın örtünün altında Predator'ın onları bulması imkânsıza yakın olurdu ve bu sayede hedef alması da mümkün olmazdı.

Jaeger bir basamaktan diğerine hızla ayaklarını atarken köprüde kalan son adam olarak ormana ilerliyordu. Sonra ikinci füze geldi.

Kulaklarını sağır eden gürlemesinden kısa bir süre önce tüm bedeninde bıraktığı şok etkisini hissetti; füze, ses hızından da hızlı, 1.3 Mach ile yol alıyordu. Köprünün tam ortasında patladı ve keskin kırıklarıyla şarapnellerini her tarafa salarak iskeletimsi yapıyı kocaman bir ateş topuna dönüştürdü. Bundan hemen sonra Jaeger düşmeye başladığını hissetti.

Kalan son gücüyle döndü ve köprünün tutacak yerlerinden birini yakalayıp iki koluyla sıkıca sarıldı ve çarpışmaya hazırlandı. Bir saniye sonra köprünün Jaeger'ı da taşıyan, uçurumun kenarına bağlı tarafı koptuktan sonra üzerinde kalanlarla birlikte kayalığa doğru şiddetli bir şekilde düşmeye başladı.

Jaeger vücudunu çelikten bir betonmuş gibi gerdi.

Kayalık duvara çarptığında oluşan ezici darbeyle birlikte ön kollarının derisi parçalanmış, çarpışmanın etkisiyle başı sertçe öne fırlamıştı. Korkunç bir çatırdamayla alnını kayaya vurdu. Jaeger'ın beyninde kör edici bir yıldız fırtınası koptu, ardından tüm dünyası karardı.

57

Jaeger kendine geldiğinde başı dönüyor, şakaklarından süzülen acı dalgaları beynini yakıyordu. Görüşü bulanıktı. Kusacak gibi hissediyordu. Ağır ağır etrafının farkına varmaya başladı. Üzerinde, koyu yeşilden alabildiğine uzanan bir şemsiye vardı.

Orman...

Bitki örtüsü...

Yukarıda...

Koruyucu bir battaniye gibiydi. Predator'dan onu koruyordu.

"Her şeyi kapatın!" diye bağırdı Jaeger. Bir dirseğinin üzerinde kalkmaya çalıştı ama üzerinde onu yerde tutan, engelleyen eller vardı. "Her şeyi kapatın! Bir şeyi takip ediyor! NE VARSA KAPATIN!"

Jaeger'ın ateşli, kanlı gözleri takımının üzerinde dolandı. Hepsi ceplerine ve kemerlerine uzanmıştı. Jaeger kafasından bir acı dalgası daha geçerken nefesini tuttu.

"PREDATOR!" diye bağırdı. "Üç Hellfire taşıyor! Her şeyi kapatın! NE VARSA KAPATIN!"

Bağırıp çağırırken bakışları bir kişinin üzerinde takılı kaldı. Dale nehirdeki geçidin hemen kenarında eğilmiş, bir diziyle kamerasını destekliyor; az önceki dramanın ardından yaşananları kaydeden kamerasının vizöründen etrafı izliyordu.

İnanılmaz bir çabayla, Jaeger kendisini yerde tutanlardan kurtuldu. Tehlikeyle parlayan gözlerini Dale'e kilitleyip kanlanmış yüzünde aklını yitirmiş bir adamın ifadesiyle ileri atıldı. Ağzından çıkan feryat bir hayvan ulumasını andırıyordu.

"KAPAT DEDİM ULAN SANA!"

Dale ne olduğunu anlamaz bir şekilde başını kaldırdı, tüm dünyası kısa süre öncesine kadar kameranın lensinden ibaretti. Bir saniye sonra, seksen kiloluk William Jaeger, rugby hamlelerine benzer bir şekilde Dale'in üzerine çullandı ve iki adam birlikte bitki örtüsüne yuvarlandı. Kameraysa tam tersi tarafa gitti. Birkaç kez yuvarlanıp geçidin kenarında gözden kayboldu. İnce bir kaya çıkıntısının üzerinde durmuştu.

Saniyeler sonra sanki cehennemin kapıları aralanmışçasına bir uluma sesi duyuldu ve üçüncü roket dünyaya düştü. Üç numaralı Hellfire sisi yarıp geçmiş, Dale'in kamerasının indiği yerdeki dar sığlığı paramparça etmişti. Patlamayla birlikte sığlık alev alırken, zaten az olan bitki örtüsü kül hâline gelmişti. Ancak üzerindeki kayadan duvar sayesinde Jaeger ile takımı patlamanın en kötü etkisinden kurtulabilmişti.

Patlamanın etkisi yukarı çıkarken açık gökyüzü şarapnel parçalarıyla doldu. Kulakları sağır eden gürültü Rio de los Dios'un dört bir yanında tekrar tekrar yankılandı. Yankılar uzaklarda ağır ağır sönerken geçidin olduğu yere bir tür sessizlik çökmüştü. Kavrulmuş kayaların çıkardığı kokuyla küle dönmüş bitkiler havada asılı kaldı; kuvvetli patlayıcının boğucu, dumanlı kokusu da her yanı sarmıştı.

"Üçüncü Hellfire!" diye bağırdı Jaeger, Dale ile birlikte atladıkları yerdeydi. "Bu kadar olmalı. Ama eşyalarınızı arayın! Hepsini arayın ve ne var ne yoksa kapatın!"

Herkes koşup Bergens çantalarını alarak içini boşaltmaya başladığında Jaeger, Dale'e döndü.

"Sizin kameralar tarih, saat ve konumu kaydediyor, değil mi? Yerleşik bir GPS'i var sanırım."

"Evet ama iki cihazda da Kral'a kapattırmıştım. Hiçbir kameraman, filminde tarih ve saat görülmesini istemez."

Jaeger bir parmağını Dale'in kamerasının yok olmadan önce düştüğü yere uzattı.

"Kral ne bok yediyse *oradaki kesinlikle kapanmamış.*"

Dale'in gözleri sırt çantasına gitti.

"Burada bir tane daha var, yedek."

"O zaman ağaçların altına gir ve kapandığından emin ol!"

Dale aceleyle gittiğinde Jaeger kendini zorlayarak ayağa kalktı. Başı ve kolları acıdan kıvranıyor, bitmiş durumda hissediyordu. Ama şu an ilgilenmesi gereken daha önemli şeyler vardı; kendi çantasını arayıp her şeyin kapalı olduğundan emin olması gerekiyordu. Sendeleyerek çantasına gitti ve içindekileri boşaltmaya başladı. Her şeyi kapattığından emindi ama en ufak bir hata hepsinin ölümü anlamına gelirdi. Beş dakika sonra tüm kontrolünü tamamlamıştı.

Hellfire füzesi düştüğünde, uydu telefonlar bir tarafa, kimsenin GPS birimi bile çalışmıyordu. Amahuaca Kızılderililerinin açtığı yoldan hızla ilerliyorlardı. Jaeger'ın takımındaki hiç kimsenin navigasyona ihtiyacı yoktu, dahası hiçbir şekilde uydu sinyali almalarının mümkün olmadığı kalın orman örtüsü altında ilerlemişlerdi.

Jaeger takımını toplayıp, "Predator'ı tetikleyen bir şey oldu," dedi acıyla gıcırdayan dişlerinin arasından. "Orman örtüsünün altından direkt şelalenin kenarına çıktık ve *bip!* Predator'ın ekranında bir sinyal belirdi. Bir uydu telefonu, GPS ya da benzeri bir şey yeter; ânında takibe alabilir."

"Kızılötesi de var," diye araya girdi Alonzo. "Predator, kızılötesiyle bizi ısı kaynağı olarak görmüştür."

Jaeger başını iki yana sallayıp, "Otuz metrelik ormanın altında göremez. Haydi onu geçti diyelim, geçemez ama, ne görecek? Bir dizi alakasız ısı lekesi... Bir insan grubuyla domuz sürüsü arasındaki farkı ayırt edemez. Hayır, bir şeyi takip ediyordu. Bizdeki bir şey, anlık ve takip edilebilir bir sinyal gönderdi," dedikten sonra Jaeger, Dale'e baktı. "İlk Hellfire vurduğunda çekim yapıyor muydun? Kameran açık mıydı?"

Dale başını sallayıp, "Ciddi misin sen? O köprüde mi? Korkudan altıma sıçıyordum!" diye bağırdı.

"Tamam, herkes eşyasını bir daha kontrol etsin," dedi Jaeger. "Çantalarınızın yan ceplerini, pantolonlarınızı arayın. Tişörtlerinizi, çamaşırlarınızı bile arayın! Bir şeyi takip ediyordu. Her neyse onu bulmamız lazım!"

Bir kez daha kendi çantasını altüst etmeye geçmeden önce elleri pantolon ceplerinde dolaştı. Parmaklarına, pantolonunun en derinlerinde saklanmış Gece Takipçileri parası takıldı. Geçen birkaç dakikadaki karmaşa ve kaos sırasında garip bir şekilde ortadan bükülmüş gibi görünüyordu.

Parayı çıkardı. Kırılan köprünün bir ucunda salınarak kayalıklara çarptığı zaman paranın da ciddi şekilde zarar gördüğünü düşündü. Bir süre dikkatle baktı. Dairenin çapı boyunca ilerleyen ince bir çatlak var gibiydi. Kanlanmış tırnaklarından birini oraya sokup bastırarak açtı.

Para ortadan ikiye ayrıldı. Bir yarısı boştu. Jaeger gözlerinin önündeki delile inanamıyordu. Bozuk paranın boşaltılmış iç kısmında minicik bir elektrikli devre kartı vardı.

58

"Ölüm Karanlıkta Bekler." Jaeger nefretle bu sözde paranın bir tarafına kazınmış Gece Takipçileri sloganını tekrarladı. "Bunlardan birini taşıyınca bekliyormuş gerçekten."

Parayı yakınındaki bir taşın üzerine koydu, devre kartı yukarı bakıyordu. Eline daha küçük, ikinci bir taş aldı. Taşları bir çekiç ve örs olarak kullanıp lanet şeyi paramparça edecekti. Bir yumruğunu kaldırdı, kalbinde bastırılmış öfkesini ve bedenini kavuran ihanet hissini avcundaki taşa yoğunlaştırdı ama bir el uzanıp onu durdurdu.

"Yapma. Daha iyi bir yol var." Irina Narov'du konuşan. "Tüm takip birimlerinin bir bataryası olur. Ayrıca açma kapama düğmeleri de vardır." Cihazı alıp küçük bir anahtarı çevirdi. "Artık kapandı. Sinyal göndermeyecek." Ardından Jaeger'a bakıp, "Asıl soru, bunu nereden bulduğun..." dedi.

Jaeger'ın parmakları sanki avcunun içinde parçalayacakmışçasına parayı sarmıştı.

"C-130 pilotu. Sohbet ediyorduk. SOAR gazisi olduğunu söyledi. Gece Takipçisi. SOAR'ı da iyi bilirim. Dünyanın en iyilerindendir. Bunları ona da söyledim." Duraksadı, sinirliydi. "O da bana bu parayı verdi."

"Öyleyse bir senaryo çizeyim," dedi Narov, sesi Kuzey Buz Denizi'nin engin çölü gibi soğuk ve bomboştu. "C-130 pilotu sana bir takip cihazı vermiş. Orası kesin... Biz, yani sen ve ben, atlayış sırasında bir şeye takıldık. Onun mürettebatı, paraşüt görevlileri bunu kasten yaptı; bizi döndürmek için. Silahını da gevşeterek dengemizi iyice bozdular." Narov duraksadı. "C-130 mürettebatı ya bizi öldürme ya da bizi takip edecek birine olanak sağlamakla görevlendirilmiş. Görevi veren her kimse bizi takip ediyor ve öldürmeye çalışıyor."

Jaeger, Narov'un anlattığı hikâyenin mantıklı olan tek seçenek olduğunu kabul ederek başını salladı.

"Peki bizi kim öldürmeye çalışıyor?" diye devam etti Narov. "Formaliteden bir soru sordum. Cevap vermeni beklemiyorum. Ancak şu an milyon dolarlık bir soru bu."

Narov'un ses tonunda, Jaeger'ın içini ürperten bir şeyler vardı. Kadın bazen çok soğuk ve ifadesiz konuşuyor, insansı bir robotu andırıyordu. Bu da Jaeger'ı ciddi şekilde rahatsız ediyordu.

"Bir cevap beklememene sevindim," dedi. "Çünkü durum ortada... O C-130'un pilotu bana takip cihazı verdiyse şu an kimin dost, kimin düşman olabileceğine dair en ufak bir fikrim bile yok." Bir parmağıyla Kızılderililerin olduğu yeri gösterdi. "Şu an güvenebileceğimi bildiğim tek taraf onlar; bu iletişime geçilmemiş Amazon Kızılderilileri. Düşmanın kim olduğu konusundaysa sadece el altında Predator, takip cihazları ve daha kim bilir neler saklayan sağlam bir donanıma sahip birileri olduğunu biliyorum."

"C-130 ve mürettebatını Carson mu buldu?" diye sordu Narov.

"Evet."

"Öyleyse Carson da bir şüpheli... Zaten hiç sevmemiştim onu. Küstah bir *Schwachkopf*." Jaeger'a baktı. "İki tür var bunlardan. İyi *Schwachkopf* olanlar ve bir de iğrendiklerim... Sen iyilerdensin."

Jaeger bakakaldı. Narov'u hiçbir şekilde anlayamıyordu. Şu an kendisiyle flört mü ediyordu, yoksa bir farenin kediyle oynadığı gibi oynuyor muydu? Hangisi olursa olsun, hafif kinayeli bu iltifatı kabul etti. O sırada yanlarına Alonzo geldi.

"Bence yukarıdakileri bir ara," diye önerdi iri Afro-Amerikalı. "Air-lander'ı diyorum. Devamlı geniş alan takibi yapıyorlar, değil mi? Şimdiye kadar gelip kurulmuş olmaları lazım. Ne öğrendiklerini bir sor bence."

"Unuttuğun bir şey var," diye karşı çıktı Jaeger. "Arama yaparsam dibimizde bir Hellfire daha patlar."

"Veri gönder," diye önerdi Alonzo. "Veri patlama modu var. Predator'ın bir hedefi bulup, takip edip yakalaması en az doksan saniye sürer. Veri patlamasıyla göz açıp kapayıncaya kadar göndermiş olursun."

Jaeger bu fikri biraz düşünüp, "Evet, sanırım işe yarar," derken geçidin oraya baktı. "Ama oraya gidip ben yapacağım bunu. Tek başıma, yalnız..."

***

Jaeger Thuraya uydu telefonunu açtı. Yalnızca açığa çıkıp göndereceği zaman uydu yakalayacağını bilmenin verdiği güvenle hızla bir mesaj yazdı.

Şebeke 964864. İletişim birimlerine müdahale ediliyor. Takım hedef alındı; Hellfire. İHA'yı sorgulayın. İletişim şu an yalnızca şifrelenmiş veri patlamasıyla veriliyor. Airlander ne gördü? Tamam.

Jaeger nehir kenarındaki açıklığa ilerledi. Orman örtüsünün kalkanından çıkıp kolunu kaldırarak Thuraya telefonunu havada tuttu ve ekranda beliren uydu simgelerinin yanıp sönmesini izledi. Kullanabileceği kadar sinyal yakaladığı anda mesajı gönderdi ve telefonu kapatarak hızla ormana döndü.

Jaeger ile takımı gölgelerin arasında beklemiş, saniyeleri sayarken gerilim iyice tırmanmıştı. Bir dakika geçti, görünürde bir Hellfire yoktu. İki dakika geçti, herhangi bir füze saldırısı olmamıştı.

"Üç dakika oldu dostum," dedi Alonzo. "Hellfire falan yok. Veri patlamasıyla işimizi görmüş gibi duruyor."

"Evet," diye doğruladı Jaeger. "Şimdi ne yapacağız?"

"Önce o başına pansuman yapmama izin vereceksin." Leticia Santos gelmişti. "Böyle yaralanıp zarar görmemesi gerekecek kadar yakışıklı bir yüzün var."

Jaeger sesini çıkarmayıp Santos'un işini yapmasına müsaade etti. Kadın, kollarındaki aşınmış yerleri temizleyip sterilize etmek için iyodin sürdü; sonra da alnını kalınca bir sargı beziyle sardı.

"Teşekkür ederim," dedi Jaeger, Santos'un işi bittiğinde. "Şunu da söyleyeyim, sıhhiye işi söz konusu olduğunda benim alıştığım killi komandolara göre inanılmazsın."

Puruwehua'nın yanına gitti, bir iki dakika boyunca neler yaşandığını açıkladı. Kızılderililerden hiçbiri Hellfire füzelerinin ne olabileceğine dair bir fikre bile sahip değildi. Gökyüzünden düşen böylesine bir ölüm, onların gözünde tanrılarının gönderdiği bir şimşek bile olabilirdi. Sadece bir sürü savaş filmi izleyen Puruwehua'nın olanlara dair küçük bir fikri var gibi görünüyordu.

"Ne olduğunu sizinkilere anlat," dedi Jaeger. "Karşımızda neyin olduğunu tamamen anlamalarını istiyorum. Predator karşısında ne ağız tüfekleri ne de oklar bir işe yarar. Geri dönmeye karar verirlerse hiçbirini suçlayamam."

"Köprüde bizi kurtardın," diye yanıtladı Puruwehua. "Ödenmesi gereken bir hayat borcu var. Kadınlarımız savaşa giderken bizi bir deyişle uğurlar. Çevirmeye çalışırsam şöyle bir şey olabilir; 'Ya galip gel ya da ölü.' Ne ölüme ne de zafere ulaşmadan köye dönmek büyük bir onursuzluk olarak algılanır. Burada bir ikilem yok, seninleyiz."

59

Jaeger'ın gözleri büyük bir rahatlamayla parladı. Şu an Kızılderilileri kaybetmek alabilecekleri en ağır darbe olabilirdi.

"Merak ettim de köprüde öyle düştükten sonra nasıl oldu da hayatta kalabildim?"

"Bilincin kapalıydı ama kolların, *pyhama*'ya sarılı kaldı." Puruwehua, ağabeyine kısa bir bakış attı. "Gwaihutiga ile birlikte aşağı inip seni çıkardık. Ama seni köprüden kurtarıp tamamen çıkaran ağabeyimdi."

Jaeger büyülenmiş bir şekilde başını iki yana salladı. Kızılderili tercüman söylediği birkaç kelimeyle muhtemelen ölüme karşı koyan bir dehşet ânını gizlemişti. Genç Amahuaca savaşçısına baktı; artık Puruwehua, Jaeger'ın gözlerinde sadece bir çevirmen değildi.

"Yani bana dediklerine göre Puruwehua, ormanın en ama en cesur kurbağası, hayat borcu iki taraflı; doğru mu?"

"Doğru," diye doğruladı kısaca.

"Ama neden Gwaihutiga?" diye sordu Jaeger. "Bizi öldürmeyi en çok isteyen oydu."

"Babam aksine karar verdi Koty'ar."

"Koty'ar?"

"Koty'ar, babamın sana verdiği isim... 'Daimî dost' demektir. Her daim yanımızda olacak yoldaş..."

Jaeger başını iki yana sallayıp, "Asıl siz bizim için *koty'ar* oldunuz," dedi.

"Gerçek dostluk çift taraflıdır zaten. Artık Gwaihutiga'nın gözünde sen de kabilemizdensin." Puruwehua, bir anlığına gözlerini Narov'a çevirdi. *"Ja'gwara* da, Japonya'dan gelen küçük adam ve kocaman sakallı da aynı şekilde..."

Jaeger onur duymuştu. Gwaihutiga ile aralarındaki kısa mesafeyi aldı. Amahuaca savaşçısı yaklaşmasıyla birlikte ayaklanmıştı. Karşı karşıya geldiler; aşağı yukarı aynı boya ve genişliğe sahip iki adam, iki lider şimdi yüz yüze duruyordu. Jaeger gönülden gelen bir teşekkür göstergesi olarak bir elini Gwaihutiga'ya uzattı. Kızılderili bir süre eline baktı, sonra gözlerini Jaeger'ın yüzüne dikti. Bakışları bir hiçlikle dolu karanlık bir çöldü. Bir kez daha okunması mümkün değildi. Uzunca bir süre Jaeger iyi niyetli hamlesinin reddedildiğinden emindi. Ama sonra Gwaihutiga da uzanıp Jaeger'ın iki elini kendi ellerinin arasına aldı.

"Epenhan koty'ar," dedi Gwaihutiga. *"Epenhan."*

"Hoş geldin demek," diye açıkladı Puruwehua. "Her daim yanımızda olacak yoldaş hoş geldin."

Jaeger içinde yükselen duyguları hissetti. Böyle anların oldukça ender yaşandığını biliyordu. Neredeyse dış dünyayla hiçbir bağı olmayan büyük bir halkın savaşçı lideriyle, dışarıdan bir yabancıyı kurtarmak için kendi hayatını tehlikeye atmış adamla yüz yüze duruyordu. Gwaihutiga'yı bir anlığına kollarının arasına alıp adama sarıldı, sonra geri çekildi.

"Şimdi söyleyin bakalım, aşağı inmek için bir fikri olan var mı?" diye sordu Jaeger, ne diyeceğini pek de bilemeden. "Halattan köprümüz de ikiye ayrıldı."

"Biz de onu tartışıyorduk," diye araya girdi Puruwehua. "Nehri geçecek hiçbir yol yok, buradan da aşağı inemeyiz. Tek alternatif, sizin ilk başta kullanmayı planladığınız rota... Ama o da üç gün, belki daha uzun bir süre yolu uzatıyor. Hedefe, planladığımızdan çok daha sonra ulaşmış..."

"O zaman hiç vakit kaybetmeyelim," diye araya girdi Alonzo. "Gerekirse tüm yolu koşarız, hatta haydi gidelim."

Jaeger sessiz olması için elini kaldırıp, "Bir saniye dur, sadece bir saniye," dedi.

Önünde dizilen yüzlere sırayla baktı, kendi yüzüne arsız bir gülümseme yerleşiyordu. Özel kuvvetlerdeyken, onlara düşmanı alt etmek için hep alışılmışın dışında olanı, beklenmeyeni yapmaları öğretilmişti. Jaeger da bu sefer, Amazon'un tam ortasında belki de en beklenmeyeni yapmak üzereydi.

"Zulada paraşütlerimiz duruyor, değil mi?" diye söze başladı. "Sekiz tane var, yedekleri de ayırırsak iki katı..." Durdu. "Yüksekten atlayış yapanınız var mı?"

"Ben birkaç kez yaptım," diye araya girdi Joe James. "O Amahuaca piposundan çekmek kadar vahşiydi."

"Ben de yaptım," diye doğruladı Leticia Santos. "İyi bir olay ama *carnivale*'da dans etmek kadar heyecanlı değil. Neden?"

"Bu yüksekten atlama, 30.000 feet'ten YİYA atlayışı yapmanın kısa hâli olarak düşünülebilir. Bunda C-130 rampası yerine bir uçurumun kenarından ya da bir gökdelenden atlar, paraşütü çekmek için de saniyelerle yarışırsınız." Jaeger'ın gözleri artık saf heyecanla parlıyordu. "Biz de onu yapacağız. Zulaya gidip paraşütleri alacak ve Şeytanın Şelalesi'nden atlayacağız."

Söylediklerinin karşılık bulması biraz zaman aldı. Her yanıyla oldukça mantıklı ilk itiraz Hiro Kamishi'den geldi.

"Amahuaca'ya ne olacak? Puruwehua, Gwaihutiga ve diğer savaşçı kardeşlere? Onları arkamızda bırakmak... Pek akıllıca olmaz."

"Biz yedi kişiyiz, yani geriye dokuz tane yedek paraşüt kalıyor. Hem bir kısmını da ikili atlayışla aşağı indirebiliriz." Jaeger, Puruwehua'ya döndü. "Hiç uçmak istedin mi? Hani bana anlattığın bir şahin vardı, *topena* mıydı? Köyden tavuk çalabilen beyaz şahin..."

"*Topena*," diye doğruladı Puruwehua. "Ben *nyakwana* çekerken *topena* kadar yükseklerde uçtum. Engin okyanusların ve yüksek dağların üzerinde... Ama onlar zihnimin dağlarıydı."

"Uçtuğuna eminim," dedi heyecanını saklayamayan Jaeger. "Ama bugün, burada, gerçekten uçacaksın."

Puruwehua'nın bakışlarında bir ifadeye rastlamak mümkün değildi, en ufak bir korku belirtisi bile yoktu.

"Aşağı inmenin en hızlı ve tek yolu buysa atlayacağız."

"Yedi kişiyi kesinlikle indirebiliriz, tek başına uçan olursa sayı artar," diye açıkladı Jaeger. "En azından bu sayede enkaza ilk ulaşan biz oluruz."

"Atlayacağız," diye tekrarladı Puruwehua net bir şekilde. "Atlayamayanlar uzun yoldan gidecek ve Karanlık Güç'ü izleyip peşine takılacak. Bu sayede onlara iki taraftan saldırabileceğiz."

Gwaihutiga kontrolsüzce patlayan bir silahın çıkardığı sesler gibi duyulan birkaç şey söyleyerek araya girdi.

"Ağabeyim bugünden sonra nereye giderseniz gidin, sizi izleyeceğimizi söylüyor. Şelaleden atlasanız dahi," diye çevirdi Puruwehua. "Senin için de yeni bir isim kullandı; *Kahuhara'ga*. 'Avcı' demek."

Jaeger başını iki yana sallayıp, "Sağ olsun ama ormanda asıl avcı olan sizlersiniz," dedi.

"Hayır, bence Gwaihutiga gayet haklı," diye kesti sözünü Narov. "Sonuçta Jaeger Almancada da 'avcı' demek. Bugün ormanda bu ismi ikinci kez aldın, hem de asıl anlamını bilmesi mümkün olmayan bir Amahuaca savaşçısı sana bunu layık gördü. Bunun bir anlamı olmalı."

Jaeger omuzlarını silkip, "Öyle olsun. Ama şu an kendimi daha çok bir av gibi hissediyorum. Açıkçası karşımızda her kim varsa savaşmamayı yeğlerim. Yani her şeyden önce enkaza ulaşmamız gerekiyor, onun da tek yolu var," dedikten sonra şelaleye baktı. "Haydi gidelim."

"Belki bir sorunumuz olabilir," diye araya girdi Narov. "Uçma kısmına tamamım ama iniş konusunda tereddütlerim var. Bir kez daha ağaçların tepesinden sarkmak, *Phoneutria* tarafından diri diri yenmek istemiyorum. Nereye inmeyi planlıyorsun?"

Cevap olarak Jaeger, Şeytanın Şelalesi'nin kenarına kadar geldi. Bir kolunu aşağı uzatarak üzerinden baktı.

"Şurayı görüyor musun? Şelalenin tabanında ormandan ayrı bir havuz var. Keşfin planlama sürecindeyken alternatif bir iniş noktası olarak orayı düşünmüştük. Sayısız sebepten ötürü vazgeçtik ama şu an başka çaremiz yok, oraya ineceğiz. Vazgeçme sebeplerimizden biri," diye devam etti, "bölgenin kaymanlarla dolu olacağını düşünmemizdi. Şelalenin dibindeki o havuzda kayman var mı Puruwehua?"

Puruwehua başını iki yana sallayıp, "Hayır, kayman yok," dedi.

Jaeger, bakışlarını ondan ayırmayıp, "Başka bir şey var ama değil mi?" diye sordu.

"*Piraihunuhua* var. Siz ne diyordunuz? Büyük balıkları da yiyen siyah balık..."

"Pirana?"

"Pirana," diye doğruladı Puruwehua. Güldü. "Piranalar yüzünden hiç kayman yok."

"Dostum o balıklardan nefret ediyorum ya!" diye çıkıştı Alonzo. "Tiksiniyorum. Bir uçurumdan atlayacağız, şelaleden uçacağız, nehre ineceğiz ve dünyanın en ölümcül balıklarına yem olacağız. Tam Jaeger'lık gerçekten!"

Jaeger'ın gözleri parlamıştı.

"Alakası yok. Beni yakından izleyip tam olarak indiğim parçaya ineceksiniz, hiçbir şey olmayacak. Hepimiz rahatça çıkacağız. Oyalanmak yok ama. Banyo yapmak için uygun bir zaman değil. Yine de bana güvenin, başarabiliriz."

Takımındaki herkesin gözlerine baktı. Ona bakan yüzler çamur ve terle boyanmış, böcek ısırıklarıyla yer yer kızarmış ve stresle yorgunluk yüzünden kırışıklıkla dolmuştu. Jaeger'ın gözleri kameramana gelince durdu. Takımında askerlik yapmamış tek kişi olan Dale, sağlam bir cesaret ve azmin yanına derinlerde sakladığı kuvvetini de çıkarmış gibi görünüyordu. İnanılmaz bir şekilde şimdiye kadar karşılaştığı hiçbir engel karşısında boyun eğmemişti.

"O yedek kamera," dedi Jaeger. "Tarih, saat ve konum özelliklerinin kapatıldığını yeniden kontrol et. Bu işi yaparken kameranın çalışmasını *istiyorum*; yani *çekim yapmanı*. Bundan sonra yapacağımız her şeyi kaydet. Ne olur ne olmaz, her şeyin bir kaydı olsun."

Dale omuzlarını silkti.

"O zaman ilk sen atlayacaksın sanırım. Şeytanın Şelalesi'nden atlarken kamerayı çalışacak şekilde ayarlarım."

60

Jaeger şelalenin kenarında durmuş, hemen arkasında takımı sıralanmıştı. Sol tarafından şelalenin fokur fokur kaynayan suları boşluğa akıyor, ayağının altındaki kayalar kayıyordu. Akan suların oluşturduğu duvara baktığında sanki ayaklarının altındaki dünya hareket ediyormuş gibi hissediyordu. Yüzünü boşluğa döndüğündeyse yoğun sisle türbülanslı su buharının ılık tropik havayla buluşmasını görüyordu. Bir de ikili atlayış için bedenine sıkı sıkı bağlanmış Puruwehua vardı. Jaeger'ın takımındaki her bir üye, göğsüne bağlanmış bir Amahuaca savaşçısıyla birlikte ikili atlayış yapacaktı.

Takımın en güçlülerinden biri olmasının yanında yüksekten atlama konusunda açık ara en tecrübeli isim olan Joe James, aynı zamanda katlanmış bir kayığın yükünü de iniş sırasında omuzlayacaktı. Narov, Şeytanın Şelalesi'nden atladıktan sonra kanodan faydalanmak için harika bir öneri sunmuştu.

Her şeyi çekeceği için en son Dale atlayacaktı. Bununla birlikte askerlik geçmişi olmadığından aralarındaki en deneyimsiz paraşütçüydü ve atlayışlar sırasında her şeyi filme almak gibi oldukça zorlu bir görevi üstlenmişti. Onun için işleri biraz daha kolaylaştırmak adına Jaeger tek başına atlamasını önermişti.

Jaeger boşluğa bakmak için öne eğilirken Puruwehua'yı da itmiş oldu. Son bir kez duraksayıp derin bir nefes aldı ve genç Amahuaca ile birlikte geri dönüşü olmayan bir yola kendini bıraktı.

Aynı tahmin ettiği gibi, durdukları kayalık tepeden atlarken zıplayıp uçurumla aralarına önemli bir mesafe koyma gerekliliği yoktu. Çıkıntı gayet yeterliydi ve Jaeger da düşüş sırasında ikiliyi dengede tuttu. Tabii burada kolaylıkla bir dönüşe sebep olabileceği üzere Puruwehua'nın panik yapıp çırpınmamasının da hakkını vermek gerekiyordu. Sakin savaşçı kişiliği öne çıkmıştı. İkili ivme kazandıkça yükselen ılık ve ıslak hava bedenlerine çarptı ve opak bir beyaza dönen uçurumun kenarındaki fokur fokur sudan uzaklaşmalarını sağladı.

İki bin, üç bin... Jaeger içinden sayıyordu. "Ve ÇEK!"

Sırtındaki BT 80'i, hiç uygun olmamasına rağmen kendisi paketlemişti ve bir anlığına paraşütün açılmayacağından korktu. Böyle bir durumda Puruwehua ile birlikte çok ıslanır ve hızlı bir şekilde ölürlerdi. Ama sonra üzerindeki geniş ipeğin havayla buluşurken yarattığı o tanıdık dalgalanmayı hissetti. Paraşütün panelleri sıcak ve nemli atmosferle bir araya gelmişti.

Çağlayan suyun kulağında bıraktığı gürleme sürerken Jaeger, Puruwehua ile birlikte omuzlarından yukarı çekildiklerini hissetti. Böylece şelalenin dibine yüz elli metre kala yapış yapış ve nemli beyazlıkta süzülmeye başladılar.

Çok kısa bir süre için Jaeger'ın gözünün önünde gökkuşağı renklerinden oluşmuş bir duvar belirdi; dökülen nehirden fışkıran sular güçlü güneş ışığıyla buluşuyordu. O büyülü an hızla son bulurken yüzünü şelaleden çevirip açık ormana döndü Jaeger. Tutacaklarla paraşütü sağa çekerek nazik döngülere sokarken hemen yanlarında çağlayan bembeyaz suyun fışkırttığı köpükten de kaçınmak için büyük özen gösteriyordu. Olur da suya yakalanırsa paraşüt çöker ve Puruwehua ile işleri ânında biterdi.

Aşağıdaki havuza doğru döndü. *Piranalar...* Will Jaeger'ın korktuğu pek fazla bir şey yoktu ama simsiyah balık çeneleri tarafından parçalana parçalana öldürülmekten kesinlikle çok korkuyordu. Boylarına bakmaksızın piranaların bir *Tyrannosaurus rex* kadar güçlü bir ısırığı vardı. O korkutucu kaymanların çene gücünüyse üçe katlıyorlardı.

Bir anlığına yukarı baktı. Dört adet açılmış paraşüt arkasından süzü-
lürken beşinci ikili de kayalıktan atlamak üzereydi. Takımı tam da
istediği gibi rahat bir şekilde ilerleyişini sürdürüyordu.

Aşağı baktı. Suya dokunmalarına artık yüz yirmi metre kalmıştı ve
mesafe hızla azalıyordu. Göğsündeki cebin fermuarını açtı ve par-
maklarıyla el bombasının soğuk çeliğini kavradı.

Bioko'da geçirdiği üç kayıp yıl boyunca Jaeger, pek değeri bilinme-
yen zaman öldürme işi konusunda uzmanlaşmıştı. Bu uğurda yaptığı
şeylerden biri Britanya'nın ele geçirmek için her imkânı kullandığı
İkinci Dünya Savaşı'ndan kalma kargo gemisi *Düşes*'in kaderini
öğrenmekti. Diğeriyse balıkçılıkta şansını denemekti.

Bu uğraşındaysa Fernao köyündeki balıkçıların yardımını kullanmıştı.
Ama bu balıkçılar alışıldık ağlar yerine bambaşka bir yöntem kulla-
nıyordu. Köylülerin balık yakalama konusunda başvurduğu ilk ve en
önemli araç dinamitlerdi. Vahşi yaşam ve doğal kaynakların korun-
ması adına epey kötü bir tercihti ama balıkçıların istediği miktarda
balığı ağına düşürmesi ya da daha doğrusu patlatıp sudan çıkarması
ciddi şekilde kolaylaşıyordu.

Jaeger göğüs cebinden el bombasını çıkarıp dişleriyle ısırarak pinini
çekti ve metal kaplama kolunu serbest bıraktı. Üzerindeki az sayıda el
bombasını Albay Evandro'ya borçluydu ama biraz sonra yapacağı şey
için kullanmayı aklından bile geçirmemişti. Mesafe ve zamanlamanın
uygun olduğunu düşündüğü anda bombayı bıraktı ve patlayıcı suya
süzüldü. Artık patlamaya hazır bir şekilde şelalenin dibine doğru yol
alıyordu. Altı saniye içinde patlayacaktı ve Jaeger bu sürede suyun
takribi iki metre kadar altında olacağını tahmin ediyordu.

Bombanın suya düştüğünü, sıçrayan suların havuzda bıraktığı dal-
galarını gördü. Bir ya da iki saniye içerisinde de patlama oldu. Bem-
beyaz sular havuzdan yükselirken, püskürmeler saniyeler içerisinde
zemindeki yerine geri döndü.

Jaeger patlamanın merkezine doğru paraşütü döndürürken bir taraftan
da ikinci bombayı bırakmıştı. Patlayıcılar üzerine eğitim aldığı sıra-

larda, hocası olur da bir iş için ne kadar bomba gerektiğini bilemezse, "plastik patlayıcı" anlamına gelen PP kısaltmasının aslında, "patlat patlatabildiğini" ifadesine dönüştüğünü söylemişti.

İkinci bomba da patladı ve bu sefer sıçrattığı sular neredeyse Jaeger'ın ayağına kadar yükseldi. Ne olduğunu anlamayan balıkların, karınları gökyüzüne bakacak şekilde su yüzeyine çıktığını görebiliyordu. Bunun işe yaraması için durmadan dua etmişti.

Botları yere çarptığı gibi Jaeger paraşütünden ayrılıp Puruwehua'yı çözmesini sağlayacak kayışları açtı. Hemen solunda Irina Narov'un, hemen sağında da Leticia Santos'un suya ayak bastığını gördü. Biraz sonra Alonzo önüne inerken, Kamishi de arkasına iniş yaptı. Her birinin önüne bağlı Amahuaca savaşçıları oldukça güçlü görünüyordu. Beş iniş gerçekleşmiş, Kızılderililerle birlikte on kişi yerini almıştı. Artık kıyıya çıkma zamanıydı.

Yukarıdaki kalkış noktalarından suyu yoğun bir şekilde inceledikten sonra, Puruwehua inmeleri gereken noktayı tam olarak söylemişti. Bir *evi-gwa*'nın; derin suya keskin bir düşüşle sona eren, nehre doğru hafif çıkıntı yapmış bir kaya uzantısının bitişiğindeki noktayı seçmişti.

Birkaç güçlü kulaç attıktan sonra Jaeger kuru toprağa ulaştı. Karaya tutunarak kendini yukarı çekti ve ekibini kontrol etmek için arkasına döndü. Her geçen saniye su yüzeyine daha fazla balık cesedi yükseliyor ve takımıyla Kızılderililer de hızla karaya ilerliyordu.

Hemen üzerinden Joe James'in iri cüssesi son suya inişi gerçekleştirdi. James'in üzerine Gwaihutiga bağlanmıştı ve altındaki halattan da katlanmış kayık sarkıyordu. Önce kano suya çarptı, ardından James ve Kızılderili yere ayak bastı. Onlar da hızla paraşüt ve birbirlerinden ayrılarak James'in önünde kayığı itmesiyle karaya yüzmeye başladı.

Son olarak Dale kalmıştı. Son adam da paraşütünü açana kadar tüm atlayışları kameraya almıştı. James'in inişiyle birlikte kamerasını kapatıp güvende ve kuru kalması için kano balonuna koydu ve sırt çantasının en derinlerine yerleştirdi.

Jaeger, kameramanın atlayıp paraşütünü çekmesini ve havuza doğru süzülmesini izledi. Sonra bir anda endişe dolu çığlıklar yükseldi.

"*Purug*! Balık! Zıplıyorlar!"

Konuşan Puruwehua'ydı. Jaeger gösterdiği yere baktı. Işıl ışıl parlayan simsiyah bir şekil su yüzeyine çıkıp zıplamıştı. Suyun üzerinde geçirdiği kısa saniye süresinde Jaeger, balığın ölüm kokan kapkara bakışlarının altında açılan ağzındaki iki sıra korkunç dişleri görebilmişti. Aynı güçlü gövdeye, bir o kadar acımasız çeneye ve şeytani bakışlara sahip olan pirana, minyatür bir köpekbalığını andırıyordu. Kısa süre içerisinde Jaeger ile takımının indiği bölge hızla kudurmaya ve kaynamaya başladı.

"*Piraihunuhua*!" diye bağırdı Kızılderililer.

Jaeger'ın uyarıya ihtiyacı yoktu. Az önceki bombardımanın ardından ölerek yüzeye çıkan balıkları diğer siyah piranaların parçaladığını o da görebiliyordu. En az yüzlerce kana susamış balık çırpınırken Dale de tam ortalarına doğru iniyordu. Jaeger bir anlığına üçüncü el bombasını atmayı düşündü ama Dale çok alçaktaydı ve patlamaya maruz kalırdı.

"Pirana!" diye bağırdı Jaeger. "PİRANA!" Ellerini sallayarak ayağının ucundaki suyu gösterdi. "Buraya in! Buraya! Seni çekeriz!"

Korkunç bir saniye boyunca Dale'in kendisini duymadığını ve vücudunun kısa süre içerisinde parçalara ayrılacağı fokur fokur pirana havuzunun ortasına adım atmak üzere olduğunu düşündü.

Son saniyede Dale oldukça keskin bir şekilde sola döndü ve Jaeger ile takımının beklediği yere doğru hızlandı. Yanlış bir açıyla uygun olandan çok daha hızlı bir şekilde yaklaştı ve paraşütü, suyun üzerine kadar uzanan ağaç dallarına takıldı. Çarpışmayla birlikte en üstteki dallar kırılırken, Dale suyun üzerinde bir o yana bir bu yana sallanarak asılı kalmıştı.

61

"Haydi indirelim!" diye bağırdı Jaeger.

Sözleri, Dale'i tutan ana dalın ortadan ikiye ayrılmasıyla çıkan büyük bir patlama sesinin ardında kaybolmuştu. Kameraman hızla düşerken paraşütü de yırtıldı ve bir anda suya çarptı.

"Çekin buraya!" diye bağırdı Jaeger. "ÇIKARIN!"

Dale'in dört bir yanındaki güçlü siyah gölgeler yüzeyin hemen üzerinde bir görünüp bir kayboluyordu. Tek bir ısırık ve kan tadıyla birlikte doymak bilmeyen piranalar Dale'in de bir yem olduğunu anlayacaktı. Diğer balıklara da nehir boyunca yolunu bulan bir sinyal göndermiş olacak; *"Gelin ve yiyin, gelin ve yiyin,"* diyeceklerdi.

Alonzo ve Kamishi suya en yakın olanlardı. İkisi de atladı. Suya dokundukları an Dale'den korku dolu bir çığlık yükseldi.

"Kahretsin! Kahretsin! Kahretsin! *Çıkarın beni! Çıkarın beni!"*

İki adam, havuzdan birkaç kulaç uzaklıkta, Dale'i paraşüt takımından yakaladı ve kıyıya çekmeye başladı. Gözleri korku ve acıyla fal taşı gibi açılmıştı. Çığlık çığlığa çırpınan kameramanı sudan çıkardılar.

Jaeger hemen eğilip incelemeye başladı. Dale birkaç yerinden ısırılmış, geçirdiği şoktan ötürü kâğıt gibi bembeyaz olmuştu. Tabii Jaeger genç adamı kesinlikle suçlayamazdı; birkaç saniye daha kalsa pirana dişleri arasında son nefesini verecekti. Leticia Santos'tan ilk yardım çantasını alıp işini yapmasını istedi. Bu sırada Alonzo ile Kamishi de kendi hasar raporlarını veriyordu.

"Dostum ya! Kıçımdan ısırmış lanet balık!" diye inledi Alonzo. "Nasıl bir balık orayı ısırır ki?"

Joe James dev sakalını avuçlayıp, "Pirana be oğlum! O suya sakın bir daha girme. Artık tadını aldılar. Kokundan anlarlar geldiğini," dedi.

Kamishi de kalçasındaki bir yaraya baktıktan sonra başını kaldırıp, "Tadımın bu kadar güzel olduğunu düşünen bu balığın tadını ben de merak ettim şimdi," dedikten sonra Jaeger'a döndü. "Birini yakalayıp yemek istiyorum, wasabi sosu olursa daha mutlu olurum."

Jaeger gülümsemesini tutmadı. Her şeye rağmen takımındaki moral gayet yüksekti. Önce Predator, sonra pirana saldırısı atlatmışlardı ama hiçbiri davadan kopmamış, enerjisini yitirmemişti. Sıradaki görev için döndü.

"Narov, James! Gelin de kayığı hazırlayalım."

Üçü birlikte Advanced Elements marka kayığı açıp şişirdi ve suya yerleştirdi. Dengede tutmak için üzerine birkaç taş koyup alelacele sarılmış bir iki paraşütle desteklediler. Son olarak Narov sırt çantasıyla birlikte silahını atıp kayığa atladı. Tam küreklere asılıp Rio de los Dios'un kalın orman örtüsüne kıvrıldığı yere ilerlemeye başlayacağı anda Jaeger'a dönüp boynuna sarılmış şala baktı; Santos'un *carnivale* şalı.

"Sarmak için bir şey lazım," dedi. "Takip cihazını diyorum, darbelerden korumak lazım. Hassas bir cihaz, dikkat etmeliyiz." Şalı almak üzere elini uzattı. "O boynundaki de hiçbir işe yaramayan bir süs ama benim işimi görür."

Jaeger başını iki yana sallayıp, "Kusura bakma ama olmaz. Leticia şans getireceğini söyleyip, 'Şalımı kaybedersen bebeğim, hepinizin şansı gider,' dedi. Portekizce konuştuğu için sen anlamamışsındır," diye itiraz etti.

Narov kaşlarını çatmıştı. Sonra o ifadesi surat asmaya döndü.

Jaeger'ın ise içi ısınmıştı. Kadının üzerine oynuyordu. Kocaman bir gizem olan Irina Narov'u çözmeye ancak böyle canını sıkarak başlayabileceğini fark etmişti.

Bu kadınla ilgili aklına yatmayan çok şey vardı; bıçağına olan alışılmadık bağlılığı, akıcı Almancası, görünüşe göre ansiklopedilere kök söktürecek kadar engin olan Nazi bilgisi, Hitler'in mirasına yönelik yoğun nefreti ve tabii ki diğer insanlara karşı duygusal bir okuryazarlık veya empati yetilerinin yanına bile yaklaşamaması. Öyle ya da böyle Jaeger, Irina Narov'u bu denli kapalı kutu yapan şeyi çözmeye kararlıydı.

Kadın başka bir şey söylemeden, huysuz bir şekilde önüne döndü ve piranalarla dolu suda kürek çekmeye başladı.

***

Narov indikleri bölgeden iyice uzaklaştıktan ve güçlü akıntının kayığı sertçe çekmeye başlamasından sonra kıyıya yöneldi. Saldan indi, Gece Takipçileri parasını cebinden çıkarıp takip cihazını "açık" hâle getirdi ve iki yarıyı siyah bir bantla yapıştırdı. Daha sonra parayı su geçirmez bir Ziploc poşete koydu, salın güvenli yük ceplerinden birine yerleştirip salı akıntıya bırakmak için hareketlendi. Sonra bir anda tereddüt edip durdu.

Gözlerinde bir fikir, o ânın verdiği adrenalinle ortaya çıkan bir ilham belirdi. Çantasını karıştırdı ve ne olur ne olmaz diye yanında taşıdığı kontörlü cep telefonlarından birini çıkardı. Tek başına kalması gerekirse diye yanında birkaç farklı iletişim ekipmanı taşıyordu.

Telefonu açtı ve takip cihazıyla birlikte onu da Ziploc poşete koydu. En az bin kilometrelik bir mesafede herhangi bir verici olduğunu düşünmüyordu ama bunun bir önemi olmazdı. Belki sadece telefonun bir sinyal araması bile bulunmasını ve takip edilmesini sağlayabilirdi. Bunu da hallettikten sonra kayığı kıyıdan uzağa itti.

Akıntının ânında sahiplendiği sal saniyeler içerisinde yoluna girmişti bile. Üç katlı korumaya sahip kabuğu, altı şişme cebi, ek olarak yüzdürme torbalarıyla birlikte akıntıda neyle karşılaşırsa karşılaşsın su yüzeyinde kalacaktı. Alabora olabilir, kayalara takılıp yırtılabilirdi ama yine de ilerleyişini sürdürecekti. Yani takip cihazı durmaksızın sinyal göndermeye devam edecekti.

Narov çantasını sırtına atıp silahını aldı ve suyun kenarından uzak durup ormanın koruması altında kalmaya dikkat ederek takımın toplandığı yere ilerlemeye başladı. On dakika sonra Jaeger'ın yanına gelmişti.

"Görev tamamlandı," dedi sakince. "Rio de los Dios buradan kuzeye doğru dönüyor. Bizim rotamız ise güneyde kalıyor. Cihazı o tarafa göndererek düşmanlarımızın kafasını karıştırmış olacağız."

Jaeger kadına bakıp, "Artık her kimse..." dedi.

"Evet," diye tekrarladı Narov, "artık her kimse..." Duraksadı. "En son kendimden bir dokunuş ekledim. Bir cep telefonunu da kanoyla birlikte gönderdim. Sanıyorum, sinyal yakalayamasa bile takip edilebiliyor."

Jaeger gülümseyip, "İyi yapmışsın, umarım öyle olur," dedi.

***

"Gri Kurt, ben Gri Kurt Altı," dedi bir ses. "Gri Kurt, ben Gri Kurt Altı."

Kulaklık, aynı dağınık ve hazır pistin kenarında konuşlanmış aynı gizli çadırın içindeki aynı telsiz setinin üzerinde duruyordu. Üs dört bir yandan kendini saran ormanın arasında görünmez bir yapıya bürünürken, üzerinde hiçbir işaret olmayan siyah helikopterler topraktan pistte dizili duruyor; etrafındaki dağlar da yükseldikçe daha karanlık ve korkutucu bir hâl alarak gökyüzüne uzanıyordu.

"Gri Kurt Altı, ben Gri Kurt," dedi bir ses.

"Efendim yaklaşık bir saat civarı onları kaybettik. Takip cihazı sinyali kesti." Telsiz operatörü önündeki dizüstü bilgisayara baktı. Ekranında, üzerinde belirli bölgeleri işaretlenmiş bir şekilde Serra de los Dios'un bilgisayarla oluşturulmuş bir haritası açıktı. "Ancak daha sonra yeniden Şeytanın Şelalesi'nin altında belirdiler, ormanın içinden akıntı yönünde ilerliyorlar."

"Yani?"

"Şelaleden inmeyi başarmışlar. Su üzerinde, tahminimce kanoyla ilerliyor ancak kuzeye gidiyorlar. Savaş uçağıysa o konumun güneyinde yer alıyor."

"Yani?"

Telsizdeki adam omuzlarını silkip, "Efendim yanlış yöne ilerliyorlar. Nedenini anlamadım. Şu anki konumlarına kilitlenmiş bir Predator uçuruyorum ve kanoya dair görüntü elde ettiğimiz anda video kaynağını göndereceğim. Eğer onlarsa işlerini bitireceğimiz yer de orası..." dedi.

"*Eğer onlarsa* ne demek? Başka kim olacak?"

"Efendim o nehir etrafında onlardan başka kimse yok. Video kaynağını aldığımız gibi kesin bir şekilde emin olup öldüreceğiz."

"Nihayet! Şimdi bana son saldırının görüntülerini gönder. Köprüdeki füzelerin..."

"Emredersiniz."

Elleriyle klavyenin üzerinde gezindi ve ekranda yeni bir görüntü belirdi. Predator'un kısa süre önceki Hellfire saldırıları sırasında çektiği görüntülerin oynadığı bulanık bir videoydu bu. İlk füze halattan köprüye çarptı, ardından görüntü gitti. Kötü bir şekilde pisellendi ve yeniden dengeyi sağladığında köprünün üzerinde kalan tek bir kişinin yüzü bir anlığına göründü.

"Geri al," diye emretti ses. "O adam... Görüntüyü dondur. Bakalım karşımızda kim varmış."

"Emredersiniz."

Operatör kendisinden isteneni yaptı. Görüntüyü dondurup adama yakınlaştırdı.

"Tam olarak bu noktaya ait farklı video kareleri yakala." Boğuklaşan sesteki gerginlik hissediliyordu. "Güvenli bir hat üzerinden bana gönder. Bir dakika içerisinde lütfen!"

"Emredersiniz," dedi operatör.

"Bu arada Gri Kurt Altı, sonraki görüşmemizin 'görev tamamlandı' olmasını istiyorum. Anlaşıldı mı? Sürekli beklemek ya da hayal kırıklığına uğramak istemiyorum."

"Anlaşıldı efendim. Bir dahaki sefere Predator kaçırmayacak."

"Bir de unutma; uçak, savaş uçağı, asla havalanmadı. Hatta var olmadı. Ona ait tüm izleri ortadan kaldıracaksın. Tabii aradığımız şeyi ele geçirdikten sonra..."

"Anlaşıldı efendim."

Operatör konuşmayı sonlandırdı.

**

Telsizin diğer ucundaki adam, Gri Kurt, zihni düşüncelerle boğulmuş vaziyette sandalyesinin arkasına yaslanıp masasındaki çerçeveli fotoğrafa baktı. Kendisiyle birlikte orta yaşlarda, küstah, özgüvenli ve güç saçan bakışlara sahip, gri çizgili bir takım elbise giymiş adam arasındaki benzerlik şaşırtıcı düzeydeydi. İkisini baba ve oğul olarak görmek mümkündü.

"Onları öldürmesi gittikçe zor bir hâl alıyor," diye fısıldadı. Sanki fotoğraftaki adamla konuşuyordu.

Bilgisayarındaki gelen kutusuna bir mesaj düştü. Gri Kurt Altı'dan gelen güvenli e-postaydı. Öne eğilip klavyesine bir şeyler yazdı. Eke tıkladı ve ekranda, videodan alınan köprüdeki yalnız adamın yüzü belirdi.

"*Gerçekten o*," diye mırıldandı. "Başkası olamaz."

Parmakları yeniden klavyeye yöneldi, özel bir e-posta hesabına giriş yaptı. Öfkeli bir gerginlikle yazmaya başladı.

Ferdy,

İçime dert olan bir şey var. Görüntüleri sana göndereceğim. *Adlerflug IV* yakınlarındaki hedeflerimizden biri... Onun William Jaeger olmasından endişeliyim.

Londra'da çalışan adamların tarafından vurulduğunu, "ailesinin kaybıyla işkence çekmesi için" onu canlı bıraktığını söylemiştin. Ben intikamdan yanayım Herr Kamerade. Hatta, Jaeger gibiler söz konusu olduğunda, intikam zamanı geldi de geçiyor bile. Ancak şu raddede kendisi Amazon'da savaş uçağımızı arıyor gibi görünüyor. Umalım da dedesinin izinden gitmesin.

Bildiğin üzere kıdemli Jaeger başımıza çok sayıda bela açmıştı.

Tecrübelerim bana tesadüflere inanmamam gerektiğini öğretti. Sana fotoğrafları göndereceğim.

Wir sind die Zukunft.

HK

"Gönder" tuşuna bastı.

Bakışları yeniden ekrandaki adama dönmüştü. Düşünceleriyse başka yerdeydi; içerideki tüm enerjiyi, tüm hayat ışığını karanlık bir suda boğuyordu.

62

Ormanın gözyaşları dinmiyor, her biri ışıldıyordu. Döndükleri her yanda damlayan, akan ve sızan sular vardı. Alçaktan uçan bulutlar ormanın üzerini kaplayan örtüye bir hışımla bakıyor; hızla boşalan yağmurla zemin seviyesine ulaşabilen ışık miktarını daha da azaltıyordu.

Dağlardan kopup gelen ilk fırtına rüzgârı havaya sert bir serinlik katmış; birkaç saat boyunca durmadan yağan şiddetli yağmurun ardından toprak daha karanlık, daha ıslak ve daha nemli bir hâl almıştı; tabii bir de şaşırtıcı soğuk vardı.

Jaeger sırılsıklam olmasına rağmen havanın bu hâlinden memnundu. Yağmur damlaları ormanın üzerini kaplayan örtüden aktıkça içinden sessiz sessiz teşekkür etmişti. Puruwehua, yağan yağmurun bölgedeki çok çeşitli yağmur türlerinin aksine, *kyrapo'a* olduğunu; yani günler boyunca durmadan yağacağını söylemişti.

Onun dışında hızla geçen hafif yağmur *kyrahi'vi*; sağanak, rüzgârlı yağmur *ypyi*; bir günden uzun sürmeyen ve sonrasında hızla havayı çok sıcak bir hâle getiren yağmur *kyma'e*; en fazla sis kadar rahatsız eden ve kesik kesik çiseleyen *kypokaguhu*; sonu gelmez bir gökkuşağının oluşmasına yol açan güneşli yağmur *japa* ve daha sayısız çeşit vardı.

İngiliz özel kuvvetler seçmelerini geçen herkes yağmur konusunda uzmanlaşırdı. Güney Galler Dağları, Brecon Beacons, yılın 364 günü yağmur alan kasvetli, rüzgârlı ve öfkeli bir kargaşa diyarıydı. Hatta Jaeger orada gördüklerini düşününce o ürkütücü tepelerin en az Amazon ormanları kadar farklı türde yağmur aldığını fark etti. İnsan derisinin su geçirmez olduğuna çok sevinmişti.

Ama bu yağmur, Puruwehua'nın dediğine göre kesinlikle *kyrapo'a* idi. Yani günler gelip geçecek ve bir an olsun durmayacaktı. Nitekim Jaeger bu durumdan gayet memnundu. Gerçi yağmurun Dale, Alonzo ve Kamishi'nin vücudundaki pirana ısırıklarına pek yardımı dokunmayacaktı. Islak, kirli kıyafetleri; ıslak, kirli bandajlara sürtündükçe yaraların iyileşmesi de zaman alacaktı. Ama şu an için Jaeger'ın dert edeceği son şey buydu.

Şeytanın Şelalesi'nin dibindeki pirana dolu havuzun kenarından ayrılmadan hemen önce, Airlander'dan gelebilecek bir mesaj için sinyal almaya karar vermişti. Raff'ın mesajı kısa ve netti.

Şebeke doğrulandı; 964864. Himayeye geçiş. 10 kilometre kuzeyinizde Predator. Kral ve Narov'a dikkat et. Dinleme nöbeti. Tamam.

Biraz şifreli olan bu mesaj, Airlander'ın şu anki konumları üzerindeki yörüngesine ilerlediğini söylüyordu. Yukarıda bir Predator hava aracı olduğunu zaten biliyorlardı ama on kilometre kuzeyde olması, nehir akıntısına kayıkla bıraktıkları yemi yuttukları anlamına geliyordu.

"Dinleme nöbeti"; Raff'ın, Jaeger'dan gelebilecek herhangi bir mesaj için 7/24 tetikte olacağını belirtiyordu. Bununla birlikte takımındaki şüphelilere dair de Jaeger'a uyarısını göndermişti; Kral ve Narov.

İngiltere'den ayrılmadan önce Jaeger'ın, takımdakilerin geçmişlerini adamakıllı inceleyecek fırsatı olmamıştı. Andy Smith'in ölümünden sonra bu işi önemli önceliklerinden biri yapmış ama zaman bulamamıştı. Bu yüzden kurcalama işini Raff'a bırakmıştı ve görünüşe göre Narov ile Kral şüpheliydi.

Jaeger zaman geçtikçe Dale'e ısınmış ancak bir taraftan da Wild Dog Media'nın ezilen adamı olan Slovak kameramana yakınlık duymadan da edememişti. Ama belli ki Kral'ın geçmişinde kırmızı bayrakların kalkmasına sebep olacak bir şeyler vardı. Hem Kral'ın, Dale'in kamerasındaki GPS birimini kapatamamasına dair ufak bir ayrıntı da Jaeger'ın zihninin bir köşesinde duruyordu. Acaba bilerek mi yapmıştı? Jaeger'ın bunu bilmesine imkân yoktu ve Kral da sorabileceği kadar yakında değildi.

Narov ise en az o uçak enkazı kadar gizemli muammalar içerisindeydi. Jaeger, tanışsa Winston Churchill'i bile şaşkına çevirebileceğini düşünüyordu. Onca süreye rağmen kadını ilk tanıştıkları zamandan daha az tanıyormuş gibi hissediyordu. Ama öyle ya da böyle, Narov'un o kırılmaz gibi görünen kabuğunu delmeye ve içeride yatan asıl cevheri öğrenmeye kararlıydı. Ancak şimdi sıra yağmurdaydı.

Bulutların ormanın üzerini örtmesi sayesinde çok yukarılardan onları izleyen gözler engellendiği ve yağmur da bulutlar olmadan yağmayacağı için mevcut hava durumu gayet iyiydi. Gökyüzünden üzerlerine düşen düşman bakışlardan ziyade, Jaeger yağmur bulutlarının altında çok daha güvende hissediyordu. Takımıyla birlikte tüm iletişim ve navigasyon kanallarını kapalı tuttukları sürece görülmeyecek ve izlenmeyeceklerdi.

Jaeger bir anlığına kendini düşman kumandanın -artık her kimseyerine koydu. Avına, yani Jaeger ile takımına dair elindeki son kesin iz, Şeytanın Şelalesi'nin döküldüğü yerde kalmıştı. Oradayken hem paraya gizlenmiş takip cihazından hem de kameranın GPS sinyalinden sinyal almıştı. Ondan sonra bir saatlik bir sessizlik yaşanmış ve ardından Rio de los Dios'un akıntısıyla birlikte ilerleyen takip cihazından ve belki de cep telefonundan bir sinyal gelmişti.

Düşman kumandan, Jaeger ile takımının su üzerinde ilerlediği varsayımına göre hareket etmek zorundaydı; elinde başka hiçbir istihbarat yoktu. Irina Narov'un ince zekâsıyla tasarladığı o yanıltmacayla, Jaeger gelecekleri üzerinde bir kumar oynamıştı.

Düşmanını hiçbir zaman küçümsemeyi sevmeyen Jaeger, akıllı bir kumandanın işini sağlama aldığı bir yaklaşımla hamle yapacağını düşünüyordu. Kayığı takip edecek, kimi veya neyi taşıdığını doğrulamak adına bulut örtüsünde bir açıklık gözleyecek ve son Hellfire saldırısını başlatacaktı. Ama bir taraftan da uçak enkazına ilerleyen kara takımının hızını ikiye katlayacak, hedefe ulaşan ilk kuvvet olmaya çalışacaktı.

Yarış başlamıştı ve Puruwehua'nın hesaplamalarına göre Jaeger ile takımı her şeyin çözüleceği noktaya takribi bir gün daha erken ulaşacaktı. Enkaz şu an bulundukları konumdan on sekiz saat uzakta yatıyordu. Her şey yolunda giderse sonraki sabah orada olacaklardı. Ancak Jaeger buradan sonraki yolculuğun kolay geçeceği gibi bir izlenime kapılmamıştı. Yağmur, ormanın içindeki canavarı da ortaya çıkarıyordu.

Ağaçların arasındaki yolculuk devam ettikçe Puruwehua da sağanak yağmurla ormanda meydana gelen değişimleri göstermeye başladı. Bazıları rahatlıkla seçilebiliyordu; kimi zaman Jaeger ile takımı bir anda bel seviyesine kadar yükselmiş çamurlu suların arasında kendilerini buluyordu. Daha önce görmedikleri yaratıklar gölgelerin ortasından zıplıyor, atlıyor ve sürünüyordu. Pullarında her rengi barındıran su yılanları gölge evlerini terk etmişti.

Puruwehua korkunç görünen bir yılanı gösterdi. Siyah, mavi ve kırmızının tonlarıyla süslenmiş bir hayvandı.

"Bunu pek dert etmeye gerek yok," diye açıkladı. "*Mbojovyuhua*, kurbağa ve küçük balıkları yer. Isırır ama ısırığı öldürmez." Jaeger'a döndü. "Asıl dikkat etmeniz gereken büyük *mbojuhua*. Uçtan uca sıralanmış beş adam kadar uzun ve nehirdeki kaymanlar kadar kalın... Siyah ve beyaz benekleri var; insanı çenesiyle yakalayıp her yanını sarıyor ve sonra sıkıyor. Öyle bir baskı uyguluyor ki vücudundaki tüm kemikler kırılıyor ve kalbinin atışı durana kadar sıkmayı bırakmıyor. Sonra da bütün olarak yutuyor."

"Çok iyiymiş!" diye mırıldandı Jaeger. "Kötü yetiştirilmiş bir yılan belli ki... Piranalardan sonra en sevdiğim!"

Puruwehua güldü. Jaeger, Kızılderili'nin takımı ciddi şekilde ürkütmekten keyif aldığını düşünüyordu.

"Daha da kötüsü, *tenhukikîuhûa*," diye uyardı Puruwehua. "Bunu biliyor musun? Bir orman domuzu kadar büyük, gri bir kertenkele...

Sırtı simsiyah beneklerle kaplı... El gibi emici ayakları var. Isırığı çok çok zehirli... Bütün yılanlardan daha kötü olduğunu söyleriz."

"Sakın söyleme," diye çıkıştı Jaeger. "Sadece yağmur yağdığında çıkıyor, değil mi?"

"Keşke! Sadece su basmış ormanda yaşıyor. Çok iyi yüzüyor ve ağaçlara tırmanma konusunda ondan iyisi yok. Gözleri bir hayalet gibi beyaz ve kuyruğundan yakalamaya çalışırsan kuyruğu düşüyor. *Tenhukikîuhûa* bu şekilde kaçıyor."

"Neden kuyruğundan *yakalayasın* ki zaten?" diye konuşmaya dâhil oldu bir ses. Alonzo gelmişti. İri Amerikalı kertenkele mevzusundan en az Jaeger kadar iğrenmiş görünüyordu.

"Yemek için tabii," diye yanıtladı Puruwehua. "Isırılmadığın sürece *tenhukikîuhûa*'nın tadı çok güzeldir. Balıkla tavuk arası bir tadı var."

Alonzo kahkaha attı.

"*Kentucky Fried*! Nedense bana pek öyle gelmedi."

Hayatta kalmak için yenilen yemeklerin tavuğa benzediğini söylemek artık klişe sayılıyordu. Hem Jaeger hem de Alonzo hiçbir zaman yemeklerin öyle tadı olmadığını iyi biliyordu.

Yağmurla birlikte gelen diğer değişimler bu kadar bariz değildi ve sadece Kızılderililer anlayabiliyordu. Puruwehua, takıma orman zemininde açılmış ince bir deliği gösterdi. Jaeger bunun bir kemirgenin çukuru olduğunu düşünmüştü. Ama Puruwehua'nın anlattığına göre yeraltında yaşayan, çamurda kış uykusuna yatan ve sadece yağmur yağdığında uyanan bir balığın, *tairyvuhua*'nın yuvasıydı.

Havanın kararmasına bir saat kala ekip bir şeyler yemek için durdu. Jaeger takımını "zor rutin"e geçirmişti. Yani ateş yakmak veya bir şeyler pişirmek yasaktı, geride düşmanın bulabileceği hiçbir iz bırakmayacaklardı. Ama zor rutin de hiç keyifli değildi. Torbaların içindeki kumanyaları soğuk soğuk ve tatsız tuzsuz bir şekilde yiyorlardı. Açlığı gidermesine gideriyordu ama morali yükseltme konusunda oldukça yetersizdi.

63

Jaeger devrilmiş bir kütüğün üzerine oturup tavuk ve makarna olması gereken ama tadı tutkala benzeyen torbadaki yemeğini yedi. Hafızasında, Londra'daki tekne komşusu hippi Annie'nin havuçlu keki canlanmıştı. Kederli bir şekilde muhtemelen orada da yağmur yağdığını düşündü. Bir avuç dolusu kuru bisküviyle yemeğini sonlandırmasına rağmen açlığın midesine taktığı pençeleri hissediyordu. Alonzo çantasını bırakıp Jaeger'ın yanına oturdu.

"Ah!"

Prananın ısırdığı arka tarafını kaşımıştı.

"Bir balık tarafından ısırılmak nasıl hissettiriyor?" diye üzerine gitti Jaeger.

"Pirana be dostum!" diye gürledi Alonzo. "O balıkları düşünmeden bir an bile hareket edemiyorum."

Jaeger üzerlerine su boşaltan bitki örtüsüne baktı.

"Sonunda kader yüzümüze güldü gibi..."

"Yağmuru mu diyorsun? Yağmur ormanları hakikaten adının hakkını veriyor. Umalım da varana kadar devam etsin."

"Puruwehua bunun günlerce dinmeyen bir yağmur olduğunu söyledi."

"Puruwehua bilir." Alonzo karnını tutarak eğildi. "Dostum şu an bir *McDonald's* için adam öldürürüm var ya! Düşünsene; ekstra peynirli bir hamburger, patates kızartması, çikolatalı milkshake..."

Jaeger gülümseyip, "Buradan sağ çıkarsak ben ısmarlıyorum," dedi.

"Anlaştık." Alonzo duraksadı. "Biraz düşündüm de," diye tekrar konuşmaya başladı. "Pek sık yaşanan bir durum değil, o yüzden iyi dinle. Peşimize bir Predator taktılar. Dünyada böylesine bir donanıma sahip olan çok az devlet var."

Jaeger başını sallayıp, "Brezilyalılar olamaz. Ellerinde Predator olsa bile, ki hiç sanmıyorum, Albay Evandro arkamızı kollar," dedi. Gözünün ucuyla Alonzo'ya baktı. "En olası senaryo, senin Amerikalılar göndermiştir."

Alonzo yüzünü ekşitip, "Dostum bilmiyor muyum sanıyorsun. Güney Amerika bizim arka bahçe... Hep de öyle oldu. Ama sen de biliyorsun; bir sürü birim var, çoğu da ipi kaçırmış durumda..." dedikten sonra duraksadı. "O Predator'ı gönderen her kimse Airlander'ı görünce ne düşünecek? Buna hiç kafa yordun mu?"

"İyi korunuyor, merak etme," diye yanıtladı Jaeger. "Albay Evandro ona B-SOB özel görev statüsü atadı. Buralar keşfedilmemiş bölge konumunda ve Brezilyalıların aylardır sınırları gözleyen uçakları var. Airlander'ın üzerinde Brezilya bayrağına ek olarak sanki gerçek bir görevdeymiş gibi gösterecek B-SOB renkleri de yapıştırıldı."

"Sence işe yarar mı? Kötü adamlar tam üzerimizde dolanınca pirelenmez mi?"

"Airlander 10.000 feet'te uçuyor. Predator ise onun iki katı daha yukarıda... Yani Airlander herkesin gözü önünde saklanıyor aslında. Hem yakınımızda olmasına da gerek yok. Mevcut gözetleme teknolojileri sayesinde onlarca kilometre öteden bizi izleyebilir."

"Haklı olsan çok iyi olur Jaeger, yoksa işimiz biter."

Jaeger elindeki soğuk yemek torbasındakileri ağzına tıkıştıran Alonzo'ya bakıp, "Arayabileceğin biri var mı peki?" dedi. "Özel birimlerde falan... Bizi avlamaya çalışanın kim olduğunu öğrenebilir miyiz? Üzerimize köpeklerini salan her kimse aksi yönde ikna edilemezler mi?"

Alonzo omuzlarını silkip, "Ben yedek SEAL'dım, başçavuşluk yaptım. O dünyadan adamlar tanıyorum. Ama 11 Eylül'den sonra kaç tane özel birim açtılar, biliyor musun?" dedi.

"Yüzlerce mi?" diye sordu Jaeger.

Alonzo pis bir kahkaha attı.

"Şu an sekiz yüz elli bin Amerikalının 'çok gizli' erişim yetkisi var. Çoğu terörizm karşıtı olmak üzere gizli projelerde çalışan bin iki yüz devlet dairesi, iki bin de özel şirket var."

"Bu... İnanması zor..." Jaeger başını iki yana salladı. "Rezaletmiş."

"Yok dostum, değil. Yani sadece o kısım değil. Asıl inanılmaz olan, ondan sonra gelen..." Jaeger'a baktı. "2003'te Başkan'ı bir EXORD, yani başkanlık emri imzalamaya ikna ettiler. O sekiz yüz elli bin adam bu sayede ne isterse yapabilme yetkisi kazandı. Hiçbir yetki aramadan operasyon başlatabiliyor, yani başka bir deyişle başkanlık yönetiminden bağımsız bir şekilde hareket edebiliyorlar."

"O zaman Predator'ı gönderen o binlerce farklı daireden biri olabilir mi?"

"Muhtemelen öyledir, evet," diye doğruladı Alonzo. "Bizi saf dışı bırakmaya çalışan o şerefsizler her kimse, böyle çalışmaları da doğal; karanlıkta, gölgelerin arasında... İnan bana, kimse kimsenin ne yaptığını bilmiyor. Böylesi bir EXORD ile birlikte de kimse kimseyi zorlamayı, hatta soru sormayı bile göze alamıyor."

"İnanılmaz!"

"Aynen öyle!" Alonzo, Jaeger'a baktı. "Yani evet, arayabileceğim birkaç kişi var ama bana sorarsan boşa kürek çekmek olur," dedikten sonra duraksadı. "Tahliye stratejimizi son bir kez daha anlatabilir misin?"

"Şimdi Airlander'ı baklava şeklinde dev bir zeplin olarak düşün," diye anlatmaya başladı Jaeger. "Her köşesinde bir tane olmak üzere dört motoru var; bunlar sayesinde direkt çıkış yapabiliyor veya yukarı, aşağı, geri, ileri, yana olmak üzere her yönde kaldırabiliyor. Uçuş güvertesi, ikiz hava yastığı iniş sistemlerinin arasında, alt tarafının ortasına yerleştirilmiş durumda... Yani gövdenin iki tarafına yerleştirilmiş bir çift mini hoverkraft (hava yastıklı tekne) olarak düşünebilirsin." Yemediği bisküvilerden birini alarak zeplinmiş gibi yaptı. "Herhangi bir irtifada, herhangi bir yönde hareket edebiliyor. İçindeki dâhilî vinçlerle yükleme ve boşaltma yapabiliyor. Bununla birlikte ana kabini elli yolcu taşıyabiliyor. En iyi senaryoda, hedefe ulaştığımızda Airlander'ın gelmesi için güvenliği sağladığımızı doğrularız. Düşük irtifaya iner, ormanın üzerinde süzülmeye başlar, taşıma askılarını atarız ve içinde bizle birlikte uçağı alır. Tabii kötü adamlardan çok önce oraya ulaşırsak planımız bu," diye devam etti Jaeger. "Bir de toksik tehdit direkt yerinde kontrol edilebilirse... Airlander gayet ağır bir araç... Takribi iki yüz kilometre hıza çıkabiliyor. Ama üç bin beş yüz kilometre yol alabiliyor. Bu da Cachimbo'ya gidip Albay Evandro ile buluşmamıza yeter de artar." Jaeger omuzlarını silkti. "En kötü seçenekse toksik tehdit ölümcül çıkar, Airlander kaldıramaz ve biz de canımızı dişimize takıp kaçarız."

Alonzo dalgın dalgın çenesini kaşıdı.

"Umarım iki numaralı senaryoya doğru gitmiyoruzdur."

"*Evo'ipeva*," diye bir ses konuşmalarını kesti. Puruwehua ikiliye doğru geliyordu ve parmaklarının arasına sıkıştırdığı siyah ve kanlı bir şey vardı. "İngilizcesini bilmiyorum. Yağmur yağınca çıkıyor, kan emiyorlar."

"Sülükler," diye mırıldandı Jaeger. "Allah'ın belası sülükler!"

Alonzo olduğu yerde ürpermişti.

"Şuna baksana, küçük bir canavar gibi..."

Puruwehua bacaklarını ve kasık bölgesini gösterip, "Biz Amahuaca, pantolon giymeyiz. O yüzden görüp çıkarabiliyoruz. Ama sizin... Bakmanız lazım," dedi.

Jaeger ile Alonzo birbirine baktı.

Jaeger istemeyerek ayağa kalktı. Kemerini açıp pantolonunu indirdi. Bu loş ışıkta bile bacaklarının ve kasığının, kısa ve kalın çubuklara benzeyen iğrenç, kıvrım kıvrım bedenlerle kaplandığını görebiliyordu; kaplan sülükleri. Bunlardan o kadar nefret ediyordu ki... Siyah gövdeleri vahşi sarı çizgilerle süslenmişti ve her biri şimdiye normal boyunun beş katına ulaşmıştı.

Tutunacak ılık ve nemli bir yer arayışıyla Jaeger'ın paçasından yukarı sızan ilk sülük, en fazla küçük bir tükenmez kalem kapağı kadardı. Şimdiyse birkaç saat süren ziyafetin ardından hepsi kalın tahta kalemlerin boyuna erişmiş, Jaeger'ın kanıyla şişmişti.

"Çakmak?" dedi Alonzo.

Bunlardan kurtulmanın en tatmin edici yolu hepsini acımadan yakmaktı. İkinci en tatmin edici yol da üzerlerine böceksavar sıkıp ağır ağır sürünerek ölmelerini izlemekti. Jaeger çakmağı almak için elini uzattı.

"Sağ ol."

Aslında böyle yapmaması gerektiğini biliyordu. Sülük salyasında bir çeşit anestezik gizliydi, bu sayede kurban ısırıldığını anlamıyordu. Yapıştıktan sonra da kurbanın damarlarına güçlü bir enzim olan hirudin salgılıyor, böylece kanın pıhtılaşmasını engelleyerek durmaksızın beslenmeye devam edebiliyordu.

Birinin üzerine direkt ateş tutulursa hayvan ânında büzülüp dişlerini çekiyor ve düşüyordu. Ancak bu süreçte midesinde biriktirdiği ne varsa hepsini kurbanının kan dolaşımına bırakıyordu. Yani başka bir deyişle; içtiği kanı, taşıyabileceği tüm hastalıklarla birlikte yeniden insanın damarına kusuyordu.

Ama Jaeger bu sülüklerden büyük bir intikam arzusuyla tiksiniyordu ve ödeşme fırsatını tepmeye karşı koyamadı. Çakmağı yakıp alevi yaklaştırdı ve hızla büzülen ilk siyah canavarın tıslayıp alev almasını izledi.

"Bizi uçurup patlatmaya çalışan Hellfire füzeleri varsa ben de bu şerefsizleri seve seve yakarım."

Alonzo gülerek, "Evet, rahat kazanabileceğimiz bir savaş," dedi.

Birkaç saniye sonra sülük düştü ve ısırdığı yerdeki kan Jaeger'ın bacağından aktı. Yara bir süre daha kanamaya devam edecekti ama Jaeger her şeye değdiğini hissediyordu. Sülüğe iki şekilde işkence etmişti; hayvan ilk olarak o kıymetli kan kaynağını kaybetmiş, ikinci olarak da asla iyileşemeyecek yanıklara sahip olmuştu.

64

Tüm sülükleri yakma işi bittiğinde güneş de son ışıklarını ormandan çekmişti. Jaeger bulundukları yerde kamp kurulmasına karar verdi. Bu kararını takıma iletti ama hamaklar ve pançolar yağmurla sırılsıklam olmuş karanlık ağaçlara asılırken takımından bir üyenin sıkıntı çektiğini fark etti.

Henüz ıslak takımını değiştirme fırsatı bulamamış Dale'e doğru ilerledi. Kameraman hamağında bacaklarını uzatmış, uyumaya hazır bir şekilde sırtüstü uzanıyordu. Çekim ekipmanlarını sıkıca göğsüne bağlamıştı ve yapış yapış nemli havanın kameraya zarar vermemesi için bir kutu basınçlı havadan faydalanıyordu.

Bu şartlarda böylesine teknolojik cihazları korumak gerçekten zor bir işti. Dale her akşamki ekipman temizleme ritüeline dinî bir ibadet gibi yaklaşıyordu ve geçen gecelerin büyük çoğunluğunda oyuncak ayısına sarılan bir çocuk gibi kucağında kamerasına sarılmış bir şekilde yorgunluktan uyuyakalıyordu.

"Dale hiç iyi görmedim seni," diye söze girdi Jaeger.

Hamağın kenarından bir kafa çıktı. Kameramanın yüzü korkunç şekilde solmuş ve asılmıştı. Jaeger, Dale'in henüz kanıyla ziyafet çeken sülükleri keşfetmediğine emindi. Zaten bunu ancak ıslak kıyafetlerini değiştirdiği zaman görebilirdi.

"Acayip yoruldum," diye mırıldandı Dale. "Eşyaları temizleyip uyumam lazım."

Ormanda geçen dokuz gün, ardında büyük hasar bırakmıştı. Keşfin bir parçası olmasının yanında bir de her şeyi çekmekle görevlendirilmiş Dale'de bu hasar ikiye katlanmıştı. Diğerleri en temel temizlik ihtiyaçlarını gidermek için az da olsa zaman bulabilirken Dale bulduğu her boşlukta ekipmanını temizliyor, bataryaları değiştirip çektiği görüntüleri yedek bir sürücüye aktarıyordu. Bir de taşıması gereken fazladan çekim malzemeleri vardı. Birkaç sefer Jaeger bu yükü paylaşmayı teklif ettiyse de Dale itiraz etmişti. Bahanesiyse tüm takımı hemen el altında tutması gerektiğiydi ama Jaeger aslında yönetmenin gurur yaptığını ve inatçı olduğunu fark etmişti. Dahası bu özelliklerine saygı da duymuştu.

"Kuru kıyafetlerini giymen lazım," dedi Jaeger. "Yoksa işin bitecek."

Dale gerçekten tükenmiş gözlerle Jaeger'a bakıp, "Tükendim ya! Gerçekten tükendim!" dedi.

Jaeger ceplerinden birine uzanıp acil durum kumanyasının önemli bir parçası olan enerji verici atıştırmalıklardan çıkardı.

"Al, bitir bunu. Bir de şu an uğraşman gereken önemli bir sorun var. Kibar bir şekilde söyleyemem sanırım, sülükler."

Dale'in bu iğrenç parazitlerle yaşadığı ilk deneyimdi ve bunu öğrenmek her yanıyla sarsıcı olmuştu. Çekim yapmak için sık sık durma alışkanlığının yanına bir de düşük açılı çekimler için orman zeminde eğilme huyu eklenince sülükler için bulunmaz bir nimet olmuştu. Sonuç olarak da sağlam bir hasat kaldırması gerekiyordu.

Jaeger elindeki çakmağı uzattı. Aklı çıkmış Dale birer birer sülükleri yakarken Jaeger da biraz olsun kafasını dağıtmak için sohbete girişti.

"Kral ile aranız nasıldı bakalım?"

Dale dik dik bakıp, "Dürüstçe mi cevaplayayım?" diye sordu.

"Dürüstçe..."

"Kötü yanı şimdi daha çok şey taşımam gerekiyor, Kral varken yarısını paylaşıyorduk. İyi yanıysa sürekli o bencil, sinirli, suratsız, çirkin sülüğün dırdırını dinlemek zorunda kalmıyorum. Yani baktığın zaman böylesi daha iyi..." Yorgun bir ifadeyle gülümsedi. "Ama bu sülükler olmasa daha da iyi olurdu."

"Yalnız ikiniz başından beri pek iyi anlaşamıyordunuz zaten. Neydi mevzu?"

"Sana bir hikâye anlatayım," diye başladı Dale, bacağındaki bir diğer şişmiş sülüğü alevlere yedirirken. "Ben Avustralya'da doğdum ama babam beni oldukça iyi bir İngiliz yatılı okuluna gönderdi. Orada aksanımla birlikte Avustralyalılığa dair ne varsa söküp aldılar. Bizim okul spordaki başarılarıyla tanınıyordu. Ama ben rugby, hokey ve kriketten nefret ediyordum. Zaten beceremiyordum. Yani anlayacağın, babamın gözünde her yanımdan hayal kırıklığı akıyordu. Öne çıktığım, başarılı olduğum iki şey vardı; biri kaya tırmanışı, diğeri de kamera kullanımı."

"Kaya diyorsun. Ben de okulda onu severdim. Böyle bir oyundaysan sahip olman gerekir zaten."

"Babam Sydney'deki birinci sınıf avukatlardan biri," diye devam etti Dale. "Onun izinden gidip hukuk okumayı kabul etmediğimi ve medyada kariyer yapmak istediğimi söylediğim zaman sanki cebimde uyuşturucuyla yakalanmışım gibi tepki verdi. Direkt reddetti beni. Ben de herifi iyice sinir etmek için Londra medyasının karanlık dünyasına atladım. Ya batacak, ya yüzecek ya da yem olacaktım. Uzak alan ve yüksek risk çekimlerinde uzmanlaştım. Ama kıt kanaat geçiniyorsun böyle de. Tahmin edemezsin. Kral başı sıkıştığı gibi kaçıp gitti. Ben gidemem. Önüme ket koyanlara, *babama* aksini ispatlamak istiyorsam olmaz. Yüksek riskli macera çekimi benim işim yani... Ortalık karıştığı zaman bırakıp gidersem elimde ne kalacak? Hiçbir şey..." Dale, Jaeger'ın gözlerine baktı. "Yani sürekli dargın dargın gezen o kıskanç herifi salla gitsin. Ama şunu da söyleyeyim, burada korkudan ölüyorum!"

Sülük yakma işi bittikten sonra Jaeger, Dale'in gece boyunca uykusu bölünmesin diye nöbet görevlerini üstlenmeyi teklif etti. Avustralyalı ilk kez bu yardım teklifini kabul etti. Bir şekilde ikilinin arasında hiç beklenmedik bir arkadaşlığın tohumları atılmıştı.

Jaeger ilk nöbetinde oturup gecenin kararttığı ormanı seyrederken, Dale'i yanlış değerlendirebileceğini düşündü. Dale kendine özgü, başına buyruk ve alışılmadık bir şekilde düşünen bir adamdı. Yani Jaeger'ın ordudaki adamlarında görmek istediği özelliklere sahipti.

Farklı yollardan geçmiş olsalar, Jaeger'ın bir savaş kameramanı ve Dale'in de bir elit kuvvetler savaşçısı olması gayet akla yatkındı. Yine de bir adamın alınyazısının bir günde değişebileceğini de Jaeger'dan iyi bilen yoktu.

65

Jaeger nöbet görevinin sonlanmasıyla birlikte kampta bir kişinin daha hâlâ ayakta olduğunu gördü; Leticia Santos. Ağır ağır kadına doğru ilerlemeye başladı, sülüklere karşı dikkatli olmasını söyleyecekti. Ama Santos sorununu çözeli çok olmuştu ve Jaeger'ın özellikle özel bölgelerini kontrol etmesi yönündeki uyarısını yaparken çektiği çileyi görünce çok eğlendi.

"B-SOB'de sekiz yıl, FUNAI'de beş yıl geçirdim ben," diye hatırlattı. "Oralarımı kontrol etmeye alışalı çok oldu."

Jaeger gülümseyip, "Rahatladım. Bu değişim neden peki?" diye sordu ve kadının yanına oturdu. "Kötü adamları avlamaktan Kızılderilileri kurtarmaya yani..."

"İki sebebim var," dedi Santos. "İlk olarak ormanı koruyamadığımız sürece uyuşturucu çetelerini de durduramayacağımızı fark ettim. Bütün mal ormanda üretiliyor ve hepsi orada saklanıyor. Bunu başarmak için de Amazon kabilelerinin yardımına ihtiyacımız var. Brezilya yasalarında onlara ait toprakların, yani yuvaları ormanların korunması gerektiği belirtiliyor. Anlayacağın, Kızılderililerle iletişime geçip onları korumak, Amazon'u kurtarmanın da anahtarı anlamına geliyor." Jaeger'a baktı. "Burası senin ülken olsa ve bu mucize, Amazon yağmur ormanları sizin olsa sen de güvende tutmak istemez miydin?"

"Tabii ki. İkinci sebebin ne?" dedi Jaeger.

"B-SOB'deki işlerim yüzünden evliliğimden oldum," diye yanıtladı Santos sessizce. "Özel kuvvetlerde bir kariyerle uzun ve mutlu bir evlilik birlikte yürümüyor, ne dersin? Sürekli tetiktesin. Bir sürü sır var. Hiçbir plan yapamıyorsun. Sayısız tatil iptal oluyor; doğum günlerini, yıl dönümlerini kaçırıyorsun. Kocam sürekli hiç yanında olmadığımdan yakınırdı." Duraksadı. "Kızımın da büyüyüp aynı suçlamalarla karşıma çıkmasını istemiyorum."

Jaeger başını sallayıp, "Anlıyorum. Ben de evlendikten kısa bir süre sonra ordudan ayrıldım. Ama zor oldu gerçekten," dedi.

Santos, Jaeger'ın sol eline baktı; tek süs altın bir alyanstı.

"Evlisin, değil mi? Çocuğun da var mı?"

"Evliyim, bir oğlum var. Ama... Uzun hikâye..." Jaeger ormana baktı. "Şöyle söyleyeyim, benim için artık yoklar..."

Sözleri boşlukta kaybolmuştu. Santos uzanıp bir elini Jaeger'ın koluna koydu. Kadının samimi bakışları sıcak bir şekilde Jaeger'ın yüzünü aradı.

"Yalnız kalmak zor... Konuşacak birine ihtiyaç duyarsan hep burada olduğumu bil."

Jaeger teşekkür edip ayağa kalktı.

"Biraz dinlenmemiz lazım artık. *Dorme bem* Leticia, tatlı rüyalar."

***

Jaeger saatler sonra kan ter içinde çığlık atarak uyandı. O çırpındıkça, rüyalarında saldıran canavarlara karşı koydukça hamağı da şiddetle bir sağa bir sola sallanıyordu.

En son Wardour Kalesi'ndeki dairesinde gördüğü kâbusu bir kez daha görmüş, bir kez daha karısıyla çocuğunun ellerinden alındığı âna gitmişti. Sonra o geçilmez duvar yerle bir olmuştu.

Etrafına baktı. Karanlık o kadar güçlüydü ki, hemen gözlerinin önünde tuttuğu elini bile zar zor görüyordu. Sonra bir ses duydu, bir hareketlilik vardı. Biri ya da bir şey sıkı çalıların arasından kendisine doğru geliyordu.

Bir eli hamağın kenarına doğru kaydı ve yakın dövüş pompalısını kavradı. Sonra karanlıktan bir ses geldi.

"Ben Puruwehua. Bağırdığını duydum."

Jaeger rahatladı. Bir taraftan çığlıklarının Kızılderili'yi uyandırmasına şaşırmamıştı. Puruwehua hemen bitişiğindeki hamakta yatıyordu. Hem başka birinin yerine onun gelmesi daha iyiydi. Jaeger, Amahuaca savaşçısına şu an herkesten çok güveniyordu.

Puruwehua yanına doğru eğilip, "Kaybolmuş anılar... Hepsi içinde *Koty'ar*," dedi sessizce. "Kilidini çözmen lazım onların, içeri girmen lazım."

Jaeger karanlığa bakıp, "Evine dönen her askerin ve beceriksiz babanın kâbusları olur," dedi.

"Yine de senin içinde gereğinden fazla karanlık var," dedi Puruwehua. "Çok fazla acı var."

Uzunca bir süre sessizlik hüküm sürdü.

"Ateşin var mı?" diye sordu Puruwehua.

Jaeger başına takılı olan feneri açtı ve sönük bir yeşilimsi ışık yayması için hamağına sardı. Puruwehua da ağzına kadar dolu bir kap uzattı.

"İç bunu. Ormanın devasıdır. Sana yardımcı olacak."

Jaeger tası alıp teşekkür etti.

"Seni uyandırdığım için kusuruma bakma savaşçı dostum. Şimdi dinlenelim ve yarına hazırlanalım."

Bunu söyledikten sonra tastaki içeceği bir dikişte bitirdi. Ancak beklediği sakinlik bir türlü gelmedi. Onun yerine, içtiği gibi beyninin en derinlerine hücum eden bir acı dalgasıyla karşılaştı; sanki biri gözünün tam ortasına tekme atmıştı. Kısa bir süre sonra duyuları kapanmaya başladı. Üzerindeki ellerin kendisini yatırdığını hissetti ve Puruwehua'nın Amahuaca dilindeki rahatlatıcı fısıldamasına kulak verdi. Sonra çok hızlı bir şekilde göz kapaklarının iç kısmında binbir renk bir anda patlayıp şahane bir geçiş sundu, ardından açık sarı bir renge doğru soldu.

Görüntü şiddetini artırdı ve netleşti. Jaeger birbirine bağlanmış iki uyku tulumunun içinde; bir yanında karısı, diğer yanında oğluyla sıcak ve samimi çadırında uzanıyordu. Ancak bir şeye uyanmış, Galler kışının soğuk gerçeği derin uykusundan kalkmasına sebep olmuştu.

Tüm gayretiyle bu rahatsızlık ve tehdide odaklanmaya çalışırken başındaki fener çadırın üstünü aydınlattı. Sonra bir anda uzunca bir bıçak, çadırının ince tarafında bir kesik açtı. Tepki vermek için harekete geçen Jaeger, uyku tulumunda sıkıştığı yerden kurtulmak için çabalarken, çadırda açılan kesikten hafif bir tıslama sesi duyuldu.

Çadırın içi yoğun bir gazla doldu ve Jaeger'ın tüm bedeni kaskatı kesilip olduğu yerde kaldı. İçeri uzanan eller gördü, solunum cihazlarının arkasına gizlenmiş karanlık yüzler... Saniyeler sonra karısı ve çocuğu sıcak çadırdan çekilip karanlığa sürüklendi.

İçeri salınan gaz Jaeger gibi onları da aciz bir hâle soktuğu için çığlık bile atamıyorlardı. Çaresizdi; kendini, daha da önemlisi karısıyla çocuğunu koruyamayacak kadar çaresizdi.

Güçlü bir motorun çalışma sesini duydu, birkaç sesin çığlığını kapanan kapılar izledi ve bir şey ya da biri araca sürüklendi. İnsanüstü bir irade gücüyle çadırda açılan bıçak yarasına doğru sürünüp kafasını dışarı çıkardı. Sadece bir anlığına yakalayabilmişti ama bu bile yetmişti. Kar ve buzun üzerinden yansıyan far ışığının açtığı aydınlıkta iki kişi gördü; biri zayıf bir çocuk, diğeri kıvrak bir kadındı. 4x4 bir jipin arkasına bindiriliyorlardı.

Sonraki saniye, Jaeger'ın saçlarına bir el asıldı. Başı yukarı doğru zorlanırken, gaz maskesinin deliğinden nefretle dolu gözlerin kendi bakışlarıyla buluştuğunu hissetti. Eldivenli bir yumruk inanılmaz bir güçle karanlığın ortasından çıktı ve Jaeger'ın yüzüne bir kez, ikinci kez ve üçüncü kez inerek kırdığı burnundan fışkıran kanlarla karı boyadı.

"İyice bak!" diye tısladı maskenin ardındaki yüz, Jaeger'ı vahşice 4x4'e çevirirken. Sözler karman çorman çıkıyordu ama bir şekilde ne demek istediğini anlıyordu. Ses tüylerini diken diken edecek kadar tanıdıktı. "Bu ânı beyninin en derinlerine kazı. Karın ve çocuğun artık bizim!"

Maskeli yüz daha da eğildi. Solunum cihazının ön kısmı, Jaeger'ın kanlanmış yüzüne bastırıyordu.

"Sakın unutma bunu, karını ve çocuğunu koruyamadın. *Wir sind die Zukunft!*"

Maskenin cam boşluğundan görünen gözler ardına kadar açılmış, adrenalinle dolmuştu ve Jaeger bu çılgın bakışın arkasındaki yüzü tanıdığını fark etti. Tanıyordu ama aynı zamanda tanıyamıyor; bu nefretle çarpılmış yüze bir isim koyamıyordu. Kısa bir süre sonra o korkunç sahne, konuşmaya korktuğu anıları karardı. Ama öncesinde Jaeger'ın aklına bir görüntü geri dönülemez bir şekilde kazınmıştı.

Nihayet hamağında kendine geldiğinde Jaeger bitap düşmüş hissediyordu. Saldırıdan aklında kalan görüntü onu hiç şaşırtmamıştı. Aslında ne kadar korksa da içten içe bunu bekliyordu. O karla kaplı Galler tepelerinin karanlığına gizlenmesinden korkuyordu.

Çadırın bir kenarından süzülerek kumaşı yırtan bıçağın kabzasında karanlık bir simge vardı; *Reichsadler.*

66

Puruwehua gece saatleri boyunca Jaeger'ın hamağının yanından ayrılmamıştı. Yalnızca o Jaeger'ın neler çektiğini anlıyordu. Verdiği içecekte zihnin en kıyıda köşede kalmış anılarını ortaya çıkaran *nyakwana* vardı. Beyaz adamın derinden sarsılacağını biliyordu.

Şafak vakti geldiğinde ikisi de olanlara dair sesini çıkarmadı. Zaten bir şey söylemeye gerek yoktu. Ancak o sabah boyunca Jaeger'ın üzerindeki huysuzluk ve çekingenlik bir türlü gitmedi, yeniden yüzeye çıkan anılarının arasında kaybolmuştu. Yağmurun yıkamaya devam ettiği sırılsıklam ormanda bedeni bir ayağını diğerinin önüne koysa da zihni bambaşka bir yerde, Galler'deki buzlu dağın yamacındaki yırtık çadırın içinde geziyordu.

Takımı da ister istemez ruh hâlindeki bu değişimi fark etmişti ama sebebini anlayabilen yoktu. Uçak enkazına bu kadar yakınken, bu inanılmaz keşif avuçlarının içine kadar gelmişken Jaeger'ın çok daha enerjik olmasını, heyecanla önderlik etmesini bekliyorlardı. Ancak tam aksine Jaeger herkesi dışarıda bırakmış, kendi karanlık ve yalnız köşesine çekilmişti.

***

Karısı ve oğlunun ortadan kaybolmalarının üzerinden artık neredeyse dört yıl geçmişti. Jaeger, Galler Dağları'ndaki yirmi dört kilometrelik Pen y Fan Yarışı'na hazırlanıyordu. Noel zamanı gelmişti; Ruth ve Luke ile birlikte yeni yıla farklı bir şekilde, Gal tepelerinin eteklerinde kamp yaparak girmeye karar vermişlerdi. Luke'un çok sevdiği dağda kamp aktivitesi için kusursuz bir bahaneydi bu ve Jaeger da böylece fazladan antrenman yapabilecekti. Şakayla karışık Ruth'a söylediği gibi kombo aile macerası yaşayacaklardı.

Yarışın başlayacağı yerin yakınlarında kamp kuracaklardı. Pen y Fan Yarışı, İngiliz Özel Kuvvetler seçmelerinden esinlenerek oluşmuştu. En zorlu aşamalarında adaylar Fan'ın neredeyse dimdik olan yamacına tırmanacak, Jacob's Ladder'dan inecek, engebeli eski Roma yolunun sonuna kadar koşacak; sonra yolun bitiminden geri dönüp aynılarını tersten yapacaklardı.

Bu yarış, "Fan Dansı" adıyla ünlenmişti ve hız, dayanıklılık ve zindeliği acımasız bir şekilde test ediyordu. Tabii Jaeger bu özelliklerin kendisinde doğuştan olduğuna inanıyordu. Ordudan emekli olmasına rağmen neler yapabileceğini arada sırada kendine hatırlatmak hoşuna gidiyordu.

O gece, günü antrenman yaparak geçirdiği için tüm bedeni sızlayan Jaeger ile karlı ovada dağ bisikletleriyle yolculuktan yorgun argın dönen karısı ve çocuğu hemen uykuya dalmıştı. Jaeger'ın daha sonra hatırladığı ilk şey, bir hafta sonra bir hastanenin yoğun bakım ünitesinde kendine gelmesiydi. Ruth ve Luke'un kaybolduğunu da orada öğrenmişti.

Çadırda açılan delikten sızdırılan gaz, birle üç saniye arasında etkisini gösteren ve pek bilinmeyen Rus yapımı "Kolokol-1" adında bir bayıltıcıydı. Kurbanı kapalı bir ortamda çok uzun süre maruz kalmadığı sürece ölüme yol açmıyordu ama bu hâliyle bile Jaeger'ın tam olarak iyileşmesi aylar almıştı.

Polis, Jaeger'ın arabasının bagajında, ailesi için aldığı ama hiçbir zaman sahiplerine ulaşamayan Noel hediyelerini bulmuştu. 4x4'ün teker izleri dışında kayıp karısı ve çocuğuna dair hiçbir iz yoktu. Amaçsız bir kaçırmayı takip eden bir cinayet gibi görünüyordu bu.

Jaeger olayda baş şüpheli olarak görülmemesine rağmen girdiği bitmek bilmeyen sorguların ardından iyice meraklanmıştı. Buldukları her ipucunun boş çıkmasıyla polis de Jaeger'ın karısını ve çocuğunu ortadan kaldırmasını isteyecek kadar geçmişte neler yaşadığını daha da kurcalıyordu.

Ordudaki kayıtlarını altüst etmiş, travma sonrası stres bozukluğunu tetikleyebilecek önemli bir olay bulmaya çalışmışlardı. Böylesine anlaşılmaz bir davranışa sebep olabilecek her şeyi didik didik ediyorlardı. En yakın arkadaşlarını sorgulamış, özellikle anne ve babası olmak üzere evliliğinde yaşandığını düşündükleri sorunları öğrenmek için ailesini bir an rahat bırakmamışlardı.

Anne ve babasının Bermuda'ya taşınma sebeplerinden biri de bu rahatsız edici müdahalelerden kaçmak istemeleriydi. En kötü günlerini atlatması için Jaeger'ın yanında kalmışlardı ama oğulları ortadan kaybolup Bioko'ya kaçtığı zaman kendileri de bunu yeni bir başlangıç için bir fırsat olarak değerlendirmişti. Hem o zamana kadar var olabilecek izler bile dağlarda unutulup gitmişti. Ruth ve Luke artık bir yıldır kayıptı, öldükleri düşünülüyordu ve merhametsiz arama sürecinde Jaeger paramparça olmanın eşiğine gelmişti.

O karanlık geceye dair en derinlere gömülmüş hatıraların yeniden kanaya kanaya yüzeye çıkması günler, aylar ve yıllar sürmüştü. Şimdi de bambaşka bir deneyim yaşamıştı. Hafızasının en uzak noktalarına gömdüğü o geceye dair anıları, bir Amahuaca savaşçısının verdiği *nyakwana* katılmış içecekle birlikte gelmişti.

Elbette Jaeger'ın o bıçak kabzasında gördüğü *Reichsadler* sıradan olanlara benzemiyordu. İskoç tepelerine sakladığı kulübesinde Joe Amcasını gördüğü gibi olduğu yere mıhlayan o korkunç kartaldı bu. Şimdiyse sırılsıklam olmuş ormanda saf dehşetle dolmuş gözlerle amaçsızca ilerleyişini sürdürürken o sözler zihninde geziyordu; *Sonra o değerli çocuk elinde bununla geldi. Ein Reichsadler! Allah'ın belası lanet! Şeytan geri dönmüş!*

Amahuaca Kızılderililerinin şefine göre ele geçirilen savaşçılarının cesetlerine kazınan *Reichsadler* da bunun aynısıydı. Şimdi Jaeger ile takımı o karanlık güce karşı ölüm kalım mücadelesi veriyordu.

Fakat Jaeger'ın kafasını en çok karıştıran, gaz maskesinin ardından tükürüklerini saçarak kendisiyle konuşan o sesti. Beynine işkence çektirerek zorlamasına rağmen ne bir isim ne de bir resim hatırlayabilmişti. Bir şekilde bu işkencecisini tanıdığını düşünse bile adamın kimliğine dair hiçbir fikri yoktu.

67

Ormandaki onuncu günlerinin öğle vakti yaklaşırken, Jaeger da üzerindeki keyifsizliği atmaya başlamıştı. Uçağa ulaşmaları artık an meselesi olduğu için karanlık ve sıkıntılı geçmişini şimdilik ardında bırakmıştı.

Yine de sabahki gergin sürece rağmen Jaeger bir cebinden diğerine çakıl taşımaya ve pusulasını el altında tutmaya özen gösteriyordu. Ormanın ölmeye başlayacağı, hatta takribi üç bin metre uzakta olduklarını hesap etmişti. Oradan sonra artık zehirle ölmüş ağaçların bembeyaz iskeletleri enkaza açılacaktı.

Ormanın çok daha ıslak bir bölgesine girdiler.

"*Yaporuamuhuâ*," dedi Puruwehua sessizce ormanın derinlerine ilerlerken. "Su basmış orman... Sular bu kadar yükseldiğinde piranalar da nehirden ormana yüzüp bulabildikleri her şeyle beslenirler."

Bu sırada karanlık sular, Jaeger'ın beline kadar çıkmıştı.

"Uyardığın için sağ ol," diye mırıldandı.

"O balıklar yalnızca aç hareket ettiklerinde saldırgan olur," diye telkin etmeye çalıştı Puruwehua. "Böyle bir yağmurdan sonra yemek sıkıntısı çekmemişlerdir."

"Peki *aç* hissediyorlarsa ne olacak?" diye sordu Jaeger.

Puruwehua en yakınlarındaki ağaca bakıp, "Sudan çıkman gerekecek. Hem de çok hızlı bir şekilde..." dedi.

Jaeger arkalarında kalan sığ tarafta parlak ve gümüşi bir şeyin hareket ettiğini gördü. Sonra bir tane daha ve bir tane daha... Bacaklarına sürtündüklerini hissediyordu. Yukarıdan görünen arka tarafları yağlı yeşil rengindeydi; kocaman sarı gözleri su yüzeyine bakıyor ve iğne gibi iki sıra dişleri korku salıyordu.

"Her tarafımızdalar," diye tısladı Jaeger.

"Merak etme, bunlar iyi... Hatta çok iyi... *Andyrapeoptiguhuâ*. Vampir balığı. Piranaları yer. Uzun dişleriyle bir bir avlar."

"Güzel... O zaman yanımızdan ayırmayalım. En azından uçağa varana kadar..."

Su iyice derinleşmişti. Artık neredeyse göğüs hizasına geliyordu.

"Yakında *pirau'ndia* gibi yüzme zamanı gelecek," dedi Puruwehua. "Başını sudan çıkarıp dik bir şekilde yüzer."

Jaeger cevap vermedi. Hayatı boyunca yetecek kadar iğrenç suya, sivrisineklere, sülüklere, kaymanlara ve katil balıklara maruz kalmıştı. Artık o uçağa bağlanmak, takımıyla birlikte buradan havalanıp gitmek ve kayıp ailesini aramaya başlamak istiyordu. Keşfi tamamlayıp yeni bir sayfa açma zamanı gelmişti. Bu çılgın yolun sonunda öyle ya da böyle karısı ve oğlunun kaderini öğreneceğinden emindi. Olmazsa da bunu öğrenme yolunda ölecekti. Bu belli belirsiz hayatta zaten yaşadığını hissedemiyordu. Amahuaca savaşçısının verdiği içecekten sonra yaşadığı aydınlanma ona bunu göstermişti.

Jaeger sessizlik içinde yürürken Puruwehua'nın bakışlarını kendisine diktiğini hissedebiliyordu.

"Artık zihnin netleşti mi dostum?"

Jaeger başını sallayıp, "Dünyanı ve dünyamı yok etmek isteyenlerden gücü almanın zamanı geldi Puruwehua," dedi.

"'*Hama*' deriz biz buna," dedi anlayışlı bir şekilde. "Yazı ya da kader..."

Bir süre daha sıcakkanlı bir sessizlikte yürümeye devam ettiler.

Jaeger hemen arkasındaki suda bir hareketlilik hissetti; Irina Narov gelmişti. Takımın geri kalanı gibi o da asıl silahı olan Dragunov sniper tüfeğini kuru ve temiz tutmak amacıyla suyun üzerinde taşıyordu. Oldukça yıpratıcı bir işti ama artık uçağa bu kadar yaklaştıkları için kadın sonu gelmez gibi görünen bir enerjiyle ilerliyordu.

Olası bir çatışmanın yakın mesafede yaşanacağı orman düşünüldüğünde, Dragunov kesinlikle enteresan bir silah tercihiydi. Ancak Narov ısrarla bu silahı istemişti. Yine de en mantıklı seçenek olarak silahın daha kısa ve hafif versiyonu olan SVDS'de karar kılmıştı.

Tabii kadının seçtiği iki silah, bıçak ve sniper tüfeği Jaeger'ın gözünden kaçmamıştı. Genellikle suikastçıların tercih ettiği araçlardı bunlar. Suikastçı yalnız olurdu. Narov'u da kalanlardan ayıran bir şey olduğu kesindi ama Jaeger'ın bir yanı da kadının bu özelliklerini garip bir şekilde tanıdık buluyordu.

Oğlunun okuldan en yakın arkadaşı, Daniel adında bir çocuk, Narov'un kişilik özelliklerini barındırıyordu; konuşması tuhaf bir şekilde duygusuz ve netti, hatta bazı zamanlarda kabalık sınırlarını zorluyordu. O yaştaki çocukların genellikle içgüdüsel olarak algıladığı sosyal ipuçlarını sürekli kaçırıyordu. Bununla birlikte birini iyice tanıyıp güvenene kadar göz teması kurma ve sürdürme konusunda çektiği zorlukla kıvranıyordu.

Daniel'ın Luke'a güvenmeyi öğrenmesi biraz zaman alsa da o güven kurulduktan sonra en sadık ve hakiki dostlardan biri olduğunu göstermişti. İki çocuk neredeyse her konuda yarışırdı; rugby, masa hokeyi, hatta paintball savaşlarında bile. Ama iki kanka arasındaki sağlıklı rekabetten öteye geçmemişti bu, dışarıdaki faktörlere karşı ikisi de birbirini sonuna kadar savunuyordu.

Luke kaybolduğunda Daniel da mahvolmuştu. Tek gerçek dostunu, savaş kardeşini kaybetmişti. Aynı Jaeger gibi...

Zaman ilerledikçe Jaeger ile Ruth, Daniel'ın ailesiyle arkadaş olmuştu. Ebeveynleri, Daniel'a Asperger ya da yüksek işlevli otizm teşhisi konduğunu ama uzmanların ikisinden birinde net bir karar kılamadığını söylemişti. Aynı rahatsızlıktan muzdarip diğer çocuklar gibi Daniel da bir konuda takıntılı ve inanılmaz başarılıydı; matematik. Onun yanında bir de hayvanlarla kurduğu büyülü ilişki vardı.

Jaeger, *Phoneutria* ile yaşadıkları yakın ve gergin karşılaşmayı hatırladı. O zaman gördüğü bir şeye çok şaşırmış ama tam olarak ne olduğunu anlayamamıştı. Narov sanki zehirli örümceklerle bir ilişkisi varmış, sanki onları anlıyormuş gibi hareket ediyordu. Birini bile öldürmek istememişti. Başka çaresi kalmayana kadar... Narov'un takıntılı olmasının yanında inanılmaz başarı gösterdiği bir şey varsa da Jaeger bunun avlayıp öldürmek olduğunu düşünüyordu.

"Ne kadar kaldı?" diye sordu talepkâr bir biçimde. Sesi Jaeger'ın düşüncelerini kesmişti.

"Neye ne kadar?"

"Uçak enkazına... Başka ne olabilir?"

Jaeger ileriyi gösterip, "Sekiz yüz metre kadar... Işığın bitki örtüsünü kestiği yeri görüyor musun, orman orada ölmeye başlıyor işte," dedi.

"Çok yakın," diye fısıldadı Narov.

"*Wir sind die Zukunft.*" Jaeger, *nyakwana* etkili rüya sırasında kulağına çalınan sözleri tekrarlamıştı. "Sen Almanca biliyorsun. *Wir sind die Zukunft.* Ne demek bu?"

Narov olduğu yerde durdu. Uzunca bir süre boyunca donmuş gözlerle Jaeger'a bakıp, "Nereden duydun onu?" diye sordu.

"Geçmişimden kalan bir yankı..." Bu kadın neden her soruya bir soruyla cevap vermek zorundaydı? "Ne demek peki?"

"*Wir sind die Zukunft,*" dedi Narov sessizce ve özenle. "Gelecek biziz. *Herrenrasse*'nin, yani üstün Nazi ırkının düsturuydu. Hitler, *Denn heute gehort uns Deutschland, und morgen die ganze Welt*'ten sıkıldığı zamanlarda, araya *Wir sind die Zukunft* sıkıştırır; insanlar da devamını getirdi."

"Nasıl bu kadar çok şey biliyorsun?" diye sordu Jaeger.

"Düşmanını tanıyacaksın," diye yanıtladı Narov gizemli bir şekilde. "Öğrenmeyi işim belledim." Ardından Jaeger'a neredeyse suçlayan bir bakış attı. "Asıl soru sen nasıl bu kadar az şey biliyorsun?" Duraksadı. "Hem de kendi geçmişin hakkında..."

68

Jaeger bu zor soruya cevap veremeden, gerilerden korku dolu bir çığlık geldi. Arkasına döndüğünde suyun altına çekilen Leticia Santos'un yüzündeki dehşet dolu ifadeyi görmüştü. Suya bir batıp bir çıkıyor, kollarını çaresizce etrafa savuruyor, korkuyu tanımlayan yüzüyle bir kez daha aşağı çekiliyordu.

Jaeger, kadını yakalayan şeyi bir anlığına gördü. Puruwehua'nın bahsettiği, yağmurda ortaya çıkan devasa yaratıklardan biriydi. Sığ taraftan hızla ilerleyip ölümcül yılana doğru suya daldı ve Santos'u sıkı sıkıya saran sürüngeni çözmek için telaşla kuyruğuna asıldı.

Pompalısını kullanamazdı. Açtığı ilk ateşte yılanla birlikte Santos'u da vururdu. Su çırpındı, su fokurdadı ve Santos ile yılan, insanla sürüngen birbirine geçmiş bir hâlde çırpınmaya devam etti. Leticia tek başına asla kazanamayacağı bir savaş veriyordu. Jaeger ne kadar üstelerse yılan da kadını bir o kadar sıkıyordu.

Sonra Jaeger'ın arkasından ani bir ses geldi. Sniper tüfeğinden çıktığını hemen anlamıştı. Aynı anda, insanla yılanın mücadelesi sürerken bir patlamayla suya kan fışkırdı ve hızla gelen merminin çarptığı yer paramparça oldu.

Bundan bir ya da iki saniye sonra boğuşma sona ermiş, yılanın başı hareketsiz kalmıştı. Jaeger hızlı Sniper mermisinin geçtiği yerde bıraktığı çıkış deliğiyle birlikte hayvanın kafasını patlattığını görebiliyordu. Birer birer kadının bedenine hâlâ tutunan sarmalları açtı ve Alonzo ile Kamishi'nin yardımlarıyla Santos'u çekip çıkardı.

Üçü birlikte kadının ciğerlerine biriken suyu boşaltmaya çalışırken Jaeger, Narov'a döndü. Bataklığın ortasında dimdik duruyor, ikinci bir atış yapması gerekirse diye Dragunov'u omzundan ayırmıyordu.

Santos ağzından sular saçarak hayata geri döndü; göğsü bir inip bir kalkıyor, durmaksızın öksürüyordu. Jaeger, Santos'un durağan bir hâle döndüğünden emin olana kadar bekledi. Yine de saldırının dehşetiyle girdiği şok yüzünden titremesi durmuyordu, ciddi şekilde sarsılmıştı. Alonzo ile Kamishi uçağa kadar olan son kısımda onu taşımayı kabul etmişlerdi. Jaeger da Narov'un yanına dönerek yolu göstermeye koyuldu.

"İyi atıştı," dedi yeniden yürümeye başladıklarında, soğuk bir şekilde. "Ama merminin Leticia'ya isabet etmeyip yılanın kafasını patlatacağını nereden biliyordun?"

Narov buz gibi bakışlarla dönüp, "Biri o atışı yapmasaydı kız ölürdü. Senin çabalarına rağmen bile kaybedilecek bir savaştı. Bununla," Dragunov'a dokundu, "en azından bir şansım vardı. Yüzde elli eliydi ama hiç olmamasından iyidir. Kimi zaman bir mermiyle hayat kurtulur. Her zaman bir can almak için silah ateşlenmez."

"Yani yazı tura atıp tetiği çektin," dedikten sonra Jaeger sessizliğe gömüldü.

Narov'un merminin Santos'a olduğu kadar kendisine de isabet edebileceğinin farkındaydı. Ama kadın yine de tereddüt etmeden tetiği çekmişti. Büyük bir kumardı. Bu hamlesiyle kusursuz bir profesyonel mi, yoksa psikopatın teki mi olduğuna karar verememişti.

Narov, omzunun üzerinden yılanı öldürdüğü yere bakıp, "Hayvana yazık oldu. Kendi içgüdülerine göre hareket ediyor, karnını doyurmaya çalışıyordu. *Mbojuhua* bu. İmparator boa yılanı. CITES'in iki numaralı ekinde sıralanan türlerden... Yani nesli tükenme tehlikesi altında..."

Jaeger göz ucuyla Narov'a baktı. Leticia Santos'un durumundansa ölü yılana daha çok üzülmüş görünüyordu. Jaeger bir suikastçı olması hâlinde sadece hayvanlara sevgi beslemesinin çok daha kolay olacağını düşündü.

Ölü bölgeye iyice yaklaşırken zemin de yükselmişti. İleride, bitki örtüsünün her yanda yok olduğunu görebiliyordu Jaeger. Yeşilliğin yerini güneşin altında beyaza boyanmış çıplak ağaç gövdeleri almış, bitmek bilmeyen bir mezarlık görünümü yaratmıştı. Hemen üzerinde, bir zamanlar yemyeşil parlayan yaprakların yerini ölü dalların iskeletlerinin aldığını gördü. Onların da üzerinde alçaktan uçan gri bulutlar vardı.

Tüm yaşamın bir anda son bulduğu bölgenin ucunda toplandılar. İleri tarafta, Jaeger yapraklardan damla damla süzülen yağmurun kulakları sağır edecek şekilde vurduğunu duyabiliyordu. Korkunç derecede boş ve açıkta duran ölü bölgeden gelen sesler bir şekilde doğaya ait değilmiş gibi hissettiriyordu. Puruwehua'nın ürperdiğini fark etti.

"Orman... Asla ölmemeli," dedi Kızılderili sessizce. "Orman öldüğünde Amahuaca da onunla birlikte ölür."

"Sakın ölme şimdi Puruwehua," diye sızlandı Jaeger. "Bizim *koty'ar*'ımız da sensin, unuttun mu? Bize lazımsın."

Ölü bölgeye uzun uzun baktılar. Onun daha da uzağında, çok karanlık ve devasa bir şeyi seçebiliyordu Jaeger; bulutlara uzanan kemiksi parmaklar arasında gizlenmeye çalışıyormuş gibiydi. Nabzı hızlandı. Gördüğü sadece bir savaş uçağının belli belirsiz silüetiydi. Bir önceki gece gördüklerine rağmen, belki de onlar yüzünden içine girmeyi ve sırlarını birer birer çözmeyi deli gibi istiyordu.

Puruwehua'ya dönüp, "Sizin savaşçılar düşman yaklaştığı zaman bizi uyaracak mı? Karanlık Güç'ü gözleyen adamlarınız var, değil mi?" diye sordu.

Puruwehua başını sallayıp, "Evet, daha hızlı hareket ediyoruz. Onlar yaklaşmadan çok önce bileceğiz," dedi.

"Peki sence ne kadar zamanımız var?" diye sordu Jaeger.

"Halkım bize bir gün öncesinden uyarı vermeye çalışacak. Bir güneş doğacak ve batacak, o zamana kadar işimiz bitmiş olmalı."

69

"Tamam, toplanın!" diye seslenerek takımını çağırdı Jaeger.

Hâlâ nefes almayı sürdüren ormanın son birkaç metrelik bölümünde bir araya geldiler. Daha yüksek bir yere ayak basıyorlardı ve sel suları buraya kadar gelmemiş gibi gözüküyordu.

"İlk olarak NBC kıyafetini giymeden kimse buradan öteye geçmiyor. Önce tehdidi belirlememiz lazım, ancak o zaman uğraştığımız şeyin zorluğunu öğreneceğiz. Zehir miktarını öğrendiğimizde ona karşı korunmaya yönelik bir şeyler yapabiliriz. Elimizde üç tane tam tekmil NBC kıyafeti var. İlk çıkanlardan biri ben olmak istiyorum; su, hava ya da ne varsa örnek toplayacağım. Sonra kıyafetleri takım arasında dağıtabiliriz ama çapraz bulaşmayı en düşük seviyede tutmamız lazım. Üs kampını buraya kuracağız," diye devam etti. "Hamakları ölü taraftan olabildiğince uzağa asın. İşin aciliyetini de sakın unutmayın. Puruwehua kötü adamlar gelmeden yirmi dört saat gibi bir zamanımız olduğunu söylüyor. Amahuaca halkından erken uyarı alabiliriz ama yine de bölgeyi bir güvenlik çemberine almak istiyorum. Alonzo bu iş senin."

"Tamamdır," diye onayladı Alonzo. Ardından başıyla uzaktaki savaş uçağını işaret etti. "Dostum şuna bir baksana, tüylerim diken diken oldu. Seve seve en son ben girerim."

"Sen de etrafı gözleyebilir misin?" Jaeger, bu soruyu Leticia Santos'a yöneltmişti. "Yoksa sana bir pançoyla hamak asalım mı? Orada epey sağlam bir yılanla savaştın."

"Sudan uzak durduğum sürece sıkıntı yok," dedi Santos cesurca. Narov'a kaçamak bir bakış atmıştı. "Bir de o manyak Kazak tüfeğini başka tarafa tutarsa..."

Narov'un dikkati bambaşka bir yerdeydi. Büyülenmiş gibi görünüyor; gözlerini uzaktaki uçağın gölgesinden ayıramıyordu.

Jaeger, Dale'e dönüp, "Sanırım olayı çekmek istersin. Bir de şüphen olmasın, çekmeni bizzat ben istiyorum. Yetmiş yıl sonra uçağın ilk kez açılması... Kesinlikle kaydedilmesi lazım. İkinci NBC kıyafeti de senin, beni takip edersin," dedi.

Dale omuz silkip, "Ne kadar kötü olabilir ki? Pirana sürüsünden ya da sülükle dolmuş bir kasıktan kötü olacak hâli yok," dedi.

Jaeger de artık tamamen ısındığı adamdan böyle bir cevap beklerdi. Dale korktuğunu belirtmekten çekinmiyordu ama gerekeni yapma konusunda da takımı yüzüstü bırakmamıştı.

Jaeger, Narov'a dönüp, "Bu uçağa dair herkesten fazla bilgiye sahip olduğunu hissediyorum. Üçüncü kıyafeti sen al. İçeride bize rehberlik edersin," dedi.

Narov başını sallamış ama gözlerini uzaktaki uçaktan ayırmamıştı.

"Puruwehua sizinkilerin ormanın en derinlerinde konuşlanmasını istiyorum, olası bir sıkıntı hâlinde erken uyarı perdesi olurlar. Kalanlarsa Alonzo'nun güvenlik kordonunda duracak. Sakın unutmayın, hiçbir iletişim aracı ya da GPS kullanamazsınız. Şuraya kadar gelmişken peşimizdeki tiplere bir sinyal göndermeyi hiç istemeyiz."

Bu da anlaşıldıktan sonra Jaeger; nükleer, biyolojik, kimyasal koruma kıyafetini çıkardı. O uçaktan sızan zehirli madde her neyse iki taraflı olabilirdi. Ya nefesle çekiliyor ya da deri gibi gözenekli bir zar aracılığıyla emiliyordu.

Tüm takımı üzerlerinde taşımaları gerektiği için ancak üç adet tam tekmil NBC kıyafeti getirebilmişlerdi. Bunlar İngiliz şirket Avon tarafından üretilen, oldukça hafif tasarıma sahip kıyafetlerdi ve vücudu havada kalabilecek en ufak damla ya da buğuya karşı koruyabiliyordu.

Kıyafetle birlikte bir de Avon C50 maskeleri vardı. Birinci sınıf gaz maskesi; kafaya sıkıca oturan bir tasarıma, yüksek korumaya ve tek bir göz camına sahipti. Yüzü ve gözleri koruyan, ciğerlere zehirli bir madde çekilmesini engelleyen de bu maskeydi.

NBC kıyafetini tamamen giydiklerinde olabilecek her kimyasal, biyolojik, nükleer veya radyolojik tehdide karşı korunacak; bir de zehirli endüstriyel kimyasallar gibi o savaş uçağında gizlenmiş olası tüm tehlikelere karşı kuşatma sağlanacaktı. Ek olarak, Avon maskelerin hepsinde dâhilî bir alıcıyla verici olduğu için, giyen takım üyeleri kısa mesafe erişimli telsizler sayesinde birbiriyle konuşabilecekti.

Jaeger ağır kıyafetiyle girdiği mücadeleyi kazandıktan sonra duraksadı. Thuraya uydu telefonunu açıp bir mesaj var mı diye kontrol etmeye karar verdi. Kaba maskeyle eldivenleri giydikten sonra böylesi bir cihazı kullanmak çok zor olacaktı.

Jaeger telefonu açık alanda yukarı tutar tutmaz ekranda bir mesaj simgesi belirdi. Daha sonra ormanın koruması altında geri çekildi ve Raff'ın gönderdiği mesajı okumaya başladı.

08.00 Zulu. Tüm uydu telefonlarını aradım. Biri; +882 16 7865 4378, yanıt verip ardından hemen kapattı. Beyaz Kurt (?) gibi bir çağrı işareti (?) verdi. Doğu Avrupa aksanı vardı. KRAL?? İletişime geçin. Acilen kondur verin.

Jaeger önemini anlamak adına mesajı üç kez daha okudu. Raff'ın endişelenip konum ve durumlarını (kondur) öğrenmek istediği ortadaydı. Yoksa sesli arama yapma riskini göze almazdı. Jaeger herkesin yanında olduğunu ve uçak enkazının bulunduğu bölgeye geldiklerini söyleyen bir mesaj attı. Herkes değildi gerçi, bir kişi eksikti; Stefan Kral.

Raff'ın mesajıyla birlikte, Jaeger aralarından ayrılan Slovak kameramanın üzerinde oluşan karanlık bulutları iyice hissetti.

Kendi Thuraya telefonunda hızlı aramaya kaydedilmiş numaraları gezmeye başladı, takımındaki diğer üyelerin numaralarını kontrol ediyordu. Teoride yanlarında sadece üç telefon vardı; kendisinde, Alonzo'da ve Dale'de. Kalanların hepsini Şeytanın Şelalesi'nin üzerindeki zulada bırakmışlardı. Raff'ın verdiği numara, +882 16 7865 4378'in orada bırakılması gereken bir Thuraya uydu telefonu olduğunu anladı.

Jaeger o sabah saat 08.00 Zulu'yu düşünmeye başladı. Kampı toplayıp yeniden uçağa doğru yola koyulmuşlardı. Takımından hiç kimse Raff'ın aramasını alamazdı. Ancak Kral yanında bir Thuraya saklıyorsa Amahuaca köyündeki açıklıkta gelen aramayı rahatlıkla yanıtlayabilirdi. Tabii kendisi de arama yapabilirdi.

Asıl soru, Kral'ın neden bir uydu telefonu sakladığıydı. Bir de Raff doğru anladıysa neden bir kod adı kullanıyordu? Beyaz Kurt. Son olarak da arayanın Airlander'dan Raff olduğunu fark ettiği gibi neden telefonu kapatmıştı?

Jaeger tüm bedenini saran korkunç bir şüphe dalgası hissetti. Kral'ın daha önce de Dale'in kameralarındaki GPS birimlerini kapatamamasının yanına bunu eklediğinde, çıkarılacak tek sonuç Slovak adamın içerideki düşman olduğuydu. Gerçekten bir hainse Jaeger iki katı ihanete uğramış hissederdi. Kral'ın haksızlığa uğramış aile adamı tavırları karşısında aptal yerine konulmuştu. Puruwehua'yı yanına çağırıp olabildiğince hızlı şekilde yaşananları anlattı.

"Adamlarınızdan biri köye geri dönüp Şef'i uyarabilir mi? Dönüp sorgulayana kadar Kral'ı orada tutmalarını söylesin. Kesinlikle suçlu olduğunu söylemiyorum ama eldeki kanıtlar bunu gösteriyor. Bir de üzerindeki her şeyi alsınlar, kaçmaya kalkışmasını bile engellesinler."

"Birini göndereceğim," dedi Puruwehua. "Hızlı ilerleyen birini... O adam senin düşmanınsa halkımızın da düşmanıdır."

Jaeger, Kızılderili'ye teşekkür ettikten sonra Raff'a kısa bir mesajla bilgi verip önündeki işe döndü.

Omuzlarını öne çıkardı, Avon gaz maskesinin arka tarafını çekip kopardı ve lastik kısmının boynundaki deriyle temas edip boşluk bırakmayacak şekilde kapandığından emin olduktan sonra kafasına geçirdi. Destek kayışlarını sıkılaştırdı ve yüz hatlarına iyice oturduğunu hissetti. Elini solunum cihazının filtresinin üzerine yerleştirerek avcuyla hava geçirmez bir mühür bastı. Derin ve sert bir nefes çekip maskeyi yüzüne iyice yapıştırdı. Böylece yalıtımın sorunsuz olduğunu kontrol etmişti. Bunun da ardından filtreden birkaç nefes çekti, kendi nefesinin kulaklarında gürleyen emilme ve atılma seslerini duydu.

Ardından maskenin kenarlarındaki tam kapama sağlayan elastik başlığı kafasına geçirdi. Lastikten yapılma ağır dış botları aldı. Ayağındaki orman botlarını tamamen içine hapsedecek kaba botu giydi ve bileklerini iyice sıkacak şekilde bağladı. Son olarak ince pamuklu beyaz eldivenini taktı; üzerine de kauçuktan yapılma kalın, ağır eldiveni geçirdi.

Artık dünyası, o gaz maskesinin izin verdiği ölçüde görebildikleriyle sınırlıydı. İkili filtreler görüşü engellemesin diye ön tarafın soluna yerleştirilmişti ama Jaeger şimdiden basılmış gibi hissediyordu. Sıcak ve havasızlık da ânında kendini göstermişti.

Nihayet, NBC takımlarını giymiş üç kişi nefes alan ormandan çıkmış ve çorak araziye adım atmıştı.

70

Yapraklarla örtülü yemyeşil ormandaki geveze kuşlarla vızıldayan böceklerin ardından, ölü bölgeye girişleri ürkütücü şekilde sessiz oldu. Jaeger'ın başlığına düşen yağmurun bitmek bilmeyen patırdaması, alıp verdiği nefeslerle çıkan emilme ve atılma seslerine eşlik ediyordu. Etraflarında en ufak bir yaşam belirtisi dahi yoktu.

Çürümüş dallarla ağaç kabukları ayaklarının altında parçalanıyordu. Üst botlarıyla önüne çıkan enkazı itip yolu açarken Jaeger, böceklerin ölü bölgeyle bütünleşmeye başladığını görmüştü. Sert gövdeleriyle karınca sürüleri, ayak bastığı yerden öfkeyle kaçmaya çalışıyordu. Bir de Kara Sahil Cezaevi'nden eski dostları, hamamböcekleri vardı.

Karıncalar ve hamamböcekleri; nükleer ya da kimyasal silahlarla verilecek ölümcül bir dünya savaşı olursa, dünya da bu böceklere miras kalacaktı. Savaş uçağından sızanlar da dâhil olmak üzere insan yapımı zehirli tehditlere karşı büyük ölçüde bağışıklık gösteriyorlardı.

Üç kişi sessizce uçağa doğru yürümeye devam etti. Jaeger, yanındaki Narov'dan gelen gerilimi hissedebiliyordu. Bir iki adım arkalarında, çekim yapan Dale vardı. Ancak onun derdi başından aşkındı, görüşünü kısıtlayan gaz maskesine bir de ellerini rahatça kullanmasını engelleyen kalın eldivenler eklenince görüntüyü düzgün bir şekilde almakta büyük zorluk çekiyordu.

On beş metre kala durdular. Önlerinde uzanan bu yapının muazzamlığını algılamaya çalışıyorlardı. Yapraklarla kabuklarından arınmış, sapına kadar ölmüş ağaç gövdelerinin sağladığı yarı koruma arasındaydı ama yetmiş yıldır ormanda saklanan bu devasa uçağın zarif, ince çizgilerini tanımamanın imkânı yoktu.

Buraya gelmek için girdikleri inanılmaz yolculuğun sonunda, büyülenmiş bir şekilde uçağa bakıyorlardı. Dale bile izlemek için kamerasını durdurmuştu. Her şey ama her şey bu an içindi; o kadar araştırma, planlama, bir sürü toplantılar, uçağın gerçekten ne olabileceğine dair bir sürü spekülasyon ve geçen birkaç günle birlikte yolculuğun getirdiği o kadar ölüm, acı ve bir de ihanetin soğuk nefesi.

Gözlerini alamadığı uçağı seyrederken Jaeger, bu kadar süre boyunca böylesine sağlam kalmasına hayret etti. Sanki o yıllar önce kaçırdığı yakıt ikmalini şimdi alsa, motorlarını çalıştırıp bir kez daha gökyüzüne yükselebilirmiş gibi hissediyordu.

Hitler'in bu uçağı neden Amerika Bombardımanı programının başına koyduğunu şimdi net bir şekilde anlamıştı. Arşivci Jenkinson'ın anlattığı gibi New York'un üzerine sarin sinir gazı bırakmak için özel olarak tasarlanmış gibi görünüyordu.

Jaeger mest olmuş bir şekilde izlemeye devam etti. *Burada ne işi vardı ki bunun?* diye düşündü. Görevi neydi? Amahuaca şefinin söylediği gibi dört uçuşun sonuncusuysa ne taşıyordu, *ne taşıyorlardı*?

Jaeger buraya gelene kadar Junkers Ju 390'ın yalnızca bir fotoğrafını görmüştü. Jenkinson'ın e-postayla gönderdiği siyah beyaz bir fotoğraftı bu, savaş uçağına dair çekilen sadece birkaç fotoğraftan biriydi. Altı motorlu karanlık ve şık bir uçağı gösteriyordu; o kadar muazzamdı ki etrafında çalışan askerlerle havacılar, aynı işçi arılar gibi ufacık kalmıştı.

Yan taraftan bakıldığında vahşi bir kartalın başı gibi görünen bir burun konisi vardı. İki tarafında bir kamaranınkilere benzeyen yuvarlak pencereler sıralanıyordu ve hafif kalkmış modern bir kokpite sahipti. O fotoğrafta gördüğü uçakla önünde duran arasındaki tek fark, bulunduğu yerle üzerindeki işaretlerdi.

O fotoğraftaki Ju 390, bilinen son konumunda, işgal edilmiş Çekoslovakya'nın Prag şehrinde ve karla kaplanmış donmuş bir pistte, 1945'in soğuk bir Şubat sabahında kameraya yakalanmıştı. Uçağın yanlarında uzanan devasa kanatlarının üzerindeyse Alman Luftwaffe'nin beyaz bir arka planın üzerine çizilmiş özgün siyah haçı yer alıyordu. Aynı işaretler gövdenin kıç tarafında da kendini gösteriyordu.

Jaeger'ın şimdi önünde duran uçakta da oldukça özgün bir madalyon vardı ama bu sefer Amerikan Hava Kuvvetleri'nin, nerede görse tanıyacağı kırmızı ve beyaz paralel çizgilerin ortasına yerleştirilmiş beş noktalı beyaz yıldızı duruyordu. Simgeler güneşin altında neredeyse yok olacak kadar beyazlamış ve bozulmuştu ama Jaeger ve takımının gözünde hâlâ rahatlıkla tanınabilir durumdaydı.

Uçağın sekiz tekerleğini saran dev lastikler iyice hasar görmüş ve yarı sönük bir hâle gelmişti ama buna rağmen her biri en az Jaeger'ın omuz hizasına kadar çıkıyordu. Kokpitin ise bir zamanlar hâlâ canlı olan ormanın üst bitki örtüsünün yarısına kadar uzandığını hesap etmişti. Ama şimdi üzerinde ölü dalların oluşturduğu bir ağ örülüydü.

Wild Dog Media'nın Londra ofisinde Carson'ın söylediği gibi bu uçağın yanında, Jaeger ile takımını Brezilya'ya getiren modern C-130 Hercules küçücük kalıyordu. Gövdesini saran solmuş sarmaşıklar ve asmalarla elli metrelik kanat açıklığına düşen ölü dallar haricinde uçak akıl almaz derecede sağlam görünüyordu. Yani gerçekten de buraya iniş yapmıştı.

Ancak tabii ki yetmiş yılını ormanda saklanarak geçirmenin etkilerini de görmüştü. Jaeger kabuğunu bir arada tutan perçinlerin aşındığını ve birkaç motorun üzerindeki kapakların düştüğünü görebiliyordu. Kanatları ve gövdesi ıslak bir küf tabakasıyla kaplanmış ve sırt tarafını da eğrelti otlarıyla epifitler sahiplenmişti. Ama bu çürüme çoğunlukla yüzeyseldi. Yapısal olarak uçak gayet sağlam görünüyordu. Jaeger biraz çekidüzen verildikten sonra uçacak duruma bile gelebileceğini düşündü.

Parıldayan yeşil tüyleriyle bir sürü papağanın, iskelet ormanın üzerinden geçerken çıkardığı viyaklamaların sesi kulaklarına ulaştı. Bununla birlikte Jaeger da içine girdiği trans hâlinden uzaklaşıp Narov'a döndü.

"Girecek tek bir yer var."

Söyledikleri gaz maskesi tarafından bastırılıyordu ama kıyafetlere dâhil edilen telsizler sayesinde anlaşılıyordu. Kalın eldivenin altına gizlenmiş elini kaldırdı, uçağın kuyruğundan başlayarak tüm gövdesi boyunca ilerletti ve kokpitin olduğu yerde durdu.

Narov maskesinin altından Jaeger'a baktı.

"İlk ben giderim."

71

Kuyruk tekerlerinin iyice çökmesiyle uçağın kuyruk kanadı Narov'un ölmüş bir ağaçtan destek alarak da olsa uzanıp yakalayabileceği kadar inmişti. Savaş uçağının üst yüzeyine uzandı ve kendini yukarı çekerek kuyruk kanadının düz kısmına ulaştı.

Ardından Jaeger çıktı. Dale'in uzattığı kamerayı alarak genç adamın da düz yüzeye çıkmasına yardımcı oldu. Narov hızla ilerlemeye, savaş uçağının sırtından kokpite doğru yürümeye başlayıp gözden kaybolmuştu.

Ju 390'ın gövdesinin alt kısmı nispeten düz bir yüzeye sahipken üst tarafı hafif eğimle uzanıyordu. Jaeger gövdenin üzerinde kalktı ve Narov'u izleyerek uçağın iskeleti boyunca ilerledi. Kokpitin hemen üzerinde her yanı cam panellerle kaplanmış ve normalde rotacının oturacağı gözlem kabininin olduğu yere geldi. Uçağı okyanuslar ve ormanların üzerinde hiçbir iz bırakmadan yönlendirmek için buradan yıldızlara bakarak ölçümler yapılıyordu işte. Jaeger gözlem kabininin pencerelerini tutan kauçuk contalardan bazılarının çürüdüğünü ve bir iki panelin içeri göçtüğünü gördü.

Kokpite ulaşıp aşağı kaydı ve uçağın en ucunda bekleyen Narov'un yanına geldi. Tehlikeli bir yerde, zeminden aşağı yukarı on beş metre yukarıda duruyorlardı. Uçağın burnu pürüzsüz ve aerodinamikti ama yetmiş yıllık orman artıklarına bulanmıştı. Jaeger botlarıyla mümkün olduğunca temizledi ve bu sayede nispeten düzgün bir şekilde ayak basabilecekleri bir yer oldu. Sonra yukarıdan Dale belirdi, elinde kamerasıyla çekim yapmaya hazırdı.

Jaeger, NBC kıyafetindeki cebine koyduğu uzunca bir paraşüt kordonu çıkarıp Dale'e uzattı ve kokpitin üst arka kısmından çıkan radyo anteninin etrafına sardırdı. Dale kordonu tekrar uzattı ve Jaeger, Narov ile birlikte tutunabilecekleri bir şey olsun diye iki düğüm attı.

Narov öndeki iki cam panelden birine yaslanmış, içeri bakıyordu. Jaeger kadının eldivenlerini kullanarak toz, kir ve küfleri temizlemeye çalıştığı yerlerde bıraktığı izleri görebiliyordu. Kısa bir süreliğine Jaeger'a baktı.

"Yandaki pencere... Sanırım kilitlenmemiş. Oradan gireceğiz."

Bir elinde o özel bıçağıyla birlikte yan tarafa uzandı. Ustaca bıçağı yarı çürümüş kauçuk contaya yerleştirip bastırdı. Bu türden uçakların çoğunda pilotların pistteki mürettebatla konuşabilmesi için sürgülü pencereler olurdu. Narov da bunlardan birini manivela yaparak açmaya çalışıyordu.

Santim santim zorladı ve en sonunda alçalabileceği kadar genişlikte bir boşluk oluştu. Jaeger'ın paraşüt kordonunun bir ucunu alarak kokpitin yan tarafına sallanıp uçağın kenarına basarak ilerledi ve bir tekmeyle bacaklarını içeri soktu. Ardından bir kedi kıvraklığında kalçasını ve gövdesini içeri aldı. Jaeger'a anlık bir bakış attıktan sonra ortadan kayboldu.

Paraşüt kordonunu bu sefer Jaeger yakaladı ve aşağı sallanarak Narov'u izledi. Botları, kokpitin tamamen metal zeminine sertçe çarpmıştı. Gözlerinin loş ortama alışması için birkaç saniye geçmesi gerekti.

İçeride dikkat ettiği ilk şey, bir tür zaman kapsülüne girmiş gibi hissetmesiydi. Doğal olarak gaz maskesi hiçbir şeyin içeri girmesine izin vermediği için bir koku duyamıyordu ama deri koltuklardan yükselen küflü aromanın, kocaman uçuş panelinde dizilmiş butonlardan çıkan paslanmış alüminyumun keskin esansını zihninde canlandırabiliyordu.

Hemen arkasında, ön kısmında bir sürü kolla buton duran, uçağın kıç tarafına doğru döndürülmüş ve kendine ait bir hücreye sıkıştırılmış uçuş yardımcısının koltuğu duruyordu. Onun arkasında, gözlem kabininde iyice yükseltilmiş rotacının koltuğu, onun arkasında da gölgelerin arasında kokpitle kargo bölümünü ayıran kapı yer alıyordu.

Savaş uçağının iç kısmı tüyler ürpertici şekilde el değmemiş görünüyordu, sanki mürettebat buradan ayrılalı daha birkaç saat olmuştu. Jaeger pilot koltuğunun yanına sıkıştırılmış bir matarayla dibine kadar kabuk tuttuğunu düşündüğü kahveyle dolu bir kupa gördü. Koltukta bir de pilot tarzı güneş gözlüğü vardı; sanki arkadaki yükü gözleyen mürettebatla sohbet etmek için koltuğundan kalkarken olduğu yere bırakmış gibiydi. İlk izlenim şaşırtıcı derecede fazla hayaletimsiydi ama Jaeger ne bekliyordu ki zaten?

Pilot koltuğunun üzerine tutturulmuş bir şey dikkatini çekti. Tuhaf, hatta bu dünyadan gelmemiş gibi görünen bir mekanizmaydı; bir mil üzerine monte edilmiş ve istenmesi hâlinde pilotun önüne indirilebilirmiş gibi duruyordu. Yardımcı pilotun koltuğuna baktı, benzer bir cihaz onun da üst tarafına yerleştirilmişti.

Narov'un baktığını hissetti.

"Düşündüğüm şey mi bu?" diye sordu.

"Zielgerät 1229, Vampir," diye doğruladı Narov. "Bugün bildiğimiz ismiyle kızılötesi gece görüşü... Zifiri karanlıkta iniş ve kalkış yapmak için..."

O Vampir görüşünün varlığı Narov'u hiç şaşırtmamıştı. Ancak Jaeger yetişkin hayatının büyük bölümünde, gece görüşünün çok da uzak olmayan bir geçmişte Amerikalılar tarafından icat edildiğine inanıyordu. Bu İkinci Dünya Savaşı'ndan kalma Alman uçağında söz konusu cihazın çalışan bir takımını görmek inanılmazdı.

Arkasındaki rotacının masasında, bir tarafında kalemler ve pergeller bulunan küflenmiş bir çizelgenin kalıntılarını buldu Jaeger. Onun ağır bir sigara tiryakisi olduğunu düşündü. Yarısı içilmiş sigara izmaritleriyle artık taşmak üzere olan bir kül tablası ve Luftwaffe imzalı bir paket kibrit çöpü duruyordu.

Rotacının dosyasına sıkıştırılmış bir şekilde eski ve sararmış bir resim vardı. Jaeger uzanıp aldı. Havadan çekilmiş bir fotoğraftı bu ve gördüğü gibi yetmiş yıl önce ormanı keserek kurulmuş uçuş pistine ait olduğunu anladı. Üzerinde Almanca kelimeler yazıyordu; bunlardan biri *Treibstofflager*'dı ve yanına çizilmiş bir yakıt fıçısı vardı. Yani bu uçağın sonsuza kadar ormanın ortasında kalmasına yol açan da o *Treibstofflager*'ın boşalmasıydı.

Jaeger göstermek için Narov'a döndü ama kadının sırtıyla karşılaştı. Duruşunda kaçamak bir hava vardı. Deri bir omuz çantasının üzerine eğilmiş, elleriyle bir tomar belgenin üzerinde hararetle geziniyordu. Sadece beden diline bakarak bile Jaeger, kadının buraya her ne için geldiyse onu bulduğunu ve o çantanın içindeki şeyle arasına hiç kimsenin giremeyeceğini anlamıştı.

Üzerine yönelmiş bakışları hissetmiş olmalıydı. Hiçbir şey söylemeden kendi sırt çantasını omzundan çıkardı, bulduğu çantayı dibine kadar soktu ve uçağın ambarına doğru döndü. Jaeger'a bakıyordu. Maskenin ardından görebildiği kadarıyla kadının yüzü heyecandan kızarmış gibiydi. Ama bir taraftan da kaçamak bir tutum sergiliyordu; gözlerinde savunmaya geçmiş, kendini korumayı hedefleyen bir bakış vardı.

"Aradığını buldun mu?" diye sordu Jaeger açıkça.

Narov soruyu duymazdan geldi. Onun yerine uçağın arka tarafını işaret etti.

"Oraya! Tabii bu uçağın sakladığı sırları gerçekten öğrenmek istiyorsan..."

Jaeger uçağı buradan kaldırıp götürdükten sonra o çanta dolusu belgeyle ilgili Narov'un üzerine gideceğini aklına kazıdı. Şu an böyle bir yüzleşme için zaman yoktu.

72

Narov bölme kapısını gösterdi. Üzerinde dikey bir şekilde kilitlenmiş bir tutacakla dikdörtgen biçiminde bir kapak vardı. Aşağı doğru bir ok çizilmiş, yanına da Almanca şu kelimeler yazılmıştı; *ZU OFFNEN.* "Buradan açınız."

Jaeger tutacağa uzandı. Bir anlığına tereddüt etti ve elini göğüs cebine sokarak Petzl baş fenerini çıkardı. Kayışlarını gevşetti ve başlığıyla maskesinin üzerine geçirdi. Ardından tekrar kola uzanıp yatay pozisyona getirdi. Ağır kapı sonuna kadar açılmıştı.

Ju 390'ın geniş arka tarafında karanlıktan başka bir şey yoktu. Jaeger eldivenli eliyle kafasına uzandı ve fenerinin cam kısmını çevirerek ışığı açtı. Petzl'ın çift ksenon ampullerinden masmavi bir ışık yayıldı. İkiz ışınlar karanlığı keserken ambar boyunca uzanmış sis gibi görünen katmanları yakalayarak uçağın içinde bir lazer gösterisi sundu. Sis, Jaeger'a kadar uzandı; arkasında her yanı sarmış hayalet filizleri getirdi.

Daha da içeri baktı. Bu noktadan Ju 390'ın gövdesi en az iki tane yetişkin adamın boyundaydı ve tabanı çok daha genişti. Jaeger'ın gördüğü kadarıyla ambar bölümü başından sonuna kadar kargo kasalarıyla doluydu. Her biri uçuş sırasında kaymayı önlemek için uçağın zeminine kurulan çelik tutacaklara bağlanmıştı.

Jaeger dikkatlice içeri bir adım attı. Avon NBC takımına güveni sonsuzdu ama böylesine bilinmeyen bir tehlikeye girmek yine de göz korkutuyordu. Bu türden koruyucu kıyafetlerle maskeleri yenebilecek hiçbir bilinen zehirli madde yoktu ama uçağın içine bubi tuzakları kurulduysa ne yapacaktı?

Uçağın gövdesi arkasına doğru alçalacak şekilde bir eğimle uzanıyordu. Etrafına baktıkça başındaki fenerden saçılan ışınların, uçağın bir tarafından diğerine kadar asılmış gümüşi tellere çarptığını gördü. İlk başta bunların uçağı terk edenler tarafından kurulmuş gizli tuzak kabloları olduğunu, patlayıcılara bağlı olduğunu düşündü. Daha sonra iplerin çok daha karmaşık geometrik desenler çizdiğini, tam ortasında toplanan karanlık kütleye doğru döne döne küçüldüğünü fark etti.

Örümcekler.

Neden sürekli örümcekler çıkıyordu ki karşısına?

"*Phoneutria*'ya aynı zamanda 'gezgin örümcek' de denir," diye girdi telsizden Narov. "Her yere tüneyebilirler. Dikkatli ol."

Bıçağını çekip Jaeger'ın önüne geçti. *Phoneutria* tarafından bir kez ısırıldığı için hiçbir korku emaresi göstermeden ustalıkla ağları yırtmaya ve önünde ilerlemek için temiz bir yol açmaya başladı. Bir taraftan diğerine doğru dönüp ipeksi ağları yırtarken bir yandan da örümcekleri bıçağının ucuyla uzaklaştırıyor, narin hareketleriyle bir bale dansçısının zarafetini andırıyordu. Büyüleyiciydi. Jaeger, kadını seyre dalarken içindeki cesarete hayran kalmıştı. Gerçekten de birer birer üstün geldiği *Phoneutria* kadar eşsizdi, tehlikeliydi.

Narov'un açtığı yolu izlerken ayağıyla da zemine kurulabilecek tuzak kablolarını hissetmeye çalışıyordu. Gözü hemen önünde yatan devasa kasaya takıldı. O kadar büyüktü ki uçağın arkasına doğru devam etmek için sıkışarak yanından geçmesi gerekecekti. Bir anlığına insan gücüyle bunu uçağa nasıl koyduklarını merak etti. Sonra ancak ağır araçlar yardımıyla, uçağın arkasındaki rampadan sürülebileceğine karar verdi. Kasayı incelemeyi sürdürürken, Jaeger'ın feneri yan tarafına damgalanmış yazılara takıldı.

Kriegsentscheidend: Aktion Adlerflug
SS Standortwechsel Kommando
Kaiser-Wilhelm-Gesellschaft
Uranprojekt-Uranmaschine

Altındaysa kapkaranlık bir simge, bir *Reichsadler* vardı.

Jaeger bazı kelimelerle sembolü görür görmez tanıdı ama bağlaya-madığı yerlerde yardımına Narov koştu. Kasanın yanında eğildi ve kendi baş fenerinden çıkan ışıkla kelimeleri izledi.

"Hiç şaşırtıcı değil..." diye konuşmaya başladı.

Jaeger da yanına çömelmişti.

"Bazı kelimeleri biliyorum," dedi. *"Kriegsentscheidend*, Çok Gizli Ötesi. *SS Standortwechsel Kommando*, SS'in Yeniden Mevzilendirme Komandosu. Diğerleri ne peki?"

Jaeger'ın başındaki fenerden süzülen ışıklar kadının maskesindeki camı parlatırken Narov da kelimeleri okuyup çevirdi.

"Aktion Adlerflug, Kartal Uçuşu Operasyonu. *Kaiser-Wilhelm-Gesel-lschaft*, Nazilerin en iyi nükleer araştırma tesisi olan Kaiser Wilhelm Şirketi; *Uranmaschine* de nükleer reaktör." Jaeger'a döndü. "Nükleer programlarına ait parçalar... Naziler nükleer güçlerle çok sayıda deney yaptı ve hiç hayal etmediğimiz şekillerde nasıl silahlandırılabileceği üzerine çalıştı."

Narov ikinci bir kasaya ilerledi, yine benzer kelimelerle ikinci bir *Reichsadler* vardı.

Kriegsentscheidend: Aktion Adlerflug
SS Standortwechsel Kommando
Mittelwerk Kohnstein
A9 Amerika Rakete

"En üstteki iki satır aynı... Altındaki Mittelwerk, Almanya'nın tam ortasındaki Kohnstein Dağları'na inşa edilen yeraltı tüneller anlamına geliyordu. Hitler, Peenemunde Araştırma Merkezi İttifak güçler tarafından bombalandıktan sonra Nazilerin en üst düzey füze ve roketlerini yeniden mevzilendirmesi için Hans Kammler'i orada görevlendirmişti. 1944 kışıyla 1945 baharında, yakındaki Mittelbau-Dora Toplama Kampı'ndan getirilen ve zorla çalıştırılan yirmi bin işçi Mittelwerk'ün inşası sırasında yorgunluktan, açlıktan ve hastalıktan öldü. Ölene kadar çalıştırılıyor, daha sonraki görevlerde işe yaramayacak kadar zayıf bir hâle geldiklerinde de öldürülüyorlardı." Narov kasaya baktı. "Görebildiğin gibi Mittelwerk'ten çıkan bütün kötülükler savaşın sona ermesiyle birlikte yok olmamış."

Jaeger feneriyle en alt satırdaki yazıyı gösterip, "A9 ne peki?" diye sordu.

"V-2'nin devamı... Amerika Rakete, Amerika roketi. Saatte beş bin kilometreye yakın bir hızda uçması ve Amerika karasını vurması planlanmıştı. Savaşın son demleri yaşanırken bu roketin çalışan modellerini rüzgâr tünellerinde test etmiş, hatta deneme uçuşlarını da başarıyla atlatmışlardı. Belli ki A9'un Reich ile birlikte ölmesini istememişler."

Jaeger, Narov'un gösterdiğinden çok daha fazlasını bildiğini anlamıştı. Daha keşfin ilk gününden beri böyleydi. Şimdi buldukları da kelimenin tam anlamıyla akıllara durgunluk vericiydi. Amerikan renklerine boyanmış gizli bir Alman savaş uçağı, Amazon'un ortasında on yıllar boyunca kayıp bir şekilde kalmış; görünüşe göre Nazi dehşetini dünyaya yayacak kargoyla yüklenmişti. Ama bunların hiçbiri Irina Narov'u azıcık bile şaşırtmıyordu.

73

Karanlığın daha da derinlerine ilerlediler. Gövdenin içindeki sıcaklık boğucu düzeydeydi, takım ve maskenin yüküyle hissettikleri rahatsızlık katlanıyordu ama Jaeger NBC kıyafetinin tam olarak o anda hayatlarını kurtardığından emindi. Uçağın içi nasıl bir zehirli gazla dolu olursa olsun, Narov ya da Dale böylesi bir koruma olmadan girmiş olsa şu anda acılar içinde kıvranıyor olurlardı.

Bir anlığına, arkasını dönüp Dale'e baktı. Genç adamın kamerasının üzerine pille çalışan portatif bir lamba yerleştirdiğini fark etti. Çekim için kullanacağı ışığı açtı ve savaş uçağının içerisi bir anda keskin ışık ve gölgelerin dansına sahne oldu. Uçağın her yanında parıldayan ikiz noktalar vardı; *Phoneutria* gözleri.

Jaeger kısa bir süreliğine zamanında uçakta görev almış mürettebatın hayaletlerinin, parıldayan ışıkla birlikte saklandıkları gölgelerin arasından çıkacağını ve karanlık sırlarını sonsuza kadar bu şekilde tutmak için Luger tabancalarını kendilerine tutacaklarını düşündü. Uçağın içerisindeki tüm bu sırlarla birlikte böylesine terk edilmesini bir türlü aklı almıyordu.

Narov üçüncü bir kasanın yanına eğildi ve aynı anda Jaeger, kadının hâl ve hareketlerindeki değişikliği sezdi. Yazıyı okumasıyla birlikte nefesi kesilmiş ve Jaeger bu sefer onun bile beklemediği bir şey bulduklarını anlamıştı. Kasanın kenarına yazılmış kelimeleri okumak için eğildi.

Kriegsentscheidend: Aktion Adlerflug
SS Standortwechsel Kommando
Plasmaphysik-Dresden
Röntgen Kanone

"İşte bunu beklemiyorduk," diye fısıldadı Narov. Ardından Jaeger'a baktı. "Satırlar gayet açık ama sonuncular? Üçüncü satırı anladın mı?" Jaeger başını sallayıp, "Plazma Fiziği, Dresden," dedi.

"Aynen öyle!" dedi Narov. *"Röntgen Kanone* içinse İngilizceye kelimesi kelimesine çeviri yapmak mümkün değil. 'Ölüm ışını' ya da doğrudan 'enerji silahı' diyebilirsin. Bir parçacık ışını, elektromanyetik radyasyon ya da ses dalgası bile ateşleyebiliyor. Bilimkurgu filmlerinden çıkmış gibi duruyor ama Nazilerin bu tür silahlara sahip olduğu ve İttifak güçlerinin uçaklarını düşürmek için kullandığı yıllardır söyleniyordu." Narov'un bakışları maskenin camının arkasından Jaeger'ın gözleriyle buluştu. "Demek ki söylentiler doğruymuş ve son âna kadar *Röntgen Kanone*'lerini korumuşlar."

Jaeger yüzünden akan teri hissedebiliyordu. Sıcaklık artık dayanılmaz boyuta gelmişti ve bedeninden attığı sular maskenin içinde buharlaşarak görüşünü bulandırıyordu. Uçağın arka tarafına gidip kuyruk kanadının hemen gerisindeki yan kapılardan birini açmaya uğraşmaları gerektiğini düşündü. Büyük bir mücadeleyle arkaya ilerlerken, Narov da yanlarından geçtikleri son derece gelişmiş silahlarla dolu kasaları anlattı.

"BV 246 kanatlı bomba; iki yüz kilometre menzili var ve hedefinin radar sinyaline kilitlenebiliyor. Fritz-X güdümlü bomba; ısı bulma ya da radar/telsiz hedeflerine kilitlenebilen bir başlığı var. Yani burada gördüklerimiz, bugünün akıllı bombalarının atası aslında..." Uzun, alçak kasalardan oluşan bir sıranın kenarına eğildi. "Rheintochter R1; ittifak bombardıman uçaklarını vurmak için tasarlanmış, yerden havaya güdümlü füze. X4; pilot tarafından hedefe yönlendirilen havadan havaya füze. Feuerlilie, Ateş Zambağı. Güdümlü uçaksavar roketi..."

Daha ufak bir şekilde paketlenmiş kutuların önünde durup, "Seehund aktif gece görüş birimi; kızılötesi projektörle birlikte kullanılıyordu ve sınırsız bir menzili vardı. Burada da IG Farben tarafından Schwarzes Flugzeug, Siyah Uçak Programı için üretilmiş gizlilik malzemeleri var. Bugünün modern hayalet uçakları için öncü olmuştu," dedi.

"Burada da XXI denizaltısını kaplamak için kullandıkları malzemeler var. Kaplamayla radar ve sonar sinyalleri emiliyor, XXI herhangi bir şekilde tespit edilemiyordu." Jaeger'a baktı. "O kadar çığır açan bir teknolojiydi ki Çin deniz kuvvetlerinin kopyası, Ming sınıfı denizaltı *bugün* hâlâ kullanılıyor. Ayrıca Rusların Proje 633, Romeo sınıfı denizaltısı da XXI'ın tıpatıp kopyasıydı ve Soğuk Savaş boyunca operasyonlara devam etti."

Başka bir kasanın üzerindeki tozu silkip üzerine yazılmış kelimeleri açığa çıkardı.

"Sarin, tabun ve soman; Nazilerin en gelişmiş sinir gazları... Dünyanın en büyük devletleri hâlâ bunları depoluyor. Ama 1945'te bunlara karşı hiçbir savunma mekanizmamız yoktu. Sıfır. Çünkü var olduklarını bile bilmiyorduk." Narov derin bir nefes aldı. "Yanındaki de biyolojik silah kasası. Hitler biyolojik silah programına 'Blitzableiter' adını vermişti, *Yıldırımsavar*. Nazi bilim adamı Kurt Blome'un eseriydi. Varlığını sürekli reddedip kanser araştırma programı olarak gizlediler ama önümüzde Blitzableiter'ın var olduğunun kanıtı duruyor; veba, tifo, kolera, şarbon ve nefrit bazlı gazlar. Belli ki savaş bittikten sonra da devam etmek istiyorlarmış."

Uçağın kuyruk tarafına ulaştıklarında boğucu sıcak ve keşfettikleri şeyler yüzünden Jaeger'ın başı dönüyordu. Hitler'in teknolojiye ve her şeye rağmen Reich adına savaşı kazandıracak etmen olduğuna yönelik mutlak inancı sonuçlarını vermişti, hem de Jaeger'ın hayal bile edemeyeceği düzeyde...

Gittiği okulda ve ardından subay eğitimini tamamladığı Kraliyet Donanması Savaş Eğitim Merkezi'nde İttifak kuvvetlerinin Nazi düşmanlarını hem askerî hem de teknolojik açıdan yendiğini öğrenmişti.

Ancak içinde bulunduğu uçakta yer alanları düşündüğünde gördüğü derslerin tamamen yalan olduğu anlaşılıyordu.

Güdümlü füzeler ve roketler, akıllı bombalar, hayalet uçaklar, hayalet denizaltıları, gece görüş takımları, kimyasal ve biyolojik silahlar, hatta *ölüm ışınları...* Nazilerin teknolojide attığı büyüleyici adımlar bu savaş uçağının karanlık gövdesine doldurulmuş kasaların içine saklanmıştı.

74

Ju 390'ın arkadaki kargo ambarı kusursuz Alman mühendisliğinin eşsiz bir örneğiydi. Gövdenin iki tarafında iki metrelik dışarı açılan çift kapılar vardı. Tam ortalarına kadar uzanan ikiz demir çubuklarla bağlanmış, tavandaki ve yerdeki deliklere geçirilmişti.

Menteşelerle kilit mekanizması iyi yağlanmış gibi görünüyordu ve Jaeger kolaylıkla oynatabileceğini düşündü. Kollardan birine güç uyguladıktan sonra yukarı çekmesiyle hafif bir gıcırdama duyuldu ve kapılar serbest kaldı. Ardından tüm ağırlığını kapıya verdi ve kısa bir süre içerisinde ardına kadar açılan kapılar, uçağın içini dolduran ağır sisin dışarı sızmasına sebep oldu.

Jaeger sisin havadan daha yoğun olduğunu gördüğü için şaşırmıştı. Uçaktan dökülen sis yere sızarken, yoğun ve zehirli bir gaz bulutu olarak bir araya geldi. Güneş ışınlarıyla buluşan kütle, uçağın içinden tuhaf bir metalik parıltıyla parlıyor gibi görünüyordu. Bunu görmesiyle birlikte Jaeger uçaktan çıkan zehrin kaynağını belirlemek adına bazı testler yapması gerektiğini hatırladı. Arama ve keşif işine kendini o kadar kaptırmıştı ki az kalsın aklından uçup gidecekti. Ama onun için hâlâ zamanı vardı.

Şu an için için yanıyordu ve birkaç dakikalığına da olsa biraz nefes almaya ihtiyacı vardı. Açılan kapının hemen yanında bir koltuğa oturdu, Narov da karşısına geçti. Gözünün bir kenarıyla bu inanılmaz keşfi kamerasına her şeyiyle sığdırmaya çalışan Dale'in çekim yaptığını görebiliyordu.

Açılan kapıdan süzülen ışıkla birlikte, Jaeger yakınlarındaki bir kasanın kenarına çizilmiş ve bir MANPAD'e aitmiş gibi görünen bir resim fark etti. İncelemek için eğildi. Net bir şekilde, omuzdan fırlatmalı yerden havaya bir füzenin resmiydi bu. Narov kasanın yan tarafına yazılanları okudu.

"*Fliegerfaust*; tam çevirisi 'pilot yumruğu'. Dünyanın ilk omuzdan fırlatmalı yerden havaya füzesi, İttifak uçaklarını vurmak için tasarlandı. Neyse ki bu sefer de savaşın sonucunu değiştirebilecek kadar bir fark yaratmak için geç kalmışlardı."

"İnanılmaz!" diye fısıldadı Jaeger. "O kadar çok ilk var ki... Burada yatan sırları listelemek yıllar alacak."

"Tam olarak neye bu kadar şaşırıyorsun?" diye sordu Narov, ölü ormanda yükselen beyaz iskeletleri seyrediyordu. "Nazilerin böylesine teknolojilere sahip olmasına mı? Bunlara ve çok daha fazlasına sahiplerdi. Bu uçağı tamamen aradığımızda kim bilir daha nelerle karşılaşacağız." Duraksadı. "Yoksa uçağın Amerikan renklerinde olmasına mı şaşırdın? İttifak kuvvetleri Nazilerin silahlarını -*Wunderwaffe*'sini- dünyanın en uzak köşelerinde yeniden mevkilendirme çabalarına büyük katkı sağladı. Savaşın bitmesine doğru artık yeni bir düşman vardı karşımızda; Sovyet Rusya. 'Düşmanımın düşmanı dostumdur,' diye düşündüler. İttifak güçleri Nazilerin yeniden mevkilendirme işine olabilecek en üst düzeyde yardımı sağladı. O yüzden bunun üzerinde ABD Hava Kuvvetleri'nin renkleri var. İttifak güçleri... Amerikalılar o zamanlar göklerin hâkimiydi ve başka türlü de başarılamazdı zaten."

"Savaşın sonlarına doğru artık Ruslarla yarış başlamıştı," diye devam etti. "Nazilerin sırlarını, yani teknolojilerini ve en iyi bilim insanlarını kendimize alarak Soğuk Savaş'ı ve tabii ki uzay yarışını kazandık. O zamanlar her şeyi buna bağlayarak haklı göstermeye çalışıyorduk."

"*Biz* derken?" diye araya girdi Jaeger. "Sen Rus değil miydin? Kendin söyledin az önce, savaş bittiğinde düşman sizdiniz."

"Bana dair hiçbir şey bilmiyorsun," diye mırıldandı Narov. Ardından uzunca bir süre sessiz kaldı. "Sesim Rus gibi çıkıyor olabilir ama damarlarımda İngiliz kanı akıyor. Senin ülkende doğdum ben. Ondan önce de atalarımın soyu Almanya'ya dayanıyor. Şimdiyse New York'ta yaşıyorum. Ben özgür dünyanın bir vatandaşıyım. Düşman mı oluyorum yani?"

Jaeger biraz da özür diler bir şekilde omuzlarını silkip, "Nereden bilecektim ki? Bana kendinle ilgili hiçbir şey anlat..." dedi.

"Şimdi de zamanı değil zaten," diye sözünü kesti Narov ve Ju 390'ın kargo ambarını işaret etti.

"Öyle olsun. O zaman uçağı anlatmaya devam et."

"Mesela Mittelwerk yeraltı tesisini düşün," diye başladı Narov, kaldığı yerden devam ederek. "Mayıs 1945'in başlarında Amerikan güçleri orayı istila etti ve ilk V-2 roket sistemleri Amerika'ya gönderildi. Bundan sadece birkaç gün sonra Sovyet subayları tesisi ele geçirdi, Sovyet işgal sınırları içerisinde kalıyordu. Amerika'nın Apollo ay uçuşu o V-2 teknolojilerine dayanarak gerçekleştirildi. Ya da mesela Blitzableiter'ın direktörü Kurt Blome'u düşün. Nazilerin biyolojik silah programının bu denli gelişmesinin önemli bir sebebi test edebilecekleri binlerce toplama kampı kurbanlarının olmasıydı. Savaş bittikten sonra Blome yakalandı ve Nuremberg'de duruşmaya çıkarıldı. Sonrasında bir şekilde beraat etti ve Amerikalılar çok gizli silah programı Kimyasal Kuvvetler'de çalışması için onu işe aldı."

"Anlaşmalar yaptık," diye devam etti Narov, sesindeki nefreti bastırmıyordu. "Evet, adını bile ağzımıza almamamız gerekenlerle, Nazilerin en kötüleriyle anlaşmalar yaptık." Jaeger'a baktı. "Araç Operasyonu'nu duymuş muydun?"

Jaeger başını iki yana salladı.

"Amerikalıların binlerce Nazi bilim adamını kendi ülkelerine yerleştirmek için başlattığı bir projenin kod adıydı. Hepsine yeni isimler, yeni kimlikler ve nüfuza sahip olabilecekleri işler verildi. Tek beklenense yeni sahipleri için çalışmalarıydı. Sizin de benzeri bir programınız vardı ama o bilindik İngiliz ironisiyle adını, 'Darwin Operasyonu' koydunuz; en güçlünün hayatta kalması..."

"İki proje de tamamen inkâr edilebilecek şekilde tasarlandı," diye devam etti Narov. "Ataç Operasyonu, Amerika Başkanı düzeyinde bile reddedildi." Duraksadı. "Ama daha da derinlere giden inkâr katmanları vardı. *Aktion Adlerflug*, Kartal Uçuşu Operasyonu, bu uçağın gövdesindeki tüm kasalara işlenmiş durumda... *Aktion Adlerflug*, Hitler'in tüm Nazi teknolojisini daha sonra Reich'ın yeniden yükselebileceği yerlere mevzilendirme planı için bulduğu bir kod adıydı. Bizim de, yani İttifak güçlerinin de Sovyetlere karşı çalıştıkları sürece kabul ettiğimiz bir projeydi. Anlayacağın, dünyanın en karanlık komplolarının tam ortasında yatan bir uçağın içinde oturuyorsun. O kadar gizliydi ki, hatta hâlâ o kadar gizli ki bununla ilgili tüm İngiliz, Amerikan ve Rus dosyaları kapalı kapılar altında kaldı. Bana göre sonsuza kadar da öyle devam edecek."

Bir süre sessiz kalan Narov omuzlarını silkti.

"Bunlar seni şaşırtıyorsa bile şaşırtmasın. Sözde iyi adamlar şeytanla anlaştı. Bunu da gerekli olduğunu düşündükleri, özgür dünyanın iyiliği için yaptılar."

75

Jaeger Ju 390'ın gövdesinde sıralanmış kasaları bir eliyle işaret etti.

"O zaman bunlar daha da inanılmaz bir hâl alıyor. Bu uçak... Şimdiye kadar toplanmış en büyük Nazi savaş sırları koleksiyonu olmalı. Yani buradan kaldırmamız daha da önem kazandı, kaldırıp..."

"Kaldırıp ne yapacağız?" diye sözünü kesti Narov, soğuk bakışlarını üzerine dikmişti. "Dünyaya mı anlatacağız? Bu teknolojilerin çoğunda uzmanlaştık zaten. *Röntgen Kanone*'ye bakalım, ölüm ışını. Amerikalılar çok kısa süre önce buna benzer bir şey geliştirdi. Manyetik İvmeli Halka ile Aşırı Yüksek Yönlendirilmiş Enerji ve Radyasyona Erişme; kod adı MARAUDER. Esasında manyetik olarak yapıştırılmış halka şeklinde küreler ateşliyor. Şimşek topları olarak düşünebilirsin. Çok gizli ve inkâr edilebilir bir erişim programı," diye devam etti Narov. "Yani başka deyişle sırların kutsal kâsesi... Aynı MARAUDER'in atası Nazi *Röntgen Kanone* gibi... Bu yüzden cevap hayır Bay William Edward Michael Jaeger, bu keşfimizi kısa vadede dünyaya sunmayacağız. Ama bu, kurtarmak için elimizden gelen her şeyi en doğru sebepler uğruna yapmamamız gerektiği anlamına gelmiyor."

Jaeger uzun uzun Narov'a baktı. *William Edward Michael Jaeger.* Tam adını neden kullanmıştı ki?

"Sana soracak milyonlarca sorum var." Jaeger'ın sesi gaz maskesinden çıkan emme sesleriyle yükseldi. "Çoğu da direkt *seni* ilgilendiriyor gibi... Bana bu kadar fazla şeyi nereden bildiğini söyler misin? Bildiğin her şeyi anlat. Hatta kim olduğunu söyle! Nereden geldin? Kime çalışıyorsun? Ha bir de o komando bıçağı..."

Narov cevap vermeye başladığında bakışları ölü ormandan bir an olsun ayrılmamıştı.

"Sana bunların bazılarını anlatabilirim ama önce güvenle buradan gitmemiz lazım. Gerçekten güvende olmamız... Şu an..."

"Bir de o belge çantası var," diye sözünü kesti Jaeger. "Kokpitten alıp çantana koyduğun... İçinde ne olduğunu söyler misin? Uçuş manifestosu mu? Seyir hedef planları mı? Bunun ve diğer uçakların planlanan iniş yeri mi?"

Narov soruyu duymazdan gelip, "Şu an, William Edward Michael Jaeger, sanıyorum bilmen gereken tek bir şey var; Ben Edward Michael Jaeger'ı tanıyordum. Yani dedeni, hepimizin söylediği gibi Ted Dede'yi tanıyordum. Herkes için büyük bir ilham kaynağı ve önderdi. Dedenle birlikte ya da daha doğrusu onun anısıyla, onun mirasıyla çalıştım." Narov bıçağını çıkardı. "Bu da bana dedenin vasiyeti... Onun yaşayan mirasıyla, *seninle* tanışmayı çok istiyordum. Merakım da sürüyor. Bunun umduğum gibi çıkıp çıkmayacağını hâlâ bilmiyorum."

Jaeger söyleyecek tek bir kelime bulamıyordu. Daha uygun bir cevap veremeden Narov tekrar konuştu.

"O benim hiç sahip olmadığım dedemdi. *Hiç sahip olamayacağım...*" Jaeger kadınla tanıştığından bu yana ilk kez hiç kesilmeyen, doğrudan kendisine bakan ve delip geçen bakışlara maruz kalmıştı. "Başka bir şey daha söyleyeyim mi? Aranızdaki ilişkiyi hep kıskandım. Senin hayallerinin peşinden koşabilecek kadar özgür kalmanı hep kıskandım."

Jaeger ellerini kaldırıp, "Bu nereden çıktı şimdi?" diye sordu.

Narov yüzünü çevirip, "Uzun hikâye... Hazır mıyım bilmiyorum, hazır mısın bilmiyorum. Zaten şimdi de..." dedi.

Sözleri, NBC kıyafetinin telsizinden yükselen korku dolu bir çığlıkla kesilmişti.

"Aaaaaah! Alın bunu üzerimden! Kurtarın beni!"

Jaeger hızla arkasına döndü. Dale örümcek ağlarının en sıkı olduğu yerde takılıp düşmüştü. Gözlerini kamerasının lensine o kadar odaklamıştı ki nereye adım attığına dikkat etmemişti. Sert, yapış yapış ipler adamı sarmıştı. Bir taraftan kamerasını tutmaya, diğer taraftan da etrafını saran ipeksi ağlarla örümcek sürülerini üzerinden atmaya çalışıyordu. Jaeger hemen yardımına koştu.

Phoneutria dişlerinin, Dale'in eldiveni ya da maskesini aşabilecek kadar güçlü olmadığını biliyordu ve NBC kıyafeti de bu ısırıklara karşı dayanıklıydı. Fakat Dale'in bunu bilme ihtimali düşüktü ve sesindeki dehşet sonuna kadar gerçekti.

Jaeger kalın kauçuktan eldivenini kullanarak kameramanın üzerine hücum eden örümcekleri silkeledi; yumuşak, tüylü küçük bedenlerini karanlığa attı. Narov'un da yardımıyla hâlâ çaresizce kamerasına tutunmaya çalışan Dale'i kurtardı. Adamı örümcek ağlarından çekip çıkardıktan sonra Jaeger, Dale'i asıl korkutan şeyi gördü; paramparça olmuş ipeksi ağların arasında, et kalmamış yüzünde korku ve dehşetin okunduğu bir iskelet duruyordu. Kemikleri hâlen yarı çürümüş SS subay üniformasının altındaydı. Jaeger Ju 390'ın mürettebatından olduğunu düşündüğü ölü adama bakarken kıyafetin telsizinden bir ses duydu.

"Örümcekler yüzünden bağırmadım herhâlde!" dedi Dale nefes nefese. "Ölmüş Nazi generalin biriyle sıkışıp kaldığım için korktum!"

"Gördüm," dedi Jaeger. "Şimdi adama bakınca senin yakışıklı olduğunu bile söyleyebilirim. Haydi gidelim buradan!"

Jaeger uçağın boğucu hudutlarının içinde artık bir saate yaklaştıklarının farkındaydı. Geri dönme zamanı gelmişti. Dale ve Narov'u arkasına alıp kokpite doğru ilerlerken çarpıcı bir şey fark etti; karısı ve çocuğunun kaderini öğrenmesini sağlayacağını sandığı uçağın bunu nasıl yapacağını hiç düşünmemişti. Luke ve Ruth'un ortadan kayboluşu, burada keşfettikleriyle anlaması mümkün olmayan bir şekilde bağlıydı. Şeytanın damgası, *Reichsadler*, hem bu uçağın hem de Jaeger'ın kaçırılan ailesinin her yerine basılmıştı. Nasıl yapacağını bilmiyordu ama bir şekilde artık cevapları aramaya başlamak zorundaydı.

76

Jaeger ormanın kenarında durup Lewis Alonzo, Hiro Kamishi, Leticia Santos, Joe James, Irina Narov ve hâlâ çekim yapmakta olan Dale'den oluşan takımıyla Puruwehua, Gwaihutiga ve diğer dost Kızılderilileri toplayarak konuşmaya başladı. Ağır NBC kıyafeti hâlâ üzerindeydi ama konuşabilmek için gaz maskesini çıkarmıştı.

"Tamam, hepiniz olacakları biliyorsunuz," diye söze girdi, sesi yorgunluk ve gerginlikle boğuk çıkıyordu. "Kaldırma işine başlayacağız. Airlander mürettebatı uçağı kurtarmak için bir saat gibi bir süreye ihtiyaçları olduğunu söyledi. Sizden kazanmanızı istediğim süre de bu kadar... Kötü adamları uzakta tutmak için elinizden geleni yapın ama sakın kahramanlığa yeltenmeyin. İlk göreviniz hayatta kalmak! Bir de unutmayın, biz uçtuğumuz gibi tüm teması kesin ve buradan kaçıp gidin."

Jaeger üzerlerindeki gökyüzünü kaplayıp yok etmiş gibi görünen dev zepline baktı. Airlander gerçekten de büyüleyiciydi. Ölü ormanın üst bitki örtüsünün kırılmış iskeletlerinden otuz metre yukarı kadar alçalmıştı; bulutlardan aşağı doğru asılmış devasa bir beyaz balina gibi görünüyordu. Ju 390'ın gövdesinin boyunu dörde, genişliğini de ona katlıyordu; zeplinin bombeli kabuğu yüz milyon litre helyumla doldurulmuştu. Altında yatan savaş uçağını ufacık gösteriyordu.

Ölü ormanın en üstündeki dallar, gökyüzünü sipsivri mızraklar gibi kestiği için, Airlander'ın pilotu zeplini daha da alçaltma riskine girmemişti. Devasa aracın delinmesi hâlinde kendi kendine iyileşen akıllı bir kabuğu olsa da bir anda açılacak birden fazla delik ciddi sorunlar çıkarabilirdi. Bir de Ju 390'dan sızan o belirsiz toksin vardı ve Airlander'daki hiç kimse tehlikeye bu kadar yakınlaşmak istemiyordu.

Raff'ın o sabah erken saatlerde veri patlama moduyla gönderdiği son mesaja göre, yakınlarda hiçbir hava aracı görünmüyordu. Takip cihazı ve cep telefonunu taşıyan kayıkla nehre bıraktıkları yem görünüşe göre insansız hava aracını oradan epey bir kuzeye götürmüştü. Bununla birlikte iki buçuk kilometrelik bulutların altında gizlenmesine rağmen Airlander da Predator'ın video menzilinden çıkmıştı.

Ancak zeplinin radar imzasına elektronik bir müdahale imkânı vardı ve dört büyük motoruyla sıcak noktaları da kızılötesi teknolojilerle takip edilebilirdi. Tek bir sinyal yakalanmasıyla birlikte Predator direkt üzerlerine binerdi. Keşfin başladığı günden bu yana zaman belki de hiç olmadığı kadar hayati bir önem taşıyordu.

On birinci günün sabahıydı ve her şey plana göre giderse bunlar medeniyete geri dönmeden önceki son günleri olacaktı. Ya da en azından Jaeger, Narov ve Dale için öyleydi. Önceki saatlerde takımıyla birlikte zamana karşı zorlu bir yarışa girmişlerdi. Tabii bir de kim olduğu bilinmeyen düşman vardı.

Bir önceki akşam yalnız bir Amahuaca savaşçısı endişe verici haberlerle kamp yaptıkları yere gelmişti, Karanlık Güç on sekiz saatten kısa bir sürede yanlarına varacaktı. Gece boyunca ilerlemeye devam etmeleri hâlindeyse bu süre daha da kısalacaktı. Altmış küsur adam vardı ve hepsi ağır bir şekilde silahlıydı. Gizlice onları takip eden Kızılderililer ilerleyişi yavaşlatmaya uğraşsa da makineli tüfekler ve bomba-atarlara karşı ağız tüfekleri ve okları pek işe yaramamıştı. Kızılderililerden oluşan ana kuvvet takibe ve tacize devam edecekti ama ilerleyişi yavaşlatmak adına yapabilecekleri oldukça sınırlıydı.

O zamandan bu yana Jaeger ile takımı hararetle çalışmış ve bu süreçte bazı soruların cevabı bulunmuştu. İlk olarak uçaktan sızan zehirli karışımın radyasyona maruz kalmış bir tür cıva plazması olduğu anlaşılmıştı. Ancak eldeki imkânlarla Jaeger daha açık bir şekilde tehdidi belirleyememişti, zehirli madde tespit aracı bu zehri bilmiyordu. O araç, bilinen maddelerden oluşturulmuş bir dizinle tespit edebildiği kimyasal izleri karşılaştırarak çalışıyordu. Uçaktan sızan artık her neyse aracın bildiği zehirler arasında değildi. Bu da koruyucu kıyafetler olmadan hiç kimsenin yakınına bile yaklaşamayacağı anlamına geliyordu.

İkinci olarak Airlander'dan, Jaeger ile takımının, Ju 390'ın kanatlarıyla gövdesinin buluştuğu yerdeki noktalara asacağı bir çift taşıma koşumu indirilmiş olsa da tüm takımı ormandan kaldırıp götürmesi mümkün değildi.

Airlander'ın aslında herkesi zeplinin altmış metre altına kadar çekebilecek araçları vardı ama herkese yetecek kadar NBC kıyafeti veya zaman yoktu. Kızılderililer gece boyunca ormana haberciler salmıştı ve sonuncusu ilk ışıktan hemen önce kampa ulaşıp düşmanın iki saat uzakta olduğunu ve hızla yaklaştığını söylemişti.

Jaeger kaçınılmaz olanı kabullenmek haricinde bir seçeneği kalmadığını anlamıştı, takımı ayrılmak zorundaydı. Alonzo, Kamishi, Santos ve Joe James ile Puruwehua, Gwaihutiga ve yarım düzine Amahuaca savaşçısından oluşan ana grup, savaş uçağıyla kötü adamlar arasında bloke edici pozisyonlar alacaktı.

Gwaihutiga ilk akını üstlendi. Kızılderili savaşçıların çoğunu yanına alarak ilk tuzağı kuracaktı. Puruwehua, Alonzo ve diğerleri de enkazın daha yakınlarındaki ikinci engel grubu olacaktı. Bu sayede uçağı kaldıracak ekibe o çok gereken zamanı kazandırabileceklerini umuyorlardı. Jaeger, Narov ve Dale ise Airlander, Ju 390'ı ormandan kaldırırken savaş uçağının içinde kalacaktı. En azından planları o şekildeydi.

Uçağın kaldırılışını birinin kameraya alması gerektiği için Dale en bariz seçimdi. Keşif liderinin de savaş uçağına bağlı kalması gerektiği için Jaeger ikinci isim oldu. Leticia Santos, Brezilyalı olduğu ve uçak da -tartışmaya açık bir şekilde- Brezilya topraklarında bulunduğu için üçüncü kişinin kendisi olması gerektiğini iddia ediyordu. Kısa bir süreliğine Narov, Santos'a çıkışarak kimsenin değerli uçağıyla arasına giremeyeceğini açık bir şekilde belirtti. Daha sonra Jaeger,

Santos'un en önemli görevi olan Kızılderili kabilesini güvende tutma işinde kalması gerektiğini söyleyerek tartışmayı sonlandırdı.

Buna ek olarak üçünün -Jaeger, Dale ve Narov- hâlihazırda kıyafetleri giydiği ve NBC maskeleri, eldivenleri ve takımlarını değiştirmenin zehri taşıyıp bulaştırma ihtimali olduğu yönünde dikkat çekici bir yorumda bulundu. Tehlike gerçekti ve takımı daha önce giyenlerin uçakla yolculuk etmesi gayet mantıklıydı. Bu açıklamayla birlikte Santos istemeden de olsa kabullendi.

"Alonzo yetki sende," diyerek kısa konuşmasına devam etti Jaeger. "Puruwehua sizi buradan güvenle çıkarmak için elinden geleni yapacağına söz verdi. Amahuaca köyüne dönecek ve oradan da komşu kabilenin topraklarına geçeceksiniz. O kabilenin dış dünyayla iletişimi var ve sizi oradan eve gönderecekler."

"Tamamdır," dedi Alonzo. "Puruwehua sana emanetiz."

"Sizi eve ulaştıracağız," dedi Puruwehua.

"Her şey yolunda giderse üçümüz uçakla Cachimbo'ya kadar gideceğiz," diye devam etti Jaeger. "Yolda Albay Evandro'yu uyararak Ju 390'ın indirilebileceği ve kargosunun güvenlik altına alınabileceği bir iniş bölgesi hazırlamasını söyleyeceğim. Bin dört yüz kilometrelik bir yolculuk var önümüzde. Altında bu şeyle birlikte Airlander'ın oraya varması en az yedi saat sürer." Jaeger bir parmağını Ju 390'a uzattı. "SS General Hans Kammler ve çavuşları uçağı kaldırabileceğinden fazlasıyla doldurmadıysa götürme işi gayet mümkün... Bir sıkıntı çıkmazsa bu akşam Cachimbo'da oluruz. Oraya vardığımızda tek kelimelik bir mesaj göndereceğim; 'BAŞARDIK.' Umarım yolda mesajı alabilecek kadar sinyal gören bir yerde olursunuz. Hiç mesaj yoksa bir şeyler yolunda gitmemiş demektir ama o noktada bir numaralı önceliğiniz buradan güvenle çıkmak ve evinize dönmek..." Ardından saatine baktı. "Tamamdır, haydi başlayalım!"

Duygusal bir vedalaşma oldu ama zamanın darlığı yüzünden kısa ve yerinde kaldı.

Gwaihutiga, Jaeger'ın önünde durup, *"Pombogwav, eki'yra*. *Pombogwav, kuhuhara'ya,"* dedikten sonra arkasını döndü ve adamlarıyla birlikte derinlerden boğuk boğuk çıkan ve ağaçlardan güçlü bir şekilde yankılanan savaş naraları atarak hızla ilerlemeye başladı. Jaeger sorgulayan gözlerle Puruwehua'ya döndü.

"Pombogwav, 'elveda' demektir," diye açıkladı Puruwehua. "Sanıyorum İngilizcede *eki'yra* için tam bir karşılığınız yok. 'Babamın oğlu' ya da 'büyük kardeşim' anlamına gelir. Yani 'Elveda kardeşim,' demek istiyor. *Kahahuara'ga*'yı da biliyorsun zaten, 'Elveda avcı.'"

Bu kabileyle tanıştıktan sonra pek çok sefer olduğu gibi Jaeger yine gururlanmıştı.

Puruwehua ihtişamlı bir veda hediyesi vermek için Jaeger'ın yanına geldi. Kendisine ağız tüfeğini hediye etmişti. Jaeger karşılığında buna uygun bir şey bulmakta çok zorlandı ama en sonunda Bioko'daki Fernao sahilinde savaştığı Gerber bıçağında karar kıldı.

"Bu bıçakla geçmişimiz var," dedi Amahuaca Kızılderilisinin göğsüne bastırırken. "Buradan çok uzaklarda, Afrika'da bununla savaşmıştım. Benim ve en yakın dostlarımdan birinin hayatını kurtardı. Artık seni de en yakın dostlarımdan biri olarak görüyorum, seni ve tüm halkını..."

Puruwehua bıçağı çekip keskinliğine baktı.

"Benim dilimde, *kyhe'ia*. Keskin, boydan boya deşen bir mızrak gibi..." Ardından Jaeger'a baktı. "Bu *kyhe'ia* daha önce düşmanın kanını dökmüş. Bir kez daha dökecek *Koty'ar.*"

"Puruwehua teşekkür ederim, her şey için," dedi Jaeger. "Sana söz veriyorum, bir gün geri döneceğim. Köyünü ziyaret edip ruh evinde kızarmış en büyük maymunu yiyeceğim. Tabii zorla *nyakwana* içirmezsen..."

Puruwehua güldü ve içirmeyeceğine söz verdi. William Jaeger'ın geleceğinde psikotrop madde çekmek yoktu artık.

Jaeger ardından sırayla takımına döndü. Leticia Santos'a fazladan sevgi dolu bir şekilde sarıldı. Karşılığında kadın da kocaman gülümseyip kendisine koca bir Brezilyalı öpücüğü verdi.

"Dikkatli ol, tamam mı?" diye fısıldadı kulağına. "Özellikle de ona karşı... O *ja'gwara*, Narov. Bir de bana söz ver. Bir sonraki Rio Karnavalı'nda beni ziyarete gel. Birlikte sarhoş olup dans etmeye çıkarız."

Jaeger gülüp, "Anlaştık," dedi.

Ardından Lewis Alonzo'nun komuta, Amahuaca Kızılderililerinin rehberlik ettiği takım, çantalarını ve silahlarını sırtlanarak ormanda kayboldu.

77

Raff'ın mesajı her zamanki gibi kısa ve netti; *Airlander hazır. Kendinizi sağlama alın. Kalkış üç dakika sonra, 08.00 Zulu'da başlıyor.*

Jaeger'a göre mesaj tam zamanında gelmişti. Bundan birkaç dakika önce ormanın kuzey tarafından, yani Karanlık Güç'ün yaklaşacağı bölgeden silah sesleri duymuştu. Bir anda saldırı tüfeklerinden çıkan sesler ormanda yankılanmış ve Jaeger takımının pusudan çıktığını düşünmüştü. Ancak karşı ateşin sesi çok daha korkunçtu; hafif makineli tüfeklerden çıkan anlık mermilerin sesi genel maksatlı makinelilere karışmış, el bombalarının patlama sesleri bir an olsun durmamıştı. Böylesi bir silah gücü ormanda kapanması çok zor bir yara açacaktı.

Bu Karanlık Güç her kimse, ağır silahlarla donandığı ve ölümcül çarpışmalara girmekten çekinmediği ortadaydı. Takımın tüm çabalarına rağmen Jaeger ile savaş uçağına tedirgin edici bir hızla yaklaşıyorlardı.

Zaman daralıyordu, Airlander yüz seksen saniye sonra kalkışa başlayacaktı ve yerden yükselmeyi Jaeger kadar isteyen yoktu. Ju 390'ın karanlık ambarında arka taraftaki kargo kapılarına koştu ve kollarından tutarak sıkıca kapattı. Ardından yeniden ön tarafa ilerlemeye başladı, sıra sıra dizilmiş kasaları geçip kokpite girdi ve ambarla arasına set çeken kapıyı sertçe kapatıp kilitledi.

Dale ve Narov, kokpitin yan tarafındaki pencereleri zorla açmıştı. Uçak harekete geçtiğinde oluşacak hava akıntısıyla kalan zehirli gazlar temizlenecekti. Jaeger yardımcı pilotun koltuğuna oturdu, hareketini engelleyen kemerle göğüs koşumunu bağladı. Dale hemen yanındaki pilot koltuğunda oturmuş, ormandan kalkışı sırasında savaş uçağını en iyi çekebileceği bir yerde pozisyon almıştı. Narov ise rotacının masasına yerleşmişti ve Jaeger neyin peşinde olduğunu içten içe hissediyordu. İlk girdiklerinde Ju 390'ın kokpitinde bulduğu omuz çantasının içindeki belgeleri çıkarmış, üzerinde çalışıyordu. Jaeger hızla bir göz attı. Sararmış sayfalarda Almanca yazılar vardı, yani Jaeger için iki kat daha yabancıydı.

Ama ilk sayfadaki birkaç kelimeyi seçebildi. Artık alışık olduğu ÇOK GİZLİ damgalarının yanında *Aktion Feuerland* yazıyordu. İlkokulda aldığı derslerden az buçuk hatırladığı Almancasıyla, *Feuer*'nın "ateş" anlamına geldiğini ve *land*'in de toprak olduğunu biliyordu; "Ateş Toprağı Operasyonu". Altındaysa *Liste von Personen* yazıyordu. Bunun da çevrilmeye ihtiyacı yoktu; "Personel Listesi."

Jaeger'ın gördüğü kadarıyla Ju 390'ın ambarında yatan kasaların hepsinin üzerinde *Aktion Adlerflug*, Kartal Uçuşu Operasyonu yazıyordu. Peki bu durumda *Aktion Feuerland*, Ateş Toprağı Operasyonu ne oluyordu? Bir de kalan her şeyi bir kenara bırakan Narov neden buna büyülenmiş gibi bakıyordu?

Yine de şu an bu meselelere kafa yoracak zaman yoktu. Airlander'ın biraz sonra gerçekleştireceği kalkış, yani kargoyla dolu bir Ju 390 için farklı faktörlerin bir araya gelmesi gerekiyordu. İlki, zeplinin helyumla dolu gövdesinin havadan hafif olduğu gerçeğiyle aerostatik kuvvetti. İkincisi, zeplindeki itme gücü sağlayan ve her biri dev pervaneleri döndüren 2.350 beygir gücüne sahip gaz türbinlerinden güç alan dört dev motordu. Sadece bu bile uçağın kenarlarına bağlanan dört ağır yük helikopterinin sağlayacağı bütün güce eşitti.

Üçüncü faktörse Airlander'ın çok katlı kumaştan gövdesinin sağladığı aerodinamik kaldırmaydı. Nispeten düz alt kısmından kavis alarak yukarı çıkan tasarımıyla geleneksel bir uçak kanadının bir kesiti gibi şekillendirilmişti. Sadece bu yapısıyla bile kalkışın yüzde kırkını üstlenebiliyordu. Tabii yalnızca Airlander ileri gitmeye başladığı zaman...

İlk birkaç yüz metre boyunca zeplin dikey olarak irtifa alacaktı ve bu süreçte tüm yükü motorlarla helyum gazı sırtlanacaktı.

Jaeger kalkışa hazırlanan Airlander'ın daha önce zar zor duyulan hafif bir mırıldamadan güçlü bir gürlemeye dönen sesini duydu. Artık zeplindeki dört parça rotor kanadı, uçağı ormandan çıkarırken Airlander'a olabildiğince fazla itiş gücü sağlamak amacıyla yatay bir hâl almıştı.

Aşağı inen hava akımı bir fırtına düzeyine yaklaşırken uçağın etrafını saran kırılmış dalların etrafında kör edici bir rüzgâra yol açmıştı. Jaeger sanki olabildiğine uzanan bir buğday tarlasında önüne çıkan her şeyi yutup istenmeyen çer çöpü yüzüne tüküren canavarımsı bir biçerdöverin arkasında duruyormuş gibi hissediyordu. Çürümüş odun parçaları rüzgârla içeri girmeye başladığı sırada, yanındaki kokpit penceresini kapattı ve Dale'e de aynısını yapmasını işaret etti. Artık tüm bu delice girişimin en riskli ânına gelmişlerdi.

Ju 390'ın standart yüklü ağırlığı 53.000 kiloydu. 60.000 kilogram taşıma kapasitesine sahip Airlander'ın bu ağırlığı rahatlıkla kaldırması gerekiyordu. Ancak Hans Kammler ile çavuşları uçağa kaldırabileceğinden daha fazla kargo yüklediyse büyük sorun yaşayacaklardı.

Jaeger, Ju 390'ın kanatlarının altına bağladıkları askıların gücüne sonuna kadar güveniyordu. Aynı şekilde Airlander'ın pilotu Steve McBride'a da güveni tamdı. Cevaplanması gereken tek soru, ölü dalların arasından kurtulup kurtulamayacaklarıydı. Bununla birlikte yağmur ormanlarının ortasında çürüme ve aşınmaya karşı yetmiş yıl yerinde kalan uçaktaki Alman havacılık mühendisliğine de güvenmek zorundaydılar. Herhangi birinde yaşanabilecek en ufak bir sorun felaketle sonuçlanırdı. Ju 390 ile bir ihtimal Airlander ormana kaya gibi çarpabilirdi.

Gece boyunca Jaeger ile takımı halka şeklinde hazırlanmış plastik patlayıcıları ağaç gövdelerine bağlayarak en büyük ağaçları devirmekle uğraşmış ancak hem zaman hem de ellerindeki patlayıcılarla bir yere kadar ilerleyebilmişlerdi. Ölü ormanın üst tabakasındaki dalların yarısı hâlâ dimdik duruyordu. Kalkış sırasında en büyük direnci göstereceğini düşündükleri en iri ve en az çürümüş ağaçları patlatmışlardı. Ölü ormanda kalan ağaçlar artık çürümüş olacağı için Airlander'ın uçağı çekerken onları da kırıp geçeceğine güveniyorlardı.

Motorların gürlemesi artık sağır edici bir uğultuya dönüşmüş, aşağı inen hava akımı kasırga gücüne ulaşmıştı. Jaeger, Airlander'ın tüm gücüne yakın bir itiş sergilediğini anlayabiliyordu. Kokpitin her yanına karanlık bir gölgenin inmesiyle yukarıdan bir şey düştüğünü hissetti.

Kocaman bir ağaç dalı ön cam panellerinin buluştuğu noktadan Ju 390'ın burnuna çarpmıştı. Panelleri bağlayan çelikten dikey destekler çarpmayla eğildi ve sert plastik darbeden hasar aldı. Dal uçağın burnunda ikiye ayrılıp düşerken, kokpitin ön camında çatallı bir şimşeğe benzeyen boylamasına bir hat oluştu. Ama en azından şimdilik cam dayanıklı çıkmıştı.

Jaeger'ın başı güçlü ses dalgalarıyla dolmuştu. Ju 390'ın metal derisine rüzgârın parçaladığı sert dallar çarpıyordu. Sanki çelikten bir varilin içinde sıkışıp kalmış gibi hissediyordu.

Zeplinin güçlü motorlarının yarattığı türbülans, uçağın etrafına sarılmış kalın kayışlarla bir tür yankı oluşturmuş ve gövde boyunca susmak bilmeyen bir uğultuya yol açmıştı. Jaeger zepline bağlanan tüm tellerin kaldırmaya çalıştığını ve uçağın da onlardan kurtulmak için bir tür savaş verdiğini hissedebiliyordu.

Bir anda Ju 390'ın kuyruk tekerleğinin yerden yükselip serbest kalmasıyla kokpit öne atıldı. Gövdenin arka kısmı yükseldi ve hâlâ üzerinde duran ağaç dallarıyla odun parçalarını yere attı. Artık uçağı sadece dört çift dev tekeri toprakta tutuyordu. Boğucu bir bataklığa saplanıp gökyüzüne uçmaya çalışan canavar bir kuşun kanatlarını çırpmasına benzer bir şekilde muazzam uçak titreyip sallandı. Hemen ardından dev bir cırt cırtlı bandın sökülmesine benzer bir sesle Ju 390 yerden yükseldi.

Uçağın kurtulmasıyla Jaeger da koltuğunda öne atıldı ve kendisini sabitleyen kemere takıldı. Birkaç saniye boyunca sanki yerçekimi bir anda ortadan kalkmışçasına uçak yükselişini sürdürdü ve iskelete dönmüş ormanın sivri tacına yaklaştı.

Ölmüş ağaçların örümcek ağına benzer gölgesi kokpite vururken savaş uçağının üst gövdesi de zemine en yakın dallarla bütünleşmeye başladı. Şiddetli çarpışmayla gelen ani darbe, omuzlarından tutan kayışları kopararak Jaeger'ı koltuğundan attı.

Her yanında kemiksi dallar, sanki içeri girip Jaeger, Dale ve Narov'u avuçlayarak yere çarpmaya çalışan devasa bir el gibi kokpite tutunmuştu. Ju 390 göklere doğru yararak açtığı yolda yükselirken çok kalın bir dal parçası sert plastikten yapılma yan pencereye girdi ve Dale'in kamerasını elinden devirerek yanındaki Jaeger'a mızrak gibi uzandı. Jaeger başını eğdi ve sivri dal biraz önce koltukta başını koyduğu yere saplandı. Darbeyle ortadan ikiye ayrılıp kırılan parçası uçağın penceresinde asılı kaldı.

Jaeger uçağın yükselişinin yavaşladığını hissetmişti. Bir anlığına sol tarafına baktığında Ju 390'ın kanadına yerleştirilmiş, her biri yetişkin bir adamın boyunu ikiye katlayacak dev motorların dallara takıldığını gördü. Hemen ardından iskelet ormanın uçağı saran yumruğu daha da sıkılaştı ve kısa bir titremenin ardından Ju 390 olduğu yerde kaldı. Jaeger, Dale ve Narov yerden otuz metre yüksekte, ormana sıkışmıştı.

78

Birkaç saniye boyunca metalden kuş, kemiksi odunlarla kurduğu yuvasında asılı kaldı. Hemen üzerinde, Jaeger zeplinin motorlarından çıkan uğultunun değiştiğini, aşağı doğru gürleyen fırtınanın sönük bir melteme döndüğünü duydu. Bir anlığına pilotun vazgeçtiğini, ölü ormana yenildiğini kabullendiğini düşünerek korkuya kapıldı. Bu durumda Jaeger, Narov ve Dale en az altmış kişilik düşmanın kucağına düşmüş olurdu.

Riski göze alıp Thuraya telefonunu açtı ve ânında Raff'tan gelen mesajı gördü.

Pilot ileri gitmek için dönüş yapacak, zeplinin gücüyle sizi kurtaracak. BEKLEMEDE KALIN.

Jaeger uydu telefonunu geri kapattı.

Airlander'ın gövdesi kalkışın neredeyse yarısını sağlıyordu, dönüp motoru yeniden çalıştırarak çekiş gücünü ikiye katlayabilirdi. Jaeger, Narov ve Dale'e bağırarak sıkı tutunmalarını söyledi. Bunu söylemesinden kısa bir süre sonra, Ju 390'a uygulanan kuvvetin yönünde ani bir değişim meydana geldi ve uçak tam güçle ileri doğru ivme almaya başladı.

Savaş uçağının keskin kanatları ölü ağaç dallarına giriyor, sivri burnu bitki örtüsünde yeni bir yol açıyordu. Tropikal güneşin altında beyaza boyanmış dalların ördüğü duvara doğru mızrak gibi ilerleyen kokpitte, Jaeger ve Dale uçuş panelinin altına eğildi.

Saniyeler sonra bitki örtüsü hissedilir biçimde inceldi ve güneş ışığı kokpit camlarından içeri hücum etti. Muazzam boyutlarıyla savaş uçağı önündeki ormanı yarıp geçmiş ve gökyüzüne fırlamıştı. Uçağın iki yanında da çürümüş ağaç parçaları kanatlarından ve üst yüzeyinden dökülüyor, artık aşağıda kalan ormanla buluşuyordu.

Üst bitki örtüsünden bir anda kurtulmasıyla birlikte savaş uçağı ağır bir şekilde öne atıldı ve Airlander'ın tam altındaki konumundan ileri süzüldü. Ardından ikinci bir salınımla geri geldi ve nihayet zeplinin uçuş güvertesinin tam altındaki yerinde durdu. Salınımın kontrol edilebilir bir hıza düşmesiyle birlikte Airlander da dev savaş uçağını kendine çekmeye başladı.

Güçlü hidrolik vinçler uçağı yukarı kaldırdı, artık Airlander'ın gölgesi altında kaybolmuştu. Kanatları, zeplinin hoverkraft'a benzeyen ızgaralarının olduğu yerdeki hava yastıklı inme sisteminin altında durdu. Ju 390 artık başarılı bir şekilde Airlander'ın altına bağlanmıştı.

Savaş uçağının yerine sabitlenmesiyle Airlander'ın pilotu motorları tam sürat ileri gidecek şekilde ayarladı ve zeplini seyahat edeceği irtifaya ulaştıracak tırmanışa başlamak için doğru konuma getirdi. Önlerinde en az yedi saatlik bir uçuşla Cachimbo'ya doğru süzüleceklerdi.

Jaeger, bir zafer edasıyla yardımcı pilotun, koltuğun kenarına sıkıştırılmış yetmiş yıllık matarasını alıp Dale ve Narov'a doğru salladı.

"Kahve isteyen?"

Narov bile gülümsemesini tutamadı.

***

"Efendim uçak yerinde değil," diye tekrarladı Gri Kurt Altı ismindeki asker.

Düşmüş rotor kanatlarıyla görev bekleyen helikopterlerin sıralandığı o uzaktaki ormanın ortasına kurulmuş pistteki telsiz setine konuşuyordu. Askerin İngilizcesi gayet akıcı olsa da aksanı belli oluyordu ve Doğu Avrupalılarda eksik olmayan o sert ve gırlaktan gelen sesi arada sırada kendini gösteriyordu.

"Nasıl yerinde olmaz?" diye gürledi hattın diğer ucundaki ses.

"Efendim takımımız belirtilen şebekedeki yerini aldı. Ölü ormandaki o yamacın üzerindeler... Ağır bir şeyin izlerini buldular. Parçalanmış ölü dallar buldular. Efendim görünüşe göre uçak ormandan kaldırılmış."

"Kim kaldırmış?" diye üsteledi Gri Kurt büyük bir kuşkuyla.

"Efendim hiçbir fikrimiz yok."

"Bölgede Predator'ınız var. Yukarıdan izliyorsunuz. Boeing 727 boyunca bir uçağın ormandan kaldırılıp götürülmesini nasıl kaçırırsınız?"

"Efendim Predator buranın kuzeyinde bir yörüngede ilerliyor ve takip cihazının konumuna dair net bir görüntü almaya çalışıyor. Üç bin metreye kadar uzanan bulutlar var. Onun altını görebilecek kadar güçlü hiçbir araç yok. Kalkışı kim yaptıysa tüm iletişimi kapatıp bulutların altına saklanarak gerçekleştirmiş." Duraksadı. "Aklınıza yatmıyor, biliyorum ama inanın bana, uçak gitmiş."

"Tamam, o zaman şöyle yapacağız." Gri Kurt'un sesinde buz gibi bir sükûnet vardı şimdi. "Elinde Kara Şahin helikopterler var. Hemen havalandır ve gökyüzünü taramaya başla. O savaş uçağını bulacaksın. Tekrar ediyorum, *bulacaksın*! Alınması gereken şeyi alacaksın. Sonra da uçağı yok edeceksin. Anlaşıldı mı?"

"Anlaşıldı efendim!"

"Sanıyorum bu iş Jaeger ile takımının başının altından çıkmış, doğru mu?"

"Ancak öyle varsayabilirim efendim. Nehirdeki konumlarına Hellfire ateşledik, takip cihazıyla cep telefonunu izledik. Ama..."

"Jaeger işte!" diye kesti karşıdaki ses. "O olmalı. Hepsini öldür. Bu işe tanık olan hiç kimse ormandan canlı çıkmayacak. Anladın mı? O uçağa da o kadar fazla patlayıcı yerleştir ki tek bir parçası bile bir daha bulunamasın. Yok olmasını istiyorum. Sonsuza kadar... Bu sefer sakın batırma *Kamerad*. Temizle. Her şeyi, herkesi öldür."

"Anlaşıldı efendim."

"Tamam, Kara Şahinleri havalandır. Bu arada ben de bizzat yanınıza geliyorum. Bu iş amatörlere bırakılmayacak kadar önemli... Teşkilatın jetlerinden birini alacağım. Beş saate kadar yanınızda olurum."

Gri Kurt Altı ismiyle bilinen asker dudaklarını büktü. *Amatörler*. Amerikalı işvereninden o kadar tiksiniyordu ki... Yine de para gayet iyiydi ve kanlı bir katliam ihtimali de çok yüksekti.

İlerleyen saatlerde Vladimir Ustanov, Gri Kurt'a kendisinin ve sözde amatör adamlarının neler yapabileceğini gösterecekti.

79

Jaeger uydu telefonunu kapattı. Az önce aldığı mesajda şunlar yazıyordu; *Albay Evandro steril iniş noktasını onayladı. Tahminî varış süresi 16.30 Zulu. AE yolculuğun kalanı için hava eskortu gönderiyor.*

Saatine baktı. 09.45 Zulu'yu gösteriyordu. Cachimbo Havalimanı'nda Brezilya Özel Kuvvetler Komutanı'nın kendileri için hazırladığı bölgeye ulaşmalarına altı saat kırk beş dakikalık bir uçuş vardı. "Steril" bir nokta derken, Evandro önce Jaeger ile takımının, ardından da savaş uçağının zehirli maddelerden tamamen arınabileceği bir bölgeyi kastetmişti. Bununla birlikte yol göstermek için havadan uçuş desteği de sağlıyordu, muhtemelen bir çift jet gönderecekti. Her şey kusursuz bir şekilde işliyordu.

Sonraki bir saat boyunca, Airlander seyir rotasına girene kadar 10.000 feet boyunca istikrarlı bir şekilde irtifa kazandılar. Onlar yükseldikçe atmosfer de inceldi ve zeplinin yakıt tasarrufunda gösterdiği performans arttı. Cachimbo'ya kadar gidebilmesi için bunun sağlanması büyük öneme sahipti.

Nihayet bulut perdesini aştılar ve kokpit pencereleri süzülen güneş ışıklarına sıcak bir karşılama yaptı. Jaeger artık nefeslenip ne kadar inanılmaz bir iş yaptıklarını düşünebilirdi. Uzay çağına ait bir zeplin, İkinci Dünya Savaşı'ndan kalma gösterişli bir savaş uçağını altına almış; bir bütün olarak uçuyordu.

Airlander'ın alt kısmındaki bombeli şekil sebebiyle Ju 390'ın kanatları iki taraftan on beş metre boyunca uzanıyor, son bulduğu noktada iyice sivriliyordu. Jaeger, Airlander saatte 200 km hızla yol alırken, savaş uçağının kanatlarının da kendi aerodinamik kalkışını sağlayacağını ve zeplinin hedeflenen noktaya daha hızlı ulaşacağını düşündü.

Ardından önündeki belgelere gömülen Narov ile elinden geldiğince çekim yapmaya çalışan Dale'e baktı ve manzaraya hayranlık duymaktan başka yapacak bir şeyi olmadığını fark etti. Puf puf kabarmış bulutlar ufuk boyunca göz alabildiğine uzanırken masmavi cennet de hemen üzerlerinde yatıyordu. Bir ömür gibi geçen yorucu maceranın ardından Jaeger ilk kez yaşananlar ve yaşanacaklar üzerine kafa yorabilecek bir fırsat bulmuştu.

Narov ile verdiği çarpıcı bilgiler, dedesiyle birlikte çalışması, hatta onun gözünde aileden biri gibi olmasını ciddi şekilde soruşturması gerekiyordu. Jaeger'ın zihninde soru işaretleriyle dolu yepyeni bir dünya açılmıştı. Cachimbo'ya ayak bastıkları ve kadının da dediği gibi gerçekten güvende oldukları zaman Irina Narov ile oturup uzun bir sohbet etmesi gerekecekti. Ancak 20.000 feet yükseklikte, telsizler ve gaz maskelerinin arasında özel bir sohbet olmazdı. Hem yeri de burası değildi.

Jaeger'ın ilk önceliği, Ju 390 ile kargosunu tam olarak nasıl idare etmesi gerektiğini çözmekti. Hitler'in savaş sırlarıyla ağzına kadar dolu, Amerikan Hava Kuvvetleri'nin renklerine boyanmış ve Brezilya topraklarında olduğu kadar Bolivya ve Peru sınırlarında da kabul edilebilecek, uluslararası bir takım tarafından keşfedilmiş bir Nazi savaş uçağında ilerliyordu. Kilit soru, uçak üzerinde en geçerli hakkı kimin iddia edeceğiydi.

Jaeger, en olası senaryoda, dünyanın dört bir yanından garip garip kısaltmalara sahip bir sürü istihbarat teşkilatının keşiften haber alır almaz Cachimbo'ya üşüşeceğini düşündü. Albay Evandro akıllı bir kumandandı ve hem halkın hem de medyanın meraklı gözlerinden çok uzakta tutulmuş geniş bir hava tesisi seçmiş olmalıydı.

Çok yüksek ihtimalle o istihbarat teşkilatları dünya kamuoyuyla hikâyenin hangi sürümünü paylaşacaklarına karar verene kadar bir yayın yasağı uygulanacaktı. Jaeger'ın şimdiye kadar gördükleri düşünülürse çoğu zaman işler bu şekilde yürürdü. Amerikan hükümeti böylesi bir uçuşun gerçekleştirilmesinde oynadığı rolü her şeyiyle temizlemek isteyecekti. Tabii Büyük Britanya gibi sürecin parçası olan diğer İttifak devletleri de aynısını yapacaktı.

Narov'un anlattığı gibi Ju 390'ın ambarındaki teknolojilerin en azından bazıları hâlâ gizliydi ve şüphesiz o şekilde kalmaları gerekiyordu. Dünya kamuoyuna yazılacak herhangi bir bildiriden çıkarılacaklardı. Ama Jaeger nihayetinde basına yansıyacak haberleri gözünde canlandırabiliyordu.

Yetmiş yıl boyunca Amazon ormanlarında unutulan İkinci Dünya Savaşı'ndan kalma uçağın üzerindeki işaretlerin seçilmesi mümkün olmadı ancak tarihte göklere çıkabilen bu denli büyük çok az sayıda uçak vardı. Onu keşfeden korkusuz kâşifler, uçağın Junkers Ju 390 olduğunu derhâl anladı ama hiçbiri gövdesinde taşıdığı olağanüstü kargoyu ve Hitler'in Nazi rejiminin ölüm sancılarına dair bize neler anlatabileceğini hayal dahi edemedi.

Kammler ile çavuşları, en gelişmiş teknolojilerini Üçüncü Reich'ın küllerinden kurtarmaya çalışan ama tabii ki İttifak devletlerinden bağımsız hareket eden isimler olarak yansıtılacaktı. Ya da böyle bir şey... Wild Dog Media'nın televizyon şaheseri konusundaysa Dale hayatının hikâyesine girdiğinin bilinciyle deli gibi çekim yapmıştı.

Jaeger sürükleyici macera-gizem türündeki eserin *Indiana Jones*'u gişede yerle bir edecek kadar iyi olduğunu düşündü. Harrison Ford karakterini oynama fikri pek hoşuna gitmemişti ama Dale'in elinde ciddi miktarda birebir röportaj malzemesi vardı. Çekilenler çekilmişti ve Jaeger uçağın içindeki keşiflerin en azından bazılarıyla üzerindeki ABD Hava Kuvvetleri işaretlerinin sansürleneceği temizlenmiş bir TV dizisini gözünde canlandırabiliyordu. Gerçekten de sürükleyici bir yapım olurdu.

Dale'in çekimlerinden çıkarılması gereken bir diğer şey de şüphesiz peşlerinden bir an olsun ayrılmayan Karanlık Güç'tü. Zaten televizyonun karşısına oturacak ailelerin gözünde çok daha uygun olan "kayıp kabileler" ile yağmur ormanlarının Kayıp Dünyası yeterince drama katardı.

Jaeger Karanlık Güç'ün artık ganimeti elinden kaçırdığı için avı sonlandıracağını düşündü. Ancak en az bir Predator aracıyla karada da ağır silahlı kuvvetleri olduğunu hesaba kattığında, o gücün yanlış ellere düşmüş ABD merkezli karanlık bir teşkilat olduğundan emindi.

El altından bu kadar fazla teşkilat kurup sınırsız bir güç verdikten sonra hiçbir şeyin hesabını sormadığınızda yuvarlak masaların etrafında söyledikleri gibi "misilleme" ile karşılaşırdınız. Bir noktada tüm kontrol elinizden kayıp giderdi ve o teşkilatlardan biri haddini aşardı.

80

Karanlık Güç'ün kumandanı avı sonlandırmış olsa bile Jaeger'ın avı yeni başlıyordu. İçgüdüleri eksiksiz bir şekilde her seferinde doğru çıkmış, keşfin açtığı yolun sonuna geldiğinde Andy Smith'in katillerini de bulmuştu. Jaeger o Karanlık Güç'ün uçağa ilk önce ulaşmak adına Smith'e işkence ettiğinden ve sonrasında da onu ölüme attığından emindi.

Aynı Karanlık Güç, Jaeger'ın takımından iki üyeyi daha, Clermont ve Krakow'u da öldürmüştü. Artık alacağı bir intikam vardı. En azından en yakın arkadaşına işkence ve ölüm emri veren ve sonrasında da keşif takımından iki kişiyi katleden kimse onun karşısına çıkacaktı. Andy'nin Wiltshire'daki evinde Dulce'ye yemin ettiği gibi Jaeger arkadaşlarını yarı yolda bırakmazdı.

Ama önce takımının kalan üyelerini, Lewis Alonzo önderliğindeki ekibi Serra de los Dios'tan güvenle çıkarması gerekiyordu. Yani ellerinde lojistik bir kâbus tutuyordu. Tüm bunların arasında bir de en çok istediği, en çok *ihtiyaç duyduğu*; kendisini kayıp çocuğu ve karısına götürecek soruların cevabını arayacak zamanı bulması gerekiyordu.

Ruth ve Luke'un hâlâ hayatta olduğuna dair içinde güçlü bir his vardı. Hiçbir kanıtı yoktu, sadece psikotropik bir sıvının sakladığı yerden çıkardığı anıları vardı ama ailesinin kaderini öğrenmesini sağlayacak ipuçlarının bu uçağın bir yerinde yattığına emindi.

Omzuna dokunan bir elle derin düşüncelerinden sıyrıldı. Gelen Dale'di. Kameraman yorgun bir şekilde gülümsedi.

"Belki küçük bir röportaj diye düşündüm. Şu an burada oturmanın, bu uçağın kokpitinde tüm dünyaya ne bulduğumuzu göstermenin nasıl bir his olduğunu özetleyebilir misin?"

"Olur ama kısa tutalım."

Dale kamerasını ayarlarken Jaeger da Narov'un başını rotacının masasından bir anda kaldırdığını gördü. Arkaya uzanan kokpitin en sonundaki pencereler uçağın iki tarafını görüyordu ve kadın kendi penceresinden dikkatle dışarıyı izliyordu.

"Misafirimiz var," dedi. "Üç tane Kara Şahin helikopter..."

"Albay Evandro'nun eskortudur," diye araya girdi Dale. "Öyle olmak zorunda..." Ardından Jaeger'a baktı. "Bir saniye bekle. Röportaj biraz dursun, çekim yapacağım."

Dale uçağın yan tarafına ilerleyip çekim yapmaya başladı. Jaeger da peşinden gitti. Narov'un dediği gibi üç tane siyah helikopter, zeplinin takribi yüz elli metre sancak tarafında Airlander ile aynı hızda ilerliyordu. Ancak Jaeger helikopterlere bakarken bir şeyin eksikliğini fark etti. Makineler bir tür mat siyah radar karşıtı teknolojiyle boyanmıştı ve hiçbirinin üzerinde işaret yoktu.

Brezilya Hava Kuvvetleri de Kara Şahin helikopterlere sahipti. Ellerinde işaretsiz hayalet helikopterlerden olabilirdi ama Jaeger kesinlikle böyle bir şey beklemiyordu. Albay Evandro'nun kendilerini zafer edasında bir güvenlikle Cachimbo'ya götürmek için F-16 gibi hızlı jetlerden göndermesi çok daha mantıklıydı. İşaretsiz Kara Şahin helikopterler Jaeger'ın aklına yatmamıştı.

Ağır silahlarla donatılan Kara Şahin çoğunlukla kıta nakliyeleri için kullanılırdı ve Cachimbo Hava Üssü'ne ulaşabilecek menzile sahip olması mümkün değildi. Helikopterin katedebileceği maksimum mesafe, gereken yolun yarısı olan altı yüz kilometre kadardı.

Jaeger bunların Albay Evandro'nun eskortu olduğuna bir gram dahi inanmamıştı. Narov'a döndü. Gözleri buluştu. Jaeger endişeyle başını iki yana salladı.

Burada yanlış bir şeyler var.

Narov da ona benzer şekilde karşılık verdi.

Jaeger, Thuraya uydu telefonunu açık konuma getirip Raff'ı aradı. Artık iletişim kanallarını kapalı tutmanın bir anlamı yoktu. Bu helikopterler ya yardıma gelen eskorttu, ki bu durumda zaten güvende olurlardı, ya da düşman güç tarafından bulunmuşlardı. Hangisi olursa olsun artık saklı kalmaya çalışmak hiç önemli değildi.

Uydu telefonu sinyal yakaladığı gibi Jaeger zil sesini duydu ve hemen ardından yanıt aldı. Ancak hattın diğer ucundan gelen ses Raff'a ait değildi. Onun yerine gizemli Kara Şahin helikopterleri komuta eden kişiden gelen telsiz aramasını duyuyordu. Raff, Thuraya bağlantısını kullanarak mesajı Jaeger ile takımına iletiyordu.

"İşaretsiz Kara Şahin açık hattan Airlander'ı arıyor," dedi ses. "Beni duyduğunuzu doğrulayın. İşaretsiz Kara Şahin, Airlander'ı arıyor. Doğrulayın."

"Açık hat" ifadesi tüm uçakların izlendiği şifrelenmemiş genel trafik radyo frekansı anlamına geliyordu. Garip bir şekilde pilotun sesinde hafif bir Doğu Avrupa, bir ihtimal Rus aksanı vardı. Bu düz, boğuk ve ayrı ses Jaeger'a bir anda Narov'un konuşmasını hatırlattı.

Narov uydu telefonundan yükselen sese kulak vermişti ama bir saniyeliğine gözlerini kaldırıp Jaeger'ın bakışlarıyla buluştu. Jaeger, kadının gözlerinde hiç beklemediği bir ifadeyle karşılaşmıştı.

Irina Narov korkuyordu.

81

Jaeger hızlı bir mesaj gönderdi; *İletişime açığım.*

Mesajı göndermesiyle birlikte, iri Maori'nin pürüzlü sesi duyuldu.

"Kara Şahin, Airlander konuşuyor. Sizi duyuyoruz."

"Kiminle konuşuyorum?" diye sordu Kara Şahin Komutanı.

"Takavesi Raffara, Airlander harekât subayı. Ben kiminle konuşuyorum?"

"Bay Raffara soruları ben soruyorum. Tüm ipler benim elimde... Bay Jaeger'ı hatta alın."

"Olumsuz. Bu uçuşun harekât subayı benim. Tüm iletişim benden geçer."

"Tekrar ediyorum, Bay Jaeger'ı hatta alın."

"Olumsuz. Tüm iletişim benden geçer," diye tekrarladı Raff.

Jaeger en öndeki helikopterin, GAU-19 adındaki altı namlulu 50 kalibre korkunç mitralyözüyle ateş açtığını gördü. Üç saniye süren atış süresince helikopterin altındaki hava, mermi kovanlarıyla siyaha boyanmış; o kısa üç saniye içerisinde her biri küçük bir çocuğun bileği boyunda, yüzün üzerinde zırh delici mermi kusmuştu.

Çıkan mermiler, Airlander'ın uçuş güvertesinin en aşağı üç yüz metre önünden geçmişti ama verilmek istenen mesaj çok açıktı. *Sizi yüzlerce kez tekrar tekrar parçalayacak gücümüz var.*

"Sıradaki atış balonunuzu delip geçecek," diye tehdit etti Kara Şahin Komutanı. "Jaeger'ı verin."

"Olumsuz. Jaeger bu uçuşta değil."

Raff sözlerini özenle seçiyordu. Teknik olarak söylediği doğruydu; Jaeger Airlander'da değildi.

"Beni iyi dinleyin Bay Raffara. Rotacım yüz elli kilometre doğuda, 497865 şebekesinde açık bir alan belirledi. O şebekeye iniş yapacaksınız. Sakın şüpheniz olmasın, indiğiniz zaman takımınızın her üyesinden hesap soracağım. Talimatlarımı anladığınızı doğrulayın."

"Bekleyin."

Jaeger uydu telefonuna gelen mesajın bip sesini duydu; *Yanıt?*

Hızla bir cevap yazdı; *İnersek ölürüz. Hepimiz. Diren.*

Raff'ın sesi yeniden duyuldu.

"Kara Şahin, Airlander konuşuyor. Olumsuz. Planlanan istikamette ilerlemeyi sürdüreceğiz. Sivil bir keşif gerçekleştiren uluslararası bir takımız. Sakın, tekrar ediyorum, sakın bu uçuşa müdahalede bulunmayın."

"Öyleyse en öndeki helikopterimizin açık kapısına iyice bir bakın," diye karşılık verdi Kara Şahin Komutanı. "Kapıdaki adamı görüyor musunuz? O bayıldığınız Kızılderililerden biri... İşin güzel yanı, takım üyelerinizden bazıları da bizimle birlikte..."

Jaeger'ın aklından sayısız düşünce geçiyordu. Düşman pusu gruplarından birini ele geçirmiş ve bazılarını canlı yakalamış olmalıydı. Ondan sonra Ju 390'ın yıllarca saklandığı yerde bıraktığı boşluğu uygun bir kalkış noktası olarak kullanıp helikoptere bindirme konusunda sıkıntı çekmemiş olmalıydılar.

"Sanıyorum bazılarınız bu vahşiyi tanıyormuş," diye alayla güldü Kara Şahin Komutanı. "Adı 'büyük domuz' anlamına geliyormuş. Bence çok yakışmış. Şimdi bakın nasıl uçuyor!"

Saniyeler sonra uzunca bir adam, en önceki Kara Şahin'den düştü. Bu kadar uzakta olmasına rağmen, Jaeger atılanın bir Amahuaca savaşçısı olduğunu, düşerken sessiz çığlıklara boğulduğunu anlayabiliyordu. Adam hızla bulut perdesi tarafından yutulmadan önce, Jaeger boynuna dolanmış kısa tüylerden yapılma yakayı tanıdı; *Gwyrag'waja*. Her tüy, savaşta öldürülen bir düşmanı temsil ediyordu.

Puruwehua'nın ağabeyi gibi görünen adam görüntüden kaybolurken Jaeger'ın bedenini alev alev yanan bir öfke kapladı. Gwaihutiga halattan köprüde Jaeger'ın hayatını kurtarmış ve şimdi de Jaeger ile takımı kendi canının derdine düştüğü için binlerce metre yüksekten ölüme atılmıştı. Jaeger midesini bulandıran bir öfke ve nefretle yumruğunu uçağın duvarına geçirdi.

"Bu vahşilerden birkaç tane daha var," diye devam etti Kara Şahin Komutanı. "Rotanızı değiştirip şebeke 497865'e yönelmeyi kabul etmediğiniz her dakika yeni biri ölüme yuvarlanacak. Bir de keşif takımınız vardı, onlar da peşlerinden gidecek. Emre itaat edip rotanızı değiştirin. Bir dakikanız var ve süre azalıyor."

"Bekleyin."

Bir kez daha Jaeger'ın telefonu öttü ve aynı mesajdan geldi; *Yanıt?*

Jaeger, Dale ve Narov'a baktı. Ne diyecekti ki? Cevabı gösterirmiş gibi elindeki belgelerle dolu çantayı salladı Narov.

"Bu uçakta istedikleri bir şey var," dedi. "İhtiyaç duydukları bir şey... Bizi vuramazlar."

Jaeger'ın elleri Thuraya telefonun tuş takımında hızla gezdi ve yazmak zorunda olduğunu bildiği şeyi doldurdu. Karnından yükselen acı bir bulantıyla birlikte mesajı gönderdi; *Uçağı sağlam bir şekilde istiyorlar. Bizi vurmayacaklar. İtaat etme. Diren.*

"Planlanan istikamette ilerlemeyi sürdüreceğiz." Raff'ın sesi radyodan yükseldi. "Sizi uyarıyoruz; tüm hareketlerinizi kameraya alıyor ve internete yüklenmesi için anlık olarak bir sunucuya aktarıyoruz."

Tabii ki söyledikleri tam olarak doğru değildi ama doğaçlama ve blöf

Raff'ın olmazsa olmazlarıydı. "Kameraya alınıyorsunuz ve mahke-meye çıkarılıp suçlarınızın cezasını..."

"Haydi oradan!" diye kesti düşman komutan. "İşaretsiz üç Kara Şahin helikopteriz. Anlamıyor musun geri zekâlı? İnkâr edilmenin de ötesindeyiz. Hiç var olmadık bile. Hayaletleri savaş suçlarıyla yargılayabileceğini mi sanıyorsun? Aptal herif! Emredildiği gibi rotanızı değiştirin. Yoksa sonuçlarıyla yüzleşeceksiniz. Kan sizin ellerinizde..."

Helikopterden bir adam daha atıldı. Biri kör edici maviliklerin arasın-da taklalar atarken Jaeger, Puruwehua'nın çok aşağıda kalan ormana çakıldığı fikrini kafasından atmaya çalıştı. Kara Şahin mürettebatının hangi Kızılderili'yi boşluğa bıraktığını anlamak mümkün değildi ama ölüm, ölümdü ve cinayet de cinayetti. Elleri kaç kişinin kanıyla kirlenmişti?

"Her şey yolunda," diye devam etti Kara Şahin Komutanı. "Vahşi kotamızdan iki kişiyi eksilttik. Bir tane kaldı. Emirlerime itaat ede-cek misin Bay Raffara? Yoksa sonuncuya da uçmayı öğretelim mi?"

Raff'tan bir yanıt gelmedi. Söylendiği gibi rotayı değiştirip Airlander'ı -ve Ju 390'ı- indirmeleri hâlinde işleri biterdi. İkisi de bunu çok iyi biliyordu. Krav Maga eğitimi sırasında, Raff ile Jaeger'a verilen iki emre asla itaat etmemeleri öğretilmişti. Bunlardan biri yeniden mev-zilenme, diğeri de bağlanmaydı. İkisi de felaket anlamına geliyordu. Böyle bir emre uymak kimse için iyi sonuçlanmazdı.

Jaeger üçüncü adam ince atmosfere tutunmak adına çaresizce kollarını sallayarak güneşli gökyüzünde düşmeye başladığında bakışlarını ka-çırdı. Aklında bir anısı canlanmıştı; Puruwehua'nın dağların üzerinde süzülen büyük beyaz şahin *topena* gibi ne kadar çok uçtuğunu anlat-tığı zamanı hatırladı. *Ben topena kadar yükseklerde uçtum*, demişti Puruwehua. *Engin okyanusların ve yüksek dağların üzerinde uçtum.*

Bu hatıra tüm direncini paramparça edecek kadar canını yakmıştı.

"Evet Bay Raffara, şimdi asıl eğlenceli kısma geçiyoruz. İkinci perde-de sevgili takım üyeleriniz var. İlki yerini aldı bile, açık kapımızdaki adama bakın. Öğrenmeye pek hevesli görünmüyor açıkçası. Rotanızı verilen şebekeye doğru değiştirin, yoksa bu da tek yönlü bir uçuşa geçecek." Kara Şahin Kumandanı kendi esprisine güldü. "Bir dakika ve süre azalıyor..."

Jaeger'ın telefonu öttü; *Yanıt?*

Jaeger, Kara Şahin'in kapısında tutulan adamın, güneşte parlayan beyaza çalmış sarı saçlarının altında girdiği şoku görebiliyordu. Aslında Stefan Kral'ın aralarındaki hain olduğuna inanıyordu ama bundan hiçbir zaman tam olarak emin olamamıştı ve Kral'ın Luton'daki ailesini düşündükçe midesine kramplar saplanıyordu.

Kendini zorlayarak cevabı yazdı; *AE'nin buraya gelen jetleri olduğunu söyle. Konuştur.*

"Planlanan istikamette ilerlemeyi sürdüreceğiz." Raff'ın sesi duyuldu kokpitte. "Sizi uyarıyoruz; konumumuza doğru eskort etmeye gelen Brezilya Hava Kuvvetleri'ne ait jetler..."

"B-SOB'deki dostlarınızın hepsini tanıyoruz," diye sözünü kesti Kara Şahin Komutanı. "Yüksek makamlarda tanıdıklarınız olduğunu mu sanıyorsun?" Güldü. "*Bizim* tanıdıklarımızın ne kadar yüksekte olduğunu duysan kulaklarına inanamazsın. Öyle ya da böyle, albayın uçaklarının gelmesine daha doksan dakika var. Emirlerime itaat edin, yoksa daha fazlası ölecek."

"Olumsuz," diye tekrarladı Raff. "Planlanan istikamette ilerlemeyi sürdüreceğiz."

"O zaman helikopterimi biraz yaklaştırayım," diye duyurdu Kara Şahin Komutanı. "Yaklaştırayım ki arkadaşınıza iyi yolculuklar dileyin."

Üç helikopter, kendi düzenlerini bozmadan Airlander ile Ju 390'ın iki yüz elli metre yakınına kadar geldi. Yerlerini aldıkları zaman, Slovak kameramanın belirgin silüeti Kara Şahin'in açılmış kapısının ucuna itildi.

"Son şansınız," diye seslendi Kara Şahin Komutanı. "Emre itaat edin ve rotanızı değiştirin."

"Olumsuz," diye tekrarladı Raff. "Planlanan istikamette ilerlemeyi sürdüreceğiz."

Saniyeler sonra Stefan Kral helikopterden atıldı. Bedeni kör edici maviliklerin arasından toprağa doğru taklalar atarak hızla düşerken, Jaeger hemen arkasında Dale'in kustuğunu duyabiliyordu. Jaeger da içinin parçalandığını hissetti.

Hain olsun ya da olmasın, hiç kimsenin, hele de genç bir babanın hayatı bu şekilde son bulmamalıydı.

82

"Tebrik ederim Bay Raffara," dedi Kara Şahin Komutanı. "Dört arkadaşının ölüme uçuşunu seyretmek hoşuna gitti herhâlde. Ölüm uçuşunun son yolcusuna geldi sıra; Bayan Leticia Santos! Aynen öyle! Bu Brezilyalı hatunların uçmayı ne kadar sevdiğini hepimiz biliyoruz. Rotanızı değiştirin Bay Raffara. Emrime itaat edin. Yoksa güzeller güzeli Bayan Santos'un hayaleti ölene kadar peşini bırakmayacak."

Uydu telefonu bir kez öttü; *Yanıt?*

Jaeger ekrana bakakaldı, başı akıl almaz bir hızla dönüyordu. Ne yana bakarsa baksın hiçbir seçeneği kalmamıştı. Ama ölümler durmak zorundaydı. Leticia'nın da kurtlara yem edilmesine izin vermeyecekti. Ama başka çaresi var mıydı?

İstemsizce bir eli boynuna sarılı olan *carnivale* şalına uzandı. Gözlerinin önünde ani bir fikir yanıp sönmüştü; düşündükçe bu fikrine biraz daha sıkıca sarıldı. Çok çılgın, inanılmaz bir fikirdi ama şu an ellerinden başka bir şey gelmezdi.

Thuraya uydu telefonunun tuş takımına uzanarak mesajını yazdı; *İtaat ediyormuş gibi davranın. Rotayı değiştirin. Beklemede kalın.*

Raff'ın sesi duyuldu.

"Olumlu, emirlerinize uyuyoruz. Rotamızı 08.45 derece döndürüyoruz. Şebekenize tahminî varış süresi on beş dakika, tekrar ediyorum, on beş dakika."

"Çok güzel Bay Raffara. Adamlarınızı canlı tutmayı sonunda öğrenmenize sevindim..."

Jaeger, adamın söyleyeceklerini beklemedi. Narov'u tuttu, Ju 390'ın ambarına açılan kapının kilidini çözdü ve uçağın gölgeler arasında saklanmış en arka tarafında duran bir kasaya doğru koşmaya başladı.

Fliegerfaust omuzdan atmalı füzelerin depolandığı uzun kasanın önünde eğildi. Bir anlığına bıçağına uzandı ama sonra Puruwehua'ya bir veda hediyesi olarak verdiğini hatırladı. Hemen ardından Narov yanında belirdi ve on beş santimlik Fairbairn-Sykes bıçağını çıkararak kasayı açtı. Güçlü halatlarla bağlanan kilit düştü ve kapağı tutturan çivileri bıçakla birer birer yerinden çıkardıktan sonra Narov ile Jaeger, tahta kapağı kaldırdı.

Uzanıp içeride duran iki roketatardan birini aldılar. Şaşırtıcı derecede hafifti ama şu an omzuna alacağı yük Jaeger'ın hiç umurunda değildi. Silahın mekanizmasıyla ilgileniyordu. Omuzdan fırlatılan modern füzelerin büyük çoğunluğu pille çalışan elektronik ateşleme sistemlerini kullanıyordu. *Fliegerfaust*'ta da benzer bir sistem varsa pilleri çok uzun zaman önce miadını doldurmuş olurdu.

Jaeger roketatarın basit bir mekanik sisteme dayanarak çalışacağına inanıyordu, bu durumda hâlâ ateşleyebilirdi. Ön taraftaki tutacakla silahın arkasındaki tetik mekanizmasına baktı. Roketatarı omzuna yerleştirdi ve bir gözünü soğuk çeliğe dayadı; üzerinden bakmak ve hedef almak için arka yüzeyi boyunca uzanan temel metalden bir raya sahipti.

Tam da istediği gibi, *Fliegerfaust*'un ateşleme teçhizatı her şeyiyle mekanik görünüyordu. Bununla birlikte roket iyi yağlanmış bir şekilde bırakılmıştı ve üzerinde bir tutam dahi toz yoktu. Birden fazla namlusu bile pürüzsüz ve tertemiz duruyordu. Bir kutuda geçen yetmiş yılın ardından sorunsuz çalışmamaları için hiçbir sebep yoktu.

Narov kasaya uzandı ve her biri yirmi santim uzunluğunda, yirmi milimetrelik dokuz roketten oluşan seti çıkardı. Jaeger silahı sabit tutarken Narov da füzeleri birer birer roketatarın tüplerine yerleştirdi. Mermiler kayıp yuvalarına oturdukları anda tok bir ses çıkarıyordu.

"Tetiği çektiğinde iki salvo ateşler," diye açıkladı Narov, sesi telaşlı çıkıyordu. "İlkinde dört füze, ikincide de beş füze ateşler; ilkiyle ikinci arasında da bir saliselik fark olur."

Jaeger anladığını gösterir şekilde başını sallayıp, "İki roketatarı da doldurup hazır etmemiz lazım. İkinciyi sen ateşleyebilir misin?" diye sordu.

Narov'un gözleri katil bir gülümsemeyle parlamıştı.

"Zevkle! Sana 'Avcı' demekte haklılarmış."

İkinci roketatarı hazırladılar ve Ju 390'ın arka tarafındaki kargo kapısına ilerlediler. Daha birkaç saat önce, Jaeger ormandan kalkış hazırlıkları sırasında bu kapıyı bizzat kapatmıştı. Yakın zaman içerisinde, hem de şu an kafasındaki çılgın fikri uygulamak için açması gerekeceğiniyse aklının ucundan bile geçirmemişti.

Thuraya telefonunu aldı ve bir mesaj yazdı; *Ju 390'ın arkasından Kara Şahinlere ateş açacağız. Santos'un helikopterini vurmayacağız. Beklemede kalın.*

Telefonu bir kez öttü; *Anlaşıldı.*

Jaeger, Narov'a bakıp, "Hazır mısın?" diye sordu.

"Hazırım," diye doğruladı Narov.

"Dokuz yönündekini ben alacağım, üç yönündeki senin... Santos'un helikopterini vurma."

Narov ters bir bakışla birlikte başını sallayarak onayladı.

"Kapıları açar açmaz," diye ekledi Jaeger, "ateşle gitsin!"

Uzandı ve kargo kapısının kolunu çevirdi, ardından uçağın zeminine oturup botlarını yan tarafa dayadı. Narov da aynısını yaptı. Jaeger, Kara Şahin Komutanı'nın bir an olsun dahi Ju 390'ın içinde adamlar olduğunu düşünmediğine emindi. Birazdan öğrenecekti ama.

"ŞİMDİ!"

Jaeger önündeki kapıya serçe tekmesini savurdu, Narov da aynısını yaptı. Kapılar hışımla açıldı ve Jaeger omzunda *Fliegerfaust* ile bir dizinin üzerinde kalktı. En yakındaki helikopter en fazla iki yüz metre uzaklıktaydı. Demirden yapılmış basit nişangâhı kokpitin hizasına getirdi, roketin çalışması için kısa bir dua edip tetiği çekti.

Dört füze namlularından rüzgâr gibi uçarken, Ju 390'ın ambarında boğucu dumandan kızgın bir bulut bıraktı. Jaeger duruşunu bozmadı ve bir salise sonra kalan beş mermi de hedefine yol almaya başladı.

Hemen yanında, Narov da omzuna attığı silahını ateşledi ve mavilikleri delen dokuz roket ikinci Kara Şahin helikoptere doğru gitmeye başladı.

Kuvvetli patlayıcı sınıfına giren zırh delici roketler, borusu boyunca açılmış küçük delikler sayesinde stabilize olabiliyordu. Roketin arkasında bıraktığı egzoz dumanının ufak bir kısmı o deliklerden sızarak füzenin kendi ekseninde dönmesini mümkün kılıyordu. Aynı bir silahın namlusundaki yivlerin ateşlenen mermiyi döndürmesi gibi roketlerin hedeflerini bulmasını sağlayan da bu dönüştü.

Jaeger ateşlediği füzelerden beşinin hedefi kaçırdığını ama dördünün yerini bulduğunu gördü. 20 mm roketlerin zırh delici baş kısımları helikopterin metalini delip geçerken Kara Şahin'in kanadından da gri dumanlar yükselmeye başlamıştı. Bundan hemen sonra kuvvetli patlayıcılar infilak etti ve helikopterin içinde alev alev yanan sivri şarapnellerin oluşturduğu bir fırtına patlak verdi.

Patlamayla kokpitin ön penceresiyle kenardaki camlar tuzla buz olurken şarapnel parçaları içindekileri birer birer parçalamaya başladı. Saniyeler içerisinde helikopter izlediği yoldan ayrıldı ve peşinde gri dumanların yarattığı öfkeli bir bulutla dünyaya doğru dik bir inişe geçti.

Onun arkasında, ikinci hedef çok daha zor durumdaydı. En çok ihtiyaç duydukları anda Narov'un içindeki nişancı -*suikastçı?*- kendini göstermişti. Roketlerinden sekizi yerini bulmuş ve sadece biri hedeften ayrı uçmuştu.

Görünüşe göre 20 mm füzelerinden en az biri Kara Şahin'in yakıt tankına isabet etmişti. Altı yüz kilometrelik sortisini tamamlamak adına ağzına kadar doldurulan yakıt tankı şimdi alevlerle mücadele ediyordu. Helikopterin içinden turuncu alevler püskürdü ve hemen ardından dönüştüğü kör edici, devasa alev topuyla Kara Şahin'i parçalara ayırdı.

Jaeger patlamadan yayılan ısının bütün bedenini sardığını hissetti. Yanan şarapnel parçaları, patlamanın merkezinden neredeyse Ju 390'ın kargo kapısına kadar uzanmıştı. Jaeger, bir anlığına gökyüzünün ortasında çıkan yangının, yukarıdaki Airlander'ı tehdit edebileceğini düşündü ama enkazın alevli parçaları çok aşağılardaki bulut örtüsüne doğru yolculuğa çıkmıştı bile.

İkinci helikopterin harap olmuş iskeleti bir kaya misali dünyaya çakılırken iki Kara Şahin'den de geriye sıcak tropik havada süzülen karanlık birer duman bulutu kalmıştı.

Artık açık semalarda gürleyen bir Kara Şahin ile bir Airlander/Ju 390 çifti kalmıştı. Son kalan Kara Şahin keskin bir dönüşle rotasından çıktı ve ikinci bir roket salvosuna karşı araya güvenli bir mesafe koydu. Ancak Jaeger ile Narov yeni bir saldırı yapamazdı, *Fliegerfaust*'ları bitmişti. Hem zaten o helikopterde Leticia Santos vardı ve Jaeger onun hayatının da feda edildiğini izlemeyecekti.

"Bay Raffara keşke bunu yapmasaydım diyeceksiniz!" diye bağırdı öfkeli bir ses. "Şimdi motorlarınızı vurmaya başlıyorum."

"Öyle bir şey yaparsan düşeriz," diye karşı çıktı Raff, "o değerli uçağınız da bizimle birlikte düşer. Ormana çarpıp parampara..."

Kalan Kara Şahin'in GAU-19'undan tam isabetle açılan ateş Raff'ın sözlerini yutmuştu. Mermiler Airlander'ın sancak tarafının önündeki motorlardan birine ulaştı. Zeplini uçuran dört dev motordan birinin parçalarına ayrılmasıyla birlikte Jaeger da Ju 390'ın sertçe sağa kaydığını hissetti.

Airlander'ın içindeki mürettebat şimdi zeplini üç motorla havada tutma mücadelesi veriyor olmalıydı. Hasar almış zeplinin yükünü dengelemeye çalışmak adına itme yönünü ve gücü ayarlıyor, üç dev balonu arasında helyum geçiriyorlardı.

"Airlander'dan Kara Şahin'e..." Raff'ın sesi duyuldu. "Bir motoru daha vurursanız altımızdaki yükle havada kalmamız mümkün olmaz ve Ju 390'ı atmak zorunda kalırız. 10.000 feet'ten dimdik ormana... Geri çekilin!"

"Hiç sanmıyorum," diye karşılık verdi Kara Şahin Komutanı. "Uçağın içinde takımınızdan adamlar varmış, düşmelerine müsaade edeceğini hiç sanmıyorum. Talimatlarıma uyun, yoksa ikinci motoru da vuracağım."

Jaeger'ın Thuraya uydu telefonu bir kez öttü; *Yanıt?*

Jaeger ne yanıt vereceğini bilmiyordu. Bu sefer gerçekten hiçbir seçenekleri kalmamıştı.

Köşeye sıkışmıştı.

83

Kara Şahin'in GAU-19 mitralyözü üçüncü sefer ateş kustu.

Airlander'ın arka motoru şiddetli bir darbeyle sarsıldı. Jaeger ile Narov kokpite dönmüştü ve ikinci rotorun da kullanım dışı kalmasıyla Ju 390'ın korkunç bir şekilde sola sarsıldığını hissettiler.

Dev zeplin nafile bir çabayla kendini toparlamaya çalışsa da geminin zıt uçlarında ve zıt taraflarda kalan iki rotor bu inanılmaz yükü dengelemekte büyük zorluk çekiyordu. Ancak Airlander nihayetinde yeni bir denge yakaladığında, altında uzanan ağır yükü taşıyabilecek kadar güçlü olmadığı anlaşıldı.

Tam da bu anda ileri hareketi sağlayan motorlarının yarısından yoksun kalan zeplinin hızı hissedilir biçimde düşmeye başladı. Bu da yetmezmiş gibi irtifasını da kaybediyordu. Altındaki Ju 390 ile birlikte bir felakete doğru hızla kayıyordu.

Kara Şahin pozisyonunu değiştirip arka tarafa geçti ve Ju 390'ın kokpitinden görünemeyeceği bir yerde uçmaya başladı. Jaeger, Komutan'ın saldırıyı kestiğini bir an olsun bile düşünmemişti. Bu sefer neyin peşindeydi?

Thuraya telefonuna bir mesaj geldi; *BH arka tarafınıza geçiyor. Kanat ucuna yaklaşıyor. Sizin uçağa binmek üzereler???*

Jaeger bir süre elindeki telefona bakakaldı. Kara Şahin ne yapıyordu?

Yuvarlak pencereden dışarı baktı. Gerçekten de helikopterin pilotu, hâlihazırda açık olan kapısını Ju 390'ın kanadına adım adım yaklaştırıyordu. Jaeger, helikopterin kapısında sıralanmış, simsiyah NBC kıyafetleri ve gaz maskeleriyle bir düzine silahlı adam gördü. O sırada Narov'un arkasına geldiğini hissetti.

"Bırak gelsinler!" diye çıkıştı kadın, siyaha bürünmüş adamları gördüğü gibi.

Hemen ardından dönüp Dragunov sniper tüfeğini aldı, Ju 390'a binmeye çalışan kim olursa delip geçmeye hazırdı.

"Hayır!" Jaeger silahının namlusunu indirdi. "Şu an nerede olduğumuzu bilmiyorlar. Ateş açarsan kokpiti delik deşik ederler. Bizi parçalarımıza ayırırlar."

"O zaman bırak Kara Şahin'in pilotunu indireyim!" diye üsteledi Narov. "En azından onu alayım!"

"Pilotu öldürürsen yardımcısı yerine geçer ve yine bizi delik deşik ederler. Hem Santos da o helikopterde..."

"Bazen bir hayat kurtarmak için bir can alman gerekir," diye karşılık verdi Narov, bakışları buz gibiydi. "Hatta bu durumda *çok sayıda* hayat kurtarmak için bir hayat..."

"Hayır!" Jaeger sertçe başını iki yana salladı. "Hayır! Daha iyi bir yolu olmak zorunda!"

Çaresizce savaş uçağının kokpitinde gezdirdi gözlerini. Rotacının masasının altına sıkıştırılmış tozlu bir yığının üzerine geldiğinde durdu. Hepsinde *Fallschirm* yazıyordu. Almanca kısmını anlamamıştı ama bunların ne olduğunu bildiğini tahmin ediyordu. Uzanıp birini aldı.

Beklenmeyeni yap.

Narov'a seslenip, "Paraşüt, değil mi?" diye sordu.

"Paraşüt," dedi Narov. "Ama..."

Jaeger pencereden dışarı baktı. Ju 390'ın hızı hatırı sayılır bir ölçüde düşmüştü ve Kara Şahin'in açık kapısından atlayıp çömelerek savaş uçağının kanat ucuna konan ilk siyahlı adamı gördü. Saniyeler sonra ikinci adam da yanına geldi ve çömelmiş bir düzende ilerlemeye başladılar.

Jaeger paraşüt çantasını Narov'un kollarına sıkıştırdı ve ikinci bir çantayı Dale'e attı. Üçüncüyü de kendine aldı.

"Takın hemen!" diye bağırdı. "Umarım Almanların yaptığı çoğu şey gibi bunlar da sonsuza kadar dayanıklıdır."

Kokpitteki üç kişi paraşüt teçhizatını giymekle uğraşırken Jaeger'ın Thuraya telefonuna bir mesaj geldi; *Düşman gövdenin önünde toplandı. Patlayıcı yerleştiriyorlar.*

Siyah giymiş askerler içeri girebilmek için Ju 390'ın gövdesinin tam ortasında bir delik açacaktı.

Jaeger cevap verdi; *Tüm kötü adamlar bindiğinde bizi salın. Bırakın düşelim. Sakın itiraz etme Raff. Ne yaptığımı biliyorum.*

Hemen bir cevap geldi; *Anlaşıldı. Cennette görüşürüz.*

Airlander'ın harekât subayı iyi ki Raff'tı. Onun dışında hiç kimse böylesine bir emri sorgulamadan kabul etmezdi. İki adamın arasındaki eşsiz bağ tam olarak buydu; onlarca yıl sınırları sonuna kadar zorlayarak omuz omuza savaşınca bu şekilde ilmek ilmek örülüyordu işte.

Jaeger savaş uçağının arka tarafından boğuk bir patlama sesi duydu. Patlayıcıların infilak etmesiyle birlikte gövdesinde bir adam boyunda bir delik açılan Ju 390 sertçe sarsıldı. Jaeger, siyah giymiş askerlerin ellerinde silahlarıyla karanlık, dumanla dolu ambara dizildiğini gözünde canlandırabiliyordu.

Kendilerine gelip uçağın arka tarafında Jaeger ile arkadaşlarını aramaya başlamaları için birkaç saniye geçmesi gerekecekti. Bunun ardından kokpitle uçağın kalanını ayıran kapıya ilerleyecek ve yeni bir patlayıcı setini yerleştireceklerdi. Kokpit kapısı, kilitlendikten sonra ancak içeriden, yani kokpit tarafından açılabilirdi. Bu yüzden patlatmadan girmelerine imkân yoktu. Buna rağmen Jaeger, Narov ve Dale'in harekete geçmek için sadece saniyeleri vardı.

"Tamam, planı anlatıyorum!" diye bağırdı Jaeger. "Artık her an Airlander bizi serbest bırakabilir. Biraz da olsa ileri moment almış tüm iyi uçaklar gibi, bizimki de düşmeye başladıktan sonra hız kazanacak ve ardından süzülecek. Bizi bıraktıkları gibi şunları aşağı atacak," bir eliyle kalan paraşütleri gösterdi, "ve sonra da biz atlayacağız."

"Bulutların içinde kaybolana kadar paraşütünüzü açmayın," diye devam etti. "Yoksa Kara Şahin görüp takip edebilir. Düşüş sırasında bir arada kalmaya çalışalım. Atlayış sırası Dale, Narov ve ben. Hazır mısınız?"

Narov başını salladı. Gözlerinde savaşma arzusu ve adrenalinin ateşe verdiği bir bakış vardı. Dale'in ise beti benzi atmış durumdaydı, midesinde ne varsa ikinci kez kokpite bırakacak gibi görünüyordu. Buna rağmen gönülsüz bir şekilde de olsa başparmağını kaldırarak onay verdi. Jaeger bu adama her geçen gün daha da hayran kalıyordu. Savaş yüzü görmüş askerlerin bile çoğunu korkutacak kadar macerayı birkaç gün içinde yaşamıştı ama yine de elinden geldiğince dik durmaya devam ediyordu.

"Kameranı unutma sakın ya da hafıza kartlarını al!" diye bağırdı Jaeger. "Bundan sonra ne olursa olsun filmi kaybetmeyeceğiz!"

Kalan paraşütleri yerinden çıkardı ve kokpitin bir tarafına koydu. Ardından atlayış sırasında olabildiğince geniş bir alana sahip olabilmeleri için iki pencereyi de açıp Narov'a döndü.

"Belgelerini unutma sakın, artık üzerinde ne yazıyorsa... O sırt çantasına sıkıca sarıl ve gözünün önünden..."

Midesini kaldıran bir yalpalamayla birlikte Ju 390'ın serbest düşüşe geçmesi Jaeger'ın da sözlerini yutmasına sebep oldu. Airlander savaş uçağını bırakmıştı ve birkaç korkunç saniye boyunca Ju 390 dimdik aşağı düşüyormuş gibi hissettirdi. Ancak sonra kanatları havaya tutundu ve düşüşün yerini dik ve nefes kesici bir süzülme aldı.

"Haydi! Haydi! Haydi!" diye bağırdı Jaeger. Bir taraftan paraşütleri aşağı atıyordu. Birer birer, Ju 390'ın kokpitinde saklanan yedek *Fallschirm*'leri uğuldayan boşluğa bıraktı.

Dale pencereye uzandı, vücudunun üst yarısını yukarı çekti ve olduğu yerde kaldı. Pervane akımı gövdesine şiddetle vuruyordu ama ayakları uçağın metal zeminine yapışmış gibiydi.

Kımıldamıyordu.

Jaeger tereddüt etmedi. Güçlü omuzlarını öne atarak eğildi, Dale'in bacaklarını yakaladı ve tüm gücüyle kaldırarak çığlıklar içindeki adamı boşluğa bıraktı.

Kokpit kapısının dışından bağırışlar duydu. Siyah giymiş askerler ikinci bir patlamayla kendilerine yeni bir geçit açacaktı. Narov pilot koltuğuna bastı, kokpitin tavanına tutunup bacaklarını pencereden dışarı çıkardı. Ardından Jaeger'a son bir bakış attı.

"Geliyorsun, değil mi?"

Jaeger'ın gözlerinde bir anlığına parlayan kararsızlığı okumuş olmalıydı. Jaeger'ın aklı, karısı ve çocuğunun ellerinden alındığı o karanlık dağ yamacındaydı. Onları kimin, neden kaçırabileceğine dair ipuçlarını sakladığına inandığı uçağı aramak için elinden geleni yapmamıştı. *Hiçbir şey yapmamıştı.*

Acı veren bir saniye boyunca, gaz maskesinin ardındaki ses, Jaeger'ın yarım yamalak tanıdığı ses yeniden kulaklarında çınladı.

"Sakın unutma bunu, karını ve çocuğunu koruyamadın. Wir sind die Zukunft!"

Jaeger olduğu yere çivilenmiş gibi hissediyor, hareket edemiyordu. Kalbinin en derinlerinde o cevapları bulmak için çırpınıyordu aslında. Şimdi de uçağı terk ederse sonsuza kadar hiçbir cevap bulamayacakmış gibi hissediyordu.

"Pencereye geç!" diye bağırdı Narov. "HEMEN!"

Jaeger kendini bir namlunun ucuna bakarken buldu. Narov kısa namlulu Baretta tabancasını çıkarmış ve Jaeger'ın alnına dayamıştı.

"Ben hepsini biliyorum!" diye bağırdı. "Dedeni öldürdüler. Sonra senin ve ailenin peşine düştüler. Yaptığın bir şey tetikledi hepsini.

Cevapları da bu sayede bulacağız. Ama şimdi bu uçakla birlikte sen de düşersen onlar kazanacak!"

Jaeger bacaklarını hareket etmeye zorladı.

"ATLA!" diye bağırdı Narov, işaret parmağı tetiğin üzerindeydi. "HAYATINI HARCAMANA İZİN VERMEYECEĞİM!"

Bir anda arkadan sağır edici bir patlama sesi duyuldu. Kokpit kapısı havaya uçmuş, içerisi boğucu dumanın kör edici bulutuyla dolmuştu. Güçlü patlama Jaeger'ı yan tarafındaki pencereye itmiş ve aklını başına toplamasını sağlamıştı. Jaeger atlayışa doğru yönelirken Narov da Baretta'sıyla yeni açılan kapıdan içeri hücum eden siyahlı adamlara ateş etmeye başladı.

Saniyeler sonra Jaeger pencereye çıktı ve kendini boşluğa bıraktı.

84

Atladıktan hemen sonra Jaeger, aynı C-130'dan çıkışının ardından ölümün ucundan döndükleri korkunç düşüşe benzer şekilde gökyüzünde taklalar atarak hızla yere doğru çakılmaya başladı. Bu sefer kontrolünü kaybetmeden kollarını arkasına doğru genişçe açıp vücudunu kamburlaştırarak düşüşü dengelemişti. Bunu sağladıktan sonra önündeki bulut perdesine olabildiğince hızlı bir şekilde ulaşmak için "delta-track" adı verilen duruşa geçti; kollarını iki yanına sıkıca kenetledi, bacaklarını arkasında açtı.

Ancak düşüşünün hızı arttıkça içinden az önceki gibi bir aptallık yaptığı için kendisine küfürler savurdu. Narov haklıydı. O uçakla birlikte ölse, oğlu ve karısı bir yana, hiç kimseye en ufak bir faydası dokunmazdı. Tereddüt ederek yapabileceği en büyük aptallığı yapmış ve Narov'un hayatını tehlikeye atmıştı. Hatta kadının savaş uçağından canlı çıkıp çıkmadığını bile bilmiyordu ve akıl almaz bir hızla yere doğru çakılırken dönüp bakmasına imkân yoktu.

Airlander'dan ayrılmasıyla birlikte Ju 390 da durmaksızın ivme kazanmıştı. Şimdiye devasa bir hayalet ok misali saatte üç yüz kilometre hızla gökyüzünü deliyor olmalıydı. Jaeger'ın elindense yalnızca Narov'un o uçan tabuttan canlı bir şekilde çıkması için dua etmek geliyordu.

Saniyeler sonra bulutlar Jaeger'ı yuttu. Güçlü su buharı her yanını sararken paraşütü açmasını sağlayacak kola uzandı, sıkıca çekti ve dua etti. Nazilerin sonsuza kadar dayanacak bir şeyin temelini atmalarını isteyeceği bir an varsa, o an şu andı.

Hiçbir şey olmadı. Başını çevirip doğru kolu çekip çekmediğini kontrol etti. Bu bembeyaz dünyanın girmesine müsaade ettiği yarım yamalak ışığın arasında hiçbir şeyi görmek kolay değildi, bir de oyuncak bebek gibi hızla düşmeye devam ediyordu. Jaeger'ın görebildiği kadarıyla ana paraşüt feci bir şekilde takılmıştı.

Toprakla buluşması her geçen saniye daha da yaklaşırken aklından kısa bir emir geçti; *bak-belirle-ayır-vur-çek-dön.* Bundan yıllar önce öğrendiği, ana paraşütün görevini yerine getirememesi hâlinde serbest düşüş sırasında uygulanacak acil durum prosedürünün özetiydi bu.

Farklı sistem, aynı temeller, diye geçirdi içinden.

Yedek paraşüte ait olduğunu düşündüğü kolu yakaladı. Eski tip bir sistemdi ama sorunsuz bir şekilde çalışmaması için hiçbir sebep yoktu. Var gücüyle kola asıldı ve yedek paraşüt, o pırıl pırıl Alman ipeği, gökyüzüyle buluşmak için yetmiş yıl beklemiş olan o ipek hemen üzerinde rüzgârla kabardı.

Almanların yaptığı çoğu şey gibi bu *Fallschirm* de kalite ön planda tutularak üretilmişti ve bir rüya gibi açıldı. Hatta bu paraşütün altında uçmak büyük bir keyifti. Jaeger şu an kıyametin yanı başında olmasa, uçuşun tadını sonuna kadar çıkarabilirdi.

Almanlar, İkinci Dünya Savaşı'nda İngiliz Hava Kuvvetleri'nin kullandığına benzer tasarıma sahip bir paraşüt tercih etmişti. Yüksek kubbeli, mantar şeklinde bir yapıya sahipti ve modern dünyanın daha düz, daha hızlı ve daha yön verilebilir askerî paraşütlerinin aksine daha dengeli ve sağlam bir uçuş olanağı sağlıyordu.

Yere ayak basmasına takribi yüz elli metre kala Jaeger bulutlardan çıktı. Aklından ilk geçen Dale ve Narov oldu. Batı tarafına baktı ve zar zor da olsa toprak seviyesinde bir paraşütü seçebildi. Dale oraya inmiş olmalıydı. Ardından yüzünü doğuya çevirdiği anda bulutların altından bir beyazlık çıktı.

Narov... O olmak zorundaydı.

Bir şekilde Ju 390'ın kokpitinden kurtulmuştu ve paraşütün altında asılı vücuttan anladığı kadarıyla hâlâ hayattaydı. İkisinin konumlarını da aklına yazdı ve altındaki zemini kontrol etti.

İnecek hiçbir yer olmayan, göz alabildiğine yemyeşil bir ormandı.

Yine!

Üst bitki örtüsüne doğru süzülürken Jaeger bir anlığına Ju 390'ı düşündü. 10.000 feet'ten sürekli hızlanarak yoluna devam eden savaş uçağı kilometrelerce uçacaktı ama nihayetinde çakılmaya mahkûmdu. Airlander'ın altından serbest kaldığı andan itibaren hız kazanmış ama irtifa kaybetmişti.

Er ya da geç, saatte üç yüz kilometreden daha fazla bir hızla ormana çakılacaktı. Bunun olumlu tarafı, yanında o siyah giymiş askerleri de götürecek olmasıydı. Kalan Kara Şahin'in son sürat ölüme uçan savaş uçağındaki adamlarını kurtarmasına imkân yoktu. Tabii bir de Jaeger kokpitteki diğer tüm paraşütleri aşağı atmıştı.

Olumsuz yanıysa içinde barındırdığı sırlarla birlikte sonsuza kadar kaybolacak olmasıydı. Dahası kaybolurken taşıdığı zehirli kargosuyla yağmur ormanlarında da büyük bir hasar bırakacaktı. Ama şu anda Jaeger'ın bu konuda yapabileceği bir şey yoktu.

***

Yalnız kalan işaretsiz Kara Şahin, dağlara inşa edilmiş gizli piste iniş yaptı.

Kod adı Gri Kurt Altı, gerçek adı Vladimir Ustanov olan asker, kulağına yapışmış bir uydu telefonuyla helikopterden indi. Son birkaç saatte yaşadıklarını kaldıramadığı her hâlinden belliydi, yüzündeki tüm kan çekilmişti.

"Efendim durumu anlamanızı istiyorum." Sesinde bitap düşmenin verdiği boğuklukla uydu telefonuna konuştu. "Şu an havadaki güçlerimden yalnızca ben ve dört adamım kaldı. Herhangi bir anlam ifade edecek bir operasyon yapacak durumda değiliz."

"Peki savaş uçağı?" diye sordu Gri Kurt kuşkulu bir sesle.

"Paramparça olmuş bir harabe... Ormanda yüzlerce kilometrelik bir alana dağıldı. Düştüğü âna kadar hemen üzerinden takip ettik."

"Peki kargo? *Belgeler*?"

"Bir düzine iyi askerimle birlikte enkazda parçalandı."

"Madem biz ele geçiremedik, yok olmaları daha iyi..." Duraksadı. "En sonunda bir şeye ulaştın Vladimir."

"Efendim iki Kara Şahin helikopterle üç düzine adamımı kaybe..."

"Değer!" diye kestirip attı Gri Kurt. Sesinde bir tutam dahi merhamet yoktu. "Bir iş yapmak için para aldılar, hem de çok iyi para... Onlara şefkat duymamı bekleme! Savaş uçağından canlı çıkan oldu mu peki?"

"Üç kişinin atladığını gördük. Bulutlarda kayboldular. Hayatta kalan olup olmadığı konusunda şüpheliyim. Paraşütleri var mıydı bilmiyoruz. Olsa bile aşağısı balta girmemiş ormandı."

"Ama kurtulmuş olabilirler mi?" diye tısladı Gri Kurt.

"Olabilirler," diye kabul etmek zorunda kaldı Vladimir Ustanov.

"Hayatta kalmış olabilirler. Yani o savaş uçağından bizim almak için bu denli uğraştığımız şeyleri de almış olabilirler."

"Olabilirler."

"Uçağımı geri döndürüyorum!" diye sertçe çıkıştı Gri Kurt. "Operasyona hazır bir kuvvetimiz kalmadığı için bu curcunaya katılmamın da bir manası kalmadı. Hayatta kalan adamlarını da alıp bulunamayacak gizli bir yerde iyi bir tatil yapmanızı istiyorum. Ama ortadan kaybolmayın. İletişimi sürdürelim."

"Anlaşıldı."

"O hayatta kalanların, tabii kaldılarsa bulunması gerekecek. Böylece aradığımız şeyin, şayet ellerindeyse, bize geri dönmesi sağlanacak."

"Anlaşıldı efendim."

"Normal yollarla iletişimi sürdüreceğim. Bu süreçte Vladimir sen de pervasızca kaybettiğin adamların yerini alacak yeni askerler bulmak isteyebilirsin. Şartlar aynı, görev aynı..."

"Anlaşıldı."

"Son bir şey daha, Brezilyalı hâlâ seninle mi?"

Vladimir, Kara Şahin'in içinde yatan kadına baktı.

"Bizimle..."

"Yanından ayırma. İleride işimize yarayabilir. Bu sırada sen de kendi özel yöntemlerinle sorgula istersen. Ne bildiğini öğren. Şansımız varsa bizi diğerlerine götürebilir."

Vladimir gülümsedi.

"Zevkle efendim."

***

Meksika Körfezi'nin üzerinde uçan Learjet 85'teki Gri Kurt adıyla bilinen kumandan, ikinci bir telefon açtı. Amerika Birleşik Devletleri'nin doğu kıyısındaki Virginia'nın kırsal bölgesindeki gri ormanların etrafını sarıp sarmaladığı gri duvarlarla örülmüş karmaşık binalardan oluşan bir komplekse saklanmış, gri bir ofisi aramıştı.

Arama, dünyanın en gelişmiş sinyal müdahale ve takip sistemleriyle dolu bir binadan geçti. Binanın giriş kapısının hemen yanında, pirinçten yapılmış küçük bir levha yer alıyordu. Üzerindeyse şu kelimeler yazıyordu; *CIA - Asimetrik Tehdit Analiz Bölümü (DATA).*

Şık ve rahat sivil kıyafetler giymiş bir adam telefonu kaldırdı.

"DATA. Harry Peterson."

"Benim," dedi Gri Kurt. "Şu an Learjet'teyim ve sana dosyasını gönderdiğim adamı bulmanı istiyorum. Jaeger. William Jaeger. Mümkün olan tüm araçları kullan. İnternet, e-posta, cep telefonları, uçuş rezervasyonları, pasaport detayları; *ne olursa...* Son bilinen yeri Batı Brezilya, Bolivya-Peru sınırının yakınları..."

"Anlaşıldı efendim."

Gri Kurt aramayı sonlandırıp koltuğunda geri yaslandı. Amazon'da işler kesinlikle istediği gibi gitmemişti ama kendisine hepsinin ufak çaplı bir çarpışma olduğunu söyledi. Çok daha uzun yıllardır süregelen, atalarının 1945 baharından bu yana verdiği bir savaşın sayısız muharebesinden biriydi sadece. Bir pürüzdü ama idare edilebilirdi. Geçmişte başa çıktıklarının yanındaysa bir hiçti.

Önündeki masada duran şık görünümlü tablet bilgisayara uzandı. Üst tarafındaki tuşa basarak çalıştırdı ve alfabetik sırayla isimlerin listelendiği bir dosyayı açtı. İmleci aşağı indirdi ve isimlerden birinin yanına birkaç kelime yazdı; *Kayıp. Hayattaysa öldürün. ÖNCELİKLİ.*

Bunu da hallettikten sonra yanında duran evrak çantasını aldı. Masanın üzerine koyup açtı ve tableti içine koydu. Bir çıt sesiyle kapağını kapattıktan sonra iyice kilitlediğinden emin olmak için parolayı girdi. Evrak çantasının kapağında, küçük harflerle altın renginde bir yazı vardı; *Hank Kammler, CIA Genel Müdür Yardımcısı.*

Hank Kammler, bir diğer adıyla Gri Kurt, parmaklarını nazikçe, saygılı bir şekilde kabartmanın üzerinde gezdirdi. Savaş bittikten sonra babası adını değiştirmeye zorlanmıştı. SS Oberst-Gruppenführer Hans Kammler, CIA'in selefi olan Stratejik Hizmetler Ofisi'ndeki işine daha kolay bir geçiş sağlaması adına Horace Kramer adını almıştı. CIA'de en üst rütbelere uzanan yolunda dur durak bilmeden çalışmasına rağmen Horace Kramer gerçek görevini bir an olsun unutmamıştı; göz önünde saklanacak, yeniden gruplanacak ve Reich'ı yeniden kuracaktı.

Babasının hayatı erken bir yaşta son bulduktan sonra, Hank Kammler bu mirası benimseyip CIA'e girmeye karar vermişti. Kammler gözlerinde alaylı bir bakışla gülümsedi. Sesini çıkarmadan yıllar boyunca çalıştıktan sonra CIA'in en güçlü adamlarından biri olmak ona yetecek, Nazi atalarının ihtişamını unutacaktı sanki...

Kısa bir süre önce kendi hakkı olanı geri almaya karar vermişti. Hank Kramer olarak doğmuş, daha sonra resmî bir şekilde soyadını Kammler yaparak babasının bıraktığı mirası ve doğumla kazandığı hakkı yeniden üstlenmişti.

Onun gözünde, bu iade daha sadece bir başlangıçtı.

85

Jaeger, Bioko Havalimanı'na varacağı aktarma uçuşu için yerini aldı. Londra'dan Nijerya'ya yaptığı uçuş tam da istediği gibi; hızlı, kesintisiz ve rahat geçmişti. Ancak bu sefer birinci sınıf bilet alacak bir bütçesi yoktu. Lagos'ta, Gine Körfezi'ni aşıp Ekvator Ginesi'nin ada başkentine geçeceği kısa uçuş için yerel bir havayolunun külüstür uçaklarından birine binmişti.

Pieter Boerke'den gelen mesaj beklenmedik olduğu kadar ciddi şekilde ilgi çekiciydi. Yağmur ormanlarına doğru ölüm uçuşuna geçen savaş uçağından kaçmayı başarmasının üzerinden iki hafta civarında bir süre geçtikten sonra, Jaeger nispeten daha güvenli olacağı Cachimbo Hava Üssü'ne ulaşmıştı. Boerke de Cachimbo'ya vardıktan sonra bir şekilde ona ulaşmayı başarmıştı.

"Kâğıtlarını buldum," demişti Güney Afrikalı. "Manifestonun yedinci sayfası, tam da istediğin gibi..."

Jaeger, İkinci Dünya Savaşı'nın sonlarına doğru Bioko Limanı'na demir atan gizli bir kargo gemisinin, o sırada aklını meşgul eden son şey olduğunu Boerke'ye söyleyecek cesareti kendinde bulamamıştı. Darbe liderinden belgeleri tarayıp e-postayla göndermesini istemiş ama beklediği cevabı alamamıştı.

"Olmaz dostum, mümkün değil," demişti Boerke. "Gelip bizzat görmen lazım. Çünkü bunlar öylesine kâğıtlardan ibaret değil. Fiziksel bir şey... Ne e-postayla ne de normal postayla gönderebilirim. Güven bana, gelip görmen lazım."

"İpucu verebilir misin?" diye sormuştu Jaeger. "Çok uzun bir uçuş yani... Bir de son birkaç haftadan sonra..."

"Şöyle söyleyeyim," diye lafını kesmişti Boerke. "Ben Nazi değilim. Hatta Nazilerden dibine kadar nefret ediyorum. Hiçbirinin torunu falan da değilim. Ama olsaydım bu elimdekilerin gün yüzüne çıkmaması için çok uzun yollar alır, hatta gerekirse dünyanın sonuna kadar giderdim. Ancak bu kadarını söyleyebilirim. İnan bana Jaeger, buraya gelmen lazım."

Jaeger önündeki seçenekleri değerlendirmişti. Alonzo, Kamishi ve Joe James'in hâlâ hayatta olduğu ve hayatta kalan Kızılderililerin onları dış dünyayla buluşabilecekleri bir yere ulaştıracağı varsayımına dayanarak hareket edecekti. Gwaihutiga'nın öldüğüne emindi, o hain olduğundan şüphelendiği kameramanları Stefan Kral ile birlikte Kara Şahin'den aşağı atılmıştı. Leticia Santos ise hâlâ kayıptı, kendisinden hiçbir haber yoktu. Albay Evandro onu bulmak için her şeyi yapacağına söz vermişti ve Jaeger B-SOB takımlarıyla birlikte altına bakmadık taş bırakmayacaklarını biliyordu.

Jaeger'ın, Airlander'a Ju 390'ı serbest bıraktırma numarası, Raff da dâhil olmak üzere zeplindeki herkesin hayatını kurtarmıştı. Kalan son Kara Şahin, ölümcül çarpışmasına doğru süzülen savaş uçağının peşine düşmek zorunda kalmış; Airlander'ı Cachimbo yolculuğunda yalnız bırakmıştı.

Paraşütüyle en üstteki dallara sert bir düşüş gerçekleştiren Dale bu sırada yaralanmış, Ju 390'ın kokpitinden kaçarken Karanlık Güç ile çatışan Narov da koluna bir şarapnel parçası yemişti. Ancak Jaeger zeminde ikisiyle de bağlantı kurmayı başarmış ve oradan çıkacakları belli olmasa da çekirdek takımını yola çıkarmıştı.

Kendilerinden beklendiği üzere Narov da, Dale de sadece sıyrıkları olduğunu ve önlerindeki tehlikeli yolculuğu rahatlıkla atlatabileceklerini söylemişti. Her ne kadar Jaeger ormanın sıcak ve nemli havasında adamakıllı hiçbir dinlenme, beslenme veya tedavi imkânı olmadan yaralarının iltihap kapacağından endişelense de Dale ve Narov'un bu derdini dinleme gibi bir tutum sergilemeyeceklerini anlamıştı. Hem zaten o sırada yardımcı olmak için yapabileceği pek bir şey de yoktu. Ya kendi başlarına ormandan çıkmayı başaracak ya da öleceklerdi.

Jaeger ormanda küçük bir akıntı keşfetmiş ve şartlar elverdiği ölçüde hızlı bir şekilde ilerleyerek iki gün boyunca onu izlemişlerdi. Nihayetinde akarsu bir kola bağlanmış, o da yönlerini bulabilecekleri daha büyük bir nehre açılmıştı. Su boyunca ilerledikleri sırada şansları yaver gitmiş ve Jaeger nehrin sonundaki kereste fabrikasına, kesilmiş ağaç gövdelerini taşımak için kullanılan bir tekneyi el sallayarak durdurmayı başarmıştı.

Üç günlük nehir yolculuğu sırasında karşılarına çıkan en büyük tehlike, Narov'un Brezilyalı sarhoş kaptanla sürekli atışması olmuş ama o da nihayetinde son bulmuştu.

Narov ve Dale gemiye bindikten sonra, Jaeger'ın bulaşacağından korktuğu iltihap, büyük bir intikamla kendini göstermişti. Yolculuğun sonuna geldiklerinde Jaeger ateşler içinde yanan ikiliyi bölgedeki bir taksiyle Cachimbo Hava Üssü'ne ve oradaki en gelişmiş güvenlik önlemleriyle donatılan bir hastaneye yetiştirmişti.

İkisine de septisemi teşhisi konmuştu. Yaraları iltihap kapmış ve tüm dolaşım sistemini zehre bulamıştı. En azından Dale için bu durum şiddetli yorgunluk sebebiyle daha da kötü bir hâl almıştı. İkisi de hızla yoğun bakım ünitesine sokulmuş ve Albay Evandro'nun dikkatli gözetimi altında gereken tedaviyi almaya başlamışlardı.

Takımının elinden geldiği kadarlık bir bölümünü sürecin en tehlikeli safhasından kurtardığını ve Leticia Santos konusunda yapabileceği bir şey olmadığını düşünen Jaeger, Brezilya'dan Bioko'ya gerçekleşecek bir uçuş riskini alabileceğine karar vermişti. Ancak yolun her durağında albayın kendisini bilgilendireceğinden de emin olmuştu.

Dale ve Narov yolculuk yapabilecek kadar iyileştikleri zaman onları eve götürmek için geri döneceğine söz vermişti. Ekstra bir güvenlik katmanı olarak da hastane kapısının hemen önünde 7/24 nöbet tutması için Raff'ı bırakmıştı.

Brezilya'dan ayrılmadan önce yoğun bakım ünitesinden çıkarılmasıyla birlikte Narov ile konuşabileceği bir an yakalamış; kadının Ju 390'dan kurtardığı belgelere bir bakmıştı. Almanca kısımları yine anlamamıştı ama *Action Feuerland* belgelerinde yazanların büyük çoğunluğu Narov'un tahminlerine göre rastgele görünen sayı dizilerinden oluşturulmuş bir şifreydi. Şifreyi çözmeden, ne onun ne de Jaeger'ın belgelerden çıkarabileceği pek bir şey vardı.

Narov, konuşmanın bir ânında Jaeger'dan kendisini tekerlekli sandalyeyle hastane bahçesine çıkarmasını istemiş; biraz güneş yüzü görüp temiz hava almanın kendisine iyi geleceğini söylemişti. Nispeten meraklı gözlerden uzak olabilecek bir yere geldiklerindeyse geçen birkaç günde olanları kısa da olsa açıklamaya başlamış ancak görünüşe göre bunun için İkinci Dünya Savaşı'na kadar dönmesi gerekmişti.

"O savaş uçağında nasıl bir teknoloji tuttuklarını sen de gördün," diye söze başlamıştı gücünü zar zor toplayarak. "1945 ilkbaharında, Naziler kıtalararası balistik füze denemelerini çoktan tamamlamıştı. Savaş başlıklarını sarin sinir gazıyla doldurmayı başarmış, veba ve botilinum zehirlerini de araya sıkıştırmışlardı. Ellerinde bu silahlardan birkaçıyla; Londra, New York, Washington, Toronto ve Moskova'ya uçacak beş füzeyle savaşın kaderi kökünden değişebilirdi. Buna karşılık ise bizim atom bombamız vardı ama daha tamamlayamamıştık. Onun da hedefin hemen üzerinden bir uçakla bırakılması gerektiğini unutma. Ses hızının bilmem kaç katında ilerleyebilen güdümlü füzelerimiz yoktu. Tabii Nazilerin roketlerine karşı herhangi bir savunma mekanizmamız da..."

Nazilerin elinde tehditlerin en büyüğü vardı ve İttifak kuvvetlerine bir anlaşma önerdiler. Bu anlaşma gereği, Reich en gelişmiş silahlarıyla birlikte seçilmiş güvenli bölgelerde yeniden mevzilenebilecekti. Ama İttifak devletleri karşı bir teklif yaptı. 'Tamam, yeniden mevzilenin. *Wunderwaffe*'nizi de yanınızda götürün ama bir şartımız var,' dediler. 'Asıl savaşta bize katılacak, komünizme karşı verilecek küresel savaşta yanımızda olacaksınız.'

İttifak güçleri en gizli mevzilendirme işlerine destek olacakları bir anlaşma imzaladı. Tabii ki en üst düzey Nazileri Britanya ya da Amerika anakarasına çıkaramazlardı. Halk buna müsaade etmezdi. Onun yerine hepsini kolaylıkla saklayabilecekleri kendi arka bahçelerine gönderdiler. Amerikalılar için Güney Amerika; İngilizler için de kolonilere, Hindistan'a, Avustralya'ya ve Güney Afrika'ya... Böylece yeni bir pakt oluştu. Ağza alınamayacak bir pakt; İttifak Güçleri-Nazi paktı..." Narov duraksamış, devam edecek gücü bulmak için kendiyle savaş vermişti. "*Aktion Adlerflug*, Kartal Uçuşu Operasyonu da Hitler'in en gelişmiş Nazi teknolojileri ve silahlarını yeniden mevzilendirme planının kod adıydı. Ju 390'da yatan kasaların üzerindeki yazılar da bu yüzdendi. Ama *Aktion Feuerland*, Ateş Toprağı Operasyonu en üst düzey Nazilerin yeniden mevzilendirilmesi için verilmiş bir kod adıydı."

Bunu söyledikten sonra acı dolu gözlerle Jaeger'a bakmıştı.

"O insanların kim olduğuna dair bir liste elimize hiç geçmedi. Onlarca yıldır süren aramalar hiçbir sonuç vermedi. Savaş uçağından aldığım belgelerin bunu açığa çıkarmasını, teknolojilerinin ve adamlarının tam olarak nereye gittiğine dair bir fikir vermesini umuyorum."

Jaeger bunun neden önemli olduğunu sormamak için kendini zor tutmuştu. Yetmiş yıl geçmiş, hepsi tarih olmuştu. Narov aklından geçenleri tahmin etmişti.

"Eski bir deyiş vardır," diye başlarken eliyle işaret edip onu yakınına çağırmıştı, sesi çok az çıkıyordu. "Yılan yavrusu yine yılandır. İttifak devletleri şeytanla bir anlaşma imzaladı. Bu da ne kadar gizli kaldıysa o kadar güçlendi ve kontrol sahibi oldu. Nihayetinde de hiçbir şekilde çürütülemez bir hâl aldı. Bugün bile dünyadaki tüm askerî birimlerin, bankacılık sektörünün ve büyük devletlerin içinde olduklarına inanıyoruz."

Jaeger'ın gözlerinden okunan şüpheyi sezip, "Zorlama olduğunu mu düşünüyorsun?" diye sormuştu fısıltıyla. "Tapınak Şövalyeleri'nin mirasının ne kadar uzun süre yaşadığını bir düşün. Nazizm daha yüz yaşında bile değil, Tapınak Şövalyeleri iki bin yıldır yıkılmadı ve hâlâ aramızdalar. Nazilerin bir gecede ortadan kaybolduğunu mu sanıyordun ya da o güvenli bölgelere kaçanların Reich'ın silinip gitmesine göz yumacağını mı? Onların çocuklarının, doğum hakkı olarak üstlendikleri mirası terk edeceklerini mi? Kuyruğunun altında tuhaf dairesel bir şekil olan *Reichsadler*'ın da onların simgesi, onların damgası olduğunu düşünüyoruz. Senin de gayet iyi bildiğin gibi iğrenç başını göstermeye başladı."

Jaeger bir anlığına kadının konuşmasını bitirdiğini, yorgunlukla sessizliğe gömüldüğünü düşünmüştü. Ama Narov kısa bir süre sonra acı çekerek de olsa son sözlerini söyleyecek gücü bulmuştu.

"William Edward Michael Jaeger, hâlâ inanmadıysan hepsini sana kanıtlayacak bir şey var. Bizi durdurmaya çalışan adamları düşün şimdi. Takımından üç kişiyi öldürdüler, çok daha fazla Kızılderili'yi katlettiler. Ellerinde Predator vardı, Kara Şahin helikopterler vardı ve kim bilir görmediğimiz daha neler saklıyorlar. Hepsi simsiyahtı ve sonuna kadar inkâr edilebilirdi. Şimdi böylesine bir güce kimin sahip olduğunu ya da böylesine bir dokunulmazlığa güvenerek kimin hareket edebileceğini düşün. Yılan yavruları yükseliyor. Avuçlarının içinde küresel bir ağ var ve her geçen gün güçleniyorlar. Ancak *onların* böyle bir ağı varsa onları durdurmayı hedefleyenlerin de bir ağı var." Duraksamış, yüzü bembeyaz olmuştu. "Ölümünden önce o ağın başında deden vardı. Katılmak için davet edilenlerin hepsine bir direniş sembolü olarak benim de taşıdığım bıçaktan verildi. Ama bu zehirli kadehi kaldırmayı kim ister ki? Kim? Düşmanın gücü artarken bizimki zayıflıyor. *Wir sind die Zukunft.* Sloganlarını sen de duydun, *gelecek biziz.*"

Ardından alevli gözleriyle Jaeger'a bakmıştı.

"Onların peşine düşenler olarak pek uzun yıllar yaşadığımız pek görülmemiştir."

86

"Beyefendi, pardon beyefendi, inişten önce içecek bir şey alır mıydınız?" diye tekrarladı hostes üçüncü sefer.

Jaeger'ın aklıysa binlerce kilometre ötede, Narov ile yaptığı son konuşmadaydı. Anlattıklarından fazlasına gücü yetmemişti. Yorgunluk ve acıya yenik düşmüş ve Jaeger da tekerlekli sandalyesinin arkasına geçip kadını hastane yatağına götürmüştü.

Hostese tebessüm etti.

"Bir *Bloody Mary* alayım lütfen. Worchestershire sosu bol olsun."

Bioko Havalimanı, Jaeger'ın son ziyaretinden bu yana pek değişmemişti. Başkan Honore Chambara'nın rüşvetle beslenen yozlaşmış polislerinin yerine yeni güvenlik ve gümrük memurları atanmıştı ama bunun haricinde her şey aynı görünüyordu. Gelen Yolcu terminalinde Pieter Boerke'nin tanıdık yüzünü gördü, yanında özel güvenlik takımı olduğunu düşündüğü iri yarı iki adam vardı.

Boerke kısa zaman önce despot bir diktatörü devirmişti ve dibinden ayrılmayan bir koruma ordusuyla gezecek türde bir adam değildi. Güney Afrikalı, Jaeger'ı karşılamak için elini uzattıktan sonra korumalarına döndü.

"Tamam çocuklar, yakalayın hemen! Kara Sahil'e geri götürüyoruz!"

Jaeger bir anlığına tüm vücudunun kasıldığını hissetti. Bunu gören Boerke kahkahalara boğuldu.

"Sakin ol be oğlum, sakin! Bizim Güney Afrika'da epey çirkin bir espri anlayışımız var. Seni tekrar görmek harika!"

Adanın başkenti Malabo'ya giderken Boerke, darbenin ne kadar başarılı geçtiğini anlattı. Jaeger'ın Kara Sahil'deki eski gardiyanı Binbaşı Mojo'dan alınan istihbarat, darbenin başarısında inanılmaz bir rol oynamıştı. Nitekim Boerke'nin söz verdiği vaadi gerçekleştirmek için bu kadar uğraşmasının önemli sebeplerinden biri de buydu.

Malabo'nun Santa Isabel Limanı'na ulaştılar ve sahil yolu boyunca ilerleyip sömürge döneminden kalmış gibi görünen deniz manzaralı büyükçe bir binanın önünde durdular. Jaeger adada geçirdiği üç yıl boyunca dikkat çekmemek için elinden geleni yapmış ve hükümet binalarını ziyaret etmek için de pek geçerli bir sebep bulamamıştı.

Boerke, birbirini izleyen rejimlerin, ülkedeki en hassas belgeleri sakladığı mahzenlere doğru yolu gösterdi. Tabii Ekvator Ginesi gibi bir yerde saklanacak pek bir şey yoktu. Boerke'nin önünde durduğu mahzenin kapısı sıkıca kapatılıp sürgülenmişti. Korumaları hemen dışında nöbet tutuyordu. Soğuk, karanlık ve küflü mahzenin içine sadece Jaeger ile Boerke girdi.

Adanın yeni başkanı yakınındaki bir raftan karton bir dosya çıkardı. İçinde kalın kalın belgelerden oluşan tomarlar vardı. Önlerinde duran masanın üzerine koydu.

"İşte bu," dedi dosyaya vurarak Boerke. "İnan bana dostum, dünyanın yarısını uçup gelmene değecek." Oda boyunca uzanan raflara doğru bir elini salladı. "Buradakilerin çoğu saklamaya bile değmez. Ekvator Ginesi'nin devlet sırları konusunda pek varlıklı olduğunu söyleyemem. Ama görünüşe göre ada savaşta önemli bir rol oynamış. Savaşın sonunda da, ciddi söylüyorum, aklını başından alacak bir şey olmuş."

Boerke bir süre duraksadıktan sonra, "Tamam, şimdi biraz tarih dersi... Muhtemelen çoğunu biliyorsundur ama bazılarını öğrenmezsen bu dosyanın içindekiler de bir anlam ifade etmez. Savaş zamanı Bioko, Fernando Po adında bir İspanyol sömürgesiydi. İspanya ise savaş sırasında sözde tarafsız bir devletti. Doğal olarak Fernando Po da öyle...

Ama aslında İspanyol hükümeti sapına kadar faşistti ve Nazilerin önemli bir müttefikiydi. Buradaki liman da Gine Körfezi'ne ciddi şekilde hâkim," diye devam etti Boerke. "Okyanusun bu tarafının kontrolünü elinde kim tutarsa, Kuzey Afrika'daki savaşı kazanmaya da o kadar yaklaşmış olurdu. Çünkü tüm konvoy ikmalleri bu rotada yapılıyordu. Alman U-botları bu sularda sinsi sinsi dolaşıyordu ve İttifak devletlerinin tüm nakliye hattını sona erdirmeye çok yaklaşmışlardı. Santa Isabel Limanı da U-botlarını yeniden silahlandırdığı ve yakıt ikmali yaptığı yerdi. Nitekim liman, adanın İngilizlerden nefret eden İspanyol valisi tarafından idare ediliyordu."

"Mart 1945'in ilk günlerinde işler ciddi şekilde enteresan bir hâl almaya başladı," derken Boerke'nin gözleri parlıyordu. "İtalyan bir kargo gemisi, SS *Michelangelo*, limana demir attı ve orada konuşlanmış İngiliz casusların dikkatini çekti. Diplomat kisvesi altında İngiliz Konsolosluğu'na yerleştirilen üç casus vardı. Hepsi Özel Operasyonlar İdaresi'nin [SOE] görevlendirdiği birer ajandı." Jaeger'a baktı. "Sanıyorum SOE'yi biliyorsundur. Ian Fleming'in James Bond karakterini gerçek bir SOE ajanının hikâyesine göre yarattığı söylenir."

Dosyayı açtı ve içinden siyah beyaz eski bir fotoğraf çıkardı. Ortasında dev bir bacayla limanda duran büyük bir buharlı gemi vardı.

"*Michelangelo* bu işte. Ama asıl dikkat etmen gereken, geminin Compania Naviera Levantina renklerinde boyanması... Yani İspanyol bir gemi şirketi... Compania Naviera Levantina'nın kurucusu Martin Bormann adında bir adamdı," diye devam etti Boerke. "Hitler'in bankacısı olarak biliniyor ve tek bir amaca hizmet ediyordu; Nazilerin ganimetini tarafsız bir ülke bayrağı altında dünyanın dört köşesine kaçıracaktı. O da İspanya oluyor. Herif savaşın sonunda ortadan kayboldu. Bildiğin yok oldu. Hiç bulunamadı.

Bormann'ın asıl görevi Avrupa soygununun denetimini sağlamaktı. Naziler girdikleri yerlerde çalabildikleri kadar altın, para ve sanat eserini Almanya'ya götürmüştü. Savaş bittiğinde Hitler, Avrupa'nın, hatta ne Avrupası, tüm dünyanın en zengin adamı olmuştu. Ayrıca tarih boyunca bilinen en büyük sanat koleksiyonu da onun elindeydi. Bormann'ın işi onca servetin Reich ile birlikte yok olmamasını sağlamaktı."

Boerke bir eliyle dosyaya vurdu.

"Görünüşe göre Fernando Po, Nazi vurgunlarının büyük bir kısmında geçiş noktası rolünü üstlenmiş. Ocak ve Mart 1945 arasında, Santa Isabel'den hepsi ganimetlerle dolu beş sevkiyat gemisi daha geçmiş. Mallar sonraki yolculukları için U-botlara yüklenmiş ve ondan sonra izleri kaybolmuş."

Kısa bir sessizliğin ardından, "Ancak o zamana kadarki izler, SOE casusları tarafından en ince ayrıntısına kadar belgelenmiş," diye devam etti Boerke. "Ama işin garibi ne biliyor musun? İttifak güçleri Nazileri durdurmak için kıllarını bile kıpırdatmamış. Kamuoyuna, o gemilere saldırmak üzere oldukları izlenimini vermişler ama içeride durdurmaya yönelik hiçbir adım atılmamış. O SOE casusları da besin zincirinin altındaki heriflermiş. Sevkiyatların neden durmadığını bir türlü anlamamışlar. İlk gördüğümde açıkçası ben de pek anlamamıştım. Ama sonra dosyanın en arkasındaki sayfaları gördüm. O zaman *Düşes*'i fark ettim."

Boerke dosyadan ikinci bir fotoğraf çıkardı.

"İşte burada, *Düşes*. Ama bununla önceki gemiler arasındaki farka dikkat et. Yine Compania Naviera Levantina renklerine boyanmış ama aslında kuru yük gemisi... Mallarla birlikte insan taşımak için de tasarlanmış. Peki kargonun çoğu Avrupa'dan çalıp çırptığın altınlar ve paha biçilemez sanat eserlerinden oluşurken neden bir yolcu gemisi gönderirsin?" Boerke, Jaeger'a döndü. "Ben söyleyeyim, çünkü gemide aslında tamamen yolcu taşıyorlardı."

Ardından masaya bir kâğıt koydu.

"*Düşes*'in gümrük manifestosunun yedinci sayfası... İki düzine yolcunun listesini içeriyor ama hepsi rastgele sayılarla belirtilmiş. İsim yok. O kadar yolu tepip Bioko'ya gelmene değmedi galiba, değil mi dostum?"

"Şansına, o SOE ajanları epey becerikliymiş." Son bir fotoğraf çıkardı ve Jaeger'a uzattı. "1945 ilkbaharında görev yapan en üst düzey Nazilerin ne kadarını tanıyorsun bilmiyorum. Uzun odaklı bir lensle çekilmiş, muhtemelen limanı yukarıdan gören İngiliz Konsolosluğu'ndan... Şu üniformalar efsane değil mi?" diye sordu Boerke alay ederek. "Upuzun deri paltolar... Kasıklara kadar uzanan deri botlar... Ölümün başları..." Bir elini gür sakalında gezdirdi. "İşin kötüsü böyle giyindikleri için hepsi aynı görünüyor. Ama bunların üst düzey Nazilerden olduğu kesin... Öyle olmalı yani. İsimlerin listelendiği sayfadaki şifreyi çözebilirsen kanıtı da bulursun."

"Ama buradan çıkıp nereye gitmişler o zaman?" diye sordu Jaeger şaşkınlık içinde.

Boerke, cevabı fotoğrafların arkasını çevirerek verdi.

"Arkalarına tarihler basılmış. 9 Mayıs 1945, Nazilerin İttifak güçlerine kayıtsız şartsız teslim olduğu günden iki gün sonrası... Ama bundan sonra izler siliniyor. Belki o da şifreyle gizlenmiştir. Dostum geçen ay her pazar günümü bu dosyayı inceleyerek geçirdim. Ne olduğunu anladığım zaman, yani parçaları birleştirdiğimde kanım çekildi. Ödüm koptu."

Bir süre sessiz kalıp başını iki yana salladı.

"Buradakiler doğruysa, ki bu mahzende duran bir belgenin sahte olması imkânsız, şimdiye kadar bildiğimizi sandığımız her şey değişir. Savaş sonrası tarih baştan yazılır. Gerçekten adamın aklını başından alıyor. Açıkçası ben üzerine düşünmemeye çalışıyorum. Çünkü düşündükçe korkudan elim ayağım titriyor. Öyle insanlar sessiz sedasız ortadan kaybolup tarla sürmeye başlamaz."

Jaeger uzunca bir süre fotoğrafa baktı.

"Ama bu dosya SOE'den çıkmaysa nasıl oldu da Fernando Po'nun İspanyol valisinin eline düştü?"

Boerke güldü.

"Komik kısım orası zaten... Vali bu sözde İngiliz diplomatların casus olduğunu anlamış. Sonra, 'neyse ne' deyip konsolosluğa baskın düzenlemiş ve tüm dosyaları çalmış. Pek doğru değil baktığında ama adasına diplomat kılığında casus sokmak da yanlış bir hareket... Neyse, eski bir deyiş vardır, bilir misin? 'Ne istediğine dikkat et,' derler."

Ardından Boerke tüm dosyayı Jaeger'a uzattı.

"Sevgili dostum bunu sen istedin. Hepsi senindir."

87

Boerke olayları gereğinden fazla abartacak biri değildi.

Bioko Hükümet Binası arşivlerinden çıkardığı dosya bilinmeyen birçok şeyi açığa çıkardığı gibi insanı hayrete düşürecek boyuttaydı. Jaeger dosyayı el bagajına yerleştirirken, Narov'un kısa bir süre önce söylediği ifadeyi hatırladı; "zehirli kadeh." İçindeki dosyayla birlikte çantası artık olduğundan çok daha ağır hissettiriyordu. Yapbozun yeni bir parçası elindeydi ve Karanlık Güç'ün bu dosya için gözünü kırpmadan katliam yapacağını biliyordu.

Jaeger hazırladığı bagajıyla Boerke'nin yanına döndü. Güney Amerikalı, Londra'ya hareket edecek dönüş uçağını yakalamadan önce Jaeger'a bir ada turu önermişti. Gizemi perçinleyerek ona hükümet arşivlerindeki dosyayı bile aşacak, aklının ucundan geçmeyecek olağanüstü bir keşif sözü daha vermişti.

***

Malabo'nun doğusuna doğru yola çıkıp yeniden sıkı tropik yeşilliğin arasına girdiler. Boerke sahile uzanan dar toprak yola döndüğü gibi Jaeger da nereye gittiklerini anladı. Bir ömür gibi geçen üç yıl boyunca çocuklarına İngilizce öğrettiği balıkçı köyü Fernao'ya gidiyorlardı. Jaeger ümitsizce oğlu Küçük Mo'yu sahildeki çatışma sırasında kaybeden köyün şefine ne söyleyeceğini düşünüyordu. Oradan ayrılalı daha iki ay bile olmamıştı ama Jaeger için koca bir ömür geçmişti. Boerke yüzündeki endişeyi sezmiş olmalıydı. Güldü.

"Jaeger, oğlum söylemezsem olmaz. Adamlarıma seni Kara Sahil'e atmalarını söylediğimde bile bu kadar tırsmış görünmüyordun. İkinci büyük sürprize az kaldı."

Fernao'ya uzanan yoldaki son virajı aldıklarında, Jaeger köyde kendisini bir tür karşılama partisinin içinde bulduğuna çok şaşırdı. İyice yaklaştıklarında sanki bütün köy onu karşılamak için yollara dökülmüş gibi görünüyordu. Ama ne içindi ki? Yeniden hoş geldin mi diyeceklerdi? Yaşanan onca şeyden sonra bunu gerçekten hak etmiyordu.

Jaeger, toprak yolun üzerinde, iki palmiye arasına asılmış el yapımı bir pankart gördü.

"EVİNE HOŞ GELDİN WILLIAM JAEGER."

Boerke aracı durdurduğunda Jaeger'ın eski öğrencileri etraflarını sarmıştı. Boğazını düğüm düğüm eden yumruyu hissedebiliyordu. Arabaya uzanan minik eller onu zorla çıkarıp Şef'in evine doğru yürütmeye çalışırken Boerke ile korumaları uzaktan seyrediyordu. Jaeger biraz sonra yüzleşeceği acı-tatlı buluşmaya artık kendini hazırlamıştı.

İçeri girdi. Tropik güneşin parlak ışıklarından sonra karanlık evde görüşünü yakalaması uzun bir süre aldı. Hemen yakınlardaki sahile vuran köpüklü dalgaların tanıdık sesi kulübenin ince topraktan duvarlarında yankılanıyordu. Karşılama için bir el uzandı ama Şef'in selamı bir anda güçlü bir sarılmaya dönüşmüştü.

"William Jaeger... William Jaeger, hoş geldin! Fernao köyü her zaman senin evin olacak."

Şef'in gözleri dolu doluydu. Jaeger kalbine hücum eden hislerle savaştı.

"Yolculuğun güzel geçmiştir inşallah," dedi Şef. "Arkadaşınla sahilden kaçtıktan sonra suyu geçip geçmediğini bilemedik."

"Evet," diye yanıtladı Jaeger. "Raff ile birlikte bunu ve daha bir sürü macerayı atlattık."

Şef gülümsedi. Kulübenin karanlık bir köşesini işaret edip, "Gel," dedi. "Bay Jaeger'ı yeterince beklettik."

Gölgelerin arasından süzülen bir beden, kendini Jaeger'ın kollarına bırakmıştı.

"Bayım! Bayım! Hoş geldiniz! Hoş geldiniz! Bakın!" Küçük çocuk, alnına koyduğu kocaman güneş gözlüğünü gösteriyordu. "Kaybetmedim! Güneş gözlüğünüz! Oakley!"

Jaeger güldü. Gözlerine inanamıyordu. Küçük Mo'nun başına sarılı kalın bir bandaj vardı ama çocuk kanlı canlı önünde duruyordu.

Jaeger, çocuğun yaşama tutunma mucizesinin tadını çıkararak, ona daha bir sıkı sarıldı. Ama aynı anda kalbinin derinlerindeki yeri doldurulamaz kaybının sancısını hissetmişti. Kendi oğlu da şimdiye Küçük Mo'nun yaşlarında olacaktı. Tabii hâlâ hayattaysa...

Kusursuz bir zamanlamayla Boerke aralarına katıldı ve köyün şefi, Küçük Mo'nun mucizevi kurtuluşunun hikâyesini anlatmaya başladı.

"Bu mucize için önce Allah'a, sonra sana şükrediyoruz Bay Jaeger. Bir de tabii ki Bay Boerke'ye... Kaçtığınız gece ateşlenen mermi oğluma büyük bir darbe indirdi. Orada ölüme terk edildi ve gerçekten de hayatını kaybedeceğinden korktuk. Ama onu kurtarılabileceği bir hastaneye gönderecek paramız yoktu. Sonra darbe oldu ve bu adam geldi." Şef, Boerke'yi işaret etti. "Elinde bir parça kâğıda yazılmış sayılar vardı. Bu sayılar bize bir banka hesabının kapılarını açtı. İçinde senin bıraktığın para vardı. O para ve Bay Boerke'nin yardımlarıyla Küçük Mo'yu Cape Town'daki bütün Afrika'nın en iyi hastanesine gönderdim. Ancak orada kurtulabilirdi. Ama bize çok fazla para bırakmışsın ve büyük bir kısmı arttı." Şef gülümsedi. "Ben de önce çatışma sırasında hasar görmüş botların yerine yenilerini aldım. Sonra yeni bir okul inşa etmeye karar verdik. Düzgün bir okul... Eğitimin artık palmiyelerin altında verilmek zorunda olmayacağı bir okul... En son da, Bayan Topeka gelebilirse, kalıcı bir öğretmen tuttuk."

Bölge yerlisi olduğu anlaşılan, genç ve şık giyimli bir kadın öne çıkıp Jaeger'a utançla gülümsedi.

"Çocukların hepsi sizden büyük bir sevgiyle bahsediyor Bay Jaeger. Başlattığınız muhteşem işi devam ettirmeye çalışıyorum."

"Tabii senin gibi yetenekli bir öğretmen için her daim yerimiz var," diye ekledi Şef. "Hem Küçük Mo da plaj futbolundaki hareketlerini özlemiş! Ama seni engin dünyaya geri götüren işlerin olabileceğini düşünüyorum, belki de böylesi daha hayırlıdır." Duraksadı. "İnşallah William yolunu bulmuşsundur."

Bulmuş muydu? Yolunu bulmuş muydu?

Jaeger artık enkazı yağmur ormanlarına dağılmış o karanlık savaş uçağını düşündü; Irina Narov'u ve kıymetli bıçağını, kayıp karısı ve çocuğunu, Ruth ve Luke'u... Önünde uzanan çok fazla yol vardı ama bir ihtimal, bir şekilde, bir yerde hepsi birleşirdi.

"Umuyorum," deyip Küçük Mo'nun saçını okşadı. "Ama sizden bir iyilik rica edeceğim. O öğretmenlik pozisyonu açık kalsın, ne olur ne olmaz."

Şef kapılarının ona her zaman açık olacağını söyledi.

"Öyleyse zaman geldi," diye duyurdu. "Okul için seçtiğimiz araziyi görmen lazım. İnanılmaz kaçışa sahne olan sahile yukarıdan bakıyor ve temelini senin atmanı istiyoruz. Adını da William Jaeger ve Pieter Boerke Okulu koyacağız, sizler olmasanız bu okul var olmazdı."

Boerke hayretler içerisinde başını iki yana sallayıp, "Onur duydum ama bunu kabul edemem. William Jaeger Okulu gayet yeterli... Ben sadece aracıydım," dedi.

Okulun inşa edileceği araziye yaptığı ziyaret, Jaeger'ın asla unutamayacağı bir anıydı. Üzerine duvarların örüleceği ilk taşı okulun temeline yerleştirdi. Ardından Boerke ile katılımın zorunlu olduğu ziyafete kaldılar. Ama nihayetinde veda zamanı gelmişti.

Boerke ada turu için son bir durak daha planlamıştı, Jaeger'ın ise yakalaması gereken bir uçağı vardı.

88

Fernao'dan çıktıktan sonra Beorke, aracı Malabo'ya uzanan batıya doğru sürdü. Sahil yoluna çıkmalarıyla birlikte Jaeger yine nereye gittiklerini anlamıştı. Aynı beklediği gibi, Kara Sahil Cezaevi'nin yerleşkesine vardılar. Hapishanenin kapıları çok daha etkili ve yetenekli görünen gardiyanların eşliğinde ardına kadar açıldı. Boerke uzunca bir duvarın gölgesine park edip Jaeger'a döndü.

"Bir evden diğerine... Hâlâ hapis olarak kullanıyoruz ama mahkûmların profili baştan aşağı değişti. O eski işkence hücreleri artık boş ve köpekbalıkları açlıktan kudurmuş durumda..." Duraksadı. "Sana göstermek istediğim bir şey var, sonra da geri vermemiz gereken birkaç eşya..."

Araçtan inip hapishanenin karanlık koridorlarına doğru yürüdüler. Jaeger sonu gelmez bir biçimde kelimenin tam anlamıyla kendi bokunda boğulduğu, beynini hamamböceklerine yem ettiği yere yeniden adım atacağı için ciddi şekilde rahatsız olmuştu. Ama belki de şeytanları kovmanın yolu bununla yüzleşmekten geçiyordu.

İçeri girer girmez Boerke'nin onu nereye götürdüğünü anladı, eski hücresine gidiyorlardı. Güney Afrikalı parmaklıklara hafifçe vurdu ve içerideki adamı yanına çağırdı.

"Evet Mojo, yeni gardiyanınla tanış." Jaeger'ı gösterdi. "Olaya gel, roller ne çabuk değişti!"

Jaeger eski hücresinin yeni sakiniyle göz göze geldiğinde bakışlarından tüm bedenine yayılan dehşete tanık oldu.

"Şimdi çok ama çok uslu bir çocuk olmazsan," diye devam etti Boerke, "Bay Jaeger'ın burada sana özel bir işkence hücresi ayarlamasına müsaade edeceğim." Jaeger'a hızlı bir bakış attı. "Sana da uyar mı?"

Jaeger omuzlarını silkip, "Uyar. Pabucun diğer ayakta olduğu zamanlardan çok pis işkenceler hatırlıyorum," dedi.

"Duydun mu Mojo?" diye çıkıştı Boerke. "Bir de acayip bir haber vereyim, bana söylediklerine göre sizin köpekbalıkları deli gibi acıkmış. Aman dikkat et kendine dostum. Çok çok dikkat et."

Jaeger'ın eski gardiyanını dehşet içinde bıraktıktan sonra cezaevinin ofisine yöneldiler. İlerleyiş sırasında, Boerke tecrit blokuna açılan bir koridorun önünde durup Jaeger'a baktı.

"O tarafta kimi tutuyoruz biliyor musun?" Başıyla koridoru işaret etti. "Chambara. Tam kaçmaya çalışırken havaalanında yakaladık. Gidip selam vermek ister misin? İlk başta seni yakalatan da oydu, değil mi?"

"Evet ama bırakalım yalnızlığın keyfini çıkarsın şimdi. Yine de fazla varsa yatlarından birini alırım," diye ekledi Jaeger gülerek.

Boerke de gülüp, "Listeye yazdım adını. Şaka bir yana, biz soyup yağmalamaya değil, bu ülkeyi yeniden kurmaya geldik dostum," dedi.

Merdivenleri tırmanıp Jaeger'ın Kara Sahil'e geldiğinde işlemlerinin yapıldığı cezaevi ofisine çıktılar. Boerke masadaki gardiyana bir şeyler söyledi; ardından Jaeger'ın üzerinden çıkarmadığı kemeriyle bağlanmış, çoğu kıyafetten oluşan bir yığın eşya alıp Jaeger'a uzattı.

"Sanıyorum bunlar sana ait... Mojo'nun adamları değerli ne varsa çalmış ama isteyeceğini düşündüğüm birkaç özel eşya hâlâ duruyor."

Yan taraftaki bir odaya doğru yolu gösterdi ve ardından Jaeger'ın eşyalarına rahatça göz atabilmesi için müsaade istedi. Kıyafetlerin dışında yığının arasında Jaeger'ın eski cüzdanı da vardı. İçindeki tüm para ve kredi kartları alınsa da cüzdanına geri kavuştuğu için sevinmişti. Karısının hediyesiydi. Cam yeşili deriden yapılmaydı ve içindeki cep kapağının altına gizli bir şekilde işlenmiş SAS sloganı, "Cüret Eden

Kazanır" yazısı vardı. Jaeger cüzdanı sallayıp açtı ve astarlarının arasına saklanmış gizli bölmeye baktı. Neyse ki Kara Sahil'deki gardiyanlar orayı görmemişti. Küçük bir fotoğraf çıkardı. Genç, yeşil gözlü dünya güzeli bir kadınla kucağında tuttuğu yeni doğmuş bebeğinin fotoğrafıydı bu. Luke doğduktan hemen sonra çekilmişti.

Fotoğrafın yanına sıkıştırılmış bir de ufak kâğıt parçası vardı. Üzerinde kredi kartlarının dört haneli şifreleri yazıyordu ama Jaeger gören hiç kimsenin anlayamayacağı bir şekilde yazmıştı. Basit bir şifreleme yöntemi kullanmış, dört rakamın her birine doğum yılı olan 1979'u eklemişti.

Bu sayede 2345, 3.12.11.14 hâlini almıştı.

Basitti.

Şifreliydi.

Bir anda Jaeger'ın aklı Wardour Kalesi'ndeki dairesinde yatan eski savaş sandığına gitti. Gözünde, sandığın içindeki çok uzun yıllar önce dünyadan silinmiş bir Ortaçağ dilinde yazılan, resimlerle dolu kitabın ender bulunan nüshası canlandı. Hemen ardından hafızasının açtığı yolda Wild Dog Media'nın Soho ofisinde arşivci Simon Jenkinson ile bayat ve lastik gibi suşileri yerken ettiği sohbete gitti.

"Kitap şifresi dedikleri bir şey var. En güzel kısmıysa basitliğinde yatıyor. Bir de her bir kişinin hangi kitaba atıfta bulunduğunu bilmediğin takdirde şifreyi çözmenin imkânsız olması var."

Bunun ardından arşivci rastgele görünen bir dizi sayı yazmıştı.

Jaeger hemen el çantasına uzanıp Malabo Hükümet Konağı'ndan aldığı dosyayı çıkardı ve *Düşes*'in manifestosunun son sayfasını açtı. Bir anda midesine akın eden heyecan yükselirken gözlerini rastgele görünen sayıların üzerinde gezdirdi.

Irina Narov, Ted Dede'nin büyük bir Nazi avında liderlik rolünü üstlendiğini söylemişti. Joe Amcasının uygun gördüğü kadarıyla anlattıklarına dayanarak, Jaeger onun da Ted Dedesinin başlattığı işte önemli bir rol oynadığını biliyordu. İki adamın da çalışma masasında aynı nadir ve eski kitabın, Voynich yazmalarının birer nüshası duruyordu.

Belki bu göz önündeki çılgınlığın arkasında bir nizam vardı.

Belki Voynich yazmaları şifreyi çözerdi.

Belki Ted Dedesi ile Joe Amcası Nazilere ait savaş sonrası dönemden bazı belgeleri ele geçirmiş ve avın bir parçası olarak şifreli dili çözmeye başlamıştı.

Bu durumda şifreyi çözecek tüm cevaplar Jaeger'ın elinin altında duruyordu. Doğru kitaplar ve belgelerle birlikte Narov ve Jenkinson'ı alıp masaya oturabilirse her şey bir anda çözülmeye başlayabilirdi.

Jaeger kendi kendine güldü. Boerke haklı çıkmıştı. Bioko'ya yaptığı uzun yolculuk her saniyesine değmişti.

Güney Afrikalı kapıyı çalıp odaya girdi.

"Evet dostum, hâlinden memnun görünüyorsun. Sanırım buraya gelmek hoşuna gitti."

Jaeger başını sallayıp, "Sana borcum çok büyük Pieter, dağları aşar," dedi.

"Lafı bile olmaz dostum. Ben sadece kendi borcumu ödedim, o kadar."

Jaeger el bagajından telefonunu çıkarıp, "Hızla iki e-posta göndereceğim," dedi.

"Sinyal yakalayabilirsen gönder tabii," dedi Boerke. "Malabo'da telefonlar kafasına göre çekiyor."

Jaeger telefonu açtı ve e-posta hesabına girdi, hızla ilk mesajını yazmaya başladı.

Simon,

Yeniden Londra'ya dönüyorum, yarın sabah orada olacağım. Buluşmak için bir zaman ayarlayabilir misin? Bir saat kadar yeterli... Neresi uygun dersen oraya geleceğim. Çok acil! Keşfettiklerimi görünce çok mutlu olacağını düşünüyorum. İlk fırsatta haber bekliyorum.

Jaeger

Mesajı giden kutusunda sinyal bulmayı beklerken ikinci e-postasını yazmaya koyuldu.

Irina (müsaadenle),

Umarım iyileşmen tüm hızıyla sürüyordur. Kısa zaman içinde Cachimbo'ya geleceğim. İyi haber! Şifreyi çözmüş olabilirim. Kalanını görüşünce anlatacağım.

Sevgiler
Will

"Gönder" tuşuna bastığı anda telefonu bir kez öterek sinyal yakaladığını gösterdi, "Safaricom" adında yerel bir operatöre bağlanmıştı. Gönderme simgesi birkaç saniye boyunca kendi hâlinde döndü ve sonra telefonun bağlantısı kesildi. Tam telefonu kapatıp açarak mesajları göndermeyi tekrar deneyecekti ki telefon kendi başına ekranını karartıp saniyeler içinde yeniden canlandı. Ekranda kendi kendine yazılan bir mesaj belirmişti.

Soru: Seni nasıl bulduk?
Cevap: Arkadaşın nerede arayacağımızı söyledi.

Hemen ardından ekran bir kez daha siyahlara büründü, ardından mide bulandırıcı olduğu kadar korkutucu ve tanıdık bir fotoğraf belirdi; *Reichsadler.*

Ama bu *Reichsadler*, bir duvara asılmış Nazi tarzı bir bayrağın üzerindeydi. Altındaysa el ve ayak bileklerinden bağlanmış Andy Smith, parke zeminde sırtüstü yatıyordu. Yüzünün üzerine attıkları kıyafetlere ve hemen yanındaki su dolu kovaya bakılırsa waterboarding ile işkence edilmişti.

Jaeger olduğu yere çakılmıştı, gözlerini korkunç fotoğraftan ayıramıyordu. Fotoğrafın, Smithy'nin Loch Iver'deki otel odasında çekildiğini tahmin etti. En yakın dostunu oradan çıkarıp fırtınalı tepeye götürerek boğazına bir şişe viski dayadıktan sonra karanlık uçurumdan yuvarlamışlardı. Muhtemelen Smithy'nin otel odasını işkencecilerine açmasına Stefan Kral yol açmıştı.

Zavallı Smithy'nin ölmeden önce saldırganlara anlatabileceği çok az şey vardı. Uçak enkazının aşağı yukarı konumu haricinde Albay Evandro tam konumunu kimseyle paylaşmamıştı.

Fotoğrafın altında yeni sözler belirdi.

Bizim olanı teslim et.
Wir sind die Zukunft.

Bizim olanı teslim et. Jaeger bu ifadeden Ju 390'ın kokpitindeki belgeleri kastettiklerini çıkarmıştı. Peki Narov'un çantayı aldığını ve savaş uçağıyla birlikte çakılmadığını nereden biliyorlardı? Jaeger'ın hiçbir fikri yoktu. Ama sonra aklına geldi; *Leticia Santos.*

Belli ki Brezilyalı tutsağı işkence ederek konuşturmuşlardı. Takımdaki diğer herkes gibi Leticia da uçağın kokpitinde çok önemli bir şey keşfedildiğinden haberdardı. Çektiği onca acıdan sonra bildiklerini anlatmış olmalıydı.

Jaeger arkasından bir ses duydu.

"Oğlum kim gönderdi onu sana? Neden gönderdi?"

Konuşan Boerke'ydi ve Jaeger'ın telefonunda beliren fotoğrafa bakıyordu.

Güney Amerikalı'nın sesi Jaeger'ı içine düştüğü trans hâlinden çıkarmıştı. Bir anda zihnini alev alev yakan bir aydınlanma yaşadı. Kolunu kaldırdı ve bütün gücüyle telefonunu açık pencereden dışarıdaki yeşilliğe doğru fırlattıktan sonra el bagajını kaptığı gibi koşmaya başladı. Boerke'ye bağırdı.

"KAÇIN! Herkesi çıkar! HEMEN!"

Ofisin olduğu koridordan koşarken gardiyanlara bağırıyorlardı. Bodrumdaki eski işkence hücrelerine vardıkları sırada Hellfire adaya vurdu. Jaeger'ın telefonunu attığı yeri tuzla buz etmiş, hapishaneyi çevreleyen duvarıyla az önce Jaeger ile Boerke'nin oturduğu yerin arasında kocaman bir delik açmıştı.

Gardiyanların çoğuyla birlikte bodruma kaçan iki adam da yara almamıştı. Ama Jaeger artık kendini kandırmayacaktı. Daha önce bir sefer ölümün kucağına düştüğü bu hapishanede, Karanlık Güç bir kez daha canını almaya çalışmıştı.

William Jaeger bir kez daha avlanmanın kıyısından dönmüştü.

89

Neyse ki Malabo'da bir sürü internet kafe vardı. Boerke'nin rehberliğinde Jaeger birini seçti ve kısacık bir mesaj yazdı.

Bütün iletişim hatlarım kapalı... Ayarlandığı gibi yola çıkın. İlk plana geri dönün.

WJ

Sivil hayatta bile Jaeger eski asker özdeyişine uygun bir hayat sürmeye çalışıyordu; "Planlamayı başaramazsan başarısızlığı planla."

Cachimbo'dan ayrılmadan önce avın devam etmesi ihtimaline karşı alternatif seyahat ve iletişim yolları ayarlamıştı. Düşmanın artık iki hedefe kilitlendiğini, ya belgeleri geri alacağını ya da varlığından haberdar olan herkesi öldüreceğini anlamıştı. İki hedefi de gerçekleştirmekse onlar adına kusursuz bir sonuç olurdu.

Yalnızca çekirdek takımının -Narov, Raff ve Dale- erişim sağlayabildiği gizli bir adres üzerinden bir e-posta taslağı yazmaya başladı. Takımındakiler hiç göndermese bile taslağı nasıl okuyacağını biliyordu. Bu sayede mesajları takip etmek imkânsız olacaktı.

E-postada, planlanan buluşmanın daha önce belirlenen lokasyonda tam olarak ne zaman gerçekleşeceğini paylaştı. Taslak kutusunda aksini bildiren bir mesaj olmazsa toplantı yapılacak demekti. "Ayarlandığı gibi yola çıkın," talimatı Narov, Raff ve Dale'in, Albay Evandro'nun

Brezilya istihbaratındaki dostları sayesinde sağladığı pasaportları kullanarak İngiltere'ye uçmalarını söylüyordu.

Gerekmesi hâlinde Brezilyalı diplomat kılığına gireceklerdi. Albay Evandro, Jaeger'ın takımını evine güvenle götürmeye ve Ju 390 bulmacasını çözmeye bu kadar kararlıydı.

***

Jaeger planlandığı gibi Bioko'dan Londra'ya uçtu. Özellikle de Albay Evandro'nun ayarladığı, takip edilmesi mümkün olmayan "temiz" pasaportla uçacağı için bu planı değiştirmenin herhangi bir anlamı yoktu.

Londra'ya indiğinde Heathrow Express treniyle Paddington'a gitti ve oradan siyah bir taksiye atladı. Taksiden Springfield Marina'nın aşağı yukarı bir kilometre uzağında inerek kısa bir yürüyüşün ardından Londra'daki evine vardı. Aynı zamanda takip edilmediğinden emin olmak adına aldığı ekstra bir önlemdi bu.

Bir teknede yaşamanın getirileri arasında peşine düşülebilir bir iz bırakmama gibi önemli bir avantaj vardı. Jaeger belediye vergisi ödemiyor, elektrik faturası veya tapu sicili gibi meselelere hiç bulaşmıyordu; bir de açık adresi olarak marinayı göstermemeyi tercih etmişti.

Teknesiyle birlikte bağladığı yeri de anonim bir yabancı şirket adına kaydettirmişti. Yani kısacası Jaeger'ın Thames Nehri'ndeki teknesi bu toplantı için olabilecek en kusursuz seçimdi.

Marinaya doğru yürürken oldukça pis görünen bir internet kafeye uğradı. Sade bir kahve söyleyip hesaba giriş yaptı ve taslak kutusunu açtı. İki mesaj vardı. İlki Raff'tan gelmiş, oraya ulaşmaları için gereken zaman dolayısıyla toplantıyı birkaç saat ertelemesi gerektiğini söylemişti. Diğer mesaj tek bir bağlantı haricinde boştu. Jaeger bağlantıya tıkladı ve çevrimiçi veri depolama sistemi Dropbox'a gitti.

Dropbox'taki dosyada bir görüntü, bir JPEG dosyası vardı.

Jaeger ona da tıkladı.

İnternet bağlantısı çok yavaştı ve fotoğraf ağır ağır yüklenirken gördükleriyle birlikte karnına üst üste sert yumruklar yemiş gibi hissetti.

Fotoğrafta Leticia Santos vardı. Brezilyalı kadın elleri ve ayakları bağlanmış, çırılçıplak bir şekilde dizlerinin üzerine çökmüştü ve dehşetten kana bulanmış gözleriyle direkt kameraya bakıyordu.

Arkasındaki yırtık pırtık olmuş, kan lekeleriyle kızarmış çarşafın üzerine artık tanıdığı cümleler yazılmıştı.

Bizim olanı teslim et.

Wir sind die Zukunft.

İnsan kanı olduğunu düşündüğü şeyle kaba saba yazılmıştı.

Jaeger çıkış yapmaya zahmet etmedi. El sürmediği kahvesini bırakarak hızla kafeden ayrıldı.

Nasıl olduğunu anlamadığı bir şekilde taslak e-posta sistemlerine bile sızmışlardı. Durum böyleyse bir Hellfire'ı ateşleyecek hava aracının hemen üzerine ulaşması ne kadar zaman alırdı? Jaeger düşmanın Doğu Londra'ya bir roket saldırısı yapacak kadar güçlü olduğunu sanmıyordu ama varsayımlar en büyük felaketlerin kilidini açardı.

İçgüdüleri, Jaeger'a düşmanın neyin peşinde olduğunu söylemişti bile. Kasten sataşıyorlardı ona. Nazilerin zamanında *Nervenkrieg*, "akıl savaşı" adını verdiği denenmiş ve onaylanmış çok güçlü bir silahtı bu. Özenle tasarlanmış bir planı uygulayarak ona işkence ediyor, nihayetinde bulup öldürebilecekleri takip edilebilir bir noktada kalacak kadar kışkırtabileceklerini umuyorlardı. Bu da olmazsa tek başına ava çıkacak kadar kışkırtılması da ikinci seçenekti.

Ve *Nervenkrieg* işe yarıyor gibi görünüyordu.

O mide bulandırıcı fotoğrafı yavaş yavaş inerken seyretmek, Jaeger'ı için için yakan, derhâl bir başına yola çıkıp Leticia Santos'un işkencecilerini bulma dürtüsünü tetiklemeye yetmişti bile.

Peşine düşebileceği farklı ipuçları vardı. İlk olarak C-130'un pilotundan başlayabilirdi. Carson'da adamın bilgileri bulunuyordu ve Jaeger'ın ava başlaması için bu kadarı yeterliydi. Hem Albay Evandro da kendi soruşturmalarından çıkacak yeni ipuçlarını paylaşacağına söz vermişti.

Ama Jaeger'ın kendini tutması gerekiyordu.

Takımını yeniden bir araya getirmesi, keşfettikleri şeyin ne anlama geldiğini öğrenip yeri, düşmanı ve tehdidi derinlemesine araştırması ve bunlara göre bir strateji belirleyip harekete geçmesi gerekiyordu. Bir şekilde içindeki sesi susturmak, olayın heyecanına kapılıp fevri bir harekette bulunmadan geleceği düşünerek kararlar almak zorundaydı.

O eski deyiş yine kulaklarına çalınmıştı.

"Planlamayı başaramazsan başarısızlığı planla."

90

O akşamki toplantıya ilk gelen isim arşivci Simon Jenkinson oldu.

Jaeger günün büyük çoğunluğunu Triumph Explorer motorunda geçirmiş, Wardour Kalesi'ndeki evine kaçamak bir ziyaret gerçekleştirmişti. Oradan, kendi elindeki, Ted Dedesinin miras bıraktığı Voynich yazmalarını almıştı. Kalın kitabı teknesindeki masanın üzerine saygılı bir biçimde bırakmış ve Simon Jenkinson'ın içeri girişini beklemeye başlamıştı.

Arşivci belirlenen zamandan yarım saat kadar erken geldi. Jaeger'ın onu son gördüğü zamandan bu yana kış uykusundan yeni uyanmış bir ayıya benzeyen görünüşünden hiçbir şey kaybetmemişti. Jaeger'ın isteği üzerine Voynich yazmaları için bir çeviri bulmuş ve onu da koltukaltına sıkıca sarıp yanında getirmişti.

Jenkinson içeri girer girmez Voynich yazmalarıyla Bioko dosyasını almış, elindeki çeviriyle birlikte masaya oturup incelemeye başlamıştı. Jaeger'ın bir çay ikram etme fırsatı bile olmamıştı. Bıçak kemiğe dayanmıştı artık; burnunun en ucuna kadar düşen kalın mercekli gözlükleriyle, Jenkinson *Düşes*'in ilk bakışta rastgele görünen yolcu listesi üzerinde çalışmaya, Jaeger'ın sandığı kadarıyla şifreleri çözmeye koyulmuştu.

Yaklaşık bir saat kadar sonra başını masadan kaldırdı, gözleri heyecandan parıl parıl parlıyordu.

"Buldum!" diye haykırdı. "Sonunda! İki tane yaptım! Ne olur ne olmaz ilkini şansa bulmuşumdur diye tekrar ettim. Sonuçlara göre ilk adamımız Adolf Eichmann."

"Duymuştum bu ismi," dedi Jaeger. "Ama detayları hatırlat bana."

Jenkinson çoktan başını önünde duran kitaplarla kâğıtlara sokmuştu bile.

"Eichmann namussuzların önde gelenlerinden... Soykırımın en önemli mimarlarından biri... Savaş bittiğinde Nazi Almanyası'ndan kaçtı ve 1960'larda Arjantin'de bulundu. Sonraki isim, Ludolf von Alvensleben," dedi Jenkinson.

Jaeger başını iki yana salladı, daha önce böyle bir isim duymamıştı.

"*SS Gruppenführer* ve işinin ehli bir soykırımcı... Kuzey Polonya'da binlerce insana mezar olan Ölüm Vadisi'nin başındaydı." Jenkinson, Jaeger'a hızlı bir bakış attı. "Oldukça uzun süren hayatının sonuna kadar Arjantin'de yaşadı."

Jenkinson bir kez daha kitaplara yumuldu, sayfalar arasında bir ileri bir geri gittikten sonra listedeki üçüncü şifreyi de çözdü.

"Albert Heim," dedi arşivci. "Bunu duymuş olman lazım. Dünyanın gördüğü en uzun sürmüş insan avlarından birinin merkezindeydi. Savaş sırasında ona, 'Dr. Ölüm' adını takmışlardı. Bunu da mahkûmlar üzerinde deneyler yaptığı toplama kamplarında almıştı." Jenkinson ürperdi. "Aynı şekilde Arjantin'de saklandığı düşünülüyor ve söylentilere göre uzunca bir ömür sürmüş."

"Bir merkezde buluşuyoruz gibi," dedi Jaeger. "Latin Amerika'da..."

Jenkinson gülümseyip, "Aynen!" dedi.

Yeni bir isim bulmak için masaya oturacaktı ki grubun kalanı geldi. Yolculuk yüzünden tükenmiş görünmelerine rağmen Jaeger'ın onları son gördüğü zamandan bu yana hatırı sayılır bir şekilde iyileşmiş ve belli ki iyi beslenmiş Irina Narov ile Mike Dale, Raff'ın arkasından tekneye girdi.

Hepsini sırayla selamladı, daha önce görmemiş olanları Jenkinson ile tanıştırdı. Raff, Narov ve Dale, Cachimbo'dan Rio'ya kısa bir uçuşun ardından Londra'ya aktarmasız gelmişti. Yine de yaklaşık on sekiz saattir uçuyorlardı ve gece daha da uzayacağa benziyordu.

Jaeger sert bir kahve demledikten sonra iyi haberi paylaştı; kitap şifresi işe yaramış gibi görünüyordu, en azından Bioko belgelerinde...

Narov, Ju 390'ın kokpitinden aldığı bir çanta dolusu kâğıtları getirirken, beş kişi Voynich yazmalarıyla çevirisinin etrafında toplandı. Teknede beklentiyle oluşmuş heyecanlı bir atmosfer vardı. Yetmiş yıl boyunca saklı kalmış karanlık tarih bu sefer gün yüzüne çıkacak mıydı?

Narov ilk kâğıtları çıkardı. Dale de kamerasına yöneldi. Sonra durup Jaeger'a el etti.

"Burada çekmemde sıkıntı yok, değil mi?"

"Ne oldu sana böyle?" diye dalga geçti Jaeger. "Önce çekecek, sonra soracaksın; unuttun mu?"

Dale omuzlarını silkip, "Burası evin sonuçta. Ormanın ortasında çekmekten farklı yani," dedi.

Jaeger adamdaki değişimi hissedebiliyordu. Sanki geçen birkaç haftada yaşadığı onca sıkıntı ve güçlüğün ardından kendine gelmiş; çok daha olgun ve ilgili bir yapıya bürünmüştü.

"Çek, çek," dedi Jaeger. "Her şeyi kaydedelim, ne var ne yoksa..."

İlk başlarda Jenkinson'ın denetimi altında olmak üzere Narov, *Aktion Feuerland* belgelerini çözmeye başladı. Dale teknede çekimler yaparken Raff ve Jaeger da nöbete durmuştu. Görünüşe göre arşivci aynı anda iki işi yapmayı çok iyi beceriyordu. Daha çok kısa bir süre geçmesine rağmen Jaeger, bir anda *Düşes*'in manifestosunun yedinci sayfasını, tamamen şifresi çözülmüş bir hâlde gözünün önünde buldu. Jenkinson listedeki adı en çok duyulmuş kötüleri anlatmaya başladı.

"Gustav Wagner, 'Canavar' olarak da bilinirdi. Wagner engellilerin öldürüldüğü T4 programının fikir babasıydı, sonra da en gelişmiş imha kamplarının yönetimine geçti. Uzunca bir ömür sürdüğü Güney Amerika'ya kaçtı."

Parmağını listeden başka bir ismin üzerine bastırdı.

"Klaus Barbie, 'Lyon Kasabı'. Fransa'nın dört bir yanında işkenceleri ve cinayetleriyle tanınan bir soykırımcı... Savaş bittikten sonra..."

Jaeger'ın yan tekneden komşusu Annie'nin kapıdan görünmesiyle Jenkinson sözünü yarıda kesti. Jaeger durumu toparladı.

"Annie yandaki teknede yaşıyor. Kendisi çok... İyi bir arkadaşımdır."

Narov gömüldüğü masadan başını kaldırmaya tenezzül etmemişti.

"Hepsi öyle değil mi zaten? Kadınlar ve Will Jaeger, mum ışığına çekilen güveler gibi... İngilizcede böyle deniyordu, değil mi?"

"Annie gibi havuçlu kek yapan kim olursa kalbimi kazanır," diye cevapladı Jaeger. Olası bir uygunsuz durumun önüne geçmek için elinden geleni yapmıştı.

Jaeger ile arkadaşlarının meşgul olduğunu gören ve havadaki gerginliği hisseden Annie, getirdiği keki verip hızla kapıya yöneldi.

"Çok yormayın kendinizi arkadaşlar," diye seslenip el sallayarak çıktı.

Narov belgelerine daha da gömüldü. Jaeger az önce yaptıklarına gıcık olmuş bir şekilde gözünü üzerinden ayırmadı. Hangi hakla arkadaşlarına kabalık edebilirdi ki?

"Komşuluk ilişkilerimi pekiştirdiğin için sağ ol," dedi iğneleyici bir ses tonuyla.

Narov önündeki işten başını kaldırmadı bile.

"Bu dört duvarın dışındaki hiç kimseye, bu belgelerin açığa çıkarabilecekleri konusunda güvenemeyiz. Tabii bunları da çözebilirsek... Ne kadar iyi arkadaş olursa olsun kimse istisna değil."

"Ne diyorduk, Klaus Barbie..." diye girdi Jenkinson.

"Evet, Lyon Kasabı'nı anlat bana."

"Savaşın ardından Klaus Barbie, İngiliz ve Amerikan istihbaratı tarafından korundu. 'Adler' kod adıyla bir CIA ajanı olarak Arjantin'e gönderildi."

Jaeger bir kaşını kaldırıp, "Adler 'kartal' demek değil miydi?" diye sordu.

"Aynen öyle," dedi Jenkinson. "İster inan ister inanma, Lyon Kasabı nihayetinde 'Kartal' lakabıyla ömür boyu CIA ajanlığı yaptı." Parmağını listede aşağı kaydırdı. "Bir de bu var tabii. Heinrich Müller, Gestapo'nun eski lideri... Kaderindeki gizem bir türlü aydınlatılamayan en kıdemli Nazi... Birçok kişi tarafından tahmin edeceğiniz yere, Arjantin'e kaçtığı düşünülüyor. Onun altında, üst düzey SS komutanı Walter Rauff var. Nazilerin insanları gaza boğduğu hareketli araçların mucidi... Güney Amerika'ya kaçtı. Çok uzun yıllar boyunca yaşadı ve söylenenlere göre cenazesi büyük bir Nazi kutlaması şeklinde yapıldı."

"Son olarak da," dedi Jenkinson, "bizzat Ölüm Meleği, Joseph Mengele. Auschwitz'deki binlerce insan üzerinde akıl almaz deneyler gerçekleştirdi. Savaş bittikten sonra, artık söylememe bile gerek yok, Arjantin'e kaçtı. Orada da deneylerine devam ettiği söyleniyor. İnsanın içindeki canavarın can bulmuş hâli, tabii insan diyebilirseniz... Az kalsın unutuyordum, Bormann da listede... Martin Bormann, Hitler'in sağ kolu..."

"Bankacısı," diye araya girdi Jaeger.

"Doğru." Jenkinson bir bakış attı. "Anlayacağınız, elimizde Nazi haydutlarının bir listesi var. Yine de en haydutları, Adolf Amca burada görünmüyor. Berlin'deki sığınağında öldüğü söyleniyor ama şahsen buna hiçbir zaman inanmadım." Ardından omuzlarını silkip, "Yetişkin hayatımın çoğunu arşivlerde İkinci Dünya Savaşı'nı araştırarak geçirdim. Bunun etrafında oluşturulan endüstriyi görseniz hayret edersiniz. Ama onca kayda rağmen tüm bunların yakınına yaklaşabilen bir şey görmemiştim," dedi. Masadaki belge yığınına doğru bir elini salladı. "Açıkçası şu andan oldukça keyif aldığımı da eklemem gerekiyor. Biraz daha çözsem olur mu?"

"Tabii ki olur," dedi Jaeger. "Bayan Narov'un bir gecede bitireme-yeceği kadar çok var zaten. Ama merak ettiğim bir şey var, Ulusal Arşivler'de bulduğun o Hans Kammler dosyasına ne oldu? Birkaç sayfasını bana e-postayla göndermiştin hani?"

Jenkinson, gözlerine konmuş bir tutam endişeyle, olduğu yerde ha-fifçe zıpladı.

"Yok oldu. Gitti. Kayıp... O çevrimiçi bulut sistemlerine baktığımda bile bulamadım. Hiçbir yerde tek bir sayfası bile yok. Hiç var olmamış bir dosya gibi..."

"Onu ortadan kaldırmak için birileri elinden geleni ardına koymamış," dedi Jaeger.

"Aynen öyle," diye rahatsız bir biçimde doğruladı Jenkinson.

"Bir sorum daha var," dedi Jaeger. "Neden kitap şifresi kadar basit bir şey kullanıyorlar? Nazilerin elinde o dönem sanat eseri kabul edilen Enigma makinelerinden yok muydu?"

Jenkinson başını sallayıp, "Vardı ama Bletchley Park sayesinde Enig-ma'yı kırmayı başardık ve savaş bittiğinde Nazi yönetiminin bundan haberi vardı," dedi ve gülümsedi. "Kitap şifresi basit olabilir ama şifrenin dayandırıldığı kitabın ya da şu anki durum düşünüldüğün-de kitapların tıpatıp aynı nüshasına sahip olmadığın sürece kırman mümkün değildir."

Ardından tekrar Narov'un yanına sokulup o zehir gibi kafasını yeni bir belgeye gömdü.

91

Yoğun hesaplarla uğraşma işi Jaeger ve Raff'a göre değildi. İkili bu boşlukta kahve demleyerek ve güverteye çıkıp nöbet tutarak vakit geçirdi. Jaeger marinada bir sorunla karşılaşacaklarını pek sanmıyordu ama Raff ile birlikte şu âna kadar hayatta kalmış ve devam edebilmiş olmalarının arkasında, beklenmeyeni beklemek üzerine aldıkları eğitim vardı; hâlâ hayatlarını üzerine kurdukları eğitim.

Takribi bir saat kadar sonra Dale de onlara katıldı. Kahvesinden büyükçe bir yudum alıp, "Normal bir adam ancak bu kadar belge okuma çekebilirdi," dedi.

"Çekim demişken bizim film nasıl gidiyor?" diye sordu Jaeger. "Carson memnun kaldı mı, yoksa sabaha karşı evinde ölü mü bulunacaksın?"

Dale omuzlarını silkti.

"Garip bir şekilde adam gayet keyifli görünüyor. Tam olarak söz verdiğimiz gibi uçağı bulup ormandan çıkardık. Yolda kaybetmemiz, devam serilerinin olmayacağı anlamına geliyor. Ama burada işim bittikten sonra bölümleri kesmeye başlamak için bir kurgu stüdyosuna gideceğim."

"Beni nasıl göstereceksin?" diye sordu Jaeger. "Aa ve ıı'larımı çıkaracak mısın?"

"Seni tam bir salak gibi göstereceğim," dedi Dale. Yüzünde hiçbir ifade yoktu.

"Öyle bir şey yaparsan *gerçekten* sabaha karşı evinde ölü bulunursun."

"Öyle bir şey yaparsan film falan olmaz."

Güldüler. Aralarında, Jaeger'ın, ilk tanışmalarının ardından mümkün olabileceğini aklından geçirmediği çok güçlü bir bağ oluşmuştu artık.

Narov ilk belgesini çözdüğünde saat gece yarısına yaklaşıyordu. Voynich yazmaları olmasa bu belgelerin ne anlama geldiğini çözmek de mümkün olmazdı ama buna rağmen iş çok zaman alıyor, büyük özen gerektiriyordu. Teknenin açık güvertesinde duran Raff, Dale ve Jaeger'a katıldı.

"İşimin yüzde ellisini bitirmiş olabilirim," dedi. "Bu hâli bile inanılmaz!" Jaeger'a baktı. "Artık ilk üç Ju 390'ın; *Adlerflug I, II* ve *III*'ün nereye gittiğini ve bizim uçağımız *Adlerflug IV*'ün de yakıtı bitmese nereye gideceğini tam olarak biliyoruz. Yani Nazilerin saklanmaya kaçtıkları güvenli bölgelerini öğrendik."

"*Aktion Feuerland*," diye devam etti, "neden bu ismi verdiklerini biliyor musunuz? Tierra del Fuego'nun adını vermişler, Ateş Toprakları. O da nerede dersiniz? Arjantin'in Atlantik kıyısına açılan en güney ucunda... Bana sorarsanız Arjantin'de olması önemli bir sürpriz değil. En önde gelen Nazilere ev sahipliği yaptığından hep şüphelenilmişti zaten. Ama belgeden öğrendiğim başka yerler de var. Başka güvenli bölgeler ve onları görünce gerçekten şok oldum."

Narov duraksadı, içindeki sevinci dizginlemeye çalışıyordu.

"Tüm bunları sona erdirmek için gerekli istihbarat ve uzmanlığa hiç erişememiştik ya hani? Şimdi bu şifrelerin hepsini çözdükten sonra belki bu mümkün olur."

Narov anlattıklarına devam edemeden, içeriden coşkulu bir çığlık yükseldi. Jenkinson bağırmıştı. Arşivcinin olur olmadık her şeye heyecanlanma gibi bir alışkanlığı olmadığı için gerçekten olağanüstü bir şey bulduğunu anlayıp koşarak içeri girdiler.

Jenkinson elinde bir kâğıt tutuyordu.

"Bu! İşte bu!" diye seslendi, nefes nefeseydi. "Bu her şeyi değiştirir. Kolaylıkla gözden kaçabilirdi, kolaylıkla bir anlam ifade etmeyen sayılar olarak görülebilirdi. Ama şimdi her şey bir anlam ifade etmeye başladı. Korkunç, tüyler ürpertici bir anlam!"

Karşısındaki dörtlüye baktı, alt dudağı titriyordu. Heyecandan mı? Korkudan mı? Yoksa dehşetten mi?

"O kadar ganimeti, en üst düzey adamları ve *Wunderwaffe*'yi, yani mucize silahları dünyanın dört bir yanına hiçbir amaç olmadan göndermek mantıklı gelmiyor, değil mi? Ama varmış. Bir amaç... Bir takvim... Bir *ana plan*..."

"Bu..." Bir kâğıdı salladı. "İşte bu. *Aktion Werewolf*, "Kurtadam Operasyonu". Dördüncü Reich'ın planları..." Bakışlarına hücum eden korku ifadesiyle karşısındakileri izledi. "Dikkat edin, Dördüncü Reich. Üçüncü değil, *Dördüncü Reich*."

Jenkinson okumaya başlarken afallamış takım da masanın etrafında toplandı.

"Şöyle başlıyor; 'Führer'in emirleriyle Üçüncü Übermensch İmparatorluğu yeniden yükselmemiz için çalışacak.' Übermensch, 'üstün ırk' demek bu arada."

Jenkinson bütün belgeyi okumaya başladı. İttifak devletlerinin en zayıf noktasını, Doğu Bloku ile Sovyet komünizmine yönelik paranoyasını onlara karşı kullanacakları bir planın taslaklarını açıklıyordu. İttifak güçleri zafer şarkıları söylerken bile Naziler o paranoyayı Truva atı olarak kullanacak; onun içinde hayata tutunacak, onun içinde yükselecek ve fethedecekti.

"Savaş yılları süresince topladıkları muazzam serveti kullanarak toplumun her kademesine 'gerçek yandaşlar'dan yerleştirmişler. Nazi teknolojisini bu sefer yeni sahiplerinin faydasına kullanıyormuş gibi göstermelerine rağmen aslında bozuyorlarmış. Geleceği en parlak *Wunderwaffe* teknolojilerini mutlak gizlilik içerisinde, Dördüncü

Reich'ın altında Nazizm'in yeniden doğması için geliştirmeye devam etmişler."

"*'Önümüzdeki görevi sakın hafife almayın.'*" Jenkinson, belgenin son paragrafını okumaya başlamıştı. "*'Kurtadam Operasyonu bir gecede tamamına ermeyecek. Sabırlı olmamız, gücümüzü yeniden toplamamız ve askerlerimizi yeniden yetiştirmemiz gerekecek. Reich'ın en büyük akıllarının da yardımlarıyla Führer bu amaç uğruna gizlilik altında çalışmaya devam edecek. Reich küllerinden bir Anka kuşu gibi yeniden doğduğu gün geldiğindeyse tüm dünyaya yayılmış olacak ve durdurulamayacak. Birçoğumuz o günü görecek kadar yaşamayacak',*" diye devam etti, "*'ama çocuklarımız görecek. Doğuştan onlara bahşedilen hakkı sahiplenecekler. Übermensch'in kaderi ifa edilecek. Ve intikam... İntikam nihayet bize bahşedilecek.'*"

Jenkinson elindeki kâğıdı çevirip ikinci sayfasına baktı.

"Adamlarını CIA'in selefi Stratejik Hizmetler Ofisi'ne, Amerikan hükümetine, İngiliz Gizli İstihbarat Servisi'ne, dünyanın en büyük şirketlerine yerleştirmekten bahsetmişler. Liste uzadıkça uzuyor. Bunu başarmak için de kendilerine yetmiş yıl vermişler; o büyük utançlarından, İttifak kuvvetlerine kayıtsız şartsız teslim oldukları Mayıs 1945'ten itibaren yetmiş yıl." Jenkinson korku dolu gözlerle başını kaldırdı. "Yani şu sıralar yeni Reich'ın yükselmesi planlanmış. Anka kuşu gibi küllerinden doğarak..."

Karşısında duran Jaeger ve diğerlerinin de görmesi için belgeyi çevirdi. İkinci sayfanın altına oldukça tanıdık bir sembol damgalanmıştı; *Reichsadler.*

"Bu," diye gösterdi, "onların işareti. Dördüncü Reich'ın simgesi... Kartalın kuyruğunun altındaki o dairesel şekil, etrafındaki yazı da bir şifre... Hatta üç kat daha fazla şifrelenmiş ama çözmeyi başardım. Şöyle yazıyor; '*Die Übermensch des Reich-Wir sind die Zukunft.*' Yani; *Dördüncü İmparatorluk'un üstün ırkı, gelecek biziz.*'"

92

Jaeger yeşile çalan ılık sulardan Irina Narov'a baktı.

"Senin dalgan," diye meydan okudu. "Bakalım yeterince güçlü müsün?"

Arkalarından gelen dev dalga, bembeyaz kumlara doğru yuvarlanıyor; sahile yaklaştıkça daha da güçlenip büyüyordu.

"*Schwachkopf!* Yarışalım o zaman!"

Narov meydan okumayı kabul etmişti.

Arkalarına dönüp sahil şeridine doğru kollarıyla harıl harıl kürek çekmeye başladılar. Bir anda Jaeger büyük dalganın gürlemesini kulaklarında hissetti ve güçlü sular sörf tahtasının arkasını kaldırdı. Daha da hızla kürek çekmeye başladı, ince sahilin gümüş kumlarına doğru hızla gürleyen dalgayı yakalayıp onunla bir olmaya çalışıyordu.

Hızını artırdı, sörf tahtası suya katıldı ve çevik bir hamleyle ayaklarının üzerinde yükseldi. Sürüşü kontrol etmek için dizlerini bükmüştü. Jaeger hız kazandıkça içinde yükselen adrenalini hissetti ve hızlı bir dönüş yaparak Narov'u havalı bir şekilde yenmeye karar verdi.

Omuzlarını dalgaya doğru çevirdi, sörf tahtası üç metreyi aşan sudan bir duvarın üzerinde yüzüyordu. Suyun köpüklü zirvesine uzanıp yeniden hızlanarak aşağı süzülmek adına kendini çevirdi. Ama Kara Sahil Cezaevi'nde beş haftanın üzerine Amazon'da da bir o kadar geçirdiği süreyi hafife almıştı.

Ağırlığını öndeki ayağına geçirmeye çalıştığı sırada Jaeger bacaklarının ne kadar hamladığını fark etti. Dengesini kaybedip saniyeler içinde tahtadan düştü. Dev dalga Jaeger'ı içine alıp en derinlerine çekmiş ve gürlemeler arasında durmaksızın döndürmeye başlamıştı.

Okyanusun muazzam gücünün kendisini ele geçirdiğini hissetti ve kendini bıraktı. Böylesine büyük bir dalgada hayatta kalmanın tek yolu buydu. Oğlunu ilk kez sörf yapmaya götürdüğü zaman da bunu öğretmişti; "Acele etme. Dünyayı kurtarmak için on saniyen olduğunu düşün. O on saniyenin yarısını kurabiye yiyip süt içmeye ayır." Luke'a bir fırtınanın ortasında sakin kalmayı bu şekilde öğretmişti.

Dalganın kendisiyle işi bittiğinde onu tükürüp sahile atacağını biliyordu. Beklediği gibi birkaç saniye sonra su yüzeyine çıktı. Kocaman bir nefes aldıktan sonra sörf tahtasının iplerini aradı. Yakaladıktan sonra tahtayı kendine çekti ve üzerine çıkıp sahile doğru kürek çekmeye başladı. Narov zaferle parlayan bakışlarla kumların üzerinde onu bekliyordu.

Jaeger'ın teknesindeki efsane şifre çözme oturumunun ve Kurtadam Operasyonu keşfinin üzerinden bir hafta geçmişti. Bermuda'ya gitme fikri Jaeger'a aitti. Niyetiyse ailesinin yanında biraz vakit geçirmek ve plan yapmaktı. Gelecek savaştan önce bir molaydı.

Atlas Okyanusu'nun ortasına kurulmuş ufacık bir İngiliz bölgesi olarak Bermuda, onu meraklı gözlerden uzak tutabilecek en iyi yerdi. Jaeger'ın ailesi oradaki en büyük yerleşim yeri olan Ana Ada tarafında bile yaşamıyordu. Morgan's Point'in nefes kesici tarafında, Horseshoe Körfezi'nde bir yaşam kurmuşlardı.

Her şeyiyle izoleydi. Her şeyiyle çok güzeldi. Bir de Serra de los Dios cehenneminden çok uzaktaydı.

Garip bir şekilde, göreve en hevesli isim olan Narov, bu ufak cennet adaya bir ziyaret fırsatı doğduğunda da ilk atlayan olmuştu. Jaeger her şeyden uzaklaştıkları zaman artık saklı geçmişi ve tabii ki dedesiyle olan ilişkisi hakkında konuşacağını tahmin etmişti. Londra'dayken konuyu birkaç kez açmaya çalışmıştı ama Narov orada bile peşindeki şeytanlardan kurtulmuş gibi görünmüyordu.

Bermuda yolculuğu, aynı zamanda Jaeger'a anne ve babasıyla, Ted Dedesinin ölümüne dair çok ertelenmiş bir sohbet etme fırsatı da sağlayacaktı. Jaeger o zamanlar durumu anlayamayacak kadar küçük olsa da işin içinde cinayet olduğu kesindi.

Polislerin herhangi bir kanıt bulmayı başaramamasıyla birlikte aile de bu kaybı göründüğü gibi kabullenmek zorunda kalmıştı. Ama şüpheleri hiçbir zaman sonlanmamıştı.

Tahmin ettiği üzere, annesiyle babası Jaeger'ın yanında Narov ile gelmesini olduğundan farklı bir şey olarak yorumlamıştı. Hatta babası, Jaeger'ı çalışma odasına götürerek konuyla ilgili özel bir sohbet bile etmişti.

Arada sırada kendine has davranışları olsa da Narov'un ne kadar güzel olduğundan bahsetmiş ve Jaeger'ın bir kez daha sonunda biriyle birlikte olduğunu gördüğüne çok sevindiğini söylemişti. Jaeger ise babasının çok önemli bir durumu görmezden geldiğini, Narov ile ayrı odalarda uyuduklarını vurgulamıştı. Ardından babası buna hiçbir şekilde inanmadığını söylemişti. Onun gözünde, ayrı yatak odasında kalmak sadece bir numaraydı. Hepsi göstermelikti. Bir de Jaeger'ın karısı ve çocuğunun ortadan kaybolmasının ardından dört yıl geçmişti ve annesiyle birlikte artık zamanın geldiğini düşündüklerini söylemişti. Hayatına devam etmesinin zamanı gelmişti.

Jaeger, anne ve babasını her şeyden çok seviyordu. Özellikle babası, doğaya dair her şeye; dağlara, denizlere ve ormanlara beslediği sevginin kaynağıydı. Jaeger ona Ruth ve Luke'un hayatta olduğuna artık kesin bir şekilde inandığını söyleyememişti. Bu sayede ailesinin yeni bir belirsizlik ve acı sürecine girmesini engellediğini düşünüyordu.

Bu yeni inancını onlara nasıl açıklayacağını da bilmiyordu. Babasına bir Amazon Kızılderilisi'nin, bir savaşçı kardeşinin verdiği psikotropik bir içecekle anılarının canlandığını, ona umut verdiğini nasıl anlatabilirdi?

93

O sabahın sörfü bittikten sonra, Narov ile ağır ağır eve yürüdüler. Ailesi dışarı çıkmış ve Narov da okyanusun tuzlu suyunu bedeninden ve saçlarından arındırmak için duşa girmişti. Jaeger ise odasına dönüp tabletini aldı. Takımın kalanından gelebilecek haberleri kontrol etmesi gerekiyordu.

Herkes Amazon'dan sağ salim çıkana kadar önündeki adımları planlama konusunda içi rahat etmemişti. Elbette Reich'ın geri dönüşüne, Nazilerin dünyayı ele geçirmesine yönelik büyük bir planın varlığını keşfetmek o planın gerçekten uygulanacağını göstermiyordu. Ancak deliller güçlüydü ve Jaeger en kötüsünü düşünüyordu.

İlk önce Andy Smith öldürülmüştü, ardından Jaeger ile takımı Amazon'un en uzak köşelerinde durmaksızın avlanmıştı. Karanlık Güç onları yok edip hayalet uçak Ju 390'ın sırlarını sonsuza kadar gömmek adına elinden geleni ardına koymamıştı. Ellerinde küresel bir destekle ciddi bir teknolojik ve askerî silahlanma olduğu ortadaydı. Ek olarak İngiliz hükümetine ait resmî bir belge bir anda ortadan kaybolmuş, arşivlerden silinmişti.

Jaeger bu duruma ne taraftan bakarsa baksın, Reich'ın oğulları gerçekten de yükselişe geçmiş gibi görünüyordu. Bunun yanında, Jaeger ile küçük ve bitap düşmüş takımı haricinde hiç kimsenin ne haberi vardı ne de durdurmak için bir şey yapılıyordu.

Jenkinson, teknede Kurtadam Operasyonu belgelerini çözdüğünde, Jaeger da dedesinin savaş sandığında aynı başlıkla bulduğu belgelerden bahsetmek istemiş ama içinden bir ses onu durdurmuştu. Oynaması gereken zaman gelene kadar o kozu elinde tutacaktı.

Albay Evandro'nun yardımlarıyla, hayatta kalan tüm takım üyelerinin bir nebze dahi olsa gizlilik içerisinde iletişim kurabilmesi için güvenli bir şifrelenmiş e-posta sistemi kurmuştu. Ya da daha doğrusu Leticia Santos hariç herkesin... Albay Evandro en iyi askerlerinin yanında adam kaçırma, fidye ve işkence uzmanlarını da sürece dâhil etmiş; kadının nerede olduğunu bulmak adına ülkenin altını üstüne getirmişti. Ama şu âna kadar tüm izler boş çıkmıştı.

Jaeger tabletini açıp yeni kullanmaya başladıkları uçtan uca şifreleme sistemine sahip ProtonMail'e giriş yaptı. Raff'tan gelen bir mesaj vardı, iyi haberlerle doluydu. Geçen yirmi dört saatte Lewis Alonzo, Hiro Kamishi ve Joe James geri dönmüştü. Puruwehua ve komşu kabile Uru-Eu-Wau-Wau'dan savaşçıların önderliğinde Serra de los Dios'tan kurtulmuşlardı.

Üçü de olabildiğince iyi bir hâldeydi ve Raff, Albay Evandro ile ortak bir çalışma yürüterek hepsinin mümkün olduğunca hızlı ve güvenli bir şekilde eve getirilmesine uğraşıyordu. Jaeger, e-postasına cevap yazarak, Leticia Santos soruşturması konusunda bir gelişme olup olmadığını sordu.

Yardımcı olmak adına yapabileceği çok az şey olduğunu bilmesine rağmen bir yanı Brezilya'ya dönüp bu büyük avda Albay Evandro'ya destek olmak istiyordu. Bermuda işi bittikten sonra o süreçte Santos kurtarılmazsa bunu yapmaya niyetliydi. Kadını bulup güvenle evine götüreceğine dair kendine yemin etmişti.

Gelen kutusunda ikinci bir mesaj bekliyordu, Pieter Boerke göndermişti. Mesajı açmak üzereyken kapısı çalındı. Narov gelmişti.

"Ben koşmaya çıkıyorum."

"Tamam," dedi Jaeger gözlerini ekrandan ayırmadan. "Döndüğün zaman artık dedemi nasıl tanıdığına dair çok ertelediğimiz sohbeti edebilir miyiz? Bir de benden niye bu kadar nefret ettiğini konuşmak istiyorum."

Narov duraksayıp, "Nefret mi? Belki artık o kadar etmiyorumdur. Ama olur, burada konuşabiliriz," dedi.

Kapı kapandı ve Jaeger mesajı açtı.

İlk önce ekteki fotoğrafı indir. Mahzende gözden kaçırmışım. İndirdikten sonra beni Skype üzerinden ara. Ben yolda olsam bile cep telefonuma yönlendirilecek, böylece kesinlikle ulaşacaksın. Hemen ara. Başka kimseyle konuşma.

Jaeger söylenenleri yaptı. Kumlu fotoğraf, uzun odaklı lensle çekilmiş siyah beyaz bir görüntüydü. Bir kez daha, açık bir şekilde *Düşes*'i ve küpeştesinde sıralanmış bir grup kıdemli Nazi komutanlarını görüntülemek için çekilmişti. Dikkatini çeken bir şey olmadı ve ekranda fotoğraf hâlâ açıkken Skype bağlantısını açıp Boerke'yi aradı.

Güney Afrikalı sesinde belirgin bir endişeyle cevap verdi.

"Fotoğrafın tam ortasında, soldan dördüncü adama bak. Gördün mü? Baksana şu adama! Kaşlarına bak, iğrenç saçına bak, alnındaki kırışıklıklara bak. Sana birini hatırlattı mı? Şimdi o suratı, üzerinde küçük ve iğrenç görünen bir Charlie Chaplin bıyığıyla hayal et..."

Jaeger bir anda nefessiz kalıp, "İmkânsız!" dedi zorlukla. "Olamaz. Şifreyi çözdük, listede adı yoktu. En üst düzey Naziler vardı ama o yoktu."

"Bir daha bakın o zaman," dedi Boerke. "Çünkü o herif Adolf Hitler hayvanı değilse ben de Boerke değilim! Bir şey daha var; fotoğrafın arkasına yine tarih girilmiş. 7 Mayıs 1945'i gösteriyor. Sanıyorum o günün önemini söylememe gerek yok."

Boerke ile konuşması bittikten sonra Jaeger ekrana dokunarak fotoğrafı yaklaştırdı. Gördüğü adamın yüz hatlarını incelerken gözlerinin önündeki delile inanmaya cüret edemiyordu. Ama hiç şüphe yoktu, fotoğraftaki kesinlikle Führer'di. Sözde Berlin'deki sığınağında kendini vurduktan tam bir hafta sonra Santa Isabel Limanı'ndaki bir geminin güvertesinde duruyordu.

Jaeger'ın önündeki işe dönmesi epey bir zaman aldı. Boerke'nin keşfi, *Düşes*'in sakladığı en son ve en karanlık sır Jaeger'ı uyuşturmuştu. Führer'in adamlarının, katliamın en önemli mimarlarının savaştan sonra hayatta kaldığını keşfetmek önemli bir gelişmeydi. Bizzat Führer'in de aynı şekilde kaçtığını keşfetmekse bambaşka bir gelişme...

ProtonMail arama motorunu kullanarak daha önce ele geçirilen taslak e-posta hesaplarına giriş yaptı. Azıcık dahi olsa bakma dürtüsüne karşı koyamamıştı ve ProtonMail kullandığı için konumunun takip edilemeyeceğini biliyordu. ProtonMail, İsviçre'de bulunan sunucularından geçen trafiğin, dünyanın en güçlü elektronik takip birimlerine sahip olan Amerikan Ulusal Güvenlik Ajansı'na bile yakalanmadığını iddia ediyordu.

Taslak klasöründe okunmamış bir mesaj vardı. Geleli birkaç gün olmuştu.

Jaeger'ın içindeki huzursuzluk arttı.

Daha önce olduğu gibi bir Dropbox bağlantısı haricinde bomboştu. Jaeger bunu takımından birinin göndermediğini anlamıştı. İçinde büyüyen bir korkuyla Dropbox'ı açtı ve düşmanın devam eden *Nervenkrieg*'inin bir parçası olarak Leticia Santos'a ait korkunç bir fotoğraf beklentisiyle ilk JPEG dosyasına tıkladı.

O mide bulandırıcı fotoğraflardan birinde, farkında olmadan Santos'un tutulduğu yere dair bir ipucu bırakılabileceği için bakmak zorunda olduğunu söyledi kendine. Olur da öyle bir ipucu varsa Jaeger ile takımı peşlerine düşmeye başlayabilirdi.

İlk görüntü ekranda belirdi, sadece altı satır yazı vardı.

"Cennette tatil...
Sevdiklerin yanarken hem de...

Soru: Nasıl bu kadar şey biliyoruz?
Cevap: Minik Lukie anlatıyor.

Ek soru: Minik Lukie şu an nerede?

Cevap: *Nacht und Nebel.*

Nacht und Nebel, gece ve sis."

Jaeger ikinci JPEG dosyasına tıklarken kalbi makineli tüfek gibi atıyordu. Açılan fotoğrafta, yüzleri bir deri bir kemik kalmış, etrafı karanlık halkalarla dolu çukur gözlerinden dehşet saçılan yeşil gözlü güzeller güzeli bir kadınla genç bir çocuk vardı.

Anne ve oğlu, *Reichsadler* basılmış bir tür Nazi bayrağının altında zincirlerle bağlanmış bir şekilde diz çökmüştü. Ellerinde *International Herald Tribune*'ün bir nüshası vardı. Titreyen ellerle, gazetenin manşetine doğru yakınlaştırdı. Gördüğü tarihin üzerinden daha bir hafta bile geçmemişti. İkisinin de beş gün öncesine kadar hayatta olduğunun kesin kanıtı gözlerinin önünde duruyordu.

Fotoğrafın altında iki satır yazı vardı.

"Bizim olanı teslim et.

Wir sind die Zukunft."

94

Jaeger kusacak gibi oldu. Kara Sahil'de her gün çektiği acımasız işkenceler sırasında bile böyle canı yanmamış, bu kadar titrememişti. Sandalyesinden düştü, vücudu kendiliğinden kıvrıldı ama yerde uzanırken bile o dünyasını sarsan görüntüden gözlerini alamıyordu.

Görüntüler beynini vurmaya devam etti, o kadar karanlık ve o kadar acı vericiydi ki kafatası patlayacakmış gibi hissediyordu. Uzunca bir süre masanın yanında, iki büklüm bir hâlde uzandı. Gözyaşları yanaklarından sessizce akıyordu.

Zaman algısı yok oldu.

Tükenmiş, bomboş hissediyordu.

Nihayet kendisine gelmesini sağlayan ses, yatak odasının kapısının açılma sesiydi.

Bir şekilde sandalyesine geri oturmuş, başını ekranla masanın arasına koymuştu.

Döndü.

Arkasında Irina Narov duruyordu.

Hemen göğüslerinin üzerinde bağlanmış küçük bir havlu kapatıyordu vücudunu. Koşusundan sonra duşa girmiş olmalıydı ve şu an da o havlunun altında çırılçıplak olduğundan emindi.

Umursamadı.

"Ormanda ağaç tepelerine sıkıştığımız zaman sana iki insanın yakınlaşma sebeplerini açıklamıştım," dedi Narov o garip, düz ve soğuk üslubuyla. "Böylesine yakın bir birliktelik çeşitli sebeplerden ötürü ortaya çıkabilir," diye tekrarladı. "Bir; pratik gereklilik. İki; vücut ısısını paylaşmak. Üç; sevişmek." Gülümsedi. "Şimdi üçüncü sebep için yaşanmasını istiyorum."

Jaeger yanıt vermedi. Pek şaşırmamıştı aslında. Narov'un diğer insanların duygularını okuma konusundaki eksikliğini anlamıştı şimdiye kadar. Yüz ifadeleri ve vücut dili bile kadın için bir anlam ifade etmiyor gibiydi.

Jaeger ekranında hâlâ fotoğraf açık olan tableti kadına doğru ittiğinde Narov'un eli hayret içerisinde ağzına gitti.

"Aman Allah'ım!"

"Gazetedeki tarih," dedi Jaeger, sesi çok uzun ve çok karanlık bir tünelin en sonundan çıkıyormuş gibiydi. "Beş gün olmuş."

"İnanamıyorum!" dedi Narov. "*Hayattalar!*"

Gözleri, aralarındaki boşluğa kilitlenmişti.

"Ben giyineyim," dedi Narov, sanki uygunsuz bir şey olmamış, hiç utanmamış gibi konuşuyordu. "Yapacak çok işimiz var."

Kapıya döndü ama hareket etmedi. Jaeger'a sıkıntılı bir bakış atıp, "İtiraf edeyim, koşuya çıkmadım. Benim de bir buluşmam vardı. Leticia Santos'un nerede tutulduğunu bildiğini düşünen biriyle buluştum," dedi.

"Ne yaptın?" diye sordu Jaeger, iyice karışan kafasını toparlamaya çalışıyordu. "Nerede? Kiminle buluştun? Neden bana söyleme..."

"Onlarla buluşmak istemezdin," diye sözünü kesti Narov. "Kim olduklarını bilsen istemezdin."

"Bir deneseydin!" diye çıkıştı Jaeger. Bir parmağıyla ekranda açık fotoğrafa vurdu. "Leticia'ya dair bir iz beni onlara ulaştırabilir!"

"Biliyorum. Artık biliyorum," dedi Narov. "Ama bir saat önce hayatta olduklarını bilmiyordum ki..."

Jaeger ayağa kalktı. Tehditkâr bir duruşu vardı artık.

"Söyle o zaman, gizli buluşmanda kim vardı? Ne anlattılar?"

Narov bir adım geri attı. Kendini koruyan bir duruşa geçmişti ama bu sefer o kıymetli bıçağı yanında yoktu.

"Bermuda'ya en yakın kara parçalarından biri Küba... Küba da Kremlin'in gözünde hâlâ Rus toprağı sayılıyor. Oradaki bağlantılarımdan biriyle..."

"Bir SVR ajanıyla mı buluştun? Ne yaptığımızı *onlarla* mı paylaştın?"

Narov başını iki yana sallayıp, "Kadın bir Rus mafyasıyla... Uyuşturucu tüccarı ya da daha doğrusu o kartellerden birinin başı... Karayipler'in her yanına dağılmış bir ağları var. Herkesi ve her şeyi biliyorlar. Kokaini adalardan geçirmek için de bilmeleri lazım zaten," dedikten sonra Jaeger'a kızgın bir bakış attı. "Ama şeytanı bulmak istiyorsan bazen başka bir şeytanla anlaşman gerekir."

"Ne dedi peki?" diye sordu Jaeger.

"İki hafta önce Doğu Avrupalılardan oluşan bir grup Küba'ya gelmiş. Oraya buraya para saçıp deli gibi parti yapmaya başlamışlar. Buraya kadar normal... Ama bağlantım iki şey fark etmiş. İlki; bunlar paralı askermiş. İkincisi de yanlarında esir tuttukları bir kadın varmış." Narov'un bakışları isyanla parladı. "Bu kadın Brezilyalıymış. Soyadı da Santos'muş."

Jaeger'ın bakışları uzunca bir süre Narov'un yüzünde gezindi. O kafa karıştırıcı psikolojik makyajına rağmen garip bir şekilde yalan söyleyebilecek yetkinlikte değil gibi görünüyordu. Bir rolü kusursuz bir şekilde oynayabilirdi ama güvendiği biri olduğunda gerçekler her türlü ortaya çıkardı.

"Tamam!" diye bağırdı Jaeger. "Nasıl bulduğun umurumda değil!" Bakışları yeniden tabletin ekranındaki yürek yakan fotoğrafa döndü. "Önce Leticia'yı bulacağız, sonra da..."

Jaeger'ın gözlerine yeni bir bakış oturdu; buz gibiydi bu sefer, çelik gibi sakindi. Bir takımı vardı, bir ipucu vardı ve her şeyden önemlisi de kurtaracağı bir dünyayla ailesi vardı.

Narov'a dönüp, "Çantanı topla. Yolculuğa çıkıyoruz!" dedi.

"Çıkıyoruz," dedi Narov. "Sen, Will Jaeger. Bir de ben... Avlanma zamanımız gelmişti."

WILL JAEGER
GERİ DÖNECEK...